American rhapsody

Voor Naomi, Zonnestraal

Joe Eszterhas

American rhapsody

Het Spectrum

Uitgeverij Het Spectrum B.V.
Postbus 2073
3500 GB Utrecht

Oorspronkelijke titel: *American Rhapsody*
Uitgegeven door: Alfred A. Knopf, New York
Copyright © 2000 by Barbarian, Ltd.
Vertaald door: Amy Bais, Arthur Kooijman en Piet Verhagen
Eindredactie: Ed van Eeden
Omslagontwerp: Pieter van Delft, ADM International
Foto auteur: Naomi Eszterhas
Eerste druk 2000

Zetwerk: Pre Press, Baarn
Druk: Bercker, Kevelaar

NUGI 301 ISBN 90 274 1879 9
www.spectrum.nl

Liefde is als een sigaar.
Als het vuur eenmaal gedoofd is,
kun je het niet meer opnieuw aansteken.
Het wordt nooit meer hetzelfde.
— RICHARD M. NIXON —

Met dank aan:

Ed Victor
Sonny Mehta
Michael Viner
Peter Gethers
Paul Bogaards
Tina Brown

Inhoud

Opmerking
van de auteur

Bijna drie jaar geleden, toen ik vreesde dat mijn publieke imago als scenarioschrijver mijn creatieve bestaan begon te overschaduwen, ging ik met mijn vrouw en onze drie kinderen naar het eiland Maui, trok de stekker van de telefoon eruit, gaf geen interviews meer en deed alsof ik geen bekend persoon was.

Ik speelde met mijn vrouw en speelde met mijn kinderen, koesterde mij in de zon en dacht over de dingen na. Over waarden en succes. Over de jaren '60. Over voorbije relaties met vrouwen die ik gebruikt had en mijn huidige relatie met de vrouw die ik aanbad. Op de een of andere manier leidden die gedachten over mijn leven mij onvermijdelijk naar Bill Clinton.

Ik had het idee dat ik Bill Clinton kende en herkende, en ook wist wat hem dreef. Ik begreep de ambitie, het succes, de politieke onbetrouwbaarheid, de Hollywood-charme. Ik begreep de fallische obsessie die altijd de motor van zijn bestaan was geweest... want die was ook de mijne tot ik Naomi ontmoette. Ik begreep de dwingende basritmen van zijn innerlijk leven, net zoals ik de schreeuwende demonen herkende en beminde in de innerlijke duisternis van de Stones, de Doors, de kunstenaar die nu weer bekend is als Prince, en Dr. Dre.

Toen we eenmaal terugkwamen in Malibu, de stekker van de telefoon er nog steeds uit, nu praktisch levend als kluizenaars, zelfs zonder agenten, advocaten en vrienden terug te bellen, nog steeds alle verzoeken om interviews afwijzend, begon ik alles te lezen wat er ooit over Bill Clinton was geschreven. Ik was verdwenen in een spiegelzee van eigen maaksel, was in snorkelende achtervolging van Clinton en mijzelf, en zwom door zijn verleden op zoek naar mijn eigen ziel.

Toen het psychodrama van het impeachmentproces begon, keek ik met omfloerste blik, verwilderd en grauw, naar elke nanoseconde, zapte maniakaal langs alle zenders, verlustigde me gulzig aan het nationale bacchanaal van informatie en aan de geruchtenvraatzucht. Ik las alles, verwerkte wat ik kon en stak er een boel van op... over mezelf en Bill Clinton en over Amerika, het land waarvan ik houd zoals alleen een immigrant die is opgegroeid in de etnische getto's van Cleveland dat kan.

Ik dacht niet alleen meer na over Bill Clinton, maar over een generatie, mijn generatie, die zich weliswaar had ingegraven in de macht en tegen de zestig liep, maar op een bepaalde manier nog steeds wanhopig op zoek was naar zichzelf. Ik dacht aan de staat van het land, van onze harten en edele delen terwijl we probeerden niet te struikelen en uit te glijden op het verraderlijke Internet-ijs van het nieuwe millennium.

Het boek dat u in uw hand houdt, staat vol met alles waarover ik heb nagedacht en wat ik heb ontdekt. Ach ja, alleen is het niet zo eenvoudig. Was het maar zo... maar dat is nooit het geval.

Het spijt mij te moeten bekennen dat ik een schrijfpartner heb gehad die mijn carrière heeft vervloekt sinds ik in de zesde klas van de St. Emeric-school zat en een klassekrant uitgaf, dankzij het stempelsetje dat ik met Kerstmis had gekregen. Sommige verhalen in de *Saint Emeric's Herald* werden door mij geschreven, andere door mijn schrijfpartner. Ik schreef kinderachtige onderzoeksrapporten over de rivier in het dal beneden de school, in de Flats, het rokerige deel van de stad, een rivier die zo vervuild was met industriële afvalstoffen dat je ogen er al van gingen branden als je er vanaf de hoge oevers naar keek. (Vele jaren later zou de rivier letterlijk vlam vatten!) Mijn schrijfpartner schreef sensationele onthullingen over welke meisjes in onze klas welke jongens kusten. (Vers van de pers! Exclusief voor de *Herald*! Frances Madar en Robert Zak!)

Tegen de tijd dat ik in Hollywood arriveerde, kende ik mijn partner goed genoeg om zijn bestaan in interviews neerbuigend te erkennen als 'dat kleine zieke mannetje in mijn binnenste'. We schreven namelijk over verschillende dingen, maar alles verscheen onder mijn naam. Ik schreef *Music Box*, *Telling Lies in America*, *F.I.S.T.*, en *Betrayed*. Hij schreef *Basic Instinct*, *Showgirls*, *Sliver* en *Jade* – hoewel zijn gedrochtelijke achterbuurtgestalte zich soms zelfs in *mijn* werk opdrong: wat was tenslotte het nut van de wijdlopige, gedetailleerde seksbeschrijvingen in de rechtszaal in een esthetisch zo ambitieuze en moreel zo hoogstaande film als *Music Box*?

En terwijl ik dit boek schreef – over een culturele schijnoorlog die resulteerde in de figuurlijke moord op een president (Bill Clinton) – realiseerde ik me dat het Het Kleine Zieke Mannetje ook koortsachtig aan het schrijven was. En aan het hallucineren. Dagdromen. Natte dromen. Projecteren. Over Kenneth W. Starrs geheime wellust. Over George W. Bush en Tricia Nixon. Over Hillary en haar wanhopige, intieme relatie met Eleanor Roosevelt. Over de hartverscheurende hoorndragersangsten van Al Gore. Over Bob Dole en zijn verkiesbare ontbrekende schouder. Over 'John Wayne' McCains pijnlijk verbroken belofte en zijn liefde voor identieke *Long Tall Sallies*. Over Monica en haar verwendeprinsesjesafpersing van de president van de Verenigde Staten. Over Bill Clinton en zijn eeuwige grote liefde, zijn Willard.

Zijn de zaken waar het kleine onderkruipsel over schreef juist? Nou, eerlijk gezegd, nee. Maar ook dat ligt niet zo simpel. Want in de verwrongen lachspiegeloptiek van de kleine smeerlap zijn ze juist. Hij gebruikt de feiten kwaadwillend om zijn schandelijke fantasieperspectief vorm te geven. Hij is een vervalser die goochelt met historische feiten. Hij is niet zomaar een oplichter, maar een afgrijselijk buitensporige python die zijn onderwerpen inslikt, weer uitspuugt en *zijn* gif uit *hun* mond laat komen. Is dit kleine ondier een leugenaar? Ach, weet u, volgens Bill Clinton is orale seks geen seks. Is de kleine etter, zoals Mark Twain zichzelf definieerde, 'een beroepsleugenaar' die fantaseert om de waarheid te ontmaskeren? Nou, hij verdient in ieder geval in Hollywood zijn geld met het beroepshalve opdirken van zijn smakeloze, realistische leugens.

Nadat ik zoveel jaren met hem als mijn schrijfpartner gedeeld heb, heb ik uiteindelijk besloten dat het tijd wordt om onderscheid te maken tussen wat van hem is en wat van mij.

Als u dit lettertype leest, is het geschrevene van mijn hand, soms interpreterend, maar altijd gebaseerd op goed onderbouwde feiten.

Als u dit lettertype leest, is het geschrevene fictie en van zijn hand, op een bescheiden basis van gefundeerde feiten, maar doorgeslagen en getransformeerd door zijn hallucinerende dromen.

Ik zal het ook nog op een andere manier zeggen. Als u boos wordt terwijl u dit schaamteloze boek leest, geef dan die lompe, aanstootgevende kleine klootzak de schuld – God weet dat hij in de loop van de jaren al te veel mensen vreselijk woedend heeft gemaakt. Als u in dit bespiegelende boek dingen ontdekt die u angst aanjagen, of als u merkt dat u ondanks uzelf lacht, geef dan de kleine jongen de schuld die eindeloos kon kijken naar een zonovergoten rivier die hem aan het huilen maakte.

Het schrijven van mijn boek over Bill Clinton, zijn politieke collega's en ons nationale ethos, heeft een uitgesproken persoonlijke indruk op mij gemaakt. Nu wil ik *aldoor* spelen met mijn vrouw en mijn kinderen! Ik wil aan één stuk door doen alsof ik geen bekend persoon ben. Onze telefoons, wel weer aangesloten, hebben bewakers met onthechte stemmen die het geluk van ons gezin afschermen. Ik, mijn vrouw, onze jongens, de indrukwekkende, leeghoofdige buldog die we afgevaardigde 'Mud' Nadler noemen, de anti-impeachment Democraat uit New York... en het Kleine Zieke Mannetje.

Het sekreet en ik hebben de periode dat we dit boek schreven ervaren als zenuwslopend, waanzinnig, walgelijk, hilarisch en orgastisch. We hopen dat de tijd die u besteedt aan het lezen ervan net zo zal zijn.

Joe Eszterhas
Point Dume, Californië

[Eerste akte]

Heartbreak Hotel

From my own voice resonant, singing the phallus...

The President with pale face asking secretly to himself,
What will the people say at last?

WALT WHITMAN, *Leaves of Grass*

[1]

De hele wereld kijkt toe

'Jij moet eens een beurt hebben,' zei Monica.
'O God,' zei Linda Tripp, 'zou dat niet mooi zijn voor de verande-
ring? Nieuw en anders. Ik weet het niet. Denk je echt dat ik na ze-
ven jaar nog weet hoe het moet?'
'Natuurlijk weet je dat.'
'Nee,' zei Linda Tripp.

Mijn vriend Jann Wenner, hoofdredacteur en uitgever van *Rolling Sto-*
ne, de rock 'n roll-bijbel, belde me de dag nadat Bill Clinton was genomineerd voor het presidentschap opgewonden op. 'Hij is een van ons,'
zei Jann. 'Hij wordt de eerste rock 'n roll-president in de Amerikaanse
geschiedenis.'

Ik was tot dezelfde conclusie gekomen. Hij *was* een van ons. Zelfs als
hij het bij gelegenheid probeerde te ontkennen. *Natuurlijk* had hij zich
aan de dienstplicht onttrokken, net als elke blanke negerstudent met
een Rhodesbeurs die het eens was met Mohammed Ali en geen ruzie
had met de Vietcong. *Natuurlijk* had hij hasj gerookt, diep inhalerend,
de rook vasthoudend, terwijl hij net als Bogart de peuk tussen zijn lippen
hield.

Jann zei dat Bill Clinton altijd *Rolling Stone* gelezen had, dus ik
grijnsde toen ik hem kort na de verkiezingen op een foto zag staan terwijl hij jogde in een *Rolling Stone*-T-shirt, hetzelfde T-shirt dat ik naar
de Little League-wedstrijden van mijn zoon had gedragen. Nou, dit was
wel een kosmische grap: *lieve hemel, we hadden het Witte Huis overgeno-*
men! Na al die jaren van sprinkhanenplagen – na het vriendje van Bebe
Rebozo, na de gehoorgestoorde Marlboro Man, na dat bekakte studen-
tje dat voortdurend op zijn horloge keek – *was Amerika van ons!* In de
jaren '60 maakten we ons er druk over hoe we uit de gevangenis moesten
blijven. Nu mochten wij bepalen hoe de gevangenissen gerund moesten
worden.

Carter had ons even valse hoop gegeven, maar Bill Clinton was het
echte werk: onvervalste, onversneden rock 'n roll. Carter was niet een
van ons gebleken. O, zeker, Jimmah stond toe dat zijn platenbons-
vriendje Phil Walden en Willie Nelson hasj rookten op het dak van het

Witte Huis, en hij had tegen *Playboy* gezegd dat hij 'in zijn hart vele malen overspel had gepleegd', maar de ongelukkige, ongeneeslijk goedbedoelende kwijlebal was zo'n waardeloze boerenkinkel, zo absoluut *niet* rock 'n roll, met zijn vadsige, voor Libië spionerende broer, zijn frikkige echtgenote, en zijn bijbel-galmende zuster die in het geniep schuimige Lederhosen-vrijpartijen had met de getrouwde Duitse kanselier Willy Brandt. Nee, absoluut geen rock 'n roll, wat voor eeuwig werd bewezen toen hij joggend op zijn gezicht viel, terwijl hij buiten adem beweerde dat er een konijntje op zijn pad was gesprongen, op zijn gezicht viel met *zwarte sokken* aan.

Zijn geheime agenten gaven Bill Clinton de bijnaam 'Elvis', maar wij wisten wel beter. Elvis was het ideologische hulpje geweest van sergeant Barry Sadler, een slonzige marionet aan de touwtjes van een linke klantenlokker, verliefd op zijn penning als narcotica-agent, de verlinker van de Beatles, de opvrijer van Nixon, het Nachtschepsel. Die natte slipjes die tijdens zijn optredens op het toneel werden gegooid waren maat 46 en hadden remsporen. Bill Clinton was Elvis niet. Met zijn zonnebril en zijn glanzende saxofoon leek Bill Clinton een dikkere Bobby Keyes die als back-up voor de Stones speelde. Nee, dat klopte ook niet helemaal. Niet Bobby Keyes maar een dikbuikige Jumpin' Jack Flash en grijzende Street Fightin' Man... Bill Clinton was Mick op een dieet van cheeseburgers en milkshakes, Taco Bell en instant-spaghetti.

Rolling Stone beschreef zijn inhuldigingsplechtigheid als 'het begin van een nieuw tijdperk in de Amerikaanse politiek.' Fleetwood Mac speelde 'Don't Stop.' *Fleetwood Mac* stond er, niet Pearl Bailey of Sammy Davis jr, of Sinatra of Guy Lombardo of Fred Waring and the Pennsylvanians. We hoorden rock 'n roll, niet de Sousa-muzak die de rokerige achterkamertjespolitiek van het big-bandtijdperk ons zo lang had opgedrongen. Onze messias, Dylan, was er. En dat was inderdaad Jack Nicholson bij het Lincoln Memorial, waar Abes woorden tot leven werden gewekt door onze juridische Easy Rider. Het Witte Huis van Bill Clinton was ook rock 'n roll, vol jonge mensen, vol vrouwen, zwarten, homoseksuelen en Hispanics; een Witte Huis dat volgens Alvin Toffler, de goeroe van Newt Gingrich, 'meer vertrouwd was met Madonna dan met Metternich'. Wij vonden het best. Het zag ernaar uit dat Bill Clinton doorging met wat hij begonnen was in Arkansas, waar hij bekritiseerd was vanwege zijn staf van 'langharige, bebaarde hippies' die naar kantoor kwamen in gerafelde en opgelapte spijkerbroeken. De baas zelf werd op blote voeten, in spijkerbroek en T-shirt in de gouverneursresidentie gesignaleerd.

Hij straalde een yippieachtige gekte uit waarmee we ons konden identificeren. Op de golfbaan in Arkansas constateerde een van zijn medespelers dat hij Bill Clintons ondergoed door zijn broek heen kon zien. 'Het was geen bikinibroekje,' zei de speler, 'maar het was een onconventioneel soort ondergoed.' Bill Clintons favoriete grap, die hij steeds opnieuw vertelde tijdens zijn campagne door Arkansas, lag qua sfeer dichter bij Monty Python dan bij de Vegas-komieken die veel andere presidenten zo na aan het hart lagen: 'Er was eens een boer die een varken had met drie gewone poten en een houten poot. En tegen iedereen die langskwam schepte hij op over dat varken. De boer vertelde hoe dit varken hem uit een brand gered had. De mensen stonden versteld! En dan zei hij: "Maar dat is niet alles; dit varken redde ooit de hele stad toen de dam doorbrak." Toen zei iemand tegen de boer: "Goh, dit varken is wel heel bijzonder, maar je hebt nooit verteld hoe het komt dat het maar drie poten heeft." En de boer zei: "Jezus, zo'n bijzonder varken eet je toch niet in één keer op!'

Hij was inderdaad een rock 'n roller. Die lichtblauwe ogen, die trage, sexy glimlach. De lippen die in Arkansas 'kutlippen' werden genoemd. De meiden waren dol op hem. Toen hij twaalf was, zei een klasgenoot: 'Kleine meisjes schreeuwden "Billy, Billy, gooi de bal naar mij." Alle meisjes waren verliefd op hem. Hij stond in het middelpunt van de belangstelling.' Een journalist die verslag deed van de campagnes in Arkansas zei: 'In de ogen van de tienermeisjes die naar hem kwamen kijken, kon je zien wat voor effect hij had op mensen. Hun ogen lichtten op. Je zou denken dat er net een rockster bij de supermarkt was aangekomen.' Hij had ook rock 'n roll-gewoonten. Gennifer Flowers herinnerde zich dat hij haar vertelde: 'Ik voelde me gisteravond knap klote door de cocaïne.' Er was zelfs een Jagger-achtige androgynie die sommige van zijn vriendinnen mochten zien. Op een avond, high van de hasj, deed hij Sally Perkins' jurk aan en speelde Elvis op zijn sax. Hij vroeg Gennifer om hem verkleed als man te ontmoeten in een café, en hij hield ervan om zich met eyeliner, rouge en mascara op te maken. Aan de basis daarvan lag een rock 'n roll-rusteloosheid, die Gennifer beschreef als zijn gevoel dat hij 'kogelvrij' was, wat hem de vrijheid gaf om af en toe te pronken met zijn relatie met haar.

Hij hield zonder meer van de muziek. 'Pearl' van Janis, ... 'I'll Never Find Another You' van The Seekers... 'A World Without Love' van Peter en Gordon...'Here You Come Again' (wat hem aan Gennifer deed denken)... Steely Dan... Kenny Loggins... 'Easy' en 'Three Times a Lady' van The Commodores... Joe Cocker... Jerry Lee Lewis... alles van Elvis. Toen hij een jongen was, had hij zijn eigen band, genaamd The Three Kings, die de andere kinderen Three Blind Mice noemden omdat ze alledrie zonnebrillen droegen. Een vriend van de middelbare school zei: 'Ik herinner me dat we over deze weg reden en dat Bill zo hard mogelijk Elvis zong. Hij was dol op zingen. Hij hield gewoon van muziek en hij speelde altijd muziek. Dat was, denk ik, een van de redenen waarom hij als kind zo vaak naar de kerk ging. Om de muziek te horen.'

Een van de dingen die hem aantrok in Gennifer was dat ze een rockzangeres was met een eigen band – Gennifer Flowers and Easy Living – in dezelfde periode dat zijn kleine broertje Roger een eigen band had –

Roger Clinton and Dealer's Choice. Roger was als Chris Jagger voor Mick: hij wilde een rockster zijn, maar hij was niet erg goed. Rogers smaak neigde naar Grand Funk Railroad, REO Speedwagon en Alice Cooper. Maar Roger deelde zijn liefde voor de muziek. Bill Clintons herinnering aan zijn eerste optreden in *The Tonight Show* was dat Joe Cocker er was. 'Hij vertelde me over de show,' zei Phillip Martin, een columnschrijver van de *Arkansas Democrat*. 'Hij vertelde over de band van Joe Cocker. Hij zei: "Man, ze waren slecht; ze maakten er een zootje van, man!" Weet je, hij wilde echt liever met Joe Cocker spelen dan op het podium 'Summertime' te spelen op zijn sax. Maar hij durfde het niet te vragen. Hij had een heilig ontzag voor hem.' En toen Stephen Stills een keer Roger het toneel op haalde, zei hij, 'was ik zo opgewonden dat ik dacht dat ik in mijn broek zou pissen.'

Het werd duidelijk dat hij ook op een andere bijzondere manier een van ons was: het klassieke kind van de jaren '60 dat verliefd was op, en verslaafd aan, de genoegens die zijn penis hem bezorgde, de penis die hij 'Willard' noemde. In het begin van zijn politieke carrière circuleerde er zelfs een satirisch pamflet in Arkansas met een spotprent van Bill die naar beneden kijkt en zegt: 'Dick, jij bent de reden dat ik geen president van de Verenigde Staten ben geworden.'

Hij was een *zuidelijke* rock 'n roller, een *hillbilly* zoals Elvis en Jerry Lee, opgegroeid in Hot Springs, Arkansas, een met tl-buizen verlicht toevluchtsoord voor gokkers en hoeren, met ooit klanten als Al Capone, Bugsy Siegel en Lucky Luciano. Bill Clinton mocht dan geboren zijn in Hope, hij groeide op in Sin City, met een moeder die haar wenkbrauwen verfde, valse wimpers opplakte, dol was op de renbaan, die rondscheurde in haar cabriolet, drankje in de hand, van de Vapors via de Pines naar de Southern Club, met of zonder haar man. Een rijpe perzik van een vrouw, proefklaar.

Hij ontwikkelde een levenslange hang naar die rijpe perziken, naar rock 'n roll en cabriolets. Het kwam allemaal samen in augustus 1977, het volmaakte, allesovertreffende Bill Clinton rock 'n roll-moment, toen hij al een getrouwd man was en procureur-generaal van Arkansas. Dolly Kyle, een rijpe-perzikvriendin – nu ook getrouwd – die hij al een tijdje niet gezien had, kwam langs op zijn kantoor. Hij stelde haar voor aan zijn collega's als een oude en goede vriendin en begeleidde haar daarna naar haar auto en hij... flipte gewoon! Het was een brand-splinter-nieuwe cabriolet, een turkooizen Cadillac El Dorado, 500 pk, 6,5 meter lang, met een *eight-track* en AM/FM-radio. Het was de eindelooste, hipste kar, een van chromen platen voorziene, steek-je-de-ogen-uit, zuidelijk gotische Elvismobiel, zelfs sneller dan de Caddy cabriolet waarmee Chance Wayne (en Paul Newman) rondreden in *Sweet Bird of Youth*.

Hij vroeg of hij erin mocht rijden, en Dolly zei tuurlijk, dus Bill Clinton kroop achter het stuur en reed ermee naar de snelweg en gaf gas tot over de 150 km, schoot dwars over de weg, slipte een beetje, lachte als een kleine jongen. Toen haalde hij zijn voet van de gaspedaal en liet de auto uitrijden, gewoon vooruit glijden, en grijnsde. Elvis zong op de achtsporen en hij zong mee... 'Treat me right, treat me good, treat me like you really should.'

Bill Clinton sloeg af naar een open veld, zonder huizen in de buurt, stapte uit en klapte de motorkap omhoog en bekeek de motor. Daarna keek hij in de bagageruimte en vond wat dekens en ging weer voorin zitten en begon Dolly te kussen. Hij legde de deken op de voorstoelen en deed het dak van de cabriolet naar beneden en zei tegen Dolly dat ze haar jurk moest uittrekken. Hij trok al zijn kleren uit, deed ook zijn manchetknopen af, en legde zijn kleren netjes op de achterbank. De zon scheen... het was een stralend warme dag... de Cadillac glansde... en ze begonnen te vrijen. Hij doopte zijn vinger in het zweet van haar navel en likte zijn vinger af. Hij reikte naar de achterbank, deed zijn broek weer aan, en haalde wat water uit de achterbak. Hij dronk wat, bood haar wat aan, en trok zijn broek weer uit. Hij legde haar hand op Willard en zei: 'Raak hem aan.' Ze vreeën weer. Ze kleedden zich aan en begaven zich op de terugweg naar zijn kantoor. Hij zette de achtsporige Elvis weer op en neuriede mee met het nummer.

'Vandaag is mijn trouwdag,' zei ze tegen hem.

'Ben je gelukkig?' vroeg hij.

'Jij?' zei ze.

Hij zei niets tot ze bij zijn kantoor kwamen.

'Dag, mooie meid,' zei hij, en liep weg. Ze ging achter het stuur zitten en haalde de tape uit de recorder om er een andere in te zetten en ze hoorde de diskjockey op de radio zeggen dat Elvis Presley was overleden in Memphis. Ze begon te huilen en reed weg, de tranen stroomden over haar gezicht.

Het allesovertreffende rock 'n roll-moment... en het eindigde met een klap en een vlam. Scheuren over de snelweg in een brandnieuwe Cadillac, rock 'n roll keihard aan, de zon schijnt, een mooie meid met haar benen op het dashboard, een beetje water om je dorst te lessen, en dan... *de dood*.

Uit het leven gegrepen in Altamont, nog maar vier maanden na Woodstock, liefde en vrede en met bloed bespatte kettingen, de schoonheid van de naakte lijven op Woodstock voor altijd verdrongen door een walgelijk naakte dikke man die een mes in zijn vlekkerige, vette vlees gestoken krijgt. Luister, luister, de duisternis daalt weer neer in het hart van de rock 'n roll. Duisternis en gevaar en seks. Messen en pistolen en Cadillacs die voortrazen door de pikzwarte nacht. Vergeet de Beatles en hun 'good day sunshine'. Rock 'n roll ging over seks, niet over liefde. Het ging over excessen, niet over romantiek. Bill Clinton begreep dat. Het was precies de reden waarom hij ervan hield. Bill Clinton was een rock 'n roll-zwijn.

Net als ik. Ik wist het ook, ik had het van nabij gezien, zelfs geproefd. Als schrijver voor de *Rolling Stone* was ik met Alice Cooper en Three Dog Night per helikopter neergelaten in een massa van honderdduizend dronken, naakte jongelui in Darlington, North Carolina en had gezien hoe Alice op het toneel kippen afmaakte, waarbij het bloed spatte over al die verbrande en zwetende naakte kinderen die het bloed in elkaars geslachtsdelen wreven. Ik had naderhand aan de rand van een zwembad van de Holiday Inn gezeten met de bands en zo'n honderd lokale groupies, terwijl iedereen zich uitkleedde en de nacht opvlamde in een chloorwaas van kronkelende natte lichamen.

Als scenarioschrijver had ik om acht uur 's ochtends in de zitkamer van een hotelsuite in Denver zitten wachten tot Bob Dylan uit zijn slaapkamer opdook. Op de salontafel in de huiskamer stond een halfvolle fles Jim Beam naast drie of vier onderbroken lijntjes coke. Onder de tafel stond een paar zwarte comboylaarzen met zilveren neuzen. Er kwam een meisje uit Bobs slaapkamer, toen nog een, toen nog een. Ze zagen er moe en slaperig uit en waren haastig maar nauwelijks aangekleed. Ze zeiden verlegen en gegeneerd hallo en vertrokken. Vijf minuten later kwam Bob te voorschijn, op blote voeten, met bloot bovenlijf, in een spijkerbroek, zijn haar een vliegend oerwoud, zijn huid grafzerkgrijs. Hij ging zitten bij de salontafel, bediende zich van een grote slok Jim Beam en een lijntje coke, glimlachte en zei 'Hoe gaat-ie?'

Daar ging het om bij rock 'n roll! Piepende remmen, messen die flikkeren in het maanlicht, kolkende lijven in een verlicht zwembad, bloed dat over naakte huid spuit, Mick met een zweep in zijn hand, Keiths haaraureool in het tegenlicht, een fles Jim Beam, een meisje in een Cadillac met haar benen omhoog, het sap uit haar navel dat van een vinger gelikt wordt...

Rock 'n roll was Elvis die 'One Night' en 'Mystery Train' speelde, voordat kolonel Parker en Hollywood hem in de Zingende Eunuch probeerden te veranderen... Jerry Lee Lewis die nog meer aanstekerbenzine over zijn toch al brandende piano goot... Otis Redding die langs een brandtrap naar beneden rende terwijl een woedende echtgenoot hem vanuit een bovenraam beschoot... Chuck Berry die zichzelf op video opnam terwijl hij over een hoer urineerde... Little Richard die, terwijl het doek opging, achter het toneel gepijpt werd door de groupie die tegelijkertijd op z'n hondjes gepakt werd door Buddy Holly... de Stones die in *Cocksucker Blues* dat catatonische blote blondje boven hun hoofden doorgaven.

Rock 'n roll was de jonge Jerry Lee die stiekem naar Haney's in Natchez ging en een oude zwarte man op de piano boogie-woogie zag spelen. Het was een jonge Elvis met mascara die heimelijk naar Beale Street in Memphis ging en daar een oude zwarte man met een aluminium beker een nummer van Robert Johnson zag zingen. Het was een jonge Bill Clinton die toekeek hoe de goedgevormde, als rijpe perziken geschilderde vrouwen hun klanten meenamen naar het Plaza of de Parkway of het Ina Hotel in Hot Springs. Alledrie leerden ze hun instrumenten te bespelen in de nabijheid van die corrupte, opwindende en inspirerende rode neongloed. Jerry Lee had zijn piano, Elvis had zijn stem, en Billy Clinton had een zilveren tong.

Het was makkelijk om in de jaren '90, nu we ouders en grootouders waren, druk bezig ons verleden te transformeren om rolmodellen te worden voor onze kinderen of onze junior stafleden, te vergeten dat het in de jaren '60, onder het idealisme en de sociale betrokkenheid en de kruiden-experimenten ten behoeve van ons zelfbewustzijn, om seks ging.

Zelfs de drugs hadden ermee te maken: door hasj werden we verrukkelijk gevoelig voor het kleinste tikje van een tong uit een droge mond. Een klein beetje coke op onze *willard* of haar schaamlippen was een marathonstunt van een geslachtsdaad. Met Quaaludes raakten we in een trance waardoor de weg naar het orgasme eindeloos werd. De jaren '60 waren, in een wereld zonder de dodelijke gevaren van aids, een seksueel luilekkerland. Geen koetjes en kalfjes, geen hofmakerij, geen voorspel, alleen maar 'Heb je zin om te neuken?' Of, als je een beetje Jane Austen-achtig wilde uitdrukken: 'Ik zou het heerlijk vinden om je te naaien.'

Van 1971 tot 1975 was ik seniorredacteur van de *Rolling Stone* in San Francisco, net gearriveerd uit het Midwesten, en ik at haastig en gretig van dit roze luilekkerland. Sommige vrouwen van de *Rolling Stone* gingen naar Bh-loze Dag-demonstraties waar de step-ins, bh's en slipjes in een 'Vrijheids Vuilnisvat' werden gegooid. Alle *Rolling Stone*-redacteuren, allemaal mannen, gaven uiting aan onze hartstochtelijke solidariteit met het gebaar.

De vrouwen bij de *Rolling Stone* waren jong, huwbaar, aantrekkelijk en waren dol op de kreet 'ik zou het heerlijk vinden om je te naaien.' En dat deden ze. Reken maar dat ik het ook deed... met Deborah en Kathy en Shauna en Sunny en Robin en Leyla en Janet en Deborah nog een keer, en ik werd me al snel bewust van het feit dat ze op andere avonden door de andere redacteuren genaaid werden, dat het eigenlijk niks inhield, behalve wat lichaamsbeweging en een boel plezier. Het ging om plezier. Het was een mengeling van sport en theater, intieme gemeenschappelijke performance-kunst, met als duidelijkste voorbeeld het redactielid dat zijn vriendin elke dag tussen de middag meenam naar het parkeerterrein terwijl de rest van de redactie indolent uit de bovenramen toekeek hoe zij hem pijpte. (We noemden de show 'Clarabel en de Puistenkoningin.') Als Jann de stad uitging, leenden sommigen van ons zijn kantoor om te paren, tot hij een keer van een reisje terugkwam, woedend was dat hij 'coke en kwakjes' over zijn hele bureau vond en vanaf dat moment zijn deur afsloot.

Toen ik Bill Clinton met Hillary zag en van Gennifer hoorde hoe Bill seks met haar wilde hebben op een toilet terwijl Hillary een paar meter verderop buiten stond, herinnerde ik me dat ik in die jaren bij de *Rollling Stone* getrouwd was...net als veel van de andere redacteuren. En na die copulaties op kantoor of het parkeerterrein of de achterbank of in een motel op Van Ness Avenue, ging ik naar huis, naar mijn vrouw, in een walm van seks, met Acapulco Gold in mijn bloed, en zij en ik praatten dan over Watergate of de prijs van de toen nog niet in de taboesfeer verkerende zeeoren bij Petrini's.

Mijn vrouw was niet een van die hete en bereidwillige jonge snoepjes bij *Rolling Stone*. Ze was eigenlijk meer een soort Hillary: slim, evenwichtig, verantwoordelijk, in de meeste opzichten een partner, behalve de seksuele. Ik was niet uit seksuele overwegingen met mijn vrouw getrouwd, en het werd duidelijk dat Bill Clinton ook niet uit seksuele overwegingen met Hillary was getrouwd. Je kon veel van Hillary zeggen, maar niet dat ze sexy was. Bill Clinton voelde zich dan wel aangetrokken tot 'Lucy in the Sky with Diamonds', maar hij was getrouwd met 'Judy in Disguise with Glasses.'

Kon je je voorstellen dat Bill Hillary mee zou willen nemen naar dat toilet terwijl echtgenote Gennifer buiten stond? Maar die vraag had een andere, dodelijke kant: zou Bill Clinton de behoefte hebben gehad om wie dan ook mee te nemen naar dat toilet als hij met Gennifer getrouwd was, in plaats van met Hillary? Niemand beweerde dat Bill en Hillary geen seksleven hadden, maar de hele wereld wist inmiddels wel dat het niet veel voorstelde.

Dus onze rock 'n roll-president begon aan wat de pers 'verhoudingen' noemde, hoewel ze, behalve in het geval van Gennifer, dit eufemisme nauwelijks verdienden. Het waren geen verhoudingen – het waren geheime lichaamsoefeningen. Mick die zich een weg baant door de groupies, de politieke rockster die zich te buiten gaat aan het seksuele luilekkerland. Alle vrouwen waren een soort Connie Hamzy voor hem. Connie was een rock 'n roll-groupie die hij in Little Rock had leren kennen. Niet zomaar een groupie, maar een topgroupie, beroemd geworden als 'Sweet Sweet Connie' in de enorme hit van Grand Funk Railroad 'We're an American Band': 'Sweet sweet Connie was doin' her act...' Connie had zangers en drummers en managers en roadies en buschauffeurs gehad tegen de tijd dat Clinton haar ontdekte bij een zwembad van een hotel, en het eerste dat hij tegen haar zei was: 'Ik wil met je vrijen.'

Hij gebruikte vrouwenlichamen nog steeds zoals hij en wij in de jaren '60 elkaars lijven harteloos en egoïstisch gebruikten. Het ging om lippen, tieten, een lekkere kont. Het ging om huid, lijf en vlees. Het ging om een gat. En was het zo gek dat hij nooit volwassen was geworden? Dat hij niet, op basis van leeftijd en ervaring, had geleerd om zijn medemensen met meer menselijkheid te behandelen? Kijk maar naar Mick Jagger, die hard op weg naar de zestig was. En hij was maar gewoon een rockster, niet eens de machtigste man van de wereld, de president van de Verenigde Staten. Mick was nog steeds niet geïnteresseerd in vrouwen. Hij was nog steeds geïnteresseerd in gaten.

Het probleem met gaten was voor een politicus dat je er geen campagne mee kon voeren. Het publiek meesmuilde als Mick een nieuw liefje met jong schopte en ze zeiden: 'Moet je Mick zien! En hij is bijna zestig!' Maar als presidentskandidaat kon je niet zeggen: 'Kijk mensen, ik ben getrouwd en ik hou van mijn vrouw, maar ik heb iets met vagina's en fellatio en als ik er niet genoeg van krijg, zit ik de hele dag op het Witte Huis te masturberen.'

Als je dat niet kon zeggen, en je was een beroepspoliticus met als enige talent dat je stemmen kon verzamelen, moest je liegen. Je moest een geoefende en voortdurende wereldkampioen liegen worden. En als je merkte dat je die leugen jaren achter elkaar kon volhouden zonder betrapt te worden, waarom zou je dan niet over alles liegen? Als je hele innerlijke dynamiek was gebaseerd op een fundamentele leugen waar je mee wegkwam, waarom zou je dan niet dezelfde succesvolle strategie – *liegen* – toepassen op alles? Ontdook je de dienstplicht? Lieg en zeg dat het niet waar is. Rookte je hasj? Lieg en zeg dat je niet inhaleerde. Besprong je Gennifer bij elke gelegenheid? Lieg en zeg dat het niet waar is. Een stagiaire op het Witte Huis? 'Ik wil het Amerikaanse volk één ding vertellen. Ik heb geen seks gehad met deze vrouw, miss Lewinsky.'

Een spermavlek op een blauwe jurk? DNA? *Wat? Ojee! Lieve Heer!* Er was geen Nationaal Centrum voor Dampkringproeven voor nodig om ons duidelijk te maken dat er ergens iets lag te rotten. Amerika had het gevoel dat het een psychisch ontsmettingsmiddel nodig had. We Walgden, Hadden de Pest in en Stonden op het Punt te gaan Braken – een jaren-'90-versie van 'tune in, turn on, drop out'.

De vlek werd zijn ondergang natuurlijk. Technologie. Wie had dat nou gedacht? Voor eeuwig als leugenaar ontmaskerd, afgezet, blozende wangen, priemend met zijn vinger, liegend. In hetzelfde schuitje als Nixon. 'Ik ben geen schurk.' Hetzelfde schuitje als Nixon! Nixon het Nachtschepsel! De vleesgeworden duivel voor ons in de jaren '60! Uiteindelijk niet Nixon die stiekem bij Burger Kings in New Jersey een verboden cheeseburger haalt, maar een doorgeslagen Nixon: liegend over Pats jasje en Checkers en Ellsberg en de inbraak in Watergate. Net zo lafhartig ontmaskerd als Nixon, want daarom loog ook Nixon. Nixon had het kunnen toegeven, had kunnen zeggen dat de inbraak verkeerd was en een fout, maar hij had er de moed niet toe en ook niet om de tapes te verbranden. ('Als hij de tapes had verbrand,' zei Tip O'Neill, voormalig voorzitter van het Huis van Afgevaardigden, 'had hij tot het eind van zijn tweede termijn in functie kunnen blijven. Het was irrationeel om ze niet te verbranden.')

Clinton had het toe kunnen geven, had kunnen zeggen: 'Ja, ik heb altijd een probleem met seks gehad. Mijn huwelijk heeft mij nooit bevredigd. Ik ben een geile aap, godsammekraken!' Maar nee, dat kon hij niet. Hij had van het begin af aan gelogen over alles omdat hij had gelogen over... de gaten... en hij was ongestraft gebleven. ('Het is geen leugen,' zei Al Haig, voormalig minister van Buitenlandse Zaken onder Reagan, 'het is terminologische onnauwkeurigheid.')

Ach jee, een triest, triest verhaal. Een kind van de jaren '60, dat het gerechtvaardigde gevecht aangaat tegen het geweld van racisme en intolerantie, tegen Nixon en de Marlboro Man en de rechtse rakkers van de pinksterbeweging die waren geobsedeerd en gefascineerd door de ongeboren foetus en de vlag van de Confederatie en de Protocollen van de Wijzen van Zion... en dan gebeurde er dit! In hetzelfde lekkende schuitje als het Nachtschepsel, ver heen op de meststroom... ontmaskerd, onteerd, en dat allemaal na een verpletterende overwinning op Bob Dole, een oude man met ED – erectiele disfunctie. (Iedereen voelde het aan, maar niemand wist het zeker.) Bob Dole kon hem niet eens omhoog krijgen, terwijl Bill Clinton intussen op de bank van Nancy Hernreich stoeide met Willard. Ach jee. Treurig.

Alleen Hunter Thompson, onze waanzinnige profeet, had enige reserves gehad ten aanzien van Bill Clinton, en had gezegd dat Clinton hem een ongemakkelijk gevoel gaf, dat hij geen gevoel voor humor had, dat hij zich alle patatjes toeëigende. Toen Bill Clinton zei dat hij niet geïnhaleerd had, schreef Hunter: 'Alleen een gek zegt zoiets. Hij is een schande voor een hele generatie... Bill Clinton inhaleert geen hasj, ja? Wedje maken. Ik kauw op LSD maar slik het niet door.' Hunter was vanaf het moment dat hij hem ontmoette niet kapot van Bill Clinton. 'Hij behandelde me vanaf de eerste minuut als ongedierte. Alsof hij vanwege zijn pure, schone nooit-inhalerende neus echt kon ruiken dat ik iets in mijn zak had waarvan hij dacht dat het drugs waren. Of misschien was ik eigenlijk verantwoordelijk voor wat er met zijn broer was gebeurd. Tuurlijk! Alsof ik tegen de politie had gezegd dat ze de arme verachtelijke klootzak in een staatsgevangenis moesten gooien. Voor zijn eigen bestwil natuurlijk. Niemand zou Roger uit eigen politieke overwegingen laten opsluiten, toch?' Maar Hunter stond desondanks toch achter Bill Clinton, net zoals hij achter Jimmah had gestaan, omdat hij dacht dat Bill Clinton de eerste rock 'n roll-president van Amerika zou worden: een van ons.

Dus was hij een van ons en nu konden zelfs velen van *ons* niet snel genoeg afstand van hem nemen – godbetert, velen van ons hadden ook al genoeg van Micks vermoeide circusnummer. Achttien maanden voor zijn laatste termijn afliep hield Amerika zich al bezig met de volgende verkiezingen. De nieuwsprogramma's deden er verslag van alsof het volgende week al zou zijn. Waarom zo vroeg? Waarom waren we zo druk met verkiezingen die nog achttien maanden op zich lieten wachten? Omdat velen van ons wilden dat het afgelopen was, omdat velen van ons Bill Clinton weg wilden hebben. Hij was de eerste rock 'n roll-president van de Verenigde Staten en hij was de eerste gekozen president tegen wie ooit een impeachmentprocedure in gang gezet werd. Bijna afgezet voor leugens over zijn rijpe perziken. In plaats van een impeachment tegen hem te beginnen hadden ze hem moeten infibuleren.

Het was absoluut niet de bedoeling dat het zo zou aflopen. Onze eerste rock 'n roll-president had de wereld door elkaar moeten schudden... maar niet op deze manier. Van hem werd verwacht dat hij ons geef-ze-van-katoen innerlijke oerritme in het Oval Office zou introduceren. Van hem werd verwacht dat hij de waarheid zou spreken – eindelijk – na al die Witte Huis-leugenaars waarmee we waren opgegroeid, ouder en cynischer waren geworden.

Nu maakte hij ons onpasselijk. We zagen een stilstaand beeld van een 53-jarige oude man, vermoeid, met een rood gezicht, te zwaar, een vader, alleen in een luxueus kantoor, zijn gulp open, Willard in de hand, starend, klaarkomend. Bill Clinton was de letterlijke verwerkelijking in de jaren '90 van dat mythische moment in de jaren '60: Jim Morrison op het toneel in Miami, die zijn gulp openritst, zijn pik laat zien en doet alsof hij masturbeert en orale seks bedrijft ten overstaan van duizenden mensen. Bill Clinton was de natte plek op het bed van Amerika.

Washington werd zo ranzig dat zelfs de journalisten bij het stellen van hun vragen geshockeerd leken door hun eigen daden – zoals zichtbaar is in een gesprek tussen Witte Huis-correspondenten en Mike McCurry, Clintons persvoorlichter.

Een verslaggever: 'Heeft Clinton een geslachtsziekte?'

Een andere verslaggever: 'Jezus!'

McCurry: 'Grote God, wil je die vraag echt stellen?'

Een andere verslaggever: 'Mike, betekent dat dat de president niet nu en niet sinds hij op het Witte Huis zit voor geslachtsziekte behandeld is?'

McCurry: 'Nou, ik moet zeggen, ik ben verbijsterd dat je die vraag stelt.'

De verslaggever: 'Ik wil die vraag niet stellen.'

McCurry: 'Luister, ik probeer hier enig niveau te handhaven.'

Een andere verslaggever: 'We hebben inderdaad een nieuw dieptepunt bereikt.'

In het journalistencorps waren Walter Lippmann, James Reston en Joe Alsop vervangen door Xaviera Hollander, Dr. Ruth en Stuttering John Melendez.

In de zomer van 1999 zag ik, vlakbij mijn huis in Malibu, Bill Clinton met zonnebril op onderweg naar een lunch met Barbra Streisand, net om de hoek bij Kenny G en een paar deuren van een veroordeelde drugsdealer vandaan. De meeste mensen in Hollywood wisten dat hij en Barbra een bijzondere vriendschap hadden, al waren er heel wat jaren overheen gegaan sinds ze de wereld had verbijsterd door haar optreden bij de Oscars waarbij we haar derrière konden zien door haar Scassi-pyjama. Zelfs Gennifer had gezegd: 'Ze overdreef zo enorm in haar enthousiasme tijdens Bills campagne: ze dweepte met hem en werd goeie maatjes met zijn moeder. Ze leek wel in trance.'

Ze hielden het verkeer op met de voortdenderende auto's van de geheime dienst. De limousine van Bill Clinton stopte even en hij wierp een blik op de rij wachtende auto's. Hij zag een groepje van ons naar hem kijken. Hij keek snel een andere kant op. De wachtenden zeiden helemaal niets. Niemand zwaaide.

[2]

Monica, Andy en Lekker Ding

'Waarom neuk je niet gewoon je vader,' zei Linda Tripp tegen Monica, 'dan heb je het maar gehad.'

Ze zei tegen haar onderwijzer in groep vier dat ze president van de Verenigde Staten zou worden. Ze bereikte het Oval Office, maar...
Monica groeide op in Beverly Hills 90210. Haar vader was arts, een kankerspecialist. Haar moeder schreef voor een krant, *The Hollywood Reporter*, die de levens van filmsterren bijhield. Haar vader noemde haar zijn 'kleine knoedel'.

Ze haalde goede cijfers, maar lichamelijk was ze onbeholpen. Het duurde een lang weekend voor ze de beginselen van het touwtjespringen onder de knie kreeg. Ze was dik. De andere kinderen noemden haar 'Big Mac' en 'Pig Mac'. Ze noemde haar vader 'Dr. No'. Ze mocht van hem geen Snoopy-telefoon. Hij wilde in Disneyland geen Minnie Mouse-jurk voor haar kopen. Dr. No had echter ook zijn goede kanten. Hij kocht een roze fiets met een bananenzadel voor haar.

Haar moeder was haar hartsvriendin. Ze leek op haar moeder en praatte net als zij. Ze raakte vroeg in de puberteit. Ze vond het vreselijk dat ze dik was. De zomer voor ze naar groep acht ging, schreef haar moeder haar in voor een kamp voor dikkerds in Santa Barbara. Toen ze veertien was, ontmoette ze haar eerste vriendje, Adam Dave. Ze ging naar zijn honkbalwedstrijden; ze bracht uren met hem door aan de telefoon; ze liet toe dat hij haar aanraakte.

Haar vader en moeder konden niet met elkaar overweg. Ze ging meer eten en werd dikker. Het deed haar pijn en maakte haar ongelukkig dat haar ouders het grootste deel van de tijd ruzie maakten; ze was opgegroeid met *The Brady Bunch* op televisie. Haar moeder vroeg echtscheiding aan. Haar vader was bezig een patiënte te vertellen dat ze zou sterven aan longkanker toen zijn secretaresse hem onderbrak om te zeggen dat er buiten een deurwaarder wachtte. Monica's moeder zei haar dat ze echtscheiding aanvroeg omdat haar vader een verhouding had met een verpleegster op kantoor.

Ze was vaak in tranen. Ze bracht hele dagen alleen in de bioscoop door. Ze kwam meer dan twintig kilo aan in haar eerste jaar op Beverly Hills High. Haar bijnamen waren haar gevolgd. 'Big Mac!' De kinderen lachten. 'Pig Mac!' Terwijl ze spijbelde van haar lessen op Beverly Hills High, bracht ze veel tijd door in de toneelsectie. Ze naaide kostuums voor de toneelvoorstellingen van de school. Ze kreeg een kleine bijrol in *The Music Man*. De toneelsectie was haar toevluchtsoord. Ze lunchte er vaak in haar eentje.

Haar moeder zorgde voor overplaatsing van Beverly Hills High naar Bel Air Prep, waar minder aandacht werd besteed aan lichamelijke volmaaktheid. Ze werd verliefd op poëzie, vooral die van Walt Whitman en T.S. Eliot. Ze schreef een gedicht dat als volgt begon:

> *Ik kruip in een hoekje, helemaal alleen, om het gevecht van de gevoelens te voeren,*
> *Strijdend tegen* ANGST, JALOEZIE, DEPRESSIE *en* AFWIJ-
> ZING, *vecht ik.*

Hoewel ze er niet meer ingeschreven was, ging ze nog steeds terug naar de toneelsectie van Beverly Hills High. Ze verdiende nu wat geld met het naaien van de kostuums. Daar ontmoette ze Andy Bleiler, de nieuwe toneeltechnicus van de school. Hij was vijfentwintig, acht jaar ouder, en had een relatie met een gescheiden vrouw die acht jaar ouder was dan hij. Ze wist dat hij een reputatie had als Don Juan. Op een avond begeleidde hij haar na afloop van een toneelstuk naar haar auto. Hij kuste haar bij het afscheid en betastte haar borsten. Andy was knap en slank.

Na haar eindexamen aan Bel Air Prep, schreef ze zich in voor Boston University. Dr. No zei nee. Het was te duur. In plaats daarvan schreef ze zich in op Santa Monica College. Ze kreeg werk bij de Knot Shop, een dassenwinkel. Ze vond het heerlijk om met de dassen te werken, en was onder de indruk van de stoffen en kleuren. Maar ze werd weer zwaarder.

Haar moeder stuurde haar naar een psychotherapeut. Dr. Irene Kassorla stond bekend als 'de psycholoog van de sterren'. In 1980 had dr. Kassorla een boek geschreven met de titel *Nice Girls Do* [Nette meisjes doen het]. Het boek adviseerde vrouwen om contact te maken met hun 'magische knijpspieren'. Dr. Kassorla adviseerde vrouwen om naar de badkamer te gaan, op het toilet te gaan zitten en te beginnen met urineren. En dan halverwege te stoppen. De plas een paar seconden op te houden. En dan weer door te gaan met urineren. Op die manier stoppen en starten, zei dr. Kassorla, zou vrouwen de kans geven hun 'magische knijpspieren' te ontwikkelen. Haar boek sprak over 'zich in een hartstochtelijke wip werpen', 'onstuimige lichamelijke momenten', 'sensuele stormen', 'romantische elektriciteit'. 'Je lichaam zwelt in anticipatie,' schreef dr. Kassorla, 'je lichaam bloost van opwinding en warmte... al gauw zullen de hete sappen door je heen stromen.'

Terwijl ze in behandeling was bij dr. Kassorla, begon Andy Bleiler, de toneeltechnicus van Beverly Hills High, nu getrouwd met de gescheiden Kate Nanson, weer werk van haar te maken. Hij vertelde haar dat ze sexy was. Hij zei dat ze mooi was. Hij vroeg of ze hem haar slipje wilde geven. Ze begonnen samen middagen door te brengen in plaatselijke motels. In het begin wilde ze geen gemeenschap met hem hebben. Ze voelde zich schuldig omdat hij getrouwd was. Maar ze pijpte hem. Ze had het gevoel dat ze verliefd op hem was.

Ze zei tegen dr. Kassorla dat ze naar bed ging met Andy. Dr. Kassorla waarschuwde haar voor een verhouding met een getrouwde man, maar de auteur van *Nice Girls Do* zei niet dat ze het uit moest maken. Anderzijds zei dr. No nee. Haar vader zei dat ze onmiddellijk moest ophouden Andy te ontmoeten. Haar moeder was woedend. Ze vond Bleiler 'een stuk vuilnis' omdat hij een zoveel jongere vrouw versierde.

Toen Andy's vrouw vier maanden zwanger was, zei Monica tegen Andy dat ze zich schuldig voelde over wat ze deed en verbrak de relatie. Maar twee weken later probeerde hij haar weer te versieren en ging ze weer met hem naar bed. Ze was z-o-o-o-o verliefd op hem. Ze gaf hem een verjaarstaart in de vorm van een leguaan. Ze had seks met hem in de lichtstudio van de schoolaula. Ze zong 'Happy Birthday' voor hem, net als Marilyn had gedaan voor JFK.

Vlak voordat Andy's baby geboren werd, maakte Andy het uit met *haar*. Hij zei dat hij een goede vader voor de baby wilde zijn. Maar een paar weken later zocht hij haar weer op, en ze dacht dat ze nu begreep dat dit de manier was waarop getrouwde mannen zich gedroegen. Ze voelden zich schuldig; ze wilden stoppen, maar ze konden het niet.

Toen ze klaar was met Santa Monica College, koos ze voor Lewis and Clark College in Portland, Oregon, omdat ze de sfeer vond lijken op die van Bel Air Prep. Ze wist dat ze in L.A. met geen mogelijkheid de relatie met Andy kon verbreken. Ze had de kracht niet om nee te zeggen. Hij was geil, knap en sexy. Ze had het gevoel dat ze zelf niets van dat al was.

Ze deelde een huis in de buurt van het universiteitsterrein met twee jongens. Ze bezocht vlooienmarkten om haar kamer in te richten met bloempatronen (ze hield van rozen) en geborduurde kussens. 'Ze was een slons,' zei een vriend, net als de meeste studenten. Ze belde haar moeder om te vragen hoe ze de badkamer schoon moest maken en als haar moeder op bezoek kwam, ging ze naar de kapper en liet ze haar benen ontharen.

In Portland was ook een Knot Shop en daar kreeg ze een baantje, zodat ze kon werken met de dassen waar ze zo dol op was. Ze hielp mee bij een ontmoetingscentrum voor psychiatrische patiënten, de Phoenix Club, en probeerde voor de leden matseballensoep te maken, maar de soep die ze maakte was niet te eten.

Haar nieuwe vrienden vonden dat ze erg veel over seks en haar gewicht praatte. Sommigen beschreven haar als een karrenpaard. Anderen vonden haar te luidruchtig. De meesten waren echter gesteld op haar openhartigheid en gevoel voor humor.

Ze ging zo nu en dan uit met een paar jongens, maar ze miste Andy heel erg. Dus belde ze hem in L.A. en, toen ze thuis was voor Thanksgiving, ging met hem naar bed. Ze ging in de winter en de lente in L.A. keer op keer met hem naar bed– tot ze ontdekte dat hij niet alleen zijn vrouw bedroog, maar ook haar.

Tegen het einde van het voorjaar belde Andy om te zeggen dat hij, zijn vrouw Kate en hun babyzoontje gingen verhuizen naar... Portland. Ze was opgewonden en van streek. Ze had het gevoel dat ze nog steeds van hem hield, maar ze wist dat ze niet in staat zou zijn om het uit te maken als hij naar Portland kwam.

Andy kwam in juni, maar hij kwam alleen. Hij zei dat hij werk en een woning voor zijn gezin moest zoeken voordat ze konden komen. Hij zei dat hij verliefd op haar was. Hij zei dat ze sexy en mooi was. Hij bleef de hele zomer in Portland, zonder zijn gezin. Zij en Andy waren de hele tijd samen, elke dag sliepen ze met elkaar.

Toen Kate en de baby in de herfst naar Portland kwamen, zei Andy opnieuw dat hij zich zó schuldig voelde dat ze niet meer met elkaar naar bed konden. Ze deed haar best, maar het lukte haar niet. Toen ze Kate ontmoette, mocht ze haar. Zij en Kate werden dikke vriendinnen. Ze had het idee dat haar gevoel voor Kate gedeeltelijk het gevolg was van haar liefde voor Kates echtgenoot. Ze ging babysitten voor Kate en kleren kopen voor de baby en Kates oudere dochter. En ze sliep met Andy in haar appartement.

Toen Andy 'voor zaken' naar L.A. bleef vliegen, werd ze wantrouwend. Ze belde een paar vrienden in L.A. en zij vertelden dat Andy naar bed ging met een tiener van Beverly Hills High. Ze kreeg het telefoonnummer van de tiener en belde haar. De tiener was kwaad dat Andy haar niet vaak genoeg opzocht. Het meisje voelde zich misbruikt en zei dat ze erover dacht om Andy's vrouw te bellen en haar alles te vertellen.

Monica confronteerde Andy hiermee en vertelde hem dat de tiener erover dacht zijn vrouw te bellen. Andy huilde als een klein kind en zei dat hij zelfmoord ging plegen. Hij smeekte haar om vergeving en smeekte haar hem te helpen. Ze belde de tiener terug en kreeg haar zover dat ze Andy's vrouw niet zou bellen. Op zijn beurt beloofde Andy dat hij er niet alleen maar een paar uur tussenuit zou knijpen om met haar naar bed te gaan. Hij zou haar mee uit nemen voor een drankje en een etentje en haar behandelen als een vrouw van wie hij hield. Ze bleef babysitten voor Kate. En om het Andy betaald te zetten, sliep ze met Andy's jongere broer Chris. Andy had gezegd dat Chris haar nooit zou mogen omdat hij alleen van 'lange en elegante vrouwen' hield. Chris mocht haar. Daar zorgde ze wel voor.

Ze smeedde plannen met Andy om excuses voor Kate te verzinnen, zodat hij het huis uit kon om haar te ontmoeten. Telkens als Kate weg was geweest, zei Andy dat David Bliss, ploegbaas van het atelier van de toneelsectie van Lewis and Clark, had gebeld om hem een paar uur of een hele dag werk aan te bieden. Kate werd wantrouwend over telefoontjes die telkens kwamen als zij er niet was. Andy raakte in paniek van Kates vermoedens en haastte zich naar Monica in haar appartement. Zij wist wat haar te doen stond. Ze ging naar de toneelsectie en stal wat briefpapier. Ze schreef een brief aan Andy, waarin hem werk werd aangeboden, en vervalste de handtekening van David Bliss eronder.

Tijdens haar relatie met Andy was ze ook assistent in opleiding bij een cursus getiteld 'Psychologie van de Seks'. Ze was groepsleider in een 'sekslab'. Terwijl de anderen er moeite mee hadden om de intieme details van hun leven te delen, stond zij vooraan en praatte eerlijk over haar gewichtsprobleem en de gevolgen voor haar seksualiteit. In diezelfde periode betaalden zij en een vriendin veertig dollar om een lezing bij te wonen, getiteld 'Hoe vind ik een partner'.

De dag na haar afstuderen ging ze met twee vrienden mee die gingen bungy-jumpen. Op het laatste moment sprong ze ook, zonder nadenken.

Haar vader stimuleerde haar om na te denken over een loopbaan in het kantoor van de pro deo-advocaat in Portland. Haar moeder, die op de hoogte was van de aanhoudende relatie met Andy Bleiler, had een beter idee, een idee dat haar de stad uit zou krijgen, uit de buurt van Andy.

Haar moeder had een vriend, Walter Kaye: hij was bevriend met Hillary Clinton, gaf geld aan de Democratische partij en had een kleinzoon die stagiair was geweest op het Witte Huis. Het zou, volgens haar moeder, maar een zomerbaantje voor zes weken zijn, onbetaald, en ze zou een van de tweehonderd stagiaires zijn, maar het klonk leuk, toch? Fantastisch om dat op je cv te kunnen zetten!

Haar moeder woonde al in Washington, om dichter bij haar zus te kunnen zijn, Monica's tante Debra. Monica zou bij haar moeder intrekken in het Watergate-complex, met Bob en Elizabeth Dole als buren. Monica zei tegen haar moeder dat het *inderdaad* enig klonk. En haar moeder zei dat ze haar vriend Walter Kaye zou bellen, die dan misschien zijn vriendin Hillary Clinton kon bellen.

Ze schreef een sollicitatie en... ze werd aangenomen! Ze zou op het Witte Huis gaan werken! Ze bracht voor ze Portland ging verlaten een laatste nacht door met Andy Bleiler. Ze wist dat ze nog steeds van hem hield.

Ze had nog een paar weken voor haar baantje op het Witte Huis begon. Die bracht ze samen met haar moeder door in tante Debra's fors uitgebouwde huis in Virginia. Haar tante Debra had ook een klein Watergate-appartement in de stad, dus Monica zag haar vaak. Maar ze kon Andy niet vergeten. Ze belde hem op en besloot toen, pas twee weken na haar vertrek uit Portland, om terug te vliegen om hem te ontmoeten op de Fourth of July. Hij kon maar een paar uur weg van Kate en de baby, maar ze genoten van de korte tijd die ze samen hadden.

Op 10 juli 1995 kreeg ze in kamer 405 van het Old Executive Office Building haar Witte Huis-opdracht. Ze zou gesorteerde post van het Old Executive Office Building bezorgen in de westelijke vleugel, waar het Oval Office lag. De eerste keer dat ze langs de mahoniehouten deur van het Oval Office kwam (waarvoor een agent van de geheime dienst op wacht stond), begon haar hart sneller te kloppen. Ze belde Andy en vertelde hem buiten adem wat ze gevoeld had toen ze de mahoniehouten deur passeerde.

Ze ontdekte al gauw dat de vrouwen in het Witte Huis heilig ontzag hadden voor de tweeënveertigste president van de Verenigde Staten – niet alleen als president, maar als Bill Clinton, de geilaard. Ze kende zijn reputatie met vrouwen, maar hier hoorde ze roddels over specifieke vrouwen die op het Witte Huis werkten: Martha Scott, een oude vriendin uit Arkansas, een administratief assistente, die volgens zeggen de nacht met Bill Clinton had doorgebracht toen Vince Foster zelfmoord pleegde; Cathy Cornelius, jong en beeldschoon, die een beetje op Cybill Shepherd leek, en hem op veel buitenlandse reizen vergezelde; Debbie Schiff, voormalig stewardess op zijn campagnevliegtuig, nu secretaresse op het Witte Huis. Ze begreep het niet. Volgens wat ze gezien had op tv had Bill Clinton een grote rode neus. Zijn haar was grijs en dof. Hij droeg een sullige zonnebril. Hij was oud.

Ergens halverwege juli, nog maar ongeveer een week nadat ze met haar stage was begonnen, nodigde Walter Kaye haar moeder en haar uit om de welkomstplechtigheid voor de president van Zuid-Korea op het gazon van het Witte Huis bij te wonen. Het was een warme dag. Ze zweette. Ze droeg een dunne zomerjurk en een strooien sombrero-achtige hoed. Het was zo heet dat ze bang was flauw te zullen vallen. 'Dames en heren,' klonk het door de luidspreker, 'de president van de Verenigde Staten, in gezelschap van de First Lady.' Ze hoorde militaire muziek van de marineband. Ze zag hem. Haar hart sloeg over. Ze raakte buiten adem. Er fladderden vlinders in haar binnenste. Ze zag hem uit de verte, maar het was genoeg. Hij was z-o-o-o knap.

Ze zag hem een week later van dichtbij toen de stagiaires toestemming kregen om de vertrekceremonie van de president bij te wonen. Hij liep over een met koorden afgezette rode loper, schudde handen, glimlachte. Toen hij haar passeerde, voelde ze zich gewichtloos. Ze voelde zich een boom of een plant. Hij wierp nauwelijks een blik op haar.

Iets meer dan een week later, op 9 augustus, woonde ze opnieuw een vertrekceremonie bij. Ze droeg een strakke saliegroene jurk die haar moeder onlangs voor haar had gekocht bij J. Crew. Daar kwam hij weer, over de rode loper. Hij praatte met de vader van een andere stagiaire bij haar in de buurt, en opeens keek hij naar haar... en hield haar blik vast terwijl hij met de anderen bleef praten. Hij glimlachte naar haar... en kwam toen naar haar toe en schudde haar hand. De glimlach was weg. Hij keek diep in haar ogen. Ze had het gevoel dat ze met hem alleen was.

Ze had het gevoel dat hij haar uitkleedde. Hij liep door, en ze botste als in trance tegen een vriendin op. Ze ving zijn blik weer terwijl hij verder liep. Hij keek naar haar.

De volgende dag op het werk, nog duizelend van wat er gebeurd was bij de rode loper, hoorde ze dat de stagiaires op het laatste moment waren uitgenodigd om die dag een surprise-verjaarsfeestje voor de president bij te wonen. Hij werd negenenveertig. Zij was tweeëntwintig. Ze reed snel naar huis om haar strakke saliegroene J. Crew-jurk aan te trekken.

Het was een Wild West-feestje. Vice-president Gore arriveerde in een oude houten stationcar. Een paar naaste medewerkers van de president kwamen te paard. En ten slotte, daar kwam *hij*, weer over de rode loper, en glimlachte naar haar terwijl hij naderde. Toen hij haar hand schudde en zichzelf weer in haar ogen onderdompelde, zei ze: '*Happy birthday, Mr. President*,' als een herhaling van de Marilyn Monroe-imitatie die ze had uitgeprobeerd op Andy Bleiler. Alles verliep weer in vertraagde bewegingen en stilstaande beelden... en toen hij wegliep raakte zijn arm terloops even haar borst. Ze keek hoe hij verder liep. Aan het eind van het pad wierp hij haar een blik toe en maakte aanstalten het Witte Huis binnen te gaan; tot hij plotseling stopte, zich omdraaide en naar haar keek. Ze blies hem een kus toe. Hij gooide zijn hoofd achterover en lachte.

Toen ze thuiskwam, vertelde ze haar moeder en tante Debra wat er gebeurd was. Haar moeder lachte en zei dat ze bezig was verliefd te worden op de president van de Verenigde Staten. Tante Debra zei: 'Misschien heeft hij belangstelling voor je, of voelt hij zich tot je aangetrokken of zo.'

Ze ging naar een boekhandel die nog open was en kocht een exemplaar van Gennifer Flowers' boek en las de hele nacht door. Gennifer zei dat Bill Clinton haar 'Pookie' noemde. Monica las dat hij hield van vrouwen die 'rijpe perziken' waren en ze dacht aan zichzelf in haar saliegroene jurk. Ze las Gennifers weergave van 'oververhit oogcontact' en 'psychologisch voorspel' en dacht aan hoe hij naar haar had gekeken bij de rode loper.

Ze was opgewonden toen ze las dat Pookie hem beschreef als 'een geboren minnaar... met meer seksueel libido' dan Pookie ooit had meegemaakt. Monica registreerde hoe dol hij was op sexy lingerie – kant en jarretels, kleine zwarte chemises, witte nachtponnetjes. Ze kon niet geloven hoe pervers hij was – ijs druppelen op Pookies lichaam, Pookie kaarsvet op hem laten druppelen, honing gieten over haar lijf, Pookie hem op het bed laten vastbinden, hem met een dildo laten bewerken.

Alles wat Gennifer over hem schreef, wond Monica op. 'Zijn uithoudingsvermogen verbaasde me,' las Monica, 'We hadden die nacht keer op keer gemeenschap, en zijn energie nam maar niet af... Hij bewees dat hij de hele nacht door kon gaan.' Bill was volgens Pookie een onconventionele man met hasj op zak, die terloops wat opstak, die het leuk vond als Pookie hem bij een hotel ontmoette, in niets anders gekleed dan een bontjas, die hield van telefoonseks – 'Bill hield van vieze praat en dat ik dingen terugzei' – die ervan hield om ketchup en melk over haar hele lijf te gieten en het af te likken, die hield van orale seks. 'Met Bill was orale seks iets heel natuurlijks.' Dankzij Pookie begon Monica zich ook af te vragen hoe zijn relatie was met Hillary, wier vriendschap met Walter Kaye Monica haar baan had bezorgd. 'Bill zei dat hij al een hele tijd wist dat Hillary zich aangetrokken voelde tot vrouwen,' schreef Gennifer, 'en hij had er geen problemen meer mee. De eerste indicatie was dat ze niet genoot van seks met hem. Hij zei dat Hillary in bed koud en absoluut niet speels was. Hillary hield niet van experimenteren en wilde alleen onderop liggen en verder niets. Omdat zij niet genoot, beleefde hij er ook geen plezier aan. Seks met Hillary werd een plicht, meer niet.' Bill zei tegen Gennifer: 'Ze heeft meer kutten gelikt dan ik.'

Monica moest lachen toen ze las dat hij zijn penis 'Willard' noemde. Willard? *Willard!* Wat een rare naam voor een penis. Was er niet een oude film die zo heette? Over een jongen en zijn rat? Maar ze waardeerde zijn uitleg aan Gennifer waarom hij hem Willard noemde: 'Dat is langer dan Willie.'

De volgende dag was ze vrij, maar ze bleef de hele dag thuis. Ze wist zeker dat ze een telefoontje zou krijgen van de geheime dienst dat de president haar wilde ontmoeten. Ze had begrepen dat de geheime dienst dat voor JFK deed. De telefoon ging die dag vaak – haar hartslag versnelde elke keer – maar hij was het niet.

Haar stage van zes weken was bijna om en ze ging naar haar supervisor om te vragen of ze een tweede termijn van zes weken kon blijven. Haar supervisor had het idee dat ze consciëntieus en enthousiast was, en dus werd haar tweede stage goedgekeurd.

Ze begon alles te lezen wat ze over hem kon vinden. Ze had erg met hem te doen. Te moeten opgroeien in die afschuwelijk racistische staat, waar zwarte mensen nog tot in de jaren '20 werden gelyncht! Twee jaar door zijn grootouders opgevoed te moeten worden omdat zijn moeder alleen in een andere stad werk kon vinden! Ze kon zich zijn moeder voorstellen zoals hij haar had gezien: huilend op haar knieën na een bezoekje aan hem. En ze had ook met zichzelf te doen. *Hij* was de dikke *jongen.* De enige spijkerbroek die om zijn middel paste, was zo lang dat hij hem tot halverwege zijn knieën moest oprollen. Hij had een schattig klein Hopalong Cassidy-pakje en de andere kinderen dwongen hem om touwtje te springen in zijn cowboylaarzen – *hij kon ook geen touwtje springen!* – en ze trokken het touw onder hem vandaan. Hij brak zijn been en terwijl hij op de grond lag riepen de andere kinderen: 'Mietje! Mietje! Je bent een mietje!' En hij had ook in zijn eentje op zijn kamer in elkaar gedoken gezeten terwijl zijn ouders tegen elkaar schreeuwden.

Ze herinnerde zich hoe ze, op de lagere school, had gezegd dat ze president van de Verenigde Staten zou worden, en ze glimlachte toen ze las dat toen hij op de lagere school zat, een onderwijzer tegen hem had gezegd dat *hij* president van de Verenigde Staten zou worden... en dat was hij nu.

Het ogenblik in zijn leven dat haar het meest ontroerde, was toen hij een kleine jongen was en met zijn muzieklerares 'Frog Went A-Courtin'' zong.

Hij zong: *'Miss Mousy will you marry me, uh-huh! Uh-huh! Miss Mousy will you marry me, uh-huh! Uh-huh!'* Zijn muzieklerares zong: *'Without my uncle Rat's consent, uh-huh! Uh-huh! Without my uncle Rat's consent, I wouldn't marry the President, uh-huh! Uh-huh!'* Ze stelde het zich voor: een onhandig dik jongetje met stekeltjeshaar, opgerolde spijkerbroek, buik vooruit, dat zingt: *'Miss Mousy, will you marry me, uh-huh! Uh-huh!'* Ze voelde zich hecht met hem verbonden. Z-o-o-o hecht.

In augustus woonde ze met een groep stagiaires weer een vertrekplechtigheid bij, en toen hij stopte en met de groep praatte, stelde ze zich voor en zorgde ervoor te vermelden dat ze voor een tweede stagetermijn aanbleef. Hij glimlachte en knikte. Ongeveer een week later was ze in de kelderfoyer van de westelijke vleugel, in gesprek met een medewerker van de geheime dienst, toen hij langs kwam met twee vrouwelijke gasten. Hij wendde zich af van de twee andere vrouwen en keerde zich tot haar.

'Hallo, meneer de president, ik ben Monica Lewinsky,' zei ze.

'Dat weet ik.' Hij grinnikte, bekeek haar van boven naar beneden, ontkleedde haar weer met zijn ogen. Ze trok haar buik in. Ze was blij dat ze zwart droeg.

Ze ging naar haar supervisor en solliciteerde naar een betaalde baan in het Witte Huis voor als haar tweede stagetermijn om was. Ze zag hem toen meer dan twee maanden niet, maar ze dacht doorlopend aan hem en vertelde ook haar vriendinnen over hem, hoe de president van de Verenigde Staten haar met zijn ogen uitgekleed had. Haar vriendinnen reageerden voorzichtig. Een van hen, die op het Witte Huis werkte, waarschuwde haar zelfs dat er geruchten gingen dat hij het Witte Huis 's avonds laat verliet voor een afspraak met iemand in het Marriot.

In dezelfde periode dat ze haar vriendinnen vertelde over haar hevige verliefdheid op de president, vloog ze naar de andere kant van het land, terug naar Portland, om Andy Bleiler opnieuw te ontmoeten. Hij glipte bij zijn vrouw vandaan om een paar uur met haar in bed door te brengen, maar toen zei hij opnieuw dat het uit was, dat hij zich te schuldig voelde over het bedrog tegenover zijn vrouw. Ze was verpletterd en hysterisch. Ze was naar de andere kant van Amerika gevlogen om met hem naar bed te gaan... en nu kwam hij met dezelfde oude, afschuwelijke, kwetsende, onbetrouwbare smoesjes. Ze snikte de hele weg terug naar Washington.

De ochtend van haar terugkeer kreeg ze goed nieuws. Er was een vacature bij Wetgevende Zaken op het Witte Huis. Ze had een sollicitatiegesprek met wat hoge functionarissen en kreeg de baan!

Er was echter een tijdelijk probleem. Newt Gingrich en zijn Republikeinen hadden een budgettaire impasse veroorzaakt en de overheid werd geconfronteerd met een personeelsstop. Het betekende dat seniorstafmedewerkers ontslagen werden, dat de staf van het Witte Huis zolang de impasse duurde moest worden ingekrompen van 430 naar 90 mensen.

Maar het betekende ook dat de stagiaires, die niet betaald werden, konden doorwerken en extra verantwoordelijkheden kregen. Omdat ze nog niet begonnen was met haar baan bij Wetgevende Zaken, kon ze tijdens de personeelsstop doorwerken, formeel nog steeds als stagiaire.

Op haar eerste dag tijdens de personeelsstop droeg ze een marineblauw broekpak. Ze was aan het werk op het kantoor van stafchef Leon Panetta, bezig telefoontjes te beantwoorden die continu binnenkwamen omdat Rush Limbaugh Leons telefoonnummer had gegeven aan de jaknikkers die wilden klagen over de personeelsstop.

Ze zag 'Lekker Ding' toen hij over de gang langs haar kantoor liep. Ze zei geluidloos 'Hallo' tegen hem terwijl ze aan de telefoon was. Hij zei: 'Hallo,' glimlachte en liep door.

Later die dag was er een informeel verjaarsfeestje voor een andere naaste medewerker, en hij verscheen onverwacht, glimlachte en keek naar haar terwijl ze nog steeds bezig was met de malloten aan de telefoon.

Hij ging Leons kantoor binnen en ze stond op van haar bureau en wachtte tot hij naar buiten zou komen. Toen hij kwam, draaide ze zich met haar rug naar hem toe en tilde de achterkant van haar jasje met haar duimen omhoog, zodat hij de bovenkant van haar G-string kon zien. Dankzij Gennifers boek wist ze hoe hij van ondergoed en andere lingerie hield. Toen hij langskwam, keek hij naar haar en glimlachte.

In de loop van de avond bleef hij terugkomen naar Leons kantoor terwijl zij aan haar bureau werkte. Hij keek haar telkens aan en beweerde dat hij op zoek was naar medewerkers van wie hij wist dat ze er niet waren. Toen ze wat te drinken ging halen, passeerde ze George Stephanopoulos' kantoor en zag Lekker Ding er zitten... helemaal alleen.

'Kom even binnen,' zei hij.

Ze ging naar binnen.

'Waar heb je gestudeerd?'

'Weet u,' antwoordde ze, 'ik ben echt heel erg verliefd op u.'

Hij lachte, keek haar lang aan en staarde naar haar borsten. 'Kom even in de privé-werkkamer,' zei hij.

In Georges privé-werkkamer sloeg hij zijn armen om haar heen en hield haar stevig vast. Zijn ogen keken 'diep in mijn ziel, teder, erg vragend, erg verlangend, erg liefhebbend.' Ze vond ook dat hij een droefheid uitstraalde die ze niet verwacht had.

'Je bent zo mooi,' zei hij. 'Je energie vult een kamer gewoon met licht.' En hij vroeg: 'Mag ik je kussen?'

Hij kuste haar – 'teder, heftig, romantisch'. Hij streelde haar haren en haar gezicht.

'Ik heb dit al eerder gedaan, weet u,' zei ze. 'Het is in orde.' Ze doelde op haar verhouding met Andy Bleiler, een getrouwde man. Ze wilde Lekker Ding op zijn gemak stellen.

'Toen ik je daar in de rij zag staan, wist ik dat ik je zou kussen,' zei hij. Hij keek haar lang aan, glimlachte, keek op zijn horloge en zei toen dat hij weer aan het werk moest.

Drie uur later, om ongeveer tien uur 's avonds, zat ze in haar eentje in Leons personeelskantoor toen hij binnenkwam. Ze had hem verwacht. Ze had haar naam en telefoonnummer op een papiertje gezet en toen hij binnenkwam, gaf ze het hem.

Hij glimlachte en zei: 'Als je me over vijf of tien minuten in Georges kantoor wil treffen, kan dat.'

'Ja.' Ze glimlachte. 'Dat zou ik leuk vinden.'

Ze wachtte tien minuten en liep toen naar Georges kantoor. Ze ging het personeelskantoor in, waar licht brandde, en daar was hij niet. Toen ging de deur naar de privé-werkkamer open en daar stond hij in het donker, met die trage, sexy glimlach op haar gericht. Hij gebaarde dat ze binnen moest komen.

Hij kuste haar op het moment dat ze in de privé-werkkamer was. Ze knoopte haar jasje los en hij betastte haar borsten, haar bh had ze nog aan. Hij trok haar bh omhoog en streelde haar borsten en kuste ze. Hij onderzocht haar lichaam met zijn handen en werkte een hand in haar slipje. Er ging een telefoon. Hij nam op en begon met een Congreslid te praten over Bosnië, terwijl hij zijn hand tussen haar benen bleef bewegen. Ze kreeg een orgasme terwijl hij praatte, en ze ging op haar knieën voor hem zitten. Ze probeerde zijn broek open te maken, maar omdat ze gewend was aan ritsen in plaats van knopen, kostte het haar moeite. Hij knoopte zijn gulp voor haar open, nog steeds in gesprek aan de telefoon. Daar was Willard opeens. Ze begon Willard te verwennen met kussen, terwijl hij nog altijd aan de telefoon was, nog steeds in gesprek over Bosnië. Toen hij uiteindelijk ophing, liet hij haar ophouden.

'Alsjeblieft,' zei ze. 'Ik wil u klaarmaken.'

'Ik ken je niet goed genoeg,' zei hij. 'Ik vertrouw je dat niet toe.'

Hij trok aan de roze stagiairepas die aan haar nek hing en zei: 'Dit zou een probleem kunnen zijn.' Ze zei dat ze net ingehuurd was als vaste medewerker en binnenkort de blauwe pas zou krijgen die haar vrije toegang tot het hele Witte Huis zou verschaffen.

'Prima.' Hij glimlachte.

Hij keek haar aan en zei toen: 'Wel, ik moet ervandoor, kleintje.'

Ze zei: 'Oké,' en hij was vertrokken. Ze had het gevoel dat ze haar 'seksuele partner' had gevonden. Toen ze thuiskwam, wekte ze zowel haar moeder als tante Debra en vertelde hun dat de president haar gekust had. Ze zei niets over Willard.

De volgende dag negeerde hij haar. De dag daarna wachtte ze de hele dag op hem, maar hij kwam niet in de buurt van Leons kantoor. Ze bleef, nog steeds in afwachting van hem, met een paar anderen overwerken, waaronder Betty Currie, de secretaresse van de president. Ze bestelden een pizza. Toen de pizza kwam, ging ze naar Betty's kantoor om te zeggen dat het eten was gearriveerd.

Toen zag ze hem eindelijk, in gesprek met een paar mensen. Hij wierp haar zelfs geen blik toe. Betty kwam terug naar Leons kantoor, samen met de anderen die overwerkten. Een van hen botste tegen Monica aan en ze kreeg pizza over haar nieuwe rode jasje. Ze ging naar de toiletten om het schoon te maken, en toen ze naar buiten kwam stond Lekker Ding in de deuropening van Betty's kantoor, alsof hij op haar had staan wachten.

'Je kunt deze kant op komen, kleintje,' zei Lekker Ding met een glimlach, en leidde haar het Oval Office binnen, naar zijn privé-werkkamer.

Hij hield haar staande in de gang, waar geen ramen waren, en kuste haar. Hij bewoog zijn handen over haar lichaam.

'Je hebt zo'n prachtige glimlach,' zei hij.

Ze vroeg waarom hij haar niet thuis opgebeld had.

'Hoe zit het met je ouders?'

'Dat is in orde. Ik heb mijn eigen nummer. U hoeft zich geen zorgen te maken. Ik zei al – ik heb dit eerder gedaan.'

Hij kuste haar opnieuw, streelde haar, trok haar dichter naar Willard toe.

'Ik wil wedden dat u niet eens meer weet hoe ik heet,' zei ze.

Hij grinnikte en zei: 'Wat *is* Lewinsky eigenlijk voor naam?'

'Joods.'

Hij begon haar weer te kussen en ze zei: 'Ik kan maar beter gaan. Ze zullen zich afvragen waar ik blijf.' Ze wilde hem laten zien dat ze aan zijn kant stond, dat ze niet wilde dat iemand argwaan kreeg.

Hij grinnikte. 'Waarom haal je niet een paar stukken pizza voor me?'

Ze ging terug naar Leons personeelskantoor en pakte twee stukken vegetarische pizza. Toen ze terugkwam, zat Betty Currie aan haar bureau buiten het Oval Office. Ze zei tegen Betty dat hij haar gevraagd had wat pizza te brengen. Betty deed de deur van het Oval Office open en zei: 'Meneer, het meisje is hier met de pizza.'

Ze ging naar binnen en hij leidde haar terug naar de gang en begon haar weer te kussen. Hij knoopte haar blouse open en kuste haar borsten. Ze knoopte zijn overhemd open en ze kuste zijn borst. Ze merkte dat hij zijn maag introk. Ze zei: 'O, dat hoeft u niet te doen – ik vind uw buikje mooi.'

Plotseling stond Betty Currie in de deur naar de gang. Ze verstijfden. 'Meneer,' zei Betty Currie, 'het telefoontje dat u verwachtte is er.'

Hij zei: 'Dank je, Betty.' Zijn stem was hees.

Hij nam haar mee naar de toiletten voorbij de gang – het was er donker – en nam de telefoon op. Hij sprak met een ander Congreslid over Bosnië. Terwijl hij praatte, knoopte hij zijn gulp open en Willard kwam haar tegemoet. Ze knielde neer en... Hij duwde haar hoofd weg en liet haar weer ophouden.

'Alstublieft, laat me het afmaken.'

'Nee. Ik zei het al. Ik ken je niet goed genoeg.'

Ze begreep het verschil niet: hij kende haar goed genoeg om Willard te laten opvrijen, maar hij kende haar niet goed genoeg om Willard tot ontlading te brengen.

Hij zei opnieuw dat ze 'een prachtige glimlach' had en 'prima uitstraling'.

'Ik ben hier meestal in de weekends, als er bijna niemand is,' zei hij. 'Je kunt bij me langskomen, kleintje.'

'Oké.' Ze glimlachte. 'Bel me.'

'Zal ik doen.'

Hij belde haar niet. Ze zag hem soms in de gangen en hij glimlachte en zei hallo, maar hij noemde haar altijd 'kleintje'.

Eind november zocht ze Betty Currie op. Ze vroeg Betty of ze een das aan hem wilde doorgeven als ze er een kreeg. Ze vertelde over haar baan bij de Knot Shops en hoe dol ze altijd op dassen was geweest. Betty zei: 'Natuurlijk.'

Ze kocht een prachtige, handbeschilderde, handgenaaide Zegna en gaf die aan Betty voor hem. Een paar dagen later vertelde Betty dat hij de das zo mooi had gevonden dat hij zichzelf ermee had laten fotograferen en dat hij haar een foto zou geven.

Begin december liep ze door de westelijke vleugel, toen ze hem met een groep mensen zag staan. Hij draaide zich om toen hij haar zag en zei: 'Heb je de foto van mij met die das gekregen?' Ze zei nee en liep verder. Later die dag belde Betty haar op haar bureau en vroeg haar langs te komen. Betty zei dat ze naar binnen kon gaan in het Oval Office zodat hij de foto voor haar kon signeren.

Op het moment dat ze binnenkwam, zei hij: 'God, je ziet er echt mager uit.' Ze wist dat ze niet mager was. Ze was nog nooit mager geweest. Ze zou nooit mager *worden*. Maar ze deed z-o-o-o haar best om af te vallen en het was z-o-o-o lief dat hij het zei. Hij gaf haar de foto van zichzelf met de das om en signeerde het voor haar. Toen kwam Betty binnen.

Monica zei: 'Dank u, meneer de president.'

Hij zei: 'Oké, kleintje,' en toen ging ze weg.

Ze zei tegen haar moeder en haar tante Debra en haar vrienden dat ze bezig was verliefd te worden op hem. Ze namen haar niet serieus. Ze dacht dat Lekker Ding haar in ieder geval over Andy Bleiler heen zou helpen. Eindelijk. Ze wist dat vrouwen soms de ene man nodig hadden om over een andere heen te komen, maar ze had nooit gedacht dat de president van de Verenigde Staten eraan te pas zou moeten komen om haar over Andy heen te helpen.

[3]

De ophef is oorverdovend

*'Elke president,' zei Monica tegen Linda Tripp, 'elke president
die we ooit gehad hebben heeft altijd minnaressen gehad, omdat
de druk van de functie te zwaar is. Te zwaar! Te zwaar om altijd
te kunnen terugvallen op je vrouw, met wie je te veel bagage hebt –
wat onvermijdelijk is als je op dat punt aangeland bent.'*

De Comeback Kid wist dat dit een hele zware klus ging worden. De ophef
hierover zou zijn oren pijnigen. Het zou niet helpen om het geluid laag te
zetten van het nieuwe gehoorapparaat dat hij pas bij Bethesda had gekregen. De ophef zou luid en pijnlijk zijn, luider dan de ophef over...

O.J.'s vrijspraak... Nixons tapes... Gennifers tapes... Carters poging
de gegijzelden te bevrijden... Chappaquiddick... Ford die Nixon gratie
verleende... Bob Packwoods dagboek... Tyson die Holyfield beet... Vince en Hillary... Nixon en Bebe Rebozo... Ronald Reagan en Selena Walters... Bob Dole en Meredith Roberts... Nelson Rockefeller en Megan
Marshack... Nancy Reagans 'drie-uur-durende lunches' met Frank Sinatra... Nixon en Bob Abplanalp...

Hamilton Jordan, Jimmy Carters stafchef, die de voorkant van de
jurk van de Egyptische ambassadeur vastgreep en zei: 'Ik heb altijd al
de piramiden willen zien.' ... Hamilton Jordan die een glaasje amaretto
met slagroom morste op de jurk van een jonge vrouw in een bar in
Georgetown. ... Elton John die Keith beschreef als 'een aap met jicht
die op het toneel jong probeert te lijken'. ... Tip O'Neill die zei dat George
McGovern was 'genomineerd door de acteurs van de musical *Hair*'. ...
Donald Trump die zei: 'Ik heb Daryl Hannah regelmatig ontmoet en ze
moet gewoon een bad of een douche nemen.' ... Senator John McCain
die zei dat Newt Gingrich het in de opiniepeilingen 'slechter deed dan seriemoordenaar Jeffrey Dahmer'. ... Prince en Kim Basinger...

Bush die over de Japanse premier heen braakte. ... LBJ die zei: 'Heren,
ik krijg een stijve van het presidentschap.' ... Dukakis die in de tank die
malle helm droeg. ... Hugh Grant en Divine Brown. ... Carter die toegaf
dat hij 'in gedachten wellustig was'. ... Nancy die in Reagans oor fluis-

terde. ... George Bush en Jennifer Fitzgerald. ... Ford die steeds maar viel. ... Bob Packwood die Sinatra-nummers zong. ... George Bush die als commentaar op zijn televisiedebat met Geraldine Ferraro zei: 'We zijn er gisteravond goed tegenaan gegaan.' ... Carl Bernstein en Elizabeth Taylor. ... Bob Dylan en Elizabeth Taylor. ...

De keuze van *Hustler* voor Jerry Faldwell als 'Klootzak van de maand'. ... J. Edgar Hoover en 16-jarige jongens. ... LBJ die vrouwen uit mensenmenigten liet halen door zijn pooier-adjudanten. ... De gedichten van Jimmy Carter. ... LBJ die meubels van het Witte Huis stal en naar zijn ranch liet vliegen. ... Eddy Murphy en de travestiet. ... George Bush die zei: 'Let op mijn woorden – geen nieuwe belastingen.' ... Dick Morris en Sherry Rowlands. ... JFK die Judith Exner gebruikte als zijn koerier met de mafia. ... LBJ die apezat het hele Witte Huis bij elkaar vloekte. ... Jack Kemp die samen met enkele anderen een flat bij Lake Tahoe bezat. ... Het leven van Joan Kennedy. ... De gedichten van Eugene McCarthy. ... Geraldo en Marion Javits. ... Ike en Kay Summersby. ... Vince Fosters zelfmoordbriefje. ... JFK en Marilyn op de zolderverdieping van het kantoor van de openbare aanklager. ... LBJ die zijn honden aan hun oren optilde. ... George Bush die een prijsscanner bij een kruidenier onderzocht. ...

Barney Frank en Steve Gobie. ... Ruth Carter Stapleton en Larry Flynt. ... De neus van Paula Jones. ... Bobby en Marilyn. ... Dustin Hoffman die over Carl Bernstein zei: 'Ik begrijp heel goed waarom Carl Watergate zo goed heeft gedaan. Carl is in wezen een prutser en hij moet wel mislukken, en Nixon is een prutser en hij moet wel mislukken, dus Carl heeft Nixon altijd begrepen.' ... De videoband van Peter Jennings die zijn neus leegsnoot op de grond. ... Jimmy Carter die op een foto in zijn neus pulkte. ... Iowa-senator Tom Harkin die op C-SPAN zijn neus snoot zonder zakdoek. ... Pat Buchanan die zei: 'Het Congres is door Israël bezet gebied.' ... Clayton Williams, kandidaat voor het gouverneurschap van Texas, die slecht weer met verkrachting vergeleek: 'Als het onvermijdelijk is, ontspan en geniet ervan.' ... Bob Kerrey die op C-SPAN Bill Clinton die grap vertelde: 'Jerry Brown loopt een bar binnen en ziet twee lekkere vrouwen. Een vent in de bar zegt tegen hem: "Verspil je tijd niet, gouverneur, het zijn potten." Brown zegt: "Hoe weet je dat?" De man zegt: "Ze vinden het lekker om elkaar te beffen." Brown zegt: "Dat vind ik ook lekker. Ben ik nu een pot?"'

LBJ die marinehelikopters opriep om de pauwen op zijn ranch bijelkaar te drijven. ... JFK die het met drie hoeren tegelijk deed in zijn hotelsuite. ... LBJ die zei: 'Ik vertrouw een man pas als ik zijn pik in mijn zak heb.' ... Spiro Agnew die zei: 'Als je één sloppenwijk gezien hebt, heb je ze allemaal gezien.' ... Ronald Reagan die zei: 'Als je één sequoiaboom hebt gezien, heb je ze allemaal gezien.' ... De foto van Gary Hart met Donna Rice. ... Barry Goldwater die zei: 'Dit land zou er beter aan toe zijn als we de oostkust eraf konden zagen en naar zee lieten drijven.'

... Dole die van het podium af viel. ... Ford die dronken was aan boord van de *Air Force One* op de terugweg van Rusland. ... Ford die zei: 'Er is geen Sovjet-overheersing in Oost-Europa,' terwijl de Russische troepen er gestationeerd waren. ...

Wayne Hayes en Elizabeth Ray. ... Louie Welch, kandidaat voor het burgemeesterschap van Houston, die zei dat de beste manier om aids op te lossen was 'de flikkers dood te schieten'. ... LBJ die aan verslaggevers uitlegde waarom we in Vietnam waren door zijn gulp open te ritsen, zijn *willard* eruit te halen, met de tekst: 'Hierom.' ... Roseanne die in haar kruis greep nadat ze het volkslied gezongen had. ... George Bush die tijdens zijn inauguratiefeest op het toneel meejamde, met een gitaar waarop THE PREZ stond. ... Ted Danson met een zwartgemaakt gezicht bij de geestig bedoelde kritiek op Whoopi. ... Gerry Ford die na een lange martini-lunch tientallen bladzijden van een toespraak oversloeg. ... een medewerker van Nancy Reagan die een afspraak weigerde te maken tussen de First Lady en een kind met spierdystrofie, met de woorden: 'Absoluut niet. De First Lady wil niet dat er een foto gemaakt wordt van haar met een of ander kwijlend kind aan een beademingsapparaat.' ...

Wat Sally Field Burt Reynolds aandeed in *Playboy*. ... George Hamilton en Lynda Bird Johnson. ... Roger Mudds interviews met Ted Kennedy. ... Reagan die zei: 'Het bijhouden van de beloften van mijn tegenstander is alsof je *Playboy* leest terwijl je vrouw de bladzijden omslaat.' ... Dole op tv met zijn Exercycle, gekleed in een short, een smokinghemd en dubbele manchetten. ... Betty Ford die dronken afgevoerd werd uit de *Air Force One*. ... Nixon en Kissinger samen geknield in gebed. ... Melissa Etheridge, Julie Cypher en David Crosby's sperma. ... LBJ die zich even afwendde en een slok nam tijdens een persconferentie in de openlucht. ... LBJ die tegen een kleermaker zei: 'Ik heb meer godvergeten balruimte nodig in deze broek.' ... Nixon die langs het strand liep met zijn dure brogues. ... Reagan die in slaap viel tijdens kabinetszittingen. ...

Gerry Fords winderigheid. ... Pat Buchanan die zei: 'Vrouwen zijn psychologisch minder goed uitgerust om het vol te houden in het oorlogszuchtige strijdperk van zaken, handel, industrie en de vrije beroepen.' ... Gary Hart die tegen de media zei: 'Volg me maar – het kan me niets schelen als iemand me wil laten schaduwen. Ga je gang. Ze zouden zich vervelen.' ... LBJ die de littekens van zijn gal- en niersteenoperatie aan de camera's toonde. ... Jimmy Carter die de hand van Joan Kennedy vasthield terwijl Rosalynn haar blik op de zijne richtte. ... LBJ's drie Texaanse secretaresses waarvan er geen een kon typen. ... Quayle die '*potatoe*' en '*beakon*' spelde. ... Carter die de trappen van het Witte Huis als zijn joggingbaan gebruikte. ... LBJ die sigaretten rookte met het presidentiële zegel erop. ... Michael Jackson en zijn chimpansee. ... Roxanne Pulitzer en haar trompet. ... Alfred Bloomingdale en Vicki Morgan. ...

Wilbur Mills en Fanne Fox. ... Dan Rather die 'Houd moed' zei. ...

Haldeman en Ehrlichman. ... David Geffen en Keanu Reeves. ... Ford die de beker met het wisselgeld bij McDonald's inspecteerde. ... LBJ's bijnaam 'Stierenballen'. ... Pat Nixons vier martini's voor de lunch. ... Howard Sterns achterste tijdens het bestbekeken televisie-uur. ... LBJ poedelnaakt op de *Air Force One* met zijn vrouw, zijn dochters en zijn secretaresses. ... Jimmy Swaggart en de hoer. ... LBJ die naar een menigte keek en zei: 'Jullie domme klootzakken, ik heb schijt aan jullie.' ... Jimmy Swaggarts excuses. ... Dan Rather en 'Wat is de golflengte, Kenneth?' ... LBJ in discussie over de Wet op de Burgerrechten: 'Ik zorg wel dat die nikkers de komende tweehonderd jaar op de Democraten stemmen.' ... Tricia Nixon die een cape en een breedgerande hoed droeg toen ze het water inging om te zwemmen. ...

LBJ die zei over Vietnam: 'We gaan die arme sukkels bevrijden en ik zal beroemd worden als de Grote Verlosser.' ... Woody Allen en Soon-Yi. ... Hubert Humphrey met een cowboyhoed op. ... Luci Baines Johnson op zoek naar een assistent: 'Jij, ga mijn nikker halen! Nu! Haal mijn nikker.' ... Jesse Jackson die New York City 'Hymietown' noemde. ... Kitty Dukakis die de aftershave van haar echtgenoot dronk. ... de getuigenis van Ted Kennedy tijdens het proces tegen William Kennedy Smith. ... Reagan die een Trojaanse helm van het USC droeg. ... LBJ die de *Air Force One* opdracht gaf ergens te landen om wat frisdrank te kopen. ... JFK die het met dat blondje deed dat een communistische geheim agente had kunnen zijn. ... LBJ die het met hetzelfde blondje deed dat een communistische geheim agente had kunnen zijn. ... Kissinger die de groenten van zijn bord op de vloer van de *Air Force One* schoof. ... Bruce Lindsey die tegen de pers zei: 'Jullie zijn allemaal hufters geweest sinds we begonnen zijn.' ... LBJ die een elektrisch bed stal van het Walter Reed Army Hospital en naar zijn ranch liet vliegen. ... Richard Gere en de woestijnrat. ... *Showgirls*.

De Comeback Kid wist dat dit pijnlijker zou zijn dan...
Bijna in dienst moeten. ... Het interview op *60 Minutes*. ... De ontmoeting met Monica's ouders bij zijn radiotoespraak. ... Geïnterviewd worden door Woodward. ... Golf zonder mulligans of andere weggeefslagen. ... Een voorspelling van Sam Donaldson. ... Op een podium zitten met Don Imus. ... Hillary die dingen naar hem smeet. ... Hoe de vader van Monica naar hem keek. ... Nixon op tv zien met zijn armen in de lucht. ... De adem van Jeltsin in zijn gezicht. ...

Hoe de moeder van Monica naar hem glimlachte. ... Hillary die schreeuwde: 'Jij stomme hufter.' ... De grappen van Bob Dole. ... Handen schudden met Nixon. ... Al Gore zien dansen. ... Hillary die schreeuwde: 'Jij achterlijke droplul.' ... Harold Ickes die het Oval Office binnenstormde. ... Hillary die schreeuwde: 'Jij godvergeten klootzak.' ... Monica die deed van 'Da-da-da-da-da.' ... Hillary die op het vliegveld van Little Rock zei: 'Hou die slet uit mijn buurt.' ... Hoe de moeder van Monica naar hem keek. ... Een verjaarsfeestje van Helen Thomas. ... Een speech houen bij het Vietnam Memorial. ... Monica haar Yoko Ono-geluidjes horen maken. ...

Hillary die vroeg: 'Hoe gaat het met Gennifer?' ... Joe Klein die een vervolg schrijft. ... Monica die dezelfde laarzen droeg als Chelsea. ... Zeke, de spaniël van Chelsea, die aangereden werd door een auto. ... Hillary met ongeschoren benen. ... Die minachtende blik op het gezicht van Blumenthal. ... Hillary die zich bij de inhuldigingsplechtigheid aan zijn kus onttrok. ... Vince die in het openbaar aan Hillary's billen zat. ... Monica die net die dag ongesteld was. ... Hoe Betty Currie hem niet aankeek. ...

William Safire lezen. ... Al Gore campagne zien voeren. ... Eten met George en Mari Will. ... Met Monica praten over Hillary. ... Tipper van achteren bekijken. ... De gegrilde kippenborsten die hij van Hillary moest eten. ... Hillary die zei: 'Omlaag met die lul! Je kan haar hier niet neuken.' ... Een baantje proberen te vinden voor die arme Web Hubbell. ... William Safire ontmoeten. ... op de bank van Nancy Hernreich zitten tijdens een bespreking. ... Eten met de broers van Hillary. ... in de boulevardpers lezen over Chelsea. ... Hillary naakt zien.

[4]

Amerika kokhalst, Hollywood slikt

*'Hee, Barbara Walters interviewt vanavond Barbra Streisand en
James Brolin,' zei Linda Tripp.
'Oi,' zei Monica. 'Ik vind haar vreselijk. Ze is zo irritant!'
'Ze wordt mooier met de jaren.'
'Ja. Hoe denk je dat dat komt?' zei Monica. 'Plastische chirurgie.
Ze heeft waarschijnlijk alles laten doen behalve haar neus.'*

De enige plek waar ik ooit een op vergelijkbare wijze ingebrachte sigaar
heb gezien, was in de met nerts beklede slaapkamer van de enorm deca-
dente filmproducent Robert Evans. En zelfs in Bobs privé-vertrek voor
huiveringwekkende genoegens was het niet echt; het was een foto aan de
muur van een wellustige jonge vrouw, een van Bobs verzameling bijen-
koninginnen, poedelnaakt, op handen en voeten, met een Engelse bol-
hoed op haar hoofd en met een brandende sigaar die uit haar magnifieke
omhoogstaande achterste steekt. Ik had geen idee of Evans, of de fotograaf, Helmut Newton, de sigaar had opgerookt nadat de foto was genomen, of dat de jonge vrouw de sigaar op haar eigen speciale manier
had opgerookt.

Ik wist wel dat ik voor wat de door Clinton geplaatste sigaar betreft –
die nu de beroemdste sigaar is in de wereldgeschiedenis, beroemder dan
die van JFK, beroemder dan alle sigaren van Winston bij elkaar – niemand de fundamentele beleidsvragen had horen stellen: was het een Cubaanse sigaar en dus een overtreding door het Oval Office van het eigen
Cubaanse embargo van de president? Was het wel de juiste gevechtsstra-
tegie van de president om een sigaar in het Oval Office te hebben terwijl
de kanonnen werden afgevuurd in Amerika's oorlog met de tabaksko-
ningen? Niemand vroeg naar de sigaar, en eerlijk gezegd waren er redenen om net te doen of die niet bestond, diepgaander redenen dan de
noodzaak voor ouders om de Pay-per-View televisiedialogen van Howard Stern aan de eettafel te vermijden.

Wij waren de generatie van de jaren '60 die stond voor vrijheid van
meningsuiting, voor vrije liefde en groepsseks, voor liefdes van één nacht

zonder schuldgevoel, voor experimenten en gymnastiek in de slaapkamer, voor neerbuigend lachen om onze arme ouders, die één keer per
week gemeenschap hadden, recht-op-en-neer, altijd in dezelfde saaie
missionarishouding. Pa kreunde een paar keer en kwam te snel klaar;
ma lag naar het plafond te staren, deed haar plicht en dacht aan de
koopjes van morgen in de supermarkt; en het voorspel bestond uit een
paar kleverige kussen en een likje K-Y-gelei dat in het nachtkastje bewaard werd (ma bracht het aan).

Dat was allemaal waar... lang geleden. Maar nu waren we zelf pa's en
ma's en we kregen het gillend op onze heupen bij de gedachte dat onze
kinderen zich op dezelfde onconventionele en idiote manier zouden gedragen als wij in bed hadden gedaan. Maar wij waren bezig Amerika beter te maken en onze definitie omvatte niet de dingen die wij in onze
jeugd hadden gedaan: Wesson-Oilfeestjes en lichaamsschilderingen en
gedurfde seks en drugs. Wij waren op wel duizend perverse manieren
klaargekomen, met rauwgewreven edele delen, en we wilden niet dat
onze kinderen zich in het betere Amerika zo zouden gedragen. We hielden van onze kinderen en wilden alleen maar het beste voor hun: we wilden dat ze niet zo zouden worden als wij, maar zoals onze ouders, als
opa en oma die na een praktisch monogaam huwelijk van vijftig jaar
naar de zonsondergang keken, pratend over dat langvergleden, wazige
eindexamenbal, terwijl ze nipten aan hun warme 'Zijn' en 'Haar'-bekers
thee met honing.

Wij hadden Bukowski en Kerouac en Henry Miller gelezen toen we de
leeftijd van onze kinderen hadden, maar we wilden dat zij nu Tom Clan-
cy en Tom Brokaw lazen, of als ze eens helemaal uit hun dak wilden
gaan, misschien Stephen King. Niets al te expliciets, niets te seksueels,
dat hun ingewanden en zenuwcellen maar van streek zou maken met
als gevolg dat ze net zo zouden worden als wij, aan de Prozac en gegij-
zeld door psychiaters.

We hadden films als *Clockwork Orange* en *El Topo* en *Mean Streets*
gezien, films die opzettelijk onze hersens door elkaar geschud hadden,
en we wilden helemaal niet dat de hersens van onze kinderen op die manier door elkaar geschud werden. Sommigen van onze generatie werden
onze belangrijkste filmcritici, zoals Janet Maslin van de *New York Times*
en Kenneth Turan van de *Los Angeles Times*, en ze voerden fel campagne tegen films met smerige taal, films die 'ordinair' en 'naargeestig'
waren, en vóór Jane Austen en Dickens en Shakespeare en Merchant
en Ivory. (Sommige filmmakers waren woedend over wat zij 'het Nieuwe
Puritanisme' noemden. 'Soms heb ik de overweldigende neiging om een
van die critici bij de keel te grijpen, hem een kopstoot te geven en hem
bloedend in een hoek te laten liggen,' zei Mike Figgis, de Engelse regisseur.) Als we in de jaren '60 niet bezig waren onze eigen persoonlijke,
onverfilmde pornofilms te maken, keken we naar de gebroeders Mitchell
of Linda Lovelace of Marilyn Chambers of Ralph Bakshi, maar nu

stonden we doodsangsten uit over wat onze kinderen zagen als ze over internet surften.

En nu kregen we opeens al dat hedonistische gedoe uit de jaren '60, de sigaar, het pijpen, het aftrekken, tegen etenstijd op onze keukentafel gekwakt – door de man op wie we gestemd hadden, door de man die onze visie op een beter Amerika gedeeld had – we wilden er niets mee te maken hebben. We wilden er niets over horen; we wilden er niets van zien. Punt uit! We hadden geen heimwee, althans niet in het openbaar, naar die goede oude tijd van uitspattingen. Velen van ons waren nu Little League-trainers en voetbalmoeders en schaamden zich ronduit. Hoe konden we ons ooit als zulke kleine zwijnen en sletten gedragen hebben? Nou, onze kinderen – Dylan en Caitlin en Sky en Montana – zouden zich niet zo gedragen. Daar zouden we voor eens en voor al voor zorgen, zelfs als het betekende dat we moesten verdringen wat onze president onze kinderen wel zeer in het openbaar voordeed.

Misschien was het masturberen niet zo erg als je pubers had. We waren niet als pa en ma, die tegen ons zeiden dat er haar zou groeien op onze handpalmen en dat we blind zouden worden als we het deden. Wij zeiden tegen onze kinderen dat masturberen heel goed was, schat, dat iedereen het deed, zelfs pa en ma. Nu konden we het argument uitbreiden en onderbouwen. Iedereen deed het, schat, zelfs de president. Zie je wel? Hij had geen haar op zijn handpalmen. Dus wat Bill Clinton deed, had bijna iets positiefs, hij werd bijna een soort rolmodel. Zijn gewoonte zou het schuldgevoel van onze kinderen wegnemen. Maar het was te hopen dat geen van onze kinderen zou vragen: 'Doe ik het nog steeds als ik zo oud ben als de president, ma?' Of: 'Hoe oud ben jij, pa? Doe jij het nog steeds?'

Nog een reden waarom Amerika niets te maken wilde hebben met die zwarte wolken van giftige rook die uit deze historische sigaar opstegen was dat – van alle bizarre, waanzinnige dingen die je je voor kon stellen – Gloria Steinem en Jerry Faldwell bij elkaar in bed waren geklommen! De merkwaardigste paring toch zeker sinds Mick en David Bowie, sinds Portnoy en zijn stuk lever, sinds Marilyn Manson zijn rib had verwijderd om met zichzelf te paren. Gloria, altijd het boegbeeld van de vrouwenbeweging, stijlvol en voorbeeldig, en dominee Jerry Faldwell, met zijn driedubbele vetrollen, zijn zalvende glimlach, die geilde op onze Heer en Heiland. Maar ze kwamen samen op één punt: wat ze als porno beschouwden. Volgens Steinem was het vernederend voor vrouwen. Volgens Faldwell was het een zonde en zouden we branden in de hel.

Links en Rechts raakten met elkaar verstrengeld en de gezamenlijke kracht van hun morele hartstocht, hun propagandisten en hun aanhangers in de media, had al een merkbaar, afschrikwekkend effect op de film- en televisie-industrie gehad. De schrijvers en regisseurs die de seksuele grenzen graag verlegden en die genoten van het gevecht met dominee Jerry Faldwell en dominee Donald Wildmon en het leger van Andere Dominees, ontdekten dat ze gecastreerd werden, niet door Rechts, maar door Links, door progressieve hoofdartikelenschrijvers van hun eigen generatie, die hen niet zagen als voorvechters van de vrijheid van meningsuiting die streden tegen de troepen van de bekrompenheid en de nacht, maar als vuilspuiters en pornografen die vrouwen uitbuitten voor geld. Met andere woorden, zondaars, zoals dominee Jerry Faldwell al zei, maar niet zondaars die zouden branden in de hel.

Zondaars tegen wier films bij de kassa zou worden gedemonstreerd door boze vrouwen. Dominee Donald Wildmon hoefde er niet eens naartoe te gaan met zijn demonstratieborden. Hij kon rustig thuisblijven, om zijn portie hel-en-verdoemenis voor de volgende zondag voor te bereiden, terwijl al die progressieve, posthippie vrouwen zijn werk deden.

Het klimaat voor expliciete en zelfs-niet-zo-expliciete seks werd zo ijzig – precies op het moment dat Amerika de eerste verdachte luchtjes opsnoof van de sigaar in het Oval Office – dat Hollywoodacteurs die tot sterren waren uitgegroeid door hun rollen als stoeipoezen – Sharon Stone in *Basic Instinct*, Julia Roberts in *Mystic Pizza*, Annette Benning in *The Grifters* – nu 'niet-naakt' clausules opnamen in hun contracten, hun haar afknipten, zich kleedden als Russische apparatsjiks en ervoor zorgden dat ze er op het witte doek seksueel zo onappetijtelijk mogelijk uitzagen, met als gevolg een overvloed aan financiële flops. Stone ging zelfs nog een stapje verder: ze verkondigde dat ze Jezus had gevonden in de Glide Memorial Church van Cecil Williams in San Francisco. Maar Stone had wellicht een goede reden om verder te gaan en Jezus te vinden. Van die drie was Stone de enige die de wereld haar schaamhaar had laten zien.

De weigering om de rook van Bill Clintons sigaar op te snuiven was symptomatisch voor nog iets anders. Velen van onze generatie hadden de neiging om het leven gezonder te maken, mooier te laten lijken en te pasteuriseren, om het alledaagse bestaan met een roze laklaagje te bedekken, om net te doen alsof sommige dingen niet bestonden of gebeurden. Die houding riekte naar het soort bekrompenheid waarvan we in de jaren '60 het slachtoffer waren, toen we beschuldigd werden van on-Amerikaans gedrag. Op bumperstickers in die tijd stond te lezen: AMERICA, LOVE IT OR LEAVE IT.

Ik meende echo's daarvan te horen van de voormalige slachtoffers die nu ten strijde trokken tegen Kenneth W. Starr vanwege zijn rapport, die nu bezwaar maakten tegen ordinair taalgebruik en seks en geweld op het grote en het kleine scherm. Het deed er niet toe dat tientallen miljoenen Amerikanen regelmatig grove taal bezigden of dat geweld algemeen was of dat mensen seks hadden – sommigen van onze generatie wilden dat net zo min horen als *Public Enemy* of *Snoop Doggy Dogg*. Ze wilden Yanni horen of de muziek die parende walvissen maakten of *The Beatles*

Anthology. Ze wilden gevoelige films zien die schemerig uitgelicht waren. Ze wilden Spielberg zien, niet Spike Lee, en ze wilden al helemaal niet horen dat Hillary het woord *fuck* tijdens bijeenkomsten met de Witte Huis-beleidsmakers in één alinea vaker gebruikte dan welke president dan ook, inclusief LBJ (op wiens grafsteen dat woord, zijn grote favoriet, had moeten staan).

En ze wilden echt niets, *nee, nee, nee*, horen over de sigaar. Roken was toch al een veel te pijnlijk onderwerp – het enige dat sommigen van ons waardeerden aan Kevin Costners beklagenswaardig verschrikkelijke *Waterworld*, was dat de vuige, schooierachtige groep boeven 'de Rokers' genoemd werd. De publicatie van het *Starr-rapport* in dit klimaat was alsof je de bewoners van een vrouwenklooster stukken voorlas uit Henry Miller, Terry Southern, Iceberg Slim en Luther Campbell.

Terwijl de rest van Amerika de sigaar niet wilde opsnuiven, leek Hollywood die wel te willen opsnuiven, oplikken, inhaleren, opeten en verteren, om daarna nog testen op de ontlasting te doen. Dit was het grootste Hollywoodnieuws (hoewel niemand dat in het openbaar zei natuurlijk, natuurlijk, natuurlijk) sinds Ovitz de CAA verliet... sinds Lew Wasserman bijna was vermoord bij Cedars... sinds Hugh Grant en Eddie Murphy in de problemen kwamen door *hun* gepijpte pikken.

Het was dan wel het lekkerste hapje, maar Hollywood was er niet door *geschokt*. Hollywood was, zoals iemand ooit zei, altijd een groot mooi blondje met ongewassen ondergoed geweest. Tijdens de kwart eeuw dat ik er scenario's schreef, had ik de meeste verhalen wel gehoord, die werden verteld met de trots van de reclamemaker die je kon vinden in bijvoorbeeld de City Club in Kansas City. Maar dit waren geen Kansas City-verhalen; dit was de geërodeerde legendarische vuiligheid die korsten had gevormd tussen de spleten van de glanzende marmeren sterren aan Hollywood Boulevard.

Hollywood was de soort plek die de eerlijkheid waardeerde van Virginia Hill, de maîtresse van Bugsy Siegel, toen ze zei: 'Hé, ik ben de lekkerste godvergeten wip in de stad en ik heb diamanten om het te bewijzen.' Bill Clintons uitspattingen waren *kinderspel* vergeleken bij die van Marlon Brando, die de muren behing met de Tampax van zijn oude vriendinnen en die staaltjes ontlasting van zijn gasten spaarde, toen hij op zijn privé Fiji-eiland woonde... Robert Mitchum, die tijdens een meningsverschil over een contract op het witte tapijt van Harry Cohn poepte, en die in een vliegtuig vooroverboog en een wind liet in het gezicht van een passagier die hem verzocht niet te roken... Errol Flynn, die zijn *willard* uitliet op feestjes en er piano mee speelde, die naar het huis van zijn buurvrouw, roddeljournalist Hedda Hopper, liep en er zich tegen aftrok.

Gepijpt worden in het Witte Huis door een leeghoofd uit Beverly Hills die eruit zag en praatte als een meisje uit de Valley – o moeder, de hele zaak was z-o-o-o Hollywood! Hollywood was Pijpstad, een vakgebied dat historisch bepaald was door die speciale bezigheid. Wat zei Marilyn Monroe tegen de pers toen ze haar eerste studiocontract getekend had? Ze zei: 'Het betekent dat ik in deze stad nooit meer een pik hoef af te zuigen.'

Heel lang geleden, in de tijd van de pioniers, als de oude kerels, Cohn en Goldwyn en Zanuck en Thalberg, de grondleggers – al die sigarenrokers – een lekkere lunch hadden genuttigd bij de Brown Derby of Musso's of, later, Scandia... dan namen ze wellicht na afloop een stoombad... en gingen ze terug naar kantoor en staken ze een sigaar op terwijl ze zich lieten... *manicuren*. Een lekkere... manicure, na-de-lunch, na-het-stoombad, tijdens-de-sigaar. De manicuremeisjes wisten wat ze deden. Ze zorgden dat het niet te lang duurde. Mooie jonge meisjes uit de Valley (de beste manicures kwamen altijd uit de Valley en waren altijd erg in trek), onder het bureau, zodat hun secretaresse of hun vrouw, als die binnenliepen, haar niet eens zagen.

Het was de volmaakte bezigheid, die manicure – niet teveel inspanning na een copieuze maaltijd en al die hete stoom; de rikketik zou niet onder druk staan. Het was voor een machtig man, een magnaat, een grondlegger ook de volmaakte houding om te genieten. Op haar knieën, haar rok opgetrokken, broekje naar beneden, stak ze hem blij in haar mond, dezelfde soort goedverzorgde mond waarmee hun onderhoudsgevoelige vrouwen met PMS hen al jaren tegen de muren op joegen. Het kokhalzen en het slikken had ook iets bevredigends voor de magnaten. De bestbetaalde meisjes uit de Valley slikten altijd. Dan vertrokken ze en de magnaten rookten hun sigaren op en sloten nog wat belangrijke supertransacties af.

Er was zelfs een term voor de slaperige staat van de *willards* van deze mannen rond deze tijd van de dag als ze hun dagelijkse routinemanicure ondergingen, niet geheel geconcentreerd, verstrooid, maar toch gemanicuurd worden omdat het een extraatje was en onderdeel van het programma, net als de kleine beurt voor de Bentley op maandag. De *willards* van deze halfstijve mannen werden 'Hollywoodlanterfantjes' genoemd.

En toen was daar dat meisje uit de Beverly Hills Valley van de jaren '90, die Lewinsky, een keurig joods meisje met dikke lippen, haar moeder misschien een tikje gek – *wat was dat voor gedoe over die moeder die deed of ze met Pavarotti naar bed ging?* – en de magnaten van *vandaag* begrepen het, vatten onmiddellijk wat zelfs de rest van Amerika niet begreep: Ja, ze pijpte hem, maar ze hadden geen seks gehad.

Want pijpen was geen seks in Hollywood. Pijpen was een kleine pauze in een drukke middag... de traditionele manier om de spijsvertering na een lange lunch te versnellen... beter dan Mylanta, beter dan Tums... goeie god, pijpen was bijna gewoon een andere manier van plassen!... Pijpen was... een *manicure*.

Dus waar ging al die heisa nou over? Bill Clinton was een goede president die werkte aan een beter Amerika, een droom die veel van de huidige magnaten, kinderen van de jaren '60, deelden. Andere presidenten hadden zich ook laten manicuren. Bill Clinton was trouwens toch de president van Hollywood, een stad met sterk progressieve Democratische wortels.

De mensen spraken er nog steeds over Mark Rosenberg, het overleden voormalig productiehoofd van Warner Bros. En een van de voorzitters van de Students for a Democratic Society in de jaren '60. De mensen spraken er nog steeds over Gary Hart en hoe zijn hechte vriendschap met Warren hem de das omgedaan had. Gary wilde, zo ging de grap, Warren zijn – de grootste zwaardvechter in Hollywood sinds Milton Berle, en Marilyn had eens gezegd dat oom Miltie de grootste *willard* had die ze ooit gezien had – en Warren wilde Gary zijn, de serieuze sociale denker.

Bill Clinton had tenminste niet zulke destructieve vriendschappen, behalve de flikflooiende enquêteur Morris, die graag op hoerentenen zoog. Bill Clintons vriendjes in de stad waren Steven Spielberg – op seksueel gebied was Steven een heilige; Jeffrey Katzenberg – toegewijd aan geld en zijn vrouw Marilyn; en David Geffen, die homoseksueel was.

Ja natuurlijk, er waren in de loop van de jaren wel wat Hollywoodgeruchten over Bill Clinton geweest. Bill en Sharon die samen uit eten gingen, terwijl sommige mensen kakelden dat Stone zich met de president in dezelfde krijsende, benen-omhoogstandjes begaf als ze met Joe Pesci had gespeeld in de film. En Bill en Barbra – maar Barbra was inmiddels bijna slonzig, zelfs ouder dan Hillary, niet langer wat producent Jon Peters ooit 'het lekkerste kontje van de stad' noemde.

Bill Clinton had zelfs een familierelatie met de stad, hoewel die erg vergezocht was. De dochter van Barbara Boxer was getrouwd met een van Hillary's broers... en de Boxer-dochter had gewerkt voor producent Rob Fried. De relatie leverde Rob wat golfafspraken op Burning Tree op met de president, maar dat was het dan.

Terwijl goddeloos en zedenloos Hollywood zich bijna een eeuw had geamuseerd met manicures, hadden wij het gevoel dat het pijpen het cadeau van onze generatie was aan de populaire cultuur van de jaren '60. We noemden het uit esthetische overwegingen niet 'pijpen' (veel te overdreven) maar 'afzuigen'.

Afzuigen was van ons zoals de missionarishouding van onze ouders was. We hadden onze moeders rood zien worden als pa de kippenek uit de pan haalde en grinnikend omhoog hield... en het idee dat ma (of Mamie Eisenhower of Pat Nixon of Debbie Reynolds of Doris Day) zou, je weet wel... nog in geen miljoen jaar!

Zelfs in de jaren '60 deden de meeste meisjes uit het Midwesten of het zuiden of van het platteland nog van 'Oh, gets!' als er maar even gesuggereerd werd dat ze hun mooie hoofdjes voorover moesten buigen.

Maar meisjes uit Californië wisten er alles van: zij hadden het talent dat hun moeders nooit zouden hebben. Zij oefenden hun kaakspieren met komkommers en bananen en deden orale yogaoefeningen met hun lippen, monden en tongen. Ze deden wat er gevraagd werd, na eerst een ijsje gelikt of jalapeñopepers te hebben gegeten of een Frankfurter worst te hebben weggewerkt.

Afzuigen was de ultieme seksdaad van de jaren '60. Het was in veel staten nog letterlijk verboden tussen mannen onderling, net als tussen mannen en vrouwen. Je kon ervoor naar de gevangenis. Het was snel; je hoefde er zelfs je kleren niet voor uit te trekken. En het feit dat we zeker wisten dat onze ouders het niet gedaan hadden, was een belangrijke overweging in een periode waarin idioten als Abbie Hoffman en Jerry Rubin zeiden dat we 'onze ouders moesten vermoorden' (maar zij hun eigen ouders niet vermoordden). Een deel van de illegale aantrekkelijkheid was dat het meer een zwarte dan een blanke activiteit was. Oude bluesnummers als 'Hog Me Baby' en 'Down on Me' en 'Scratch-Throat Blues' hadden het bezongen.

We hadden in de jaren '60 de zwarte cultuur hartstochtelijk en van ganser harte overgenomen, het ging zelfs zover dat als Black Panthers op een feestje in de Haight verschenen en een van onze *chicks* of *old ladies* bewonderden, wij langharige blanke jongens ruim baan maakten en naar buiten gingen om wat hasj te roken terwijl zij met de Panther meeging naar het toilet. Zowel wij als onze meiden zagen dit als ideologische boetedoening, een persoonlijke manier om de slavernij en ontelbare generaties van blank racisme af te kopen. Sommige van onze vrouwen – niet allemaal – weigerden pas toen Huey Newton, een geslaagde pooier, een poging deed om hen elders te laten werken voor de dollars die onze generatie pretendeerde te minachten.

Afzuigen zorgde er ook voor dat sommige mannen deuren openden die ze al hun hele leven krampachtig gesloten lieten. High of dronken genoeg ontdekten ze dat het hun nauwelijks interesseerde of de gedaante die daar in het getemperde licht met geopende lippen en mond geknield lag een man of een vrouw was.

De porno-industrie maakte zich gauw eigen wat wij begonnen waren. Massage-instituten werden plotseling overal geopend, fluorescerend verlichte kerken in een Amerika dat van de ene dag op de andere het bisdom van Fellatio was geworden. De naakte priesteressen in deze groezelige tempels deden niet aan gemeenschap, maar een donatie kreeg hen vaak zover dat ze met hun lippen en monden masseerden. In heel Amerika doken mannen deze kerken binnen voor snelle lunchgebeden; de klokken die ze in hun hoofd hoorden luiden, hadden niets te maken met verlossing.

Tegen die tijd had onze generatie haar eigen wonderdoend sekssymbool gevonden. Onze vaders hadden wellicht BB en MM. Onze kinderen zouden op een dag SS hebben. Wij hadden LL – Linda Lovelace, de Keizerin van Pijpland. Haar film heette *Deep Throat* en iedereen van onze generatie – toekomstig president Bill Clinton, toekomstig rechter van het Hooggerechtshof Clarence Thomas – had het gezien. De attractie was dat Linda Lovelace alleen maar pijpte, het ding *helemaal* in haar mond nam zonder te kokhalzen, de droom van iedere man in de jaren '60. Ze was op de een of andere manier in staat om haar keelspieren helemaal te ontspannen, misschien te verlammen. Ze beweerde dat haar clitoris in haar keel zat. Haar manager, een ex-marinier genaamd Chuck Traynor, legde het uit: 'Als je je keel eenmaal openzet, wordt je slokdarm heel groot, net als bij een degenslikker.' We hoorden dat Linda bezig was aan een mediatoernee door het land om aan critici te laten zien dat wat we op het witte doek zagen geen filmtruc was.

Toen Richard Nixon ten val kwam door een bron die zich Deep Throat noemde, vonden we dat poëzie. Richard Nixon die een Linda Lovelace deed, die hem helemaal in haar mond nam.

Hollywood koesterde warme en vage gevoelens voor Bill Clinton, en men was ervan overtuigd dat hij, als hij zich liet gaan – zoals JFK als hij naar de stad kwam; het gastenverblijf van producent Irwin Winkler is de plek waar JFK en Angie Dickinson hun afspraakjes hadden – er helemaal bij zou horen. Je kon je makkelijk voorstellen dat hij rondhing in de slaapkamer van Evans met Jack Nicholson, dat ze een joint deelden terwijl ze naar een goochelaar keken die een meisje rond en rond draaide, met honderddollarbiljetten die uit elke lichaamsopening staken. Luisteren naar Evans die vertelde over een meisje over wie hij heengeürineerd had, die was opgestaan en drie van zijn ribben had gebroken. Rondhangen. Pret hebben. Gewoon mens zijn in Hollywood. Het grote huis in Bel Air, het strandhuis aan Carbon Beach, de twee zwarte Mercedessen, de zwarte Ducati, de zwarte Dodge Ram, een dagelijkse manicure. Je weet wel... het gewone leven. Luisteren naar Sharon die vertelt hoe Bob Evans een van haar kennissen ooit aan een halsband legde. Naar de muur in Evans' slaapkamer lopen en de foto van Helmut Newton van het meisje met de brandende sigaar bekijken...

Er was zelfs relatief serieus sprake van dat Bill Clinton in de stad zou komen wonen na afloop van zijn ambtstermijn. Zei hij niet: 'Het leukste van het Witte Huis is niet Camp David of de *Air Force One*; het zijn al die films die mensen me sturen.'? En hij was heel erg gesteld op die drie kleine mannen – Steven en Jeffrey en David – en zij leken het prettig te vinden om in het gezelschap van die grote jongen te verkeren. Hij zou waarschijnlijk een goede CEO of CFO zijn geworden of wat voor erebaantje de zakelijke Geffen de ex-president van de Verenigde Staten ook zou hebben toegeworpen.

Het was niet eens moeilijk om je Bill Clinton voor te stellen bij een belangrijke draaiboekbespreking. Hij wist wat van films. Hij zei tegen Mel Brooks dat hij *Blazing Saddles* elk jaar bekeek, niet één keer, maar *zes keer*! Hij zei dat uiteraard niet in het openbaar; die zes keer zouden hier en daar wat gefronste wenkbrauwen veroorzaakt hebben. In het openbaar zei hij dat zijn favoriete films *High Noon*, *Casablanca* en *De Tien Geboden* waren. (Echt waar). Hij beweerde te houden van films die gingen over 'liefde, eer en moed – zaken waar mensen waarde aan hechten'. En films 'over mensen die het presteerden om menselijk te blijven in onmenselijke omstandigheden.' Hij was dol op Bogart – 'Hij kon van alles ongestraft doen omdat hij zo authentiek was'; De Niro – 'Hij heeft zo'n groot bereik'; Meryl Streep – 'Een van de twee of drie grootste actrices aller tijden'; en Tom Hanks, die regelmatig Clintons campagnes steunden – 'gevoelig, onweerstaanbaar'. En hij was redelijk belezen. Hij hield van *Leaves of Grass* en Walt Whitman was voor Hollywood zeker beter dan gemiddeld. Michael Eisners enige creatieve referentiekader leek ten slotte O'Henry te zijn. En als Bill Clinton in staat was om Newt met zijn Indiana Jonesjasjes en Dick Armey met de glazige ogen te bespelen, kon hij zeker filmschrijvers tot herschrijven brengen en regisseurs tot heropnemen. Het zou geen schande zijn om met tact behandeld te worden door de man die Bibi en Arafat met tact behandeld had – zelfs al zagen weinig filmschrijvers met hun opgeblazen Hollywoodego's zichzelf als de versmade Bibi. En geen enkele regisseur zou ooit zo eerlijk zijn om te erkennen dat hij zich gedroeg als Arafat.

Bij Spago of Crustacean of Le Dome hadden sommigen het er zelfs over dat Hillary met Bill mee zou komen. Maar Hillary had niet de juiste instelling voor een Hollywoodechtgenote. Een buikverkleining? Een beetje vet afzuigen? Een kleine lipvergroting? Even naar een zonnebank? En twee keer in de week een prima-de-luxe schoonheidsbehandeling bij Veronica's op de PCH, waar zowel Mel Gibson als zijn vrouw klant waren? Maar dat was helemaal verkeerd... *Verkeerd! Verkeerd! Verkeerd!*

Men dacht erover na en beseft dat je je Hillary nu eenmaal niet kon voorstellen in de nieuwe dinerzaal in de openlucht van het Bel Air Hotel, in gesprek over de vraag of Wolfgang nog altijd een betere cateraar was dan Along Comes Mary, of Merv het millennium wel zou halen met zijn prostaat, of Mark Cantons verhouding met de secretaresse van Luc Besson blijvend was, of Michael Eisner het recht had om over Jeff Katzenberg te zeggen: 'Ik haat die kleine dwerg.' Iedereen begreep dat Hillary te enthousiast, te opgewonden, te levenslustig was om er zo bij te zitten. Hoe moest je in vredesnaam het geduld opbrengen om voor de organisatie van een liefdadigheidsgebeuren in een tent samen te werken met Barbara, Wolfgangs vrouw, als je meegeregeerd had over de hele wereld? Hoe kon je je druk maken over resusaapjes die amok maakten in het zuiden van Florida, overblijfselen van een *Tarzan*-film die daar in de jaren '40 was opgenomen, als je normale referentiekader de wereld was, of zelfs de stratosfeer? Trouwens, alle Hollywoodvrouwen waren er voor 100% van overtuigd dat ze hem, als hij president-af was, onmiddellijk zou laten zitten.

Een paar oude William Morris-agenten, die met hun onaangestoken sigaren rondhingen in de bar van het Regent Beverly Wilshire, ooit het glorieuze Beverly Wilshire Hotel van Hernando Courtwright, gooiden zelfs een paar balletjes op over een nieuwe loopbaan voor Bill Clinton, na zijn ambtstermijn, na Hillary. Ze overtuigden zichzelf ervan dat hij kon acteren, en de onbetrouwbare-geruchtenmachine draaide een paar dagen op hyperactieve topsnelheid.

Bill Clinton was tenslotte een nog jonge man, en met behulp van Sly's trainer en Michael Jacksons plastisch chirurg zagen ze het zo voor zich, deze wijze oude, krassende showbiz-uilen: Bill Clinton en Sharon in *Basic Instinct II*, Bill Clinton en Redford in *Butch and Sundance II*, Bill Clinton en Warren in *Shampoo II*. (Hij beschikte al over Hollywoods meest flitsende kapper, Christophe.)

Er zat wat in. Als je dat empathische oogcontact van tien seconden *direct* op de camera losliet, in plaats van op een camera die in de buurt was, met veel mensen eromheen – als Redford zo goed was als de kandidaat in *The Candidate*, kon de levenslange beroepskandidaat dan niet net zo goed zijn als Redford? Wat sashimi in plaats van cheeseburgers, de masseur van Geffen, een beetje karate met Ovitz, wat groenten van de moeder van Steven, wie weet?... De spraaktrainer van Jackie Chan, oprechtsheidstips van Sydney Pollack, een beetje thai uit de hasjpijp van Sharons Chrome Hearts... er *zou* een ster geboren kunnen worden.

Hij kwam tijdens zijn somberste dagen vaak naar Hollywood, om fondsenwervers op te vrijen, handen te schudden met vriendelijke en zorgvuldig uitgekozen mensen, en om golf te spelen met een groep Hollywoodspelers, waarvan er een nu voornamelijk hasjdealer en loopjongen voor de filmsterren was. Bill Clinton, vertelde de loopjongen, vroeg hem nooit om hasj (hij wist dat de loopjongen de beste hasj van de stad had), maar hij genoot heel erg van het opsteken van een sigaar na een paar rondjes op de golfbaan. Bill Clinton zei tegen de loopjongen dat het de enige plek was waar hij tegenwoordig nog een sigaar kon roken. De agenten van de geheime dienst zorgden er altijd voor dat niemand foto's kon maken terwijl de sigaar – een Davidoff, geen Cubaan – zich in de presidentiële mond bevond.

Hollywood, de thuishaven van de manicures, was uiteindelijk ook niet geïnteresseerd in de rook van de sigaar in het Oval Office, en de aandacht van de stad werd al gauw afgeleid door een ander pijpgeval – dit keer een lokaal schandaal. Het gebeurde tijdens een feest in de Palisades, in het huis van New Ager Arnold Rufkin, voormalig bontverkoper, nu agent. De zus van een andere Morris-agent werd betrapt terwijl ze op een balkon Mike DeLuca, productiehoofd van New Line, pijpte. Het balkonoptreden haalde de voorpagina van het economiekatern van de *Los Angeles Times*. 'Ik ben geworden wat ik zag,' zei DeLuca tegen vrienden. Het krantenverslag miste de andere sensationele gebeurtenis van het feest: toen Farrah Fawcett alle toiletten bezet aantrof, ging ze naar buiten en poepte op het gazon voor het huis, terwijl de feestgangers van binnenuit toekeken.

Die twee gebeurtenissen, het balkonoptreden en Farrahs poepen, overstemden tijdelijk alle praat in Hollywood over Bill Clintons daden en gewoonten. Amerika hield zich wellicht opzettelijk van de domme over wat er in het Oval Office gebeurde, maar Hollywood was giechelig opgewonden over het balkon en het gazon van Arnold Rifkin.

Bill Clinton was nu oud nieuws. Al die ophef... over weer een manicure door iemand die zo graag een Valley Girl wilde zijn... al die Sturm und Drang... al dat gezanik... *Het zou wat!* Het ging niet over Farrah.

[5]

Hillary leeft, Tammy Wynette sterft

'Ik denk niet dat hij monomaan kan zijn,' zei Linda Tripp. 'Dat is zijn aard niet. Dat heeft hij tegenover jou min of meer toegegeven.'
'Je bedoelt monogaam?' zei Monica.

Een van de goedkope ironische kanten aan het hele ordinaire, smakeloze melodrama was dat de president veranderde in de Grote Griezel, terwijl Hillary werd herboren als Heilige Hillary. Omdat je als man geen campagne kon voeren op gaten, maar als vrouw wel een eind kwam op versmade gaten.

De vrouw die ons vertelde dat ze geen Tammy Wynette was, stond achter haar man met de blozende wangen en de wijzende vinger, en de Amerikanen, zowel vrouwen als mannen, vonden dat geweldig van haar. De vrouwen hielden van haar omdat velen van hen wisten dat hun eigen mannen hen bedrogen. De mannen hielden van haar omdat ze niet bij haar echtgenoot wegging, en zodoende rechtvaardigde wat zij in nood tegen hun eigen vrouwen zeiden: 'Schat, je weet hoeveel ik van jou en de kinderen houd. Het stelde niks voor, schat. Het was alleen maar seks.'

We werden geacht te geloven dat Hillary geschokt en gekwetst was door de vrijpartijen van haar man met de G-string-dragende, Altoids slikkende Monica. We werden geacht te geloven dat Hillary's huwelijk aan duigen lag dankzij haar ontuchtige beest van een echtgenoot. We werden geacht te geloven dat het presidentsgezin tijd nodig had om te herstellen. Heilige Hillary en haar man verschenen in de kerk; hij zelfs met een bijbel in zijn hand – en Heilige Hillary droeg een donkere zonnebril, waarachter, dat wisten de Amerikanen gewoon, haar hete, boze martelaarstranen schuilgingen. En de meesten van ons wilden het graag geloven. Dat wilden we omdat het alternatief erger was.

Dit was het alternatief: het enige zelfs voor Hillary verrassende aan Lewinsky was de sigaar. Ze kende de man achter wie ze stond. Ze kende hem toen ze met hem trouwde; ze had haar vader gevraagd om naar Arkansas te komen toen Bill campagne voerde, om te zorgen dat hij zijn broek dicht hield. Ze was niet achterlijk. Ze wist dat de staatspolitiemannen van Arkansas hem naar Gennifers appartement (met de zebragestreepte banken) reden. Ze wist van het meisje in de kelder van het Statengebouw. Ze wist dat zijn jogloopjes omleidingen kenden door de bosjes. Maar het kon haar niets meer schelen. Misschien in het begin, toen ze haar vader erheen stuurde. Maar nu niet meer. Haar man was een beest. Het kon haar niet schelen wat hij deed... zolang het niet tot uitbarsting kwam op de voorpagina en het avondnieuws... en haar en Chelsea in verlegenheid bracht.

Hillary en Bill Clinton hadden een cynische afspraak, gebaseerd op het idealisme dat ze in de jaren '60 hadden gedeeld. Ze waren van mening dat ze van dit land, het land waarvan ze hielden, een betere plek konden maken. Hij zou zich kandidaat stellen voor een functie en zij zou naast hem staan, hand in hand. Ze zouden de macht delen, en zolang ze die deelden, zolang hij naar haar luisterde wat overheidszaken betreft, mocht hij verder zijn eigen gang gaan. Ze zou achter haar man blijven staan... en hij zou stijf staan en anderen opdracht geven 'hem daar te kussen'.

Hij vond het een prettige afspraak. Hij had een slimme vrouw die Amerika met passie wilde verbeteren, een gewiekste politieke theoretica die niet bang was haar handen vuil te maken in gevecht met de krachten van de rechtse Republikeinen die trachtten de vele wettelijke en politieke overwinningen die sinds de jaren '60 waren behaald ongedaan te maken. Hillary had werkelijke, oprechte en uitgewerkte overtuigingen die niet afhankelijk waren van opinieonderzoeken. Het was een groot voordeel om haar bij het gesprek te hebben als het onderwerp de staat van de staat of de staat van de federatie was. Ze was een echte partner voor hem in de vergaderzaal, waar ze dan ook thuishoorde, zo duidelijk als Gennifer in de slaapkamer thuishoorde.

Zij vond het een prettige afspraak. Ze had een charismatische echtgenoot met een talent voor oogcontact en vis-à-vis empathie van tien seconden. Hij kon meedogenloos campagne voeren. Hij schudde handen met brandkranen en wuifde naar telefoonpalen. Hij wist zich beter door een vertrek te werken dan ze dat wie ooit had zien doen, een acteur van de Actors' Studio die een verlossend, opbeurend drama uitspeelde langs het eindeloze *rubber-chicken*-circuit.

Het was geen wonder dat al die snollen wegsmolten als ze hem alleen al de hand schudden. Er was iets erotisch aan de manier waarop hij mensen aanraakte en hen verleidde om op hem te stemmen. Zij wist dat ze niet zijn soepelheid had – zijn *gladheid* – ze was haar hele leven al stijf, muurbloemachtig en dor geweest. Hij was als een gladde en verbijsterend glanzende Cadillac. Oké, goed. Dan zou zij hem wel rijden. Die Cadillac helemaal naar het Witte Huis rijden en ervoor zorgen dat hij niet in een Edsel veranderde. Ze geloofde in de overheid. Als de prijs van de goede werken, van het Amerika beter maken, was dat hij in het geheim onderhouden werd door gore bleekscheten van montcurs in garages met zebrastrepen, het zij zo.

Eén aspect aan de afspraak was link. Hij zou haar nooit kunnen verlaten terwijl hij in functie was. Hij kon erover *praten* (wat hij deed met Gennifer en Monica), maar hij kon het niet *doen*... niet als hij in functie wilde blijven. Alle opinieonderzoeken wezen uit dat hij er geweest zou zijn, als hij van haar wegging. Hij kon het zich evenmin veroorloven haar weg te laten gaan. Dick Morris hield bij hoog en bij laag vol dat geen enkele president een scheiding in het Witte Huis zou overleven. Dus was het enige dat hij kon doen erover praten, stoeien met de gedachte, in zijn eigen hoofd de mogelijkheid van een leven zonder Hillary overwegen en de gedachte dan verwerpen met een grap vol zelfspot. Op een bepaalde leeftijd zou hij wel twintig keer per dag moeten plassen, zei hij tegen Monica. Klopte, maar hij wist ook – reken maar! – dat hij hem nog steeds omhoog zou kunnen krijgen.

Hij wist ook dat hij zich niet kon veroorloven om Hillary pissig te maken... niet te *erg*. Hij had haar nodig voor het presidentschap en hij had haar nodig om zijn beleid vorm te geven... en hij wist dat *zij wist* hoeveel hij rondneukte. Dit was een vrouw die alles las, die haar eigen netwerk had, van voornamelijk vrouwen, door de wol geverfde en cynisch idealistische politieke speurneuzen die alles hoorden en haar alles doorgaven. Ja, ze gooide soms met dingen en schold hem uit, maar ze ging nergens heen. Ze regeerde het land samen met hem. Ze was 'Mevrouw de president Mary Todd Clinton'. Ze waren handlangers in het mooier maken van Amerika. Ze kon nergens anders, met niemand anders, zo'n baantje krijgen. Er was geen enkel ander baantje in de hele wereld dat er aan kon tippen. Dus was hij veilig. Hij kon haar best pissig maken... alleen niet te erg.

Toen brak in 1992 in New Hampshire bijna de hel los. Gennifer, de slet! Ze had tapes! Hij loog en ontkende en op de een of andere manier wist hij de dans te ontspringen. Gedeeltelijk dankzij Gennifer zelf, die er geld aan wilde verdienen via de boulevardpers. (De hemel zij dank voor vrouwen die geld nodig hadden; hun geloofwaardigheid werd volledig ondermijnd door de dollars die mannen hun betaalden.) Gedeeltelijk ontsprong hij de dans omdat *60 Minutes* de zachtaardige en welwillende Steve Kroft stuurde in plaats van die valse waakhond Mike Wallace. Maar hij ontsprong vooral de dans dankzij Hillary. Zij hield zijn hand vast. Ze gooide een scheut lammetjespap en een theelepel grutten in haar midwesterse stem. Ze stond achter haar man. Hij loog in woorden, maar Hillary's leugen – door middel van haar ogen, haar lichaamstaal, haar handen – was zijn redding.

Toen Monica voor het eerst op de website van Drudge verscheen, waren er momenten dat hij dacht dat het spel uit was. Hij maakte zich ernstig zorgen over de details. Zouden de details te voorschijn komen? Het einde van zijn presidentschap – historische schande – lag besloten in de details.

Als dit kon worden afgedaan als een 'verhouding' met een jonge vrouw – nou ja, dan was er misschien nog wat licht aan het eind van de tunnel. Maar de details herinnerde hij zich maar al te goed en met grote angst – de sigaar, het voortdurend aftrekken – zou Monica hun de details geven? Zouden de details in het rapport van die zelfingenomen, arrogante, opgeblazen oetlul staan? Hoe zou Hillary ermee omgaan als de details terechtkwamen op de voorpagina? Zou zijn eigen dochter moeten weten dat hij er een sigaar in stopte en die daarna in zijn mond nam, met de woorden: 'Smaakt goed.'? Hij had geen andere keus dan te liegen. De details waren Freddy Krueger die zich in de kast verstopte.

Dus moest er van Monica 'trailer trash' gemaakt worden, net als van Paula en Gennifer. Ze was een stalker. Ze was neurotisch; ze was ziek; ze had psychiatrische hulp nodig; ze was niet betrouwbaar! Die verknipte, perverse details die ze uit haar gigantische duim zoog waren het bewijs hoe ziek ze was! Een sigaar, wat je zegt! Rechtstreeks uit Krafft-Ebing! *Trailer trash* uit Beverly Hills!

Dus ontkende hij het tegen iedereen – tegen Hillary, tegen Chelsea, tegen ons – met kracht, geëmotioneerd, terwijl hij ons recht in de ogen keek: een verontwaardigde, onschuldige man, die vals beschuldigd werd. We zeiden tegen elkaar: 'Misschien is hij echt onschuldig. Kijk eens hoe boos hij is. Tuurlijk, politici liegen, maar met zoveel felheid? Zoveel hartstocht? Zo flagrant? Recht in ons gezicht?' Nixons lamme 'ik ben geen schurk'-verdediging klonk leugenachtig toen hij het zei – vlakke, onaangedane, verhulde woorden. Maar Clintons woorden waren strijdbaar: een kerel in een bar, klaar om je over de tafel te trekken als je het nog eens zei.

Hillary was al even overtuigend. 'Een gigantische rechtse samenzwering.' Natuurlijk! Te gek! Helemaal juist! De macht aan het volk! We wisten dat ze er waren – de samenzwerende mafkezen, de mensen die bommen gooiden op abortusklinieken en de lui van de burgermilities en de in vlaggen gewikkelde schijnheilen en racisten en homofoben. Het was begrijpelijk dat ze uit waren op het hachje van Bill Clinton, die een van ons was. Ze waren uit op zijn hachje *omdat* hij een van ons was. Omdat hij zich aan de dienstplicht had onttrokken en van zwarten hield en praatte over tot het leger toelaten van homoseksuelen. Ze zaten achter hem aan omdat ze nog steeds pissig waren over de mestvloedgolf die we dertig jaar geleden op de straten hadden losgelaten. Ze waren nog steeds pissig over het feit dat we een einde hadden gemaakt aan die stomme en bloederige en zinloze oorlog in Vietnam waar ze zoveel plezier aan beleefden.

Toen het *Starr-rapport* verscheen, werd Bill Clintons ergste nachtmerrie werkelijkheid, en verdween ook weer... alsof hij een nachtmerrie had gehad over een nachtmerrie. De details stonden er inderdaad in. De sigaar, de tong, de Altoids, het klaarkomen in de wastafel, tot en met de bank van Nancy Hernreich. Maar ze zaten verstopt in voetnoten en bijlagen.

De politieke fout die Starr maakte, was niet dat zijn rapport te obsceen was. De politieke fout die hij maakte was dat hij *bang* was het te obsceen te maken. Dus verstopte hij de details, de Freddy Krueger-details waar Bill Clinton vooral zo bang voor was, in kleine letters in duizenden bladzijden. Hij bracht al die giftige kleine braakballetjes niet bijeen in het feitelijke rapport. Hij vroeg nergens of de man in het Oval Office moest worden verwijderd voor wat snelle therapie.

Hoewel de details te voorschijn waren gekomen, was het de vunzige aard van de details zelf die Bill Clinton te hulp schoot. Het was het gepijp dat de wereld in beroering bracht – het was al erg genoeg dat ouders die 's avonds aan de eettafel vroegen 'Wat heb je vandaag op school gedaan?' als antwoord kregen 'Mam, wat is orale seks?' Maar een sigaar? De president van de Verenigde Staten die daar met zichzelf zat te spelen? Op de voorpagina? Op het avondnieuws? Meen je dat nou?

En het gebeurde ook niet. Het leek wel alsof de schunnige aard van Bill Clintons eigen daden hem uit de puree hielp. Het was veel veiliger en gezonder voor de media om er een verhouding van te maken, om het mooier te maken, te romantiseren, het een Hollywoodlaagje te geven, in plaats van de rauwe, schimmige zwart-witwerkelijkheid te tonen: een man van middelbare leeftijd die een jonge vrouw als een stuk vlees gebruikte.

Hillary, zeiden haar naaste medewerkers met uitgestreken gezichten, had het *Starr-rapport* niet eens gelezen. Haar partner, die gestroomlijnde Cadillac die ze naar het Witte Huis reed, liep het risico om eruitgegooid en weggesleept te worden, en wij werden geacht te geloven dat ze niet eens de moeite nam om de dagvaarding te lezen. Volgens zeggen was ze bezig beleid te formuleren, plakkertjes te maken voor het millennium.

Geen enkele presidentsvrouw was in het recente verleden op deze manier vernederd. Pat Nixon was vernederd en aan de fles gegaan, maar *zijn* vernedering had nooit direct in haar nadeel gewerkt. Lady Bird Johnson wist dat LBJ gebruik maakte van de hoeren van Bobby Baker, maar ze hoefde er niet over te lezen in de krant. Niemand wist dat JFK drie prostituees tegelijk meenam naar zijn hotelsuites. En als George Bush een speciale vriendin had die lang zijn secretaresse was geweest, nou ja... maar geen van hen had het Oval Office zelf, het tabernakel van de Amerikaanse regering, gebruikt als een motelkamer van vier dollar per uur. Geen van hen was betrapt terwijl hij zich uitstortte over de wastafels en banken van het Witte Huis. Sommige van hen hadden sigaren gerookt, maar...

Ik vroeg me af of Hillary in die donkerste dagen bang was dat haar man zou eindigen als Spiro Agnew, afgekocht met een zakvol diepvries biefstukken, levend als een kluizenaar op internationale vluchten en in de woestijn tot de dag dat hij stierf. Of als een nieuwe partner van Dreamworks, met een ondeugend oogje op dat nieuwe meisje met de tepelring op Ontwikkeling.

Maar ze bleef achter hem staan, met haar treurende-vrouwenzonnebril op, en speelde de hele gevoelige opera buffa van genezing en vergeving uit, of Lewinsky een bliksemschicht bij heldere hemel was, of ze het echt niet geweten had. Hillary was een slimme vrouw die deed alsof ze dom was om het slachtoffer te kunnen blijven dat ze nooit geweest was, in de wetenschap dat haar Heilige Hillary-incarnatie het erg goed deed in Peoria en de afgelegen delen van de staat New York.

Ze kreeg zelfs Chelsea, de dochter van wie ze hield, zover dat ze een cruciale openbare rol speelde in deze buitengewone familie-soapopera. Toen zij en Bill op vakantie gingen naar Martha's Vineyard, terwijl we allemaal elke kleine spierbeweging via een microscoop in de gaten hielden (Hield Hillary zijn hand vast? Hoe ver stond ze van hem af?), kreeg ze Chelsea op de een of andere manier zover dat ze langs de ontvangstrij liep die hen opwachtte. Daar liep Chelsea, een echt onschuldig slachtoffer, handen te schudden met het volk, in het vlees te knijpen, vlakbij haar vader, glimlachend als een echt politiek dier, een ware Clinton. De boodschap die wij hierin dienden te lezen, was duidelijk. Als Chelsea hem zijn innerlijke vunzigheid en zijn leugens vergaf, moesten wij dan niet hetzelfde doen? Het was de Gennifer Flowers-manoeuvre bij *60 Minutes*, die schaamteloos opnieuw werd opgevoerd. Hillary had haar man de eerste keer weten te redden. Nu prostitueerde ze haar dochter om hetzelfde te doen.

Tammy Wynette stierf in het jaar van de incarnatie van Heilige Hillary. Haar dochters beschuldigden haar echtgenoot onmiddellijk van moord op de vrouw die 'Stand by Your Man' had gezongen en er een staande uitdrukking van had gemaakt. Had dit een griezelige, diepere betekenis? Was dit het uiteindelijke lot van vrouwen die achter hun man stonden? Zou het Hillary op een dag ook overkomen, in overdrachtelijke, politieke zin?

Maar de politie zuiverde de echtgenoot van Tammy Wynette van elke betrokkenheid bij haar dood. Hij had kennelijk ook achter zijn vrouw gestaan. Het gaf degenen die meenden dat Bill Clinton achter de zijne zou staan valse hoop.

[6]

Hillary, Barry en Nixon

'Weet je wat ik heb?' zei Monica tegen Linda Tripp. 'Ik hoop dat ik het niet weggegooid heb. Ik heb een foto van mezelf op zijn ver-jaarsfeestje, maar hij staat zo'n beetje voorovergebogen – alleen zijn achterwerk – en ik kijk naar zijn achterwerk.'

Hillary's eerste politieke romance, lang geleden, in haar dagen als aandoenlijke zestienjarige met balcorsage, was met de rechtse conservatief Barry Goldwater. Hij was de volmaakte overgang naar haar Nieuw Linkse en politieke activisme in de jaren '60, ondanks het feit dat de cowboysenator uit Arizona tegen de Wet op de Burgerrechten stemde en Noord-Vietnam tot één grote maankrater zou hebben gebombardeerd. Ik kon me Hillary's verliefdheid goed voorstellen. In 1964, op Ohio University, droeg ik een Goldwaterbutton en was ik, net als Hillary, lid van de Jonge Conservatieven. Twee jaar later gooide ik ruiten in bij een ROTC-kantoor, las ik Marcuse en Fanon en rookte ik hasj.

Hillary en ik waren verliefd op Goldwater, niet omdat we het eens waren met zijn soms maffe politieke ideeën, maar omdat hij eindelijk de man was over wie we hadden gedroomd voor ons Amerika. Een eerlijke politicus. Een politicus die in het openbaar durfde uitkomen voor zijn menselijkheid. Een politicus die zijn taal niet verbloemde zoals Lyndon Johnson of uit al zijn nekharen lulde zoals de weerzinwekkende Nixon of ons in slaap suste met gebrabbelde o-gutteguts zoals Ukelele Ike. Als leerling-journalist interviewde ik Goldwater en schreef ik over hem tijdens zijn noodlottige presidentscampagne in 1964, en ik herinnerde me het moment in Clevelands Public Hall dat hem voor mij kenmerkte. Er waren duizenden wildenthousiaste aanhangers die oprecht in hem geloofden, en eerst scandeerden ze 'Viva!' en 'Olé!' en toen 'Wij willen Barry! Wij willen Barry! Wij willen Barry!' en de kandidaat stond naar ze te kijken of ze onfatsoenlijke orang-oetans in de dierentuin waren... en uiteindelijk hief hij zijn armen en snauwde: 'Nou, als je gewoon je kop zou houden, zou je Barry krijgen!' Over de wind uit de zeilen nemen gesproken; de orang-oetans staarden hem aan alsof ze geraakt waren door een kogel met een kalmerend middel en Barry lachte ze twintig seconden uit met zijn diepe, flegmatieke baritonstemgeluid.

Als je politiek in een rock 'n roll-kader wil plaatsen, was Goldwater – die Newt Gingrich en Trent Lott en Dick Armey en Tom DeLay ertoe zou kunnen inspireren om zich voor de publieke zaak in te zetten – Bill Haley zonder de vetlok en het buikje, een cowboy in een pak met een hoornen bril. Sommige van zijn collega-senatoren noemden hem 'Senator Branchwater' en voordat hij aan zijn campagne begon, zei hij tegen een verslaggever: 'Weet je, ik heb niet echt een eersteklas stel hersens.' Toen hij was genomineerd, zei hij: 'Christus, we zouden een speech moeten schrijven dat ze naar de hel kunnen lopen en ons terugtrekken en het iemand anders het laten doen.' Duizend psychologen ondertekenden een petitie waarin stond dat hij 'psychologisch ongeschikt was voor het ambt'. Hij verscheen soms aan boord van zijn campagnevliegtuig met een witte sombrero en een geelwitgestreepte Mexicaanse deken om zijn schouders.

Zijn vijanden, gestaalde progressieven van de LBJ Great Society, waarvan velen voorheen naaste medewerkers van JFK waren, veinsden afgrijzen en schrik om sommige van zijn cowboyfratsen. Hoe was het mogelijk dat hij door een menigte waadde en snauwde: 'Hou die baby uit mijn buurt!' toen een of andere moeder de duizendste baby van die dag omhoog hield om gekust te worden? Hoe was het mogelijk dat hij een bord aan zijn campagnevliegtuig had laten hangen met de woorden 'Liever crisispolitiek dan lafheid'? Ze ontdekten allerlei activiteiten in zijn privé-leven die ze als belastend beschouwden en die ik prachtig vond, zoals een minicamera meenemen naar feestjes om er zijn vrienden zonder hun partners in compromitterende situaties mee vast te leggen; een microfoon en een luidspreker installeren in de badkamer van zijn huis en 'Hallo daar, schat!' brullen als de vrouwelijke gasten hun neus kwamen poederen; uren op de bodem van zijn zwembad drijven, met een gewicht op zijn buik en een lange snorkel naar het wateroppervlak, omdat, zoals hij zei 'ik verdomd moe word van die verdomde telefoontjes.' En dan was er de kwestie van zijn gedrag als gemeenteraadslid in Phoenix. Hij hield een opwindbaar gebit bij de hand en als iemand te lang doordramde, liet hij het gebit klappertanden (het perfecte kerstcadeau voor de toekomstige president Bill Clinton).

Ik was ontmoedigd toen hij bij de verkiezingen werd ingemaakt, mijn humeur werd pas beter door het commentaar van zijn kandidaat voor het vice-presidentschap, William Miller, het obscure en hopeloos onbeduidende Congreslid voor New York: 'Wat we hebben gezegd is kennelijk nauwelijks opgemerkt door de kiezers en zal in ieder geval niet lang blijven hangen. Maar het is aan ons, de levenden en niet aan de stomdronken torren, om nu te besluiten dat deze regering, van sukkels, door sukkels en voor sukkels, niet op deze aarde door mag gaan.' Barry's reactie op Miller was typisch ter zake: 'Er is in de hele geschiedenis geen campagneteam dat meer drank gedronken heeft, meer wasgoed kwijtgeraakt is of meer geld vergokt heeft bij het kaarten dan het zijne.'

Maar uiteindelijk, na verloop van tijd, herinnerde ik me – en met mij vele anderen – twee dingen over de gigantische verliezer Barry Goldwater... zelfs toen ik betrokken raakte bij het politieke activisme van de jaren '60 en '70. Hij had gelijk wat Vietnam betreft toen hij in de toespraak bij de acceptatie van zijn nominatie zei: 'Gisteren was het Korea; vanavond is het Vietnam. Vergis je niet. Veeg het niet onder de mat. We zijn in oorlog met Vietnam. En toch weigert de president te zeggen... of ons doel daar de overwinning is. En zijn minister van Defensie blijft het Amerikaanse volk verkeerd informeren en misleiden.' (Pas in 1997 zou Robert McNamara eindelijk toegeven dat hij ons misleid en bedrogen had. En hij deed dat in een boek – waar hij veel geld voor kreeg.)

Barry had ook gelijk wat Walter Jenkins betreft, wiens positie een relevante en enigszins vergelijkbare kwestie opleverde om in het jaar van Bill Clintons impeachmentperikelen over na te denken. In 1964 was Witte Huis-medewerker Walter Jenkins de naaste adviseur en persoonlijke assistent van Lyndon Johnson. Jenkins, die getrouwd was en zes kinderen had, werd gearresteerd in de YMCA, een blok verwijderd van het Witte Huis, op beschuldiging van homoseksuele activiteiten – een maand voor de verkiezingen. Verslaggevers ontdekten de arrestatie en ook een eerdere arrestatie voor dezelfde activiteiten, waarbij de aanklacht luidde 'perversiteiten'. Walter Jenkins werd sensationeel voorpaginanieuws in de meest verhitte dagen van de presidentsverkiezingen. Tegen het advies van zijn adviseurs in gaf Goldwater opdracht om Walter Jenkins' arrestatie niet te gebruiken in de campagne. (Johnson daarentegen vroeg om een opinieonderzoek voor hij een 'sympathieverklaring' voor zijn oude vriend aflegde.)

Zo dol als Hillary en ik waren op Goldwater, zo hartstochtelijk walgden we van Richard Nixon, zijn opvolger als vaandeldrager voor de Republikeinen. 'Richard Nixon,' had Barry Goldwater gezegd, 'is de oneerlijkste man die ik ooit ontmoet heb.' Harry Truman was het met hem eens. 'Richard Nixon,' zei hij, 'is een waardeloos liegbeest. Hij kan aan beide zijden tegelijk uit zijn nek liegen, en als hij zichzelf ooit op een waarheid betrapte, zou hij nog liegen om het niet te verleren.' Ja, dat klopte precies, en het was de belangrijkste reden voor het instinctieve en grondige wantrouwen van mijn generatie jegens hem. Nixon was letterlijk, zoals Barry had gezegd, 'een vierkante leugenaar.'

We hadden Tricky Dick gezien terwijl we opgroeiden, een schimmige aanwezigheid met een van visgraatpak in het avondnieuws. Zijn motoriek was stijf en houterig, en leek op die van Ed Sullivan of van Charlie Chaplin in zijn parodie op Hitler in *The Great Dictator*. Zijn Pinocchioneus leek elke dag langer te worden, de vette Brylcreemmangrove op zijn hoofd leek op een nest vol kruipend ongedierte. Zijn spieren bewogen zich onafhankelijk van elkaar: zijn armen kwamen omhoog alsof ze aan marionettendraden opgetrokken werden, zijn stijve V-van Victorie-vingers werden naar ons omhooggestoken zoals Nelson Rockefeller zijn middelvinger omhoog stak naar de pers. Zijn glimlach was de bevroren, opgewekte glimlach van een KGB- of Gestapo-folteraar die op het punt staat de stroom op te voeren. Zijn ogen waren de zwarte gaten in een bemoste Transsylvanische begraafplaats waar vleermuizen met behaarde vleugels ronddansten tussen heksen, gotische kruisen en grafzerken. Zijn mond was een nog groter zwart gat, een massagraf waar een slangentong huishield die leugens uitbraakte en (zoals we later ontdekten) scabreuze, racistische, seksistische, homofobische en antisemitische scheldwoorden.

Dat is hoe ik erover dacht en hoe mijn generatie erover dacht. We walgden van de man. We hadden hem op televisie gezien waar hij het 'Republikeinse jasje' van zijn vrouw gebruikte om zich aan een strop te onttrekken waar hij volgens ons in verdiende te hangen. Deze man was zelfs bereid om zijn hond Checkers te gebruiken om onze sympathie op te wekken. (Het is duidelijk dat Bill Clinton op dezelfde manier gebruik maakt van Buddy.) Deze man was bereid om Alger Hiss te vervolgen om zijn eigen carrière te bevorderen. We vonden hem een lege, ambitieuze streber. Hij had geen hart. Voor een generatie die was opgegroeid in de overtuiging dat ze uitgerust was met Holden Caulfields kuldetector was hij de verpersoonlijking van het woord *nep*.

Toen hij werd verslagen door JFK, waren we... verrukt. We waren van hem af, eindelijk bevrijd van wat wel een kinderziekte had geleken, een aanwezigheid als een donkere schaduw die een dagelijkse depressie was. En JFK was van *ons*, al waren we nog niet oud genoeg om te stemmen, een president met gevoel voor humor en een echte, ongekunstelde lach, die sprak over mededogen en de rechten van onze medemens, over houden van elkaar, ongeacht de huidskleur. Zoals Hubert Humhrey al zei, 'gaf JFK vorm aan onze vormeloze verlangens.'

JFK bood ons hoop op een Amerika zonder donkere schaduwen en nachtschepsels die rondslopen over bemoste begraafplaatsen. *Het* Nachtschepsel verloor ondertussen in Californië zelfs de strijd om het gouverneurschap, een verliezer in zijn eigen staat. Hij zei: 'Nu hebben jullie Nixon niet meer om af te zeiken.' Ja, we waren *verrukt!* Nixon lag nu zelf in dat gat op de begraafplaats, politiek dood en begraven, en we gingen hard aan de slag om de gouden plek genaamd Camelot te helpen opbouwen.

En toen, in één heftig apocalyptisch moment... *zes grijze paarden, gevolgd door het traditioneel ruiterloze zwarte paard.* De vleermuizen en duivels en heksen van de begraafplaats waren terug, en ze ontnamen ons JFK. Na een paar jaar – LBJ met die surrealistische, nertsgevoerde Stetson maatje nijlpaardenhoofd – kroop Nixon omhoog uit zijn politieke graf. Twee lijken later (Martin en Bobby) was Richard Nixon, het Nachtschepsel, president van de Verenigde Staten. (Hij versloeg in 1968 Humphrey met een van de eerste voorbeelden van negatieve televisiereclame: een opname van een lachende Hubert geprojecteerd over beelden van brandende steden, demonstranten die werden geslagen, en stapels dode Amerikaanse soldaten in Vietnam.) We hadden inmiddels de stemgerechtigde leeftijd bereikt. We waren oud genoeg om stenen door ruiten te gooien. We waren cynisch genoeg om zijn vierletterige krachttermen met onze eigen gekrijs te beantwoorden.

Alles waar hij voor stond werd gesymboliseerd door de malle uniformen die hij liet ontwerpen voor de politie van het Witte Huis. De tunieken met dubbele knopenrij, afgezet met goudgalon en goudkleurige knopen, met daarboven helmen die eruit zagen of ze afkomstig waren van het Oekraïense leger. Sommigen van ons keken een tijdje niet naar 'Laugh-In' toen ze hem in het programma toelieten. 'Geef me een dreun!' zei hij, en het geluid van ontploffende televisies was overdrachtelijk door het hele land te horen. Gezien hoe woedend we op hem waren, had Nixon nog geluk dat hij niet door een van ons doorgetripte geflipten van kant gemaakt werd. Op onze borden stond: NEK NIXON VOOR HIJ JOU NEKT. Dick Tuck, onze olijke politieke rakker, huurde zelfs twee duidelijk zwangere vrouwen om voor het gebouw waar de nationale conventie van de Republikeinen werd gehouden rond te lopen met een bord met: NIXON IS 'T!

Wij gniffelden veelbetekenend toen romanschrijver Robert Coover ons de werkelijke Nixon onthulde in *The Public Burning*. Coovers Richard Nixon zei: 'Ik ben een gesloten mens en dat ben ik altijd geweest. Formeel. Als ik gemeenschap heb, doe ik dat het liefst tussen de lakens in een donkere kamer. Als ik moet poepen, doe ik de deur op slot. Mijn borst is behaard, maar ik loop er niet mee te koop. Ik vind het niet eens prettig om in het openbaar te *eten*...' En we waren compleet verrukt toen Coover het trauma onthulde dat Nixons dreef: een gewelddadige anale verkrachting door Uncle Sam persoonlijk. Nixon: '"Nee!" schreeuwde ik. "Stop!" maar te laat, hij zat al diep in mijn rectum en ramde het nog dieper naar binnen – O Christus! Het leek wel of hij het hele godvergeten Washington Monument in mijn gat schoof!... Ik lag op de vloer van de gastenkamer, gorgelend, zwetend, half bewusteloos, gekneusd en opgezwollen en volgepropt als een worst, en dacht: "Oké, ik heb het ergste gehad... Ik herinnerde me Hoovers glazige blik, Roosevelts gepijnigde zenuwtrekjes, Ikes verdwaasde glimlach. Ik had het kunnen weten."'

Nixon was niet achterlijk en wist hoe hartstochtelijk wij van hem walgden. Hij was onze vijand en wij waren de zijne. Hij beschreef ons als 'nietsnutten' en 'zwervers'.

Wij definieerden onszelf als alles dat Richard Nixon niet was. Wij *waren* seks, drugs en rock 'n roll. We geloofden in de buttons die we op onze schriele lijven droegen:

TUNE IN, TURN ON, DROP OUT; VERTROUW NIEMAND BOVEN DE DERTIG;

VERBRAND HASJ, GEEN MENSEN; MAKE LOVE, NOT WAR; WEG MET BETAAL-
WC'S; KNUFFEL AL WAT BEWEEGT.

We verruilden onze dassen voor kralen en ankhs. We droegen 'ban de
bom'-tekens om onze nek. We deden onze blauwe traditionele overhemden weg en droegen geborduurd spijkergoed of spijkerjasjes met een om-
gekeerde Amerikaanse vlag op de achterkant. We droegen Wild Bill Hic-
kock jassen met franjes en joppers van de marinedump. (Bill Clinton
droeg een lange jopper toen hij terugkwam uit Oxford.) Degenen van
ons die op kantoren werkten waar baarden en snorren verboden waren,
kochten valse voor het weekend. We droegen geen ondergoed, en hoe
buitenissiger onze wijduitlopende broeken eruit zagen, hoe hipper ze
waren, vooral als er een exemplaar van *Het Rode Boekje* van voorzitter
Mao uit de achterzak stak. We lazen het boek niet – het hoorde bij de
yell: '*Ho Ho Ho Chi Minh, the NLF is gonna win*' – maar we hadden
het op zak zoals we een condoom in onze portemonnee hadden. We waren veel te stoned om wat dan ook te lezen, al leerden de studieuzere types stukken van Tolkien en *Siddharta* en Kahlil Gibran uit hun hoofd.

We zwoeren bij onze geslachtsdelen zoals Nixon bij zijn 'oude Quaker
moeder' zwoer. We waren onze eigen enorme Varkensbaai – die kolkend
over de Berlijnse Muur van puriteins verzet stroomde. Op de hoes van
Sticky Fingers van de Stones zat een echte rits met een bobbel links ervan. John en Yoko stonden naakt op de hoes van *Two Virgins*. Yoko
maakte een film met de titel *Bottoms*, waarin 365 naakte achterwerken
optraden. Andy Warhol schilderde met zijn *willard*, net als Tom of Fin-
land, die zei: 'Als mijn pik niet stijf zou staan terwijl ik werk aan een tekening, zou ik de tekening niet kunnen maken.' De Plasters Casters gebruikten *willards* als kunstobjecten. Een groepslid wekte de interesse van
een beroemde *rockwillard*; dan doopte een ander groepslid de geïnteres-
seerde *willard* gauw in een bakje met gips. De gipsen *willards* (die van
Hendrix zou volgens zeggen de grootste zijn) werden op ondergrondse
kunstexposities als heilige relikwieën tentoongesteld.

Onze spijkerbroeken waren zo strak dat ze de bloedsomloop stremden, en we propten Kleenex of Kotex of een zakje bonen *daar beneden*.
Eldridge Cleaver, de voormalige minister van Voorlichting van de Black
Panthers, sloeg geld uit het idee door 'Cleavers' te produceren – broeken
met broekkleppen. (De Panthers, wapengek, waren altijd erg gericht op
hun *willard*.) We vierden het Aquariustijdperk met 'be-ins', waar we
meestal binnen een paar minuten of uren ergens *in* zaten, al wisten we
vaak elkaars namen niet eens. We gingen op tournee met onze seksuele
show in comfortabele Volkswagen-kampeerbusjes, die ons verlosten van
het gebrek aan bewegingsruimte en de beenkrampen op de achterbank.
We ontdekten waterbedden en Slip'N Slide, een acht meter lang plastic
laken dat we natmaakten en waarop we naakt in elkaar verstrengeld de
zomernachten in de achtertuin wegplonsden. We ontdekten intiemere
toepassingen voor onze nieuwe elektrische tandenborstels. We

schreeuwden in koor 'Nee!' toen Dustin Hoffman op het witte doek tegen Mrs. Robinson zei: 'Kunnen we deze keer eerst een beetje praten?' De Noxzema-reclame was onze advertentie – 'Trek het uit! Trek alles uit!' – net als 'Lay Lady Lay' ons nummer was. Burt Reynolds werd onze held toen hij in *Cosmopolitan* wat schaamhaar vertoonde.

Het moment dat symbolisch was voor de jaren '60, was misschien niet Woodstock of de Summer of Love, maar een scène in de Village Club in New York. Hendrix stond op het toneel, speelde op zijn gitaar. Morrison en zijn vriendin Janis, zaten in het publiek. Jimi was stoned, en Morrison en Janis waren stoned en dronken. Morrison stond op, liep naar het toneel, deed de rits van Jimi open en stopte diens *willard* in zijn mond. Jimi speelde door. Janis rende naar het toneel, viel Morrison aan, en die twee gingen met elkaar op de vuist. Jimi ritste zijn gulp dicht en speelde verder.

Als we niet met onze geslachtsdelen te koop liepen, waren we bezig high te worden. Marihuana was voor ons net zo belangrijk als ketchup en kwark voor Nixon waren. We zetten de brand in onze stickies met Smile-aanstekers. Als we geen hasj meer hadden, rookten we restjes van gedroogde bananenschillen, oregano, blad van de maïskolf en dennennaalden. De lucht van Amerika was doortrokken van marihuana. Zelfs sommige ouderen raakten in de ban van de tijdgeest. Alfred en Betsy Bloomingdale, leden van de beau monde, gaven een feest – hun gasten: Jack Benny en zijn vrouw, George Burns en zijn vrouw, en Ronald Reagan, de gouverneur van Californië, en zijn vrouw Nancy. Volgens zijn voormalige privé-secretaris stak Alfred, altijd een ondernemend type, een stickie op en gaf het door. De gouverneur en Nancy en Jack en George namen allemaal een paar trekjes, inhaleerden en zeiden toen, weinig verrassend, dat ze helemaal niets merkten. (Dezelfde Ronald Reagan die in diezelfde periode de mannen van de National Guard bevel gaf hetzelfde huidbijtende poeder op straat tegen ons in te zetten dat in het oerwoud tegen de Vietcong gebruikt werd.) Het leek wel of iedereen op de een of andere manier high werd: zelfs de astronauten smokkelden kleine flesjes cognac mee aan boord van de *Apollo*.

Seks, drugs en rock 'n roll bepaalden ook onze politiek. John Lennons woorden waren een beginselverklaring: 'Het christendom gaat verdwijnen. Het zal vervagen en inkrimpen. Ik hoef dat niet te beargumenteren. Ik heb gelijk en ik zal dat gelijk krijgen. We zijn nu populairder dan Jezus. Ik weet niet wat het eerst zal verdwijnen – rock 'n roll of het christendom.' We verbrandden bh's, oproepkaarten voor de dienst en Amerikaanse vlaggen. We dachten naïef dat we de waarden die onze ouders ons meegegeven hadden als schepen achter ons verbrandden. We gingen naar teach-ins, met onze ernstigste gezichten en onze strakste spijkerbroeken, op zoek naar iemand om een stickie en een diepteonderzoek van ons lichaam mee te delen, de dodenaantallen in Vietnam goddank ver van ons vandaan. Moratorium Day was ons slappe verzet tegen Memorial Day en de Fourth of July. We liepen met zijn honderdduizenden, ongewassen en langharig, kaarsen in de hand, langs het Witte Huis, waar Nixon naar ons gluurde vanachter zijn smakeloze goudgevlekte Witte Huis-gordijnen. In onze jeugdige, messiaanse overmoed deed het ons niks dat, terwijl wij genoten van het protesteren, high worden en neuken, onze zwarte en boerenjongens in Vietnam teksten op hun helmen schreven als WIJ ZIJN DE ONWILLIGEN, GELEID DOOR DE ONDESKUNDIGEN, WIJ DOEN HET ONNODIGE VOOR DE ONDANKBAREN.

We waren er waanzinnig trots op dat we deel uitmaakten van een politieke beweging – De Beweging – maar zelfs onze politiek werd vermengd met seks. 'Het seksuele en het politieke zijn één,' zei Bernardine Dohm, een van de kopstukken van de Weatherpeople, en zij kon het weten. Want terwijl de media over Jane Fonda heenvielen als het sekssymbool van onze revolutie, wisten wij dat dat onzin was. Jane was een filmster, een stoottroeper van de public relations van de beweging. Ons pinupmeisje, ons echt gewapende stuk was Bernardine, die haar troepen voorging in wat ze 'oorlogasmes' noemde. Zoals Mark Rudd, een andere Weatherpeople-guerrillastrijder, zei: 'Macht komt niet uit de loop van een vuurwapen; macht komt uit Bernardines kut.'

Ze was zesentwintig jaar, lang, op hoge benen, gebruind, met bruine ogen, voluptueus. Ze pruilde en was onontkoombaar zinnelijk. Alle mannen die ik kende in de jaren '60 en het begin van de jaren '70 droomden ervan om met Bernardine te vrijen. Ze verscheen op demonstratiepodia voor de geknoopverfde zee in een bruine mini-overall met Florentijnse leren laarzen tot haar dijen; op blote voeten in een strakke minirok, haar blouse open tot haar navel; in een paarse rok met een strakke oranje trui met buttons waarop stond *Cunnilingus is cool, fellatio is fun*; in een strakke spijkerheupbroek en een doorzichtig laaggesneden bovenstukje, haar haren geverfd in de kleur van Ho Chi Minhs vlag; met een zwarte motorhelm en traangashandschoenen, stoeiend met een stalen buis zoals Mike met zijn microfoon. Ze organiseerde officiële Weatherpeople-orgieën waar we allemaal ontzettend graag voor uitgenodigd wilden worden. Ze was onze withete Fidelista met de geballde vuisten, die op een dag een borst te voorschijn haalde waar een man naar zat te kijken en zei: 'Vind je die tiet lekker? Pak 'm maar.' Bernardine was ons eigen lekkere ding, ons radicale wijfie, de seksbom die zichzelf 'een idiote klootzak' noemde, en zei dat ze 'bleekscheterig Amerika wel even een poepje zou laten ruiken'.

We vormden een tegencultuur, een Amerika binnen Amerika, arrogant, zelfbewust, zelfs chauvinistisch wat onze waarden, helden en muziek betrof. 'I Can't Get No Satisfaction' was onze 'Battle Hymn of the Republic'; 'Sympathy for the Devil' onze 'Star-Spangled Banner'; Woodstock onze D-Day; Altamont ons Pearl Harbour; Dylan onze Elvis; Tim Leary onze Einstein; Che Guevara onze Patrick Henry.

We hadden niet 'onze' Richard Nixon. Het was onze gezamenlijke overtuiging dat onze generatie, vastbesloten als we waren om alles de vrije loop te laten, om ons door de waarheid te laten bevrijden, nooit een Richard Nixon zou voortbrengen, een president die ons in de ogen zou kijken, naar ons zou wijzen en zou liegen.

Ja, we waren met velen – *erg velen* – en het Nachtschepsel wist dat we een probleem waren en liet zijn wormstekige griezels op ons los... Ulasciewicz en Segretti en Liddy en Hunt en Haldeman en Ehrlichmann... en de travestiete, schijnheilige pedofiel J. Edgar Hoover. Het Nachtschepsel hield opgewonden, polariserende toespraken (geschreven door Pat Buchanan en William Safiro), die de eetlust van de levende doden voor bloed opwekten – *ons* bloed – dat door wapenstokken en gummiknuppels en mannen van de National Guard werd vergoten, tot ze uiteindelijk vier van ons doodschoten op Kent State. Maar tegen die tijd begon alles al te desintegreren. Nixon had geleefd en was weer tot leven gewekt, dankzij zijn leugens, en hij stond op het punt om er (opnieuw) aan te sterven.

Hillary, God zegene haar, stond in de frontlinies, als medewerker van de Impeachment Commissie van het huis van Afgevaardigden, maakte eindeloos lange dagen, om de aanklacht rond te krijgen die hem uit het ambt moest ontzetten. De tapes van het Nachtschepsel zelf dreven uiteindelijk de staak door zijn hart. Niet alleen bevestigden ze zijn rol in de doofpotaffaire van Watergate, maar ze toonden Amerika dat het Oval Office het rattennest van het Nachtschepsel was geworden – een plek van vuiligheid en dode vingernagels en stinkende nattigheid. Als poëtische gerechtigheid was het Barry Goldwater die de staak het laatste zetje gaf in het zwarte hart van het Nachtschepsel door hem te vertellen dat hij afgezet zou worden als hij niet aftrad en dat hij zelf voor impeachment zou stemmen. (In de jaren '90 stond Barry stevig aan *onze* kant, met teksten als 'Jesse Helms is niet goed wijs,' door te verwijzen naar Ronald Reagan als 'gewoon een acteur' en met zijn waarschuwing 'Het religieuze fundamentalisme jaagt me enorme angst aan.' In 1994 werd hij door de Arizona ACLU uitgeroepen tot 'Voorstander van Burgerlijke Vrijheden' van het jaar vanwege zijn steun aan de grondwettelijke rechten van homofielen en lesbiennes en zijn betrokkenheid bij het recht op vrije van vrouwen.)

Een staak drijven door het hart van het Nachtschepsel was zo'n zoete wraak! Ze hadden ons JFK ontnomen en toen Martin en Bobby... en het Nachtschepsel was uit zijn duisternis tevoorschijn gekomen en nu hadden we hem teruggeworpen naar waar hij vandaan kwam. Dankzij de inspanningen van Hillary en Barry en miljoenen van ons die zich hadden verenigd om deze 'aperte leugenaar' uit het ambt te zetten.

Op het moment dat hij aftrad, zat ik in een kantoor van de *Rolling Stone*, samen met de rest van de staf, nu eens niet aan de drugs, en we zagen het Nachtschepsel op tv zijn laatste V-voor-Victorie-vingers naar ons opsteken. Tegenover me zat een jonge stagiair die champagne had meegebracht voor iedereen. Bobby Shriver was een neefje van JFK en de tranen stroomden over zijn wangen terwijl hij televisie keek. Ik begon ook te huilen toen ik Bobby zag.

Ik zag Richard Nixon in 1993, een paar maanden voor zijn dood, in de eetzaal van het Ritz-Carlton Hotel in Laguna Niguel, Californië. Hij dineerde met een paar vrienden aan een tafel bij ons in de buurt en ik keek naar hem terwijl hij at.

Ik had hem één keer eerder ontmoet, toen ik als jonge journalist verslag uitbracht van een campagnebezoek dat hij in 1968 bracht aan de lelieblanke voorstad Fairview Park in Cleveland. Hij werkte op afstandsbediening die dag op een persconferentie, met lege ogen, tot ik hem vroeg of hij wist dat Denny McLain van de Detroit Tigers net zijn dertigste wedstrijd had gewonnen. Nixon kwam even tot leven, vroeg naar de einduitslag en het aantal keren dat McLain iemand met 3-slag had uitgegooid, terwijl zijn bevroren glimlach even vervangen werd door iets dat vagelijk menselijk leek. 'Ik ben een grote Denny McLain-fan,' zei hij. We wisten op dat moment in 1968 geen van tweeën dat McLain in de gevangenis zou belanden voor souteneursactiviteiten en gokken, en dat Nixon slechts aan de gevangenis zou ontsnappen door Gerry Fords kamikaze-gratieverlening. De dag dat zijn gratie werd afgekondigd zat ik te wachten tot Evel Knievel, nog zo'n malloot, zich over de Snake River in Idaho zou laten schieten... en toen het bericht van de gratie van het Nachtschepsel zich door de ongewassen, langharige, tegendraadse menigte werkte, werden de jongens door iets van de oude extreem-gewelddadigheid gegrepen: ramen sneuvelden, vuren werden aangelegd, tanden uitgeslagen, vrouwen uitgekleed en hoog boven de rand van het ravijn gehouden zodat ze Knievel konden zien vliegen. Het kwaad zat in de lucht op de dag dat Evel verongelukte.

Toen ik in 1993, zoveel jaren later, in de eetzaal van het Ritz-Carlton zat te kijken naar Richard Nixon, zag hij er zwak uit, verslagen en oud. Ik droeg een oud sportjasje en een T-shirt en een strakke zwarte vrouwenmaillot in mijn cowboylaarzen. Spijkerbroeken waren verboden in de eetzaal en ik had geen andere broek om aan te trekken, dus had mijn vrouw mij een van haar maillots geleend. Toen Nixon ons op weg naar de uitgang passeerde, stond ik op en schudde hem de hand en wenste hem het beste. Misschien was het mijn manier om persoonlijk vrede te sluiten met het Nachtschepsel nu hij op weg was naar zijn laatste en onherroepelijke graf. Maar Nixon staarde alleen maar naar de maillot van mijn vrouw aan mijn forse lijf en uitte dezelfde lege vriendelijkheden die hij in de hel waarschijnlijk nog steeds uit.

Na Nixons vertrek overwoog ik dat dat misschien de reden was waarom ik *werkelijk* opgestaan was om hem de hand te schudden... een laatste daad van protest voor zijn vermoeide ogen: *Jaaa! Vind je dit niet prachtig, Dick! Dit is er gebeurd met jouw Amerika... Het is een plek waar mannen maillots en cowboylaarzen dragen.*

[7]

De president gilt en schreeuwt

'Weet je,' zei Linda Tripp, 'ik zou hem graag in het openbaar ho-
ren toegeven dat hij een probleem heeft.'
'Mijn god, ik zou het besterven,' zei Monica.

Er groeide een gezwel op het presidentschap, iedere dag een klein stukje. Elke hoop op een eeuwige vlam was – nou en of! – verdwenen. Weg waren de William Jefferson Clinton-postzegel en zijn bietrode kop op toekomstige tiendollarbiljetten. Weg waren de USS *Clinton* en de Clinton F-54 bommenwerper en de naar Clinton vernoemde snelwegen en boulevards, nationale luchthavens, promenades en winkelcentra. Weg was het William Jefferson Clinton Paviljoen in L.A. en de Clinton Herdenkingstoren in New York. Weg was de Nobelprijs, maar dankzij Jann Werner maakte hij waarschijnlijk nog wel kans op de Rock 'n Roll Hall of Fame in Cleveland.

Zijn bijdragen aan Amerika zouden nu worden overschaduwd door zijn bijdragen aan de Engelse taal: 'te Clintonnen' – deskundig ontleden en liegen; 'een Clinton krijgen' – gepijpt worden. Zijn wijsvingerpriemende ontkenning op televisie zou net zo beroemd worden als de Zapruderfilm. De omhelzing van Monica met haar baret op zou net zo komisch werken als de huwelijksreisvideo van Tonya Harding en Jeff Gillooly.

Het was een bijzonder pijnlijke manier voor een man om op zijn eigen *willard* te gaan staan. Hij stond bekend als de Comeback Kid sinds die dag dat hij op de middelbare school, toen hij vergeten had dat hij zijn natuurkundeproject moest inleveren, een hot dog en een stukje blik had gekocht en ze in de zon had gelegd. Bingo! Een hotdogverwarmer op zonne-energie. Maar wat kon de Comeback Kid nu doen om zich hieruit te redden? Kon hij...

Niet meewerken? Een Checkers-speech houden? Beweren dat het een privilege van de baas was? De Chappaquiddick-neksteun van Ted Kennedy lenen? Zich achter Betty Currie verschuilen zoals Nixon zich achter Rose Mary Woods had verscholen? In een fles kruipen, zoals Joe

McCarthy? Elektroshockbehandeling ondergaan als Thomas Eagleton? Tot ontbinding overgaan als Ed Muskie? Het wijten aan de ziekte van Addison? Janken als Jimmy Swaggart? Hillary bevruchten? Patricia Ireland beffen? Linda Tripp Dahmer'en? Paula Jones Kopechne'en? Kenneth W. Starr Ned Beatty'en? Helen Tomas uit het raam werken? Maureen Dowd afranselen? Zijn exemplaar van *Vox* begraven? Naar Paraguay verhuizen? Naar Malibu verhuizen? Niet meer rondhangen met Sharon, Barbra en Eleanor? Een trui aantrekken en proberen een praatje bij de haard te houden? Zichzelf kastijden op Times Square? *Hem eraf snijden?*

Alsof dat allemaal nog niet erg genoeg was, zei de ongelukkige Paula Jones, die moest aantreden voor de conservatieven die haar juridische kosten betaalden, dat ze karakteristieke kenmerken kon noemen van Willard.

Als hij bezig was geld los te krijgen om een beter Amerika op te bouwen, druipend van charisma, zag hij dat mensen op een *vreemde* manier naar hem keken. Hij wist dat ze het over Willard hadden. Was Willard te klein, net als die van Hitler? Een potlood? Een knakworst? Een vingerhoed? Een paddestoel? Een mierikswortel? Een olijf? Het was niet eerlijk! Hij gaf zijn kiezers woorden en beleid waarop ze konden dansen en zij keken naar zijn *willard*! (Het was net of zijn gulp voor eeuwig door de krantenkoppen was opengeritst. Zou hij de rest van zijn leven naar beneden moeten kijken, om te controleren?) De huid van Lyndon Johnsons balzakken hing tot op zijn knieën en *dat* wist niemand! Niemand keek naar LBJ's *willard*.

Zijn eigen advocaat, Bob Bennett, de broer van die zelfingenomen kwast Bill, ging praten met zijn maatjes in Hot Springs, zijn oudste vrienden, kerels met wie hij op de middelbare school op gym had gezeten, en vroeg hun naar Willard, of Jones echt iets wist dat alleen degenen die waren genezen, gezegend en bediend, konden weten... Bennett ging op een gegeven moment bijna met hem mee naar het toilet, maar schrok er op het laatste moment voor terug. Nou ja, in ieder geval was Bennett niet naar Hillary gegaan om te vragen of ze zich vaag nog iets herinnerde dat...

Nee, Bennett ging naar zijn artsen, van vroeger en nu, en ze verklaarden schriftelijk onder ede dat er met Willard niks mis was, dank u. Bennett zei dat hij de Obi-Wan Kenobi van alle *willards* moest opzoeken, de uroloog die de edele delen van Reagan en Bush had onderzocht, en hij moest daar zitten terwijl 'deze onbevooroordeelde Republikeinse deskundige' duwde en trok en kneep. Maar zelfs *dat* was niet genoeg! De advocaten van Jones zeiden wat als... wat als... wat Jones dan ook gezien had alleen zichtbaar was als Willard stijf stond? Er was sprake van dat hij, tegenover Obi-Wan Kenobi gezeten, met Willard moest spelen tot hij zijn volle, trotse hongerige hoogte had bereikt. Maar dat stond Bennett tenminste uiteindelijk niet toe, zich bewust van het 'gadver-aspect' in dit geval. Bill Clinton herinnerde zich de woorden van Al Gore: 'Een moreel kompas moet altijd naar het noorden wijzen,' en wist dat daarin een groot deel van zijn probleem lag. Willard had altijd naar het noorden gewezen, ten noorden van de Noordpool.

Het was opnieuw een probleem van de jaren '60, een probleem waarmee de mannen van mijn generatie nu al dertig jaar geworsteld hebben. We waren altijd zo... bezig... met onze *willards*. Heel lang, voordat vrouwen onze met onszelf geobsedeerde, gladde onzin doorzagen – het was dertig jaar voordat die van John Wayne Bobbitt door zijn vrouw werd afgesneden – deden we alsof we bezig waren de wereld te redden met onze *willards*. Maar in plaats van de wereld te redden, raakten we flink in de problemen. Vrouwen hadden er genoeg van om te horen hoeveel vrouwen de Kielbasa Man – Wilt Chamberlain (twintigduizend) – of Warren Beatty of JFK of Mick hadden gebruikt... en ze raakten begrijpelijk genoeg pissig.

In werkelijkheid *moesten* we onze *willard* de ruimte geven, naar buiten hangen, en *ergens* insteken. Misschien leden we aan het Clara Bow-syndroom, het onvermogen om nee te zeggen in elke seksuele situatie (Clara kon geen nee zeggen tegen het USC *football*-team). Wellicht was het erotomanie of een of andere vorm van priapisme. Hij werd stijf en dat was oncomfortabel. Het moest weer zacht gemaakt worden... door iemand of iedereen. Sommigen van ons, zelfs diegenen van ons die veel in het openbaar traden, hadden het moeilijk met onze... *toestand*. Geraldo Rivera's beschrijving van zichzelf was van toepassing op velen van ons: 'Een kreunend, gulzig, bronstig varken.'

Ik zag Michael Douglas, die ik eerder had ontmoet, eens zitten in de bar het Westwood Marquis, met een hasjhoofd, naast en op en aan een wulpse, vroegrijpe seksbom. Ik liep uiteindelijk naar Michael toe en zei: 'Hé, Michael, jongen, huur een kamer!' En hij lachte en deed het. Een paar jaar later betrapte Michaels vrouw hem in het Regent Beverly Wiltshire in koortsachtig flagrante delicto met haar beste vriendin, en zijn vrouw verliet hem. Michael meldde zich aan bij een verslavingskliniek in Arizona, ging voor de groep staan en zei: 'Ik ben verslaafd aan seks,' en bekende alles – inclusief zijn bewondering voor Kirk, de grootste zwaardvechter aller tijden. (Een van zijn medeverslaafden nam de bekentenis op een bandje op en verkocht die aan de boulevardpers.)

Ik zag Jeff Bridges, de ultieme jaren-'60-jongen, bij de opnames voor *Jagged Edge*, waar hij smeekte om de eerste scène van de film zelf te mogen doen, de scène waarin een naakte vrouw op het bed wordt vastgebonden en vermoord door een gedaante met een skimuts op. 'Jeff,' zei de regisseur. 'Je hebt een skimuts op. Je hoeft deze scène niet zelf te doen; je stand-in kan het doen.' Maar Jeff deed het zelf, zes keer, steeds weer opnieuw, en stond erop dat het gedaan werd 'tot het precies goed was'.

En ik zag het voorlaatste huwelijk van de jaren '60 ontploffen, het koninklijk paar van de tegencultuur in Scheidingstad, vanwege die verdomde rits. Jane Fonda was een pittige en bloedmooie vrouw, en Tom Hayden was een pittige, zij het wat sullig uitziende man, voormalige voorzitter van de Students for a Democratic Society, auteur van het Port Huron-manifest, de oproep aan onze generatie om te vechten, een van de Chicago Acht, *onze* Magnificent Seven. En Hayden, de zeikerd, de puistige Ierse kroegzeikerd, met Jane Fonda in zijn bed, kon zijn rits nog niet dichthouden. Het was als verraad aan de heilige graal van vrouwelijke seksualiteit, ringsteken terwijl je al koning van de wereld bent. Maar hij deed het toch en Jane ging bij hem weg, en werd door de Californische scheidingswetten gedwongen tientallen miljoenen dollars te betalen aan deze idioot die haar zo onrechtvaardig behandeld had.

Terwijl we op het millennium afstevenden, gingen de mannen uit de jaren '60 zich voelen als de varkens die we vaak waren. Een feit was dat velen van ons in de strijd tussen de geslachten oorlogsmisdadigers waren. 'Mannetjesputter' werd een scheldwoord, hoewel veel mannen nog steeds hetzelfde oude egoïstische, seksuele-misbruikspel speelden. Ze hadden het echter niet meer over 'zich kapot neuken' en dan 'op naar de volgende spetter'. Ze waren nu verstandiger, en meer ervaren in de één-op-één gevoeligheid. Ze hadden het over 'het onvermogen te communiceren' ... 'gebrek aan betrokkenheid' ... 'emotionele uitputting' ... voordat ze overgingen op de volgende spetter. Ze hadden doddige knuffelbeesten op hun slaapkamers om aan te tonen hoe onmacho-achtig en knuffelig ze waren... en om achterdochtige, geëmancipeerde aanstaande slachtoffers te ontwapenen.

Bill Clinton had die nieuwe taal ook geleerd. Zelfs toen hij Monica nog als seksspeeltje gebruikte – niet meer haar lippen, maar haar stem, in twee uur durende marathon sekstelefoontjes – kocht hij cadeautjes voor haar: een knuffelbeest, een grappige zonnebril, een doosje chocola. Hij liet haar zelfs met zijn nieuwe jonge hond Buddy spelen, nu ze niet meer rechtstreeks met hem speelde, alleen indirect aan de telefoon. Hij was niet langer zo'n misbruikende man van de jaren '60. Hij zei niet alleen maar tegen Monica dat ze op haar knieën moest gaan liggen. Ze betekende iets voor hem – minstens een doosje chocola. En natuurlijk, toen hij genoeg van haar kreeg, wellicht toen hij begon na te denken over Eleanor Mondale – de dochter van de voormalige vice-president was in ieder geval veiliger en mooier dan Monica, die Vernon Jordan, iemand met een goed oog voor paardenvlees, wegwimpelde als 'labiel en mollig' – zou hij op een beschaafde jaren-'90-manier met haar breken – in dit geval met het oudste excuus ter wereld voor een romance tussen ongelijke leeftijden: Ik ben te oud voor je, schat, ik zal op een gegeven moment twintig keer per dag moeten plassen en jij zult dan nog steeds mooi zijn. (Wat moest hij dan zeggen – *labiel en mollig?*).

Het eind van alweer een tragisch liefdesverhaal in de jaren '90, snotterig en gevoelig, geeft de niet-mannetjesputter haar een laatste 'kerstkus' in de benauwde pornocel die de gang tussen het Oval Office en zijn privé-werkkamer is. Vaarwel, Monica, we hebben het leuk gehad, ik zal altijd aan je denken en misschien zal ik je op een nacht om kwart over twee (met Willard) bellen, kleintje (knipoog, knipoog, knor, knor).

Bill Clinton was oud genoeg om te weten dat achter elke wolk de zon scheen. Negentienachtenzestig bijvoorbeeld was een verschrikkelijk jaar – Martin en Bobby, en Nixons verkiezing, en toch... het was ook het jaar dat McDonald's de Big Mac op het menu zette. *Maar waar bleef nu die godvergeten zon?*

Hij zei tegen Leon Panetta, zijn stafchef, dat hij zin had om Kenneth W. Starr in zijn buik te slaan. De domineeszoon had een kwaadaardig zoeklicht aangezet en het was blijven hangen aan zijn *willard*. Als Reagan Teflon was, was Willard Velcro.

Bill Clinton was buitenproportioneel woedend over wat hij heel ad rem de 'drup, drup, drup' van het geheel noemde. Hij wilde uithalen naar iemand zoals hij bijna had uitgehaald naar Dick Morris, nadat hij die had onderuitgehaald en neergeslagen tijdens de strijd om het gouverneurschap van Arkansas. Hij merkte dat hij tegen de zijkanten van stoelen sloeg als hij tegen medewerkers sprak, schreeuwde, riep, gilde (in de woorden van een medewerker). *De duivel hale al die klootzakken, rechtse hufters, die rond de ramen van het Texas Schoolboekenmagazijn staan!*

Hoe zat het met Ronald Reagan? Waarom had niemand het over *zijn* godvergeten seksuele gewoontes? De vader van de gezinsnormen? Reagan vertelde zijn biograaf, Edmund Morris, over al die groupies toen hij acteur was. 'Ze trokken aan zijn kleren, sloegen op zijn hotelkamerdeur.' Hij bekende Morris dat hij toen hij acteur was met zoveel vrouwen naar bed ging dat hij op een ochtend wakker werd en niet wist wie er naast hem lag. Hij vertelde Morris niet dat hij zelfs als jongeman wel eens Bob Doles Viagra had kunnen gebruiken. Aankomend filmsterretje Jacqueline Parks zei: 'Hij bakte er seksueel niet veel van.' Ex-vriendin Doris Lilly zei: 'In intieme zin was hij niet gedenkwaardig.' Ex-vrouw Jane Wyman wond er geen doekjes om: 'Hij was waardeloos in bed.' Het probleem was kennelijk niet nieuw. Legermaatjes herinnerden zich hoe Reagan graag platte, gênante seksuele grappen vertelde waar vrouwen bij waren, waarop één vrouw hem uiteindelijk vroeg: 'Wat is het probleem, Ronnie? Kun je niet zo goed neuken?'

Er gingen zelfs over Nancy Reagan nogal wat praatjes. Had ze haar filmrollen echt gekregen door te slapen met de *casting*-directeur van MGM? Was het denkbaar dat de IJskoningin in haar jeugd een Hollywood-stoeipoes was geweest? Had ze de meest vieze oude man, Frank Sinatra, die zijn spiegeleieren graag opgediend zag op de borsten van prostituees, echt te gast gehad op het Witte Huis? Tijdens drie uur durende, niet-storen 'lunches'? Spencer Tracy, die haar als actrice kende, dacht van niet. 'Ze had de hartstochtelijke uitstraling van een Good Humour-ijsje,' zei Tracy. 'Bevroren, op een stokje, en vanille.'

Maar hoe zat het met de Reagan-*regering*? Al die schijnheilige, farizeïsche Republikeinen schenen hun eigen smerige, sappige seksschandaal vergeten te hebben! Niks te maken met het pijpen en de sigaar en het aftrekken, dit ging om regelrechte Republikeinse afwijkingen. Vrouwen met riemen slaan, op hun blote rug gaan zitten, en kwijlen. Allemaal acties van Alfred Bloomingdale, Reagans intieme vriend en adviseur, en erfgenaam van het warenhuisfortuin. Vicki Morgan was zeventien jaar toen ze voor het eerst in Alfreds behoeften voorzag. Alfred was zevenenvijftig. 'Er waren twee naakte vrouwen,' zei ze, 'en ik moest mijn kleren uittrekken en Alfred was al bezig zich uit te kleden. Hij vroeg een van de meisjes om de uitrusting te halen, die bestond uit Alfreds riem, de dassen die hij om zijn nek droeg en, neem me niet kwalijk, een dildo. Daarna liet hij iedereen in een rij tegen de muur staan en sloeg ze met zijn riem... Hij liet die meisjes over de vloer kruipen en dan ging hij op hun rug zitten... en kwijlde, snap je? Ik meen het, hij kwijlde!' *Die schijnheilige, farizeïsche Republikeinen!* Zelfs van Dan Quayle werd gezegd dat hij seks had gehad met een lobbyist. Zijn vrouw, Marilyn Quayle, verdedigde hem met de woorden: 'Dan zou altijd liever golf spelen dan seks hebben.'

Jesse Helms, die valse, giftige mensaap, zat overal achter! De commissie van drie rechters die Starr had benoemd, werd voorgezeten door rechter David Sentelle, die Helms als 'rabbijn' (een woord dat Helms niet verkoos) had. Bill Clinton had zin om iemand te bijten! Zijn stemming werd zelfs openbaar gemaakt door zijn voorlichter, Mike McCurry, die, nadat Hillary door William Safire 'een geboren leugenaar' was genoemd, zei dat als Bill Clinton geen president was, hij commentaar zou leveren 'op de brug van Safires neus'... wat de hoognodige positieve herinneringen opriep aan de goede, oude, niet-vreemdgaande, op-en-top Amerikaanse Harry Truman, die ooit gedreigd had een verslaggever bewusteloos te slaan omdat hij de kwaliteit van het pianospel van zijn dochter bekritiseerd had.

En zelfs terwijl Bill Clinton tekeer ging en gilde en zijn armleuningen in elkaar sloeg, kwamen er nieuwe beschuldigingen: een Witte Huis-schminkster vond de manier waarop hij volgens haar met haar 'flirtte' vervelend... Een van de stewardessen op het campagnevliegtuig zei dat hij zijn armen om haar heen geslagen en zijn vinger over haar tepel bewogen had, terwijl Hillary maar een paar meter verderop een dutje deed.

Hij bleef, in de woorden van zijn assistent, meer 'persoonlijke publiciteit' over deze kwestie krijgen, en in zijn frustratie en woede, gilde en schreeuwde Bill Clinton dat hij wilde dat hij meer leek op een van zijn medewerkers, Harold Ickes, die tegen de advocaten van het Witte Huis had gezegd: 'Jullie moeten me verdomme goed begrijpen, let op! Hou je er verdomme buiten! En als het je niet bevalt, loop je maar naar de hel!' God, dacht Clinton, wat zou hij dat graag tegen Kenneth W. Starr zeggen! God, dacht de president van de Verenigde Staten, wat zou hij die speech graag rechtstreeks uitzenden op prime-time: 'Goedenavond, landgenoten. Let op! Hou je er verdomme buiten! En als het je niet bevalt, kun je naar de hel lopen!'

Het was geen pretje om in het Witte Huis rond te lopen. Stel je voor: die domineeszoon, die huichelachtige labbekak dacht erover een huiszoekingsbevel uit te vaardigen... een huiszoekingsbevel! Alsof het Witte Huis een soort speedlaboratorium was!... Op zoek naar de facturen van Hillary's Rose advocatenkantoor. Toen was de FBI gekomen om vingerafdrukken te nemen van eerst Hillary en daarna van hemzelf, de president van de Verenigde Staten... de hele heisa die je op *NYPD Blue* ziet... een volle draai van elke vinger, toen de binnen- en de zijkant van de hand. De staf van het Witte Huis droeg rubberen handschoenen terwijl ze zochten naar dossiers waarvan ze bang waren dat Starr ze zou opvragen. En al die tijd stond dat valse zoeklicht gericht op zijn persoonlijke zwaartepunt, de plek waar hij zovele handen naartoe geleid had. Hij regelde nog een reisje naar L.A. ... om meer fondsen te verwerven voor een beter Amerika... om nog wat te golfen... om zijn sigaar in zijn golfwagentje te roken.

De tijd vloog in L.A., de stad waar het echte leven maar een paar filmrollen lang was. In Hollywood was ook niemand meer geïnteresseerd in het feit dat Mike DeLuca gepijpt was of dat Farrah Fawcett zich ontlast had. Iedereen had het nu over de afmetingen van de *willard* van Tommy Lee, drummer van Mötley Crüe, die onthuld was in een video met Pamela Anderson Lee die door koeriers overal in de studio's bezorgd werd. Ik ontving de mijne per koerier van een staflid van Disney, in hetzelfde pakketje als *The Lion King* en *The Beauty and the Beast*.

De vrouwen op de publiciteitsafdeling van Fox waren echter niet onder de indruk. Zij beschikten over iets dat ze het P-dossier noemden – een verzameling stilstaande beelden van restanten van filmopnames. Een boel grote mannelijke sterren. Allemaal volledig naakt van voren gezien. Vergeet Tommy Lee maar, zeiden de vrouwen. Kijk eens naar Willem Dafoe. Hoera voor Hollywood! De president van de Verenigde Staten vond soelaas op de enige plek in Amerika, misschien wel op de hele wereld, waar mensen het over andere *willards* hadden.

[8]

De Oorlog tegen het Maagzuur

'Ik heb eens vier jaar lang geen jongens gekust,' zei Monica.
'Echt waar?' vroeg Linda.
'Het was op de middelbare school,' zei Monica, 'o, dat was de
meest deprimerende periode van mijn leven. Hoe deprimerend is
dat wel niet?'
'Nou,' zei Linda Tripp, 'je hebt het aardig ingehaald, schat.'

Goedenavond, meneer en mevrouw Amerika... ter land, ter zee en in de lucht. Zet het maar in de krant! Het was een miljoen-megatonverhaal. Bill Clinton stond nu tot zijn middel in de Grote Modderstroom, onder de Tallahatchiebrug, snakkend naar adem als Brian Jones.

De *Pentagon Papers* hadden niet zoveel publiciteit gekregen als het *Starr-rapport*. Nixons invasie van Cambodja had niet zo'n slechte pers gekregen als *zijn* semi-invasie van Monica. Als het mislukken van Nixons Vietnambeleid al niet had geleid tot de roep om Nixons aftreden, waarom leidde zijn masturbatie dan wel tot de roep om *zijn* aftreden? Nixon had zich schuldig gemaakt aan wreedheden vanuit de lucht; het enige dat hij had gepleegd was orale sodomie. Nixon had het maar makkelijk gehad. Nou ja, er was natuurlijk de oorlog en er waren al die demonstraties, maar Nixon had al die omwentelingen rond de aarde en wandelingen op de maan en *Apollo's* en *Saturn Fives* en *Surveyors*. 'Ik ben geen schurk,' klonk niet *zo* erg in de context van 'Houston, hier Tranquility Base, de adelaar is geland.'

Bill Clinton had zich aan de dienstplicht onttrokken en was nu het doelwit van een televisieluchtoorlog, en hij tapdanste rond de landmijnen op de glibberige hellingen van een slijmerig Ho Chi Minh-pad, beschoten, gebombardeerd, onder een spervuur van hoofdartikelenschrijvers die joelden: 'Aftreden! Aftreden! Aftreden!' Zelfs Bob Dole was bij het schandaal betrokken geraakt. Dole, nu de lobbyist die hij altijd had moeten zijn, Monica's directe buurman in het Watergate-gebouw, deelde aan de buiten kamperende pers donuts uit van de wekelijkse voorraad die hij kreeg voor zijn reclame voor Dunkin' Donut.

'Als je ergens diep mee in de problemen komt,' had Dick Morris tegen Bill Clinton gezegd – voordat Dick zelf in ongenade viel, voordat Dicks voorkeur voor tenen op dezelfde bladzijden van de boulevardpers verscheen als Marv Alberts imitatie van een weerwolf – 'kun je ze proberen af te leiden.' Of, zoals Harry Truman zei: 'Als je ze niet kunt overtuigen, moet je ze overbluffen.'

Maar hoe kon Bill Clinton *ze afleiden* of *ze in verwarring brengen* als het mediabeest zich er op zijn eigen gulzige manier aan laafde – 'Al het nieuws, aldoor! Vierentwintig uur per dag verslaggeving!' Wat kon hij het Beest toewerpen zodat het zich ergens anders op zou storten? Wat zou het Beest lekkerder vinden dan deze overvloedige voedselorgie die zelfs de kijkcijfers van Fox News omhoog joegen?

Op zoek naar een afleidingsmanoeuvre suggereerden zijn dommere medewerkers 'een herbepaling van het grote plaatje, een nieuw kader van de historische context' om aan te tonen dat er niets echt onfatsoenlijks of on-Amerikaans of onpresidentieels of *unieks* was aan Bill Clintons daden. Onderzoekers werden detectives, speurden in geschiedenisboeken en memoires naar iets dat... *relevant* was.

George Washington was waarschijnlijk biseksueel (niet relevant)... Thomas Jefferson verwekte een zwart kind (bingo! doelpunt! zeer relevant)... Benjamin Franklin hield van triootjes (misschien relevant)... James Buchanan was misschien homoseksueel (waarschijnlijk niet relevant)... Warren Harding bedreef de liefde met een jonge maîtresse in een kast van het Witte Huis (zeer relevant), maar Harding was zo'n corrupte slijmbal – *Whitewater was niet, beslist niet Teapot Dome!* – dat elke poging om via Harding een verdediging op te bouwen alleen maar averechts zou werken... FDR en zijn maîtresse Lucy Mercer, een van de velen, deed veel aan orale seks (levensgroot relevantie-alarm!), maar aangezien FDR zich alleen per rolstoel kon verplaatsen, was orale seks bijna noodzakelijk... LBJ zei: 'Ik neuk meer per etmaal dan Jack Kennedy in zijn hele leven,' (waarschijnlijk relevant), maar LBJ was zo'n boerenkinkel dat vergelijkingen met LBJ zich ook tegen Bill Clinton konden keren... JFK was een seksmaniak (uitermate relevant, maar helaas oud nieuws, al te vaak door het Beest opgeschrokt en opgevreten om het mee te kunnen afleiden van wat er nu op tafel stond).

Afgezien van onderzoekers die detectives werden, waren er ook veteranen van recentere schandalen die het Witte Huis hielpen aan sappige hapjes die het Beest misschien konden afleiden. Ze herinnerden zich de stripper Fanne Fox en Wilbur Mills, het tachtigjarige Congreslid van Arkansas... secretaresse Elizabeth Ray die niet kon typen, en Wayne Hayes, het bijnatachtigjarige Congreslid voor Ohio... Teddy Kennedy onder de tafel bij Sans Souci, zo dronken als een tor, die een niet bereidwillige serveerster probeerde te dwingen tot... (O, niet relevant! Treurige oude Congresleden en dikke oude Teddy, de kleine broer die het niet gemaakt had, voor altijd in ongenade gevallen na zijn fatale lafheid bij Chappaquiddick.)

En Gerry Ford? Gerry Ford had meer dan wie ook problemen met vrouwen gehad, maar niemand begreep waarom. Waarom wilde Squeaky Fromme hem vermoorden? Waarom wilde Sara Jane Moore hem vermoorden? En hoe zat het met die zevenenzeventigjarige oude vrouw die de hekken van het Witte Huis ramde met haar auto, gearresteerd werd, vrijgelaten werd, naar huis ging, in haar auto stapte, en nog diezelfde nacht de hekken opnieuw ramde? Wat was er met die winderige, pijprokende, zachtmoedige Gerry Ford dat vrouwen hem wilde vermoorden?

Er was helaas geen risicoloze manier om de historische context een nieuw kader te geven. De geschiedenis van de Amerikaanse politiek was een ongeruimd mijnenveld en roestige granaatscherven zouden Bill Clinton wel eens kunnen onthoofden. Nog afgezien daarvan werd het Beest zwaar bekritiseerd door voetbalmoeders voor het opschrokken van al dat vuilnis. Die moeders zouden nog woedender worden als er nog meer rottend voedsel op tafel werd gegooid... en toen kreeg iemand (Hillary?) een briljant idee. Voer het beest een andere smaak om het af te leiden – iets zoets.

Zoet? Maar wat? Wat was er *zoet* aan dit verhaal? Een doosje chocolaatjes als betaling voor telefoonseks en pijpen? Een 'laatste kerstkus'? *Zoet?* Nee, nee, ze moesten zich niet concentreren op Monica. Maar op Chelsea. En haar vader en moeder. Een gezin in crisis. Een genezend gezin. Een vergevend gezin. Geef het Beest een soapopera, voer het sentimentaliteit, speel hem wat vioolmuziek voor. Hoe zou het Beest dat niet kunnen waarderen?

Het was prachtig! Het was bemoedigend! Het Beest viel er gulzig op aan... net als wij. Het was cornflakes met een suikerlaagje die in onze mond knapte en knalde. We waren niet voor niets de gevoelige generatie die in contact was met het echte gevoel. De generatie van communicatie, interventie, afsluiten en je hart luchten. We hadden ons al sinds de jaren '60 geheel ingesteld op het slikken van dit verhaal. '*Love is all you need,*' hadden de Beatles gezegd.

En dus smeedden we voor onszelf – op aandringen van het Beest – uit de resten van sigarenpeuken een sentimentele, universele liefdesgeschiedenis. Hij pleegt overspel. Hij heeft spijt. Hij houdt van zijn vrouw. Zíj houden van hun dochter. Zullen mammie en hun dochter hem vergeven? Blijf bij ons! 'Al het nieuws, aldoor! Vierentwintig uur per dag verslaggeving!'

We werden losgescheurd van het Oval Office en Bill Clintons privéwerkkamer, de plaats van de onmisdadige misdaad. We keken naar een ander programma: *Het presidentsgezin in crisis!* We waren terug uit 'boven de achttien'-land, weg van *Griezelnachten* en veilig bij *De Amerikaanse president* of een nieuwe jaren-'90-versie van *Kramer vs Kramer*. Sommigen van ons kregen tranen in hun ogen. O, kijk toch eens naar die arme, dappere Chelsea! Ze houdt zich zo dapper aan haar vreselijke rooster op Stanford nadat pappie zich in de nesten heeft gewerkt! Arme, arme Chelsea, zelfs haar aardige, keurige, wittebroods vriendje de zwemkampioen heeft haar laten zitten omdat hij niets te maken wilde hebben met iemand wier vader... Arme, arme Chelsea! *De mensen op straat hadden zich verkleed als sigaren! Graffiti op viaducten krijsten* TOETER ALS HIJ MOET AFTREDEN! Hoe moest die arme Chelsea hier in vredesnaam mee omgaan? Zo'n dappere, edele, onschuldige, *zoete* jonge vrouw?

En kijk eens naar de arme Hillary, wier lot het lot is van de meeste Amerikaanse vrouwen. Verraden, vernederd, opgeofferd! O, ze dacht even dat ze het wel gemaakt had, hè? Met haar chique zwarte jas met het zilveren deco-ontwerp bij de hoorzitting van de Grand Jury, ze zette zelfs nog haar handtekening in haar boek voor een jurylid, en gedroeg zich in het algemeen of de hare niet stonk... *nu niet meer!* Ze was nu van haar voetstuk gevallen, nu gewoon een van de miljoenen bedrogen vrouwen, nu gewoon een van ons. Maar hoe dapper was ze in het zicht van deze stank. Edel. Huilend achter haar zonnebril. Want ze... hield... van... hem... en... hij... hield... van... haar! Dat zag je zo... en ze hielden allebei van hun kleine meid en ze zouden altijd van elkaar blijven houden en nog lang en gelukkig leven en hij zou haar nooit meer bedriegen! Het Beest was tevreden en wij ook. We vielen ervoor zoals Monica voor hem viel. Jesse Jackson en alle andere dominees zwaaiden met hun applausborden naar ons voor het geval we gingen twijfelen: LIEFDE! GENEZING! VERGEVING! NIET AFTREDEN! GEEN IMPEACHMENT! MAAK DE TERMIJN VOL!

Zeker, er waren een paar critici die zeiden: 'Alsjeblieft! Dit is koeienstront! Troep voor de massa! Dick Morris' afleidingsstrategie op volle toeren!'... Morris had ook gezegd: 'Het is mijn werk om de pomp en de motoren draaiende te houden, niet om het gat in de bodem van de boot te repareren' en 'Opiniepeilingen zijn de feitelijke heersers van de Westerse wereld.'... maar de strategie werkte zonder twijfel. De cijfers waren enorm in het voordeel van Bill Clinton, en nu zij van haar voetstuk was gekomen en een van ons was, nu ze vernederd was, waren de cijfers ook enorm in het voordeel van Hillary. (Sommige van haar medewerkers maakten zich daar zorgen over. Als we Hillary alleen maar mochten nadat ze vernederd was, betekende dat dat we het prettig vonden om haar te vernederen? Ben je echt gesteld op iemand die je wilt vernederen?)

Eerst keken we naar *Tijd voor genezing!*... Bill Clinton die zei dat het hem speet, telkens opnieuw, soms met verstikte stem, hoewel het moeilijk was om te bepalen wat hem nu precies speet. In zijn eigen woorden 'onbehoorlijke handelingen' – wat van alles kon betekenen, van gebruik van het N-woord, gebruik van het andere N-woord of in Camp David een harde en onbeschofte wind laten in de richting van Arafat. In een steeds fatsoenlijker Amerika had het van alles kunnen betekenen, maar wat het ook was, het speet Bill Clinton. Het speet hem erg, heel, heel erg. In deze periode van genezing hing hij rond met dominees zoals hij had rondgehangen met Steven en Jeffrey en David, en hield hij zich vast aan zijn bijbel als een emfyseempatiënt aan zijn zuurstoftank, of als een bankrover aan zijn wapen.

Na die periode van genezing, bedoeld voor een periode van een maand, als de uitsmijter voor de kijkcijfers van een miniserie op tv, keken we naar *Tijd om te vergeven!* Hillary, terug aan zijn zijde, nu zonder zonnebril, Chelsea tussen hen in, zelfs jonge hond Buddy kwispelde weer met zijn staart (en poepte niet meer op het gazon van de Rozentuin).

Maar zelfs aan het meest geslaagde programma komt ooit een eind: die waanzinnige Republikeinen bleven mekkeren over impeachment – 'De olifant heeft een dikke huid, een kop vol ivoor en, zoals iedereen weet die wel eens een circusoptocht heeft gezien, loopt hij het best door als hij de staart van zijn voorganger beet houdt,' had Adlai Stevenson gezegd – en het Beest, nerveus en nukkig, vertoonde tekenen van suikertekort. Dus was er om het scenario van Dick Morris af te maken *nog* een afleiding nodig. *Impeachment?* Waren de Republikeinen helemaal gek geworden? *Impeachment?* Met hemelhoog positieve uitslagen in de opinieonderzoeken voor Bill Clinton en een bloeiende economie? *Impeachment?* Nu zelfs Hillary, de grote verliezer van de verkiezingen halverwege de ambtstermijn in 1994, weer zegevierde dankzij haar diepe vernedering, weer bewonderd werd in haar schande. *Impeachment?* Geen sprake van! Met geen mogelijkheid! Nul! Niets! Maar toch, voor de zekerheid... was een nieuwe afleiding noodzakelijk.

De beleidsknutselaars kwamen bij elkaar en knutselden! Misschien een kwestie? Homohuwelijken? Een nieuw offensief in de strijd tegen de grote tabaksjongens? Wellicht een vervolg op de gezondheidszorg, nu Hillary toch niet meer radioactief was? Meer machtsgebieden? Een oorlog tegen een nieuwe ziekte? Misschien een oorlog tegen een van die ziektes waar je voortdurend op tv over hoorde? *Dat* zou een reeds ontvankelijk, goed voorbereid publiek garanderen. Een oorlog tegen aambeien? Incontinentie? Diarree? Kaalheid bij mannen? Het eeuwig ongrijpbare Epstein-Barr-virus? Constipatie? Een oorlog tegen maagzuur?

Enkele van de meer hypochondrische beleidsknutselaars hielden een vurig betoog om de vermeende medische aanval van het *beperkte* doel van maagzuur uit te breiden naar het bredere dodelijke terrein van *overvloedig* maagzuur. Bij hun argumenten voor de Oorlog tegen de Oprisping – toegegeven, het had niet de allure van de Oorlog tegen de Armoede of de Oorlog tegen het Analfabetisme – wezen ze erop dat de anti-boermedicatie al een industrie met een omzet van $1,4 miljard was. Een heleboel Amerikanen met slechte spijsvertering zouden vol gas, met kolkende maagsappen, achter deze afleidende New Age-vlag aan komen.

De Oorlog tegen de Oprisping zou ook, zo legden sommige beleidsmakers uit, worden gezien als onderdeel van de Heilige Oorlog van deze regering tegen Kanker. Overvloedige maagsappen lieten littekens na in de slokdarm en veranderden de cellen van de voering, zodat die cellen een grotere kans hadden om de gevreesde bedreiging te ontwikkelen, die zoveel bedreigender was dan Saddam en al die andere oorlogsmisdadigers in bijbelse gewaden, Publieke Vijand Numero Uno... *de Grote K!* Maar nee, de knutselaars waren maar knutselaars. Kanker was al gemaakt en uitgemolken door zelfs de progressieve Republikeinse knutselaars, de Zorgzame Conservatieven (wat volgens sommige Hollywoodgrappenmakers net zo'n oxymoron was als 'vrouwelijke producenten'.)

Volgens sommige steile en afschuwelijk cynische politici (het soort politici dat van mening was dat de kogels van Lee Harvey Oswald de eerste Wet op de Burgerrechten erdoor gejaagd hadden en die van James Earl Ray de tweede; die vonden dat Reagan zonder Hinckley zou zijn vastgelopen op Iran-Contra) had Bill Clinton wanhopig behoefte aan een nationale tragedie met de omvang van een natuurramp. Bill Clinton had een enorme orkaan met duizenden doden nodig, of miltvuur in Central Park, of een meltdown van Tsjernobyl-omvang op Three Mile Island, of de Hele Grote in Californië die een flinke homp kustlijn in zee zou laten verdwijnen, of een Texaanse torenscherpschutter in een wedstrijdstadion. *Wat dan ook...* op dat tragische niveau. (De schietpartij op de Columbine High School in Colorado, veel later, zou het prima gedaan hebben.)

Bill Clinton had behoefte aan een gebeurtenis die Amerika's hart een maand of twee lang zou breken. Eerst zouden we het afgrijzen ervaren. Dan de wekenlange herhalingen van de videobanden met de gruwelen. Daarna zouden we het rouwproces door moeten. Dan nog meer wekenlange herhalingen van de videobanden van het rouwproces. Gebeden. Preken. Snikkende mensen. Kinderen die zich aan hun moeders vastklemmen. Schreeuwende ouders. *Al het rouwen, aldoor!* Daarna zouden de deskundigen avond aan avond op *Larry King Live* orakelen, en de gruwelen analyseren en het rouwen en de afsluiting van alle herhalingen, nog steeds wroetend in de jammerlijke resten – een lappenpop van een kind, een verbrijzelde foto van een lachend jong stel die gevonden werd tussen het puin, een oude vrouw die huilt op de schouder van een oude man – terwijl de camera wegdraait naar vers gedolven graven op een 19e-eeuwse begraafplaats... bij *zonsondergang*.

Bill Clinton had behoefte aan een Mike Tyson-achtige uppercut tegen ons hart. Iets dat ons zou vertederen. Om ons gevoeliger te maken. Meer vergevingsgezind. Welwillender jegens hem. (Toen zijn opiniepeilingen negatief waren tijdens Iran-Contra zei Reagan: 'Misschien moet ik opnieuw een aanslag op me laten plegen.') Bill Clinton had behoefte aan een groots en vreselijk en welkom en opportuun drama om alles weer in proporties te kunnen zien.

Het kwam er niet van. Hij kreeg niet de apocalyps die hij nodig had, maar wel iets anders. De explosies op de Amerikaanse ambassades in

Tanzania en Kenia: eindelijk een bewijs dat de Lieve Heer aan Clintons kant stond. (Sommigen begonnen daar later aan te twijfelen, toen een straffe Gods, een wervelstorm, Bill Clintons voormalige overheidswoning in Little Rock, inclusief Chelseas boomhut, met de grond gelijk maakte.) *Ja, Virginia, de Kerstman bestaat! Bill Clinton was zo gelukkig als op de dag dat de kruideniers bevroren pizza's gingen verkopen!* Deze straf van God, deze explosies, in de periode dat Bill Clinton zijn bijbel omklemde, waren waarlijk een geschenk uit de hemel. De explosies waren het werk van Arabische terroristen.

Vergeet de Oorlog tegen de Oprisping; deze oorlog zou tegen Arabische terroristen gevoerd worden, en het zou werkelijkheid zijn. Het Beest zou Amerika in oorlog tonen. De explosieve kakofonie van al die bommen, rechtstreeks uitgezonden op CNN, zou het gekwek en gesnater over impeachment vast wel overstemmen. De Engerd zou opnieuw de rol van Opperbevelhebber krijgen, gekleed in de vlag die hij volgens sommigen in de jaren '60 verbrand had, de Oude Glorie gedrapeerd over zijn minst glorieuze lichaamsdeel.

Puur om zijn steun wat te verstevigen haalde hij zijn Saddam-vogelverschrikker uit de kast van het Pentagon en wierp ook nog wat meer bommen en Tomahawks in de richting van Saddam. O, hij vloog met het grootste gemak door de lucht, de hoogvliegende Engerd aan zijn politieke trapeze, en gooide Tomahawks op Bagdad en Afghanistan en de Soedan! *Boem! Boem! Boem!* Wat een heerlijk, handig en volmaakt bommenoorlogje was dit! Zelfs de ouderwetse, mestruimende zuidelijke conservatievelingen (die hem haatten) werden erin meegesleept. Jazeker, Amerika was in oorlog, bij God! En, bij God, we moesten onze jongens steunen, bij God, en de opperbevelhebber steunen, bij God, bij God (zelfs als ze hem haatten), want, bij God, hij *was* de opperbevelhebber.

Ja, natuurlijk, sommige mensen kotsten ervan. De Republikeinen Trent Lot van Mississippi en Gerald Solomon van New York hadden de film *Wag the Dog* gezien en dachten dat ze een filmvoorstelling – eerst *Tijd voor genezing!* en toen *Tijd voor vergeving!* en nu *Tijd voor oorlog!* – van het echte leven konden onderscheiden. Maar toen zij kritiek leverden op het cynisme en de leugenachtigheid-uit-eigenbelang van de president van de Verenigde Staten, op het walgelijke en onbeschaamde tijdstip van het gebeuren, werden ze onder de voet gelopen door hun trouwste kiezers. Al die mestruimers en Bij God-Amerikanen steunden onze jongens en de opperbevelhebber. Het tweetal moest haastig en onwaardig het veld ruimen.

Lott en Solomon wisten dat ze zich sowieso op glad en gevaarlijk ijs bevonden. Er waren gekken op het internet die beweerden dat Bill Clinton onze ambassades had gebombardeerd om zijn eigen hachje te redden, met behulp van de CIA. Het waren dezelfde soort mafkezen die in het verleden hadden beweerd dat LBJ en de CIA 129 mensen hadden vermoord (die op de een of andere manier betrokken waren bij de moord op JFK), en dat LBJ op de vlucht van Dallas naar Washington zijn *willard* in JFK's wonden had gestoken. *Ja, waarlijk*, Trent Lott en Gerald Solomon maakten zich supersnel uit de voeten... en onze Tomahawks bleven op de wereld neerdalen.

De opperbevelhebber, nu onkarakteristiek gekleed in Oude Glorie, die verwikkeld was in een zegenrijke oorlog op meerdere fronten, officieel en in het openbaar vergeven door Hillary en Chelsea, varend op de hoge golven van zijn opiniepeilingen, dacht voor het eerst dat hij dit gevecht van zijn leven kon winnen. Niet tegen de tabaksgiganten of de oprispingen, niet tegen terrorisme en Saddam Hoessein, maar tegen Kenneth W. Starr. De oorlog tegen Kenneth W. Starr zou de laatste afleidingmanoeuvre zijn, de rauwste filet mignon die het Beest opgediend kreeg. Bill Clinton en zijn medewerkers en zijn vrienden in de media (vrijwel allemaal jongens uit de jaren '60) zouden deze domineeszoon, die door Clinton 'verachtelijk en smerig' gevonden werd, aanpakken en hem veranderen in de geest van de dronken Joe McCarthy. Kenneth W. Starr zou afgeschilderd worden als iemand die glurend zijn neus steekt in het heilige der heiligen – Amerika's collectieve slaapkamer.

Bill Clinton zou de domineeszoon 'saddamiseren' zoals Nixon McGovern had gesaddamiseerd. Hij zou zorgen dat Kenneth W. Starr het onderwerp werd, niet Bill Clinton. Hij zou niet toestaan dat hij in het verderf werd gestort. Hij zou Starr in het verderf storten. (Vince Foster had in zijn zelfmoordbriefje gezegd: 'Het vernietigen van reputaties wordt hier beschouwd als een sport.') Clinton zou profiteren van Starr, zoals hij dacht dat Starr probeerde van hem te profiteren. Hij zou de wijsheid van Bernie Nussbaum, zijn eerste Witte Huis-advocaat, in de praktijk brengen, die hem had geadviseerd 'je vijanden te beschadigen waar je kunt'.

Bill Clinton was ervan overtuigd dat Kenneth W. Starr een Republikeinse huurmoordenaar was, een schepping van de duivelse Helms, de voormalige stafchef tussen 1981 en 1983 van William French Smith, Reagans minister van Justitie. Hij was in 1983 door Reagan benoemd aan het Amerikaanse Hof van Beroep. Wie had er nou nog meer bewijs nodig? Starr was duidelijk een mannetje van Helms, van Reagan – maar er *was* nog meer bewijs. Zelfs toen Starr als speciale aanklager onderzoek deed naar Bill Clinton, kreeg hij nog steeds een miljoen dollar per jaar als vertegenwoordiger van ... de grote tabaksjongens! Helms, Reagan, en de tabaksgiganten! En de vrome kwezel beweerde dat hij eerlijk bezig was? *Eerlijk?* Met zulke vrienden en bondgenoten?

Bill Clinton raakte niet ontmoedigd. Hij dacht aan de adviezen die zijn moeder hem had gegeven: 'Wat goed is, kost moeite... We moeten sterk zijn om ons te beheersen... We hebben eerder bergen beklommen en we moeten er nog een beklimmen... Zaagmeel kun je niet zagen.'

Bill Clinton moest terug naar de barricades, terug naar de jaren '60: de smerissen stonden opgesteld in gevechtsformatie, gummiknuppels en traangasgeweren in de hand, en ze laadden de traangasgranaten, en de flitslampjes flitsten, en daar was Bill Clinton, met de Stones en The Who dreunend in zijn kop. Arkansas' eigen Straatvechter met zijn Beatles-kapsel als Dappere Prins zou nooit meer voor de gek gehouden worden. Hij zou die traangasgranaten direct teruggooien naar rechter Pig Starr, Bull Connor Starr, Rusty Calley Starr, Paul Harvey Starr, rechter Julius Hoffman Starr, 'Loop naar de hel!' schreeuwend in de bijtende, verstikkende, donkere nacht van zijn beproeving. *Kijk, ma, ik heb het gered!* Abbie Hoffman (dood inmiddels), Jerry Rubin (ook dood, nadat hij makelaar in onroerend goed was geworden), Bobby Seale (verkoopt nu barbecuesaus) en onze lolly-uitdelende babydokter Benjamin Spock (ook dood inmiddels) zouden trots geweest zijn.

Het begon de opperbevelhebber mee te zitten: de programma's – *Tijd voor genezing!* en *Tijd voor vergeving!* en *Tijd voor oorlog!* waren geslaagd. Dit nieuwe programma – *Tijd voor saddamisatie!* – zou ook blijven draaien... maar Bill Clinton voelde zich nog niet op zijn gemak.

Er was bijvoorbeeld dat ogenblik in Vancouver, op het balkon, toen Boris Jeltsin, de trillende pimpelaar, Bill Clinton had zien zwaaien naar actrice Cynthia Sikes, de mooie vrouw van producent Bud Yorkin, die daar beneden stond met de baby van haar en Bud... en Jeltsin had zich naar hem omgedraaid met zijn wodkarode wangen en had gevraagd: 'Is dat *uw* baby?' *Dat was fout!* De president van een blut, verwaarloosd land had het recht niet om op die manier de president van de Verenigde Staten toe te spreken!

En dan was er dat ongemakkelijke moment in Hollywood, op die cocktail party, toen hij was binnengelopen, zwevend op zijn eigen charisma, en Sharon Stone zat daar met haar rug naar hem toe. Ze draaide zich niet eens naar hem om. Ze zat daar maar, met haar benen over elkaar, dijen in het zicht, en draaide zich niet eens om. Toen ze zich realiseerde dat hij achter haar stond, gooide ze haar hoofd in haar nek en zei 'Hallo, Bill.' *Hallo, Bill? Bill?* Alsof hij een ex-verloofde was of zo! Hij was de president van de Verenigde Staten! De opperbevelhebber! Zij was een ouderwordende actrice met één geslaagde film! Wat waren dat voor manieren van een lichtgewicht dellebel om haar opperbevelhebber te groeten?

Binnen een paar uur vertelden mensen in Hollywood elkaar hoe Sharon Stone Bill Clinton had begroet. In een stad waar een goede titel goud waard is, had hun ontmoeting al gauw een naam van een miljoen: *De gleuf en de potloodventer!*

(9)

Kenneth W. Starr bekent

Vergeef mij, Heer, want ik heb gezondigd. Verwijder het kwaad dat mijn vlees vergiftigt. Verleen mij Uw kracht. Vervul mij met Uw geest. Verlos mij van het hellevuur.

Ik ben Uw dienaar geweest. Ik zing Uw hymnen tijdens mijn ochtendjog. Ik lees Uw Heilige Schrift tijdens de autoritjes die Alice en ik 's zondagsmiddags maken. Ik heb Alice nooit bedrogen. Ik ben een brave burgerman, een ontwikkeld, minzaam mens, hoffelijk, attent en bedachtzaam. Ik probeer me op een onpartijdige en christelijke manier te gedragen. Ik ben een goede echtgenoot geweest voor mijn Alice, die een goede echtgenote voor mij is geweest. Vroeger een Mendell, vroeger een joodse, is ze nu een Starr; ze is lid van de Kerk van Christus. *Ik heb mijn vrouw nooit bedrogen!*

Maar ik zal tot mijn laatste snik de uitdrukking op het gezicht van mijn arme Alice niet vergeten, toen ze me hier in de kelder aantrof, mezelf bevuilend aan Internet, met rode wellustige ogen, terwijl ik Pookies lichaam verkrachtte. Alice is nu terug naar boven gegaan. Ik hoor haar rommelen in de keuken, en ik weet dat ze de treurige snikken van mijn ondergang kan horen. Het is een schande, ik ben de eerste om het toe te geven, dat een man met mijn gezonde verstand, decorum en gelijkmoedigheid door zijn trouwe vrouw moet worden betrapt terwijl hij in gestreepte broek en kamerjas aan zijn computer zit te kijken naar het naakte lichaam van *zijn* lichtekooi – *Zijn! Zijn! Niet de mijne! Ik heb mijn vrouw nooit bedrogen, Heer!*

Ik kan het niet eens over mijn hart verkrijgen om *hem* bij zijn naam te noemen. Evenmin kan ik mijzelf nog meer geweld aandoen en hem de president van de Verenigde Staten noemen. Ik zal hem daarom POTUS noemen, het monsterlijke acroniem dat de geheime dienst op haar lokatiekaarten gebruikt voor de President Of The United States. Denkt U alstublieft niet, o God, dat ik een deel van mijn schuld op hem afschuif omdat ik naar hem verwijs. Ik lig geknield terwijl ik Alice, die nu boven snottert, hoor smeken om vergiffenis voor *mijn* zonden, niet die van POTUS. Ik zal de versleten en nu betekenisloze frase gebruiken die ik zo vaak gehoord heb op mijn hoge rechterstoel: de waarheid, de hele waarheid en niets dan de waarheid, zo waarlijk helpe mij God.

U weet dat ik mijn hele leven mijn best heb gedaan om U en Amerika te dienen. Ik zeg dat niet om mezelf op de een of andere manier te verontschuldigen voor mijn zonden, maar om in een morele context te voorzien, om mij te verdedigen voor een gedragspatroon dat, tot ik werd blootgesteld aan POTUS, zo voorbeeldig was als voor een mens maar doenlijk is. Ik zeg dat in alle nederigheid, mijn Heer, maar U weet in Uw allesomvattende wijsheid dat het wettelijk juist is. Moeder vertelde me dat ik al tot U bad toen ik nog maar twee weken oud was. Ik knielde als Vader tussen twee knipbeurten in thuis preekte. Ik dronk niet. Ik rookte niet. Ik bezocht U in de Kerk van Christus. Ik verkocht Uw woord van deur tot deur. Ik danste niet. Ik pleegde geen ontucht. Toen ik trouwde met Alice, leerde zij me dansen. Alice en ik pleegden ook geen ontucht – dat doen we nog steeds niet. We verblijden ons over Uw aanwezigheid in onze harten en lendenen. Ik ben recht in de leer, Heer. Op de middelbare school voerde ik campagne voor Richard Nixon. Ik heb gediend onder Ronald Reagan en George Bush. Ik heb lezingen gehouden op het Pat Roberton College.

Ik heb vernederingen en bijtende opmerkingen van een godslasterlijke en heidense wereld ondervonden vanwege mijn geloofsovertuiging en mijn trouw aan Amerika en U. Ze hebben me Chauncy Gardner en Mister Rodgers genoemd. Ik heb laster en onzinnige beschuldigingen moeten verdragen. Ik heb borden gezien met WAT IS DE FREQUENTIE, KENNETH? Ze hebben me droogkloot en watje genoemd. In mijn werk als rechter van de nationale rechtbank en als procureur-generaal heb ik voor U en Amerika moedige en belasterde standpunten ingenomen tegen abortus, het verbranden van de vlag, en homoseksuelen. Ik heb mijn mening uitgesproken als voorstander van het gebed op school. Ik heb, met behulp van Alice, ter ere van U, een prachtig gezin gesticht. *Ik heb mijn vrouw nooit bedrogen, Heer!* Ik heb één keer een sigaar in mijn mond gestopt voor een groepsportret met mijn collega's. Ik heb hem niet aangestoken.

Ik ben Uw christelijke strijder geweest tegen de krachten van de Kerk van Gaaf. In een wereld die steeds gaver wordt, heb ik mij uitgesproken voor de waarden van het gezin, voor de ongeboren foetus, voor Paula Jones, voor de Grondwet. Ik heb de tabaksindustrie vertegenwoordigd die U nodig hebt om de zondaars snel naar U terug te brengen, de autoproducenten die U nodig hebt om de beschadigde lichamen tot inkeer te brengen. Ik legde er eer in om niet 'gaaf' te zijn, en gebruikte mijn zalverigheid, mijn dikke brillenglazen, mijn honkbalpet, mijn Starbucks-beker, mijn kaalheid en mijn psoriasis als gebedsvlaggen voor U – om alle Amerkanen te herinneren aan een voorbije wereld waarin mensen niet in aanbidding lagen voor het altaar van 'gaaf' en zich niet concentreerden op de slankheid van hun lichamen, hun onduidelijke uitspraak, de barbarij van hun muziek. Hoor mij, o Heer! Toen de geknoopverfde horden de aarde in de jaren '60 bevuilden, droeg ik een pak en das naar school. Mijn kinderen spreken Engels, geen Ebbenhouts; mijn dierbare vrouw is een kameraad, geen suffragette.

U weet natuurlijk ook dat ik noch mijzelf noch U ooit intiem heb misbruikt. Vader leerde mij de goddelijke eigenschappen van een ijskoude douche. Moeder vond nooit iets als zij mijn lakens controleerde. Ik heb mezelf als ik bij het urinoir stond mijn hele leven slechts met twee vingertoppen vast-gehouden. Op het moment dat ik, niet eens aangetrokken, niet eens in ver-leiding gebracht, maar op ook maar enigszins platonische wijze nieuwsgie-rig werd naar een lid van de andere kunne, vluchtte ik naar Uw Heilige Schrift. En U heeft mij beloond met een eindeloze werklust, met een onuit-puttelijke energie. U heeft mijn door psoriasis getekende huid gemaakt tot de fraaie, bedompt ruikende bladzijden van een in leer gebonden wetboek. Dankzij U zijn de papieren die ik lees dossiers en geen eetbare slipjes; de opwindendste hoogtepunten die ik beleef in de rechtszaal worden tegen hoge uurprijzen vergoed. Dankzij U is mijn zaad dollarkleurig en verzamelt het rente. *Ik heb mijzelf nooit onteerd, o Heer!*

Ik smeek u dan ook, nu ik de morele context heb bepaald, nu ik mijn ge-dragspatroon heb vastgesteld, om mij te vergeven voor wat ik, een zon-daar, op het punt sta te bekennen.

In mijn dienstbaarheid aan Amerika en U werd ik in 1993 gevraagd een boek te lezen. Het spijt mij te moeten zeggen dat het niet de bijbel was. Het was niet Uw geest en Uw ziel. Het was een melaats boek – een door een zondaar geschreven dagboek. Zijn naam was Robert Packwood. Het verzoek kwam van een Congrescommissie. Ik kon niet weigeren. De zon-daar was een senator van de Verenigde Staten. Ik was uitgekozen om het te lezen dankzij de rechtschapenheid en het decorum waarmee U mij geze-gend hebt, o God. Het was een dagboek vol vuiligheid en seksuele losban-digheid. Het was een in een riool geschreven document. Ik moest elk woord lezen en mij een mening vormen over de relevantie in een gerechtelijk on-derzoek door de Senaat. Ik las elk woord, keer op keer op keer op keer op keer op keer. Het was de hel. Het was afgrijselijk. Vlees, o Heer! Intiem vrou-welijk vlees waaraan Packwood snuffelde als een liederlijk beest.

Alice maakte me op een nacht gillend wakker en zei dat ik in mijn slaap mijn gezicht snuffelend tegen haar vlees had gelegd. Ik moest naar de bad-kamer rennen omdat ik nat was tussen mijn benen, op de manier zoals ik als jongen soms nat was.

Ik probeerde van alles. IJskoude douches. IJsblokjes. Droog ijs. Roomijs. Alice en ik probeerden elkaar de Heilige Schrift voor te lezen. Ik hoorde haar wel, maar mijn ogen waren geketend aan haar borsten. Ik las haar voor, maar ik kwijlde. Packwood, dat beest, had zijn lichtzinnige, kletsnatte handen in mijn hersenpan gedompeld. Beelden van roze vlees – een enkele keer zelfs donkerder, maar geen zwart vlees – bevuilden mijn sneeuwwitte, fatsoenlijke, kritische gedachten. Ik voelde me pas na wat een heel lange tijd leek, opgelucht.

Misschien kwam het omdat ik was overgegaan op cafeïnevrije koffie en geen rood vlees meer at. Misschien kwam het doordat de vriendinnen van mijn dochter niet meer op bezoek kwamen. Ik had mijzelf gezuiverd van Packwoods vergif, maar ik vond mijn herstel nog vrij oppervlakkig. Ik werd nog steeds op onverwachte momenten door de meest onzinnige dingen met een schok herinnerd aan passages in Packwoods dagboek: een stuk wit kippenvlees, de binnenkant van een meloen, het lampje van een engel aan onze kerstboom. Maar ik bad elk uur van elke dag tot U. Ik kocht een bureau-agenda met Uw Woord bij elk uur. En ik werd gezond.

Ik wist toen niet dat Packwoods dagboek maar de eerste stap naar mijn ondergang was, dat zijn koortsachtige beelden slechts een middel waren om mij rijp te maken voor POTUS. Ik wist heel goed wie POTUS was. Ik had hem op televisie gezien, en bij diners, waar hij zijn meesterlijke, nonchalante charme tentoonspreidde. POTUS was alles wat ik niet was en nooit zou willen zijn. Hij was niet alleen maar gaaf. Hij was de paus van de Kerk van Gaaf. POTUS besprak zijn ondergoed op televisie, joeg de lichtgelovige naïevelingen de stuipen op het lijf. POTUS joeg door een vertrek als een krachtige elektriciteitsschok. POTUS zag er goed uit en was charmant. POTUS was geen watje, droeg geen bril, was niet kaal, had geen psoriasis. Niemand noemde POTUS Chauncy Garndner of Mister Rodgers. Ik had ook alle praatjes gehoord over hoe POTUS voortdurend zijn vrouw bedroog. *Ik heb mijn vrouw nooit bedrogen, Heer!*

POTUS vertegenwoordigde alles waar ik vastbesloten tegen vocht... voor Amerika en voor U, o Heer: abortus, promiscuïteit, pornografie, suffragettes, homoseksuelen, aids, positieve discriminatie, rassenvermenging, evolutie, de Woodstock Natie, tweetalig onderwijs, heidendom, communisme, globalisme, masturbatie, busvervoer naar geïntegreerde scholen, geilheid, vlagverbranding, marihuana, kruidnagelsigaretten, herpes, tatoeages, graffiti, piercings, skateboards, sushi, heroïnespuitjes, Brompton's Cocktail, bungy-jumpen, wierook, de gevlekte bosuil, de Spijkerbroek Bijbel, *The Ultimate Fighting Challenge*, bikini's, yoga, Altoids, protesteerders, demonstranten, vaste partners, anarchisten, surfers, streakers, de Rosenbergs, Teletubbies, Studio 54, beroepsworstelaars, vredesgebaren, de SDS, de IWW, de SLA, de ADL, de Rainbow Coalition, Nine Inch Nails, STD's, Marilyn Manson, Marilyn Monroe, Charlie Manson, Warhol, Alger Hiss, Henry Reske, Mike Tyson, McGovern, Abbie Hoffman, Allen Ginsberg, Ralph Ginzburg, Al Goldstein, Howard Stern, Jane Fonda, Gus Hall, Che Guevera, Ralph Nader, Mapplethorpe, de Rolling Stones, rap, hip-hop, het Internet, Hollywood, massagesalons, massages, lichaamsverf, lichaamsdelen, geboortebeperking, homoseksuele huwelijken, de opiniepeilingen.

Ik haatte POTUS en alles wat hij vertegenwoordigde, en toen ik werd gevraagd om Fiske te vervangen als onafhankelijk raadsman, was ik zo blij als op dagen dat Vader tegelijk mijn haar knipte en tegen me preekte. Nu had ik het kruis en het zwaard in handen! Dankzij Uw hulp, en nu Packwoods dagboek naar de achtergrond was gedrongen, kreeg ik mijn oude energie terug. Ik zou POTUS ontmaskeren als de minne en verachtelijke Borgia-paus die hij was. Ik zou zijn aanhangers dwingen zich in walging van hem af te wenden. Ik zou POTUS doden, en abortus en promiscuïteit en pornografie en suffragettes en homoseksuelen en de hele verdere rest zouden met hem verdwijnen. Degenen die mij belasterden met hun kwaad-sprekerij begrepen het niet: Ik was *niet* inspecteur Javort. Ik was *niet* Ahab die geobsedeerd was door zijn witte walvis. Ik was Uw Hellige Joris, oog in oog met Lucifers draak. Ik wist dat POTUS schuldig was; ik hoefde alleen maar te bepalen waaraan.

Ik begon in Little Rock, een stad gebouwd van uitwerpselen. Ik kende de volle kracht van de stank inmiddels. Het was niet alleen POTUS, het was ook zijn suffragettevrouw, FLOTUS, de First Lady of the United States. Ze zaten tot over hun oren in hun eigen slijk en corruptie. Maar elke keer als ik op het punt stond het verband te vinden dat hun allebei van hun kleren zou ontdoen en hun miezerige naaktheid zou onthullen, ontschoot het me. Whitewater, Filegate, Travelgate – het verband schoot weg. Ik stuurde Hubbell naar de gevangenis en de hoer McDougal, maar het hielp niet.

Ik hoorde steeds opnieuw hoe POTUS zich had misdragen in zijn jacht op vleselijke genoegens. Er waren in Arkansas meer verhalen over zijn wange-drag dan watermeloenen. Naarmate ik meer verhalen hoorde, ging het dag-boek van Packwood me opnieuw achtervolgen. Het was of er in mijn her-sens een spelonk van verloedering was, o Heer! Het vlees danste rond in mijn zinsbouw en mijn dromen. Ik merkte dat ik soms door elkaar haalde wat Packwood had gedaan en wat POTUS had gedaan. Alice was terug in Washington; zij kon me niet helpen. Ik keek in de spiegel en zag een over-werkt, te zwaar watje met de wallen van slapeloosheid onder zijn zondige ogen. Ik was bang om in slaap te vallen uit angst dat ik het bed van de Ho-liday Inn in Little Rock zou benatten. Maar ik heb U niet bedrogen! Ik was geen handlanger bij de ontsnapping van mijn zaad.

Er gebeurden twee dingen praktisch tegelijkertijd. In mijn geest vallen ze samen. Ik las het dossier van Gennifer Flowers dat Bulldog Bittman en Jac-kie Bennett en een paar van mijn andere discipelen hadden samengesteld nadat ze haar ondervraagd hadden. Ze gebruikt schunnige taal, o Heer! Het komt uit een prachtige mond, meestal hamer-en-sikkelkleurig rood ge-verfd. Ik had het dossier niet moeten lezen.

Ik was er niet op voorbereid – zelfs niet na Packwoods dagboek en de geile koetjes-en-kalfjes-praat in Little Rock en mijn koortsdromen. Hoe is het mogelijk dat Uw schepselen tot zoiets in staat zijn? Blinddoeken en touwen en eten uit de ijskast dat ze – *ijsklontjes?* Voor dit doel! Terwijl ik mijn hele leven ijsklontjes voor het tegenovergestelde resultaat gebruikt heb! POTUS noemde haar 'Pookie'.

En ik zag ook de foto's in het dossier. Een jonge Pookie in haar volle schaamte! Pookie vanuit elke hoek! Pookie van dichtbij! Pookie in kleur! Ik kon niet ophouden ernaar, naar haar, te kijken. Ik zat uren in mijn kantoor, met de deur op slot, en Pookie voor me op het bureau. Ik was verstijfd, let-terlijk versteend. Ik kon niet ophouden naar haar schaamte te kijken. Ze was walgelijk! Pookie was zo walgelijk volmaakt en zo volmaakt walgelijk.

Niet lang daarna sprak ik POTUS en FLOTUS op het Witte Huis. We na-men hun verklaringen onder ede af. Ik kon mijn ogen niet van hem af houden. Hij was zijn glimlachende, verraderlijke zelf. Ik keek naar hem en stelde me de foto's van Pookie in mijn dossier voor. Hij had al die afschuwelijke dingen met haar gedaan, die glimlachende zondaar die daar naast zijn bedrogen vrouw zat. Hij had Pookie vernederd, haar zwanger gemaakt en tweehonderd dollar voor haar abortus betaald. Tweehonderd dollar! Terwijl ik naar hem keek en aan haar lichaam en haar schande dacht, besloot ik dat mijn leven waardeloos zou zijn gebleken als ik hem niet afmaakte.

Maar ik leed meer dan ooit, mijn dromen waren gevuld met Packwoods handen en Pookies schande en POTUS met emmers vol ijs. En soms waren Alice en ik er ook bij... o Heer, vergeef mij! Ik kon het niet uit mijn hoofd zetten! Zelfs Alice kon me niet echt meer helpen. Op de een of andere onbegrijpelijke manier liep ze een groot deel van de tijd te glimlachen, sprak over een tweede huwelijksreis, en maakte me 's nachts wakker. Had ze haar lippen gestift of verbeeldde ik me dat? Was mijn lieve, liefhebbende, nietjoodse, gedoopte, lid van de Kerk van Christus-vrouw nu ook onderdeel geworden van mijn helse dromen? Of was Alice Pookie? Was ik POTUS? Gingen Packwood, POTUS en ik om beurten met – was dat Alice die me aanraakte of Packwood? O, gruwel! Droefenis! Schande! Godslasterlijke ijsklontjes! *Ik heb mijzelf niet onteerd, o Heer! Ik heb nooit mijn vrouw bedrogen, o Heer!*

Toen kwam die treurige vrouw met haar varkensneus ons haar tapes brengen. Voor mij persoonlijk was dat de druppel. Eerst Packwoods dagboek, toen Pookies dossier, toen Pookies foto's, en nu al die schitterende nieuwe vuiligheid! De ijskoude douches werkten niet meer. Alice wilde niet meer uit de Heilige Schrift voorlezen, ze wilde... ik werd nu gedwongen om de gruwel die zich had afgespeeld in de gang en de badkamer van het Oval Office te bezien. Nu moest ik luisteren naar verhalen over fellatio en masturbatie en die andere verbijsterende zonde waar ik het niet eens over kan hebben. Bovenop blinddoeken, touwen, eten en ijs. En die verschrikkelijke onderwereldsigaar. Ik raak geen sigaar meer aan, laat staan dat ik er een in mijn mond steek, zo lang als ik leef.

Ik was in de zevende hemel en leed tegelijkertijd hevige pijnen. Ik wist dat ik toevallig, dankzij die obscene vrouw met de varkensneus, de manier ontdekt had om POTUS af te maken. Maar wat was de prijs die ik moest betalen? Kon ik al die nieuwe beelden in mijn hersens opslaan en overleven – zonder, op zijn minst, Alice dodelijk uit te putten? Ik besloot mijzelf en Alice op te offeren. Ik zou mij op de gebruikelijke onschuldige manier blijven gedragen – zalvend, met mijn honkbalpet, mijn bril, mijn Starbucks-beker – terwijl ik bezig was hem te vernietigen! Zelfs als het betekende dat mijn dromen en gedachten gevuld zouden zijn met Franse ansichtkaarten van orgieën van zonde. Niemand zou weten waartoe ik mijzelf veroordeeld had. Niemand zou weten welk offer ik bracht. Niemand zou weten dat dit ooit zo fatsoenlijke voorbeeld van bedachtzaamheid en verantwoordelijkheid net zo door vlees geobsedeerd was geraakt als POTUS.

Niemand wist het, maar sommigen kregen argwaan nadat mijn *Rapport* verschenen was. Waarom stonden er zoveel expliciete beschrijvingen in van seksuele losbandigheid? Omdat POTUS zich losbandig gedroeg, daarom. Het had niets met *mij* te maken. Ik vertelde alleen maar de waarheid, de hele waarheid en niets dan de waarheid, zo waarlijk helpe mij God. Ik deed die duivelse dingen niet, *hij* deed het! Ik was niet verloederd, *hij* was het! Ik was niet pervers, *hij* was het! Het was toch waar? Ik had nog nooit zulke dromen en gedachten gehad tot Packwood en Pookie en POTUS hun walgelijke sigaren met geweld in mij staken.

Ik kleedde hem helemaal uit, o Heer, en miljoenen wendden zich walgend van hem af. Niet zoveel miljoenen als ik had gehoopt, maar de afgodendienaren van gaaf schoten hem te hulp. We wisten wel wie hem zouden verdedigen, toch? De joden, het zwarte gepeupel, en de Kennedy's... de Ellen Dégénérés, de Barney Fags. Laat maar, het zal hem niet veel helpen. POTUS zal in ieder geval impeached worden – misschien zelfs afgezet – al moet ik zelf naar het Congres gaan en er persoonlijk voor zorgen. Wat de politiek betreft had ik feitelijk bereikt wat ik me voorgenomen had. POTUS is bloot en dood, o Heer. Ik heb mezelf bewezen dat ik beter ben dan hij. Ik ben het zegevierende watje! De Kerk van Christus triomfeert over de Kerk van Gaaf!

Ik smeek U om vergiffenis voor mijn gedachten en dromen. Ik bid om reiniging. Ik verafschuw mezelf om het feit dat ik hier in de kelder aan mijn computer naar de nieuwste naaktfoto's van Pookie zit te kijken die een of andere zondaar op Internet heeft gezet. Ik zit hier verstijfd, *maar ik heb mijzelf niet onteerd! Ik heb nooit mijn vrouw bedrogen, Heer!*

Ik hoor Alice boven janken en het spijt me verschrikkelijk dat ze me zo gezien heeft. Maar Alice komt er wel overheen. Ik zal haar smeken om vergeving, ik zal uit de Heilige Schrift voorlezen en Alice en ik zullen ons in onze harten en lendenen verblijden over uw aanwezigheid... terwijl ik in gedachten woest Pookies zondige vlees onderzoek.

[10]

Sharon en Bill

'De je-weet-wel van de je-weet-wel vond je erg aantrekkelijk,' zei
Linda Tripp.
'Dikke snikkel!' zei Monica. 'Hij vindt iedereen aantrekkelijk. Ik
wil wedden dat hij als hij de kans krijgt iedereen aan zijn pik zou
laten zuigen.'

Catherine Tramell mag dan in *Basic Instinct* de wip van de eeuw zijn geweest, maar dat betekende nog niet dat Sharon Stone dat ook was. Of
Bill Clinton, om precies te zijn. Misschien deed Sharon Stone daarom
zo blasé over zijn aanwezigheid toen de president van de Verenigde Staten achter haar stond op dat feest. Ze kenden elkaar al. Hij had *zijn*
agenda omgegooid om haar te ontmoeten in San Francisco. 'Hij was
echt heel erg geil op haar,' had Dick Morris gezegd. 'Hij heeft het heel
diep voor haar zitten.' De president van de Verenigde Staten praatte
vaak met zijn golfmaatjes over zijn favoriete scène van Sharon Stone.
Jazeker, het was *die* scène! Je weet wel! De scène waarvan Sharon inmiddels beweerd heeft dat iemand haar met een smoesje zover gekregen had.
De scène die ik had geschreven.

Ik constateerde als geestelijk eigenaar een soort verbijsterde belangstelling bij mezelf toen ik hoorde over de vriendschap tussen Sharon en
Bill. Ik had haar gecreëerd. Ik had op hem gestemd. Haar carrière zat in
het slop tot mijn scenario een wereldster van haar maakte. Haar boek-
houders wilden haar niet meer; zelfs haar agenten hadden haar gedumpt. Een producent die haar op het Deauville Film Festival had gezien, jaren voor *Basic*, zei: 'Ze kwam om middernacht aan mijn deur
kloppen. Geen haar op mijn hoofd die eraan dacht om haar binnen te
laten.' Een van haar voormalige agenten zei: 'We zeiden op kantoor regelmatig tegen elkaar: laat Sharon alleen in een kamer met de regisseur
en ze heeft een contract.' Ze was zo impopulair op de filmset dat de ploeg
van een van de flops die ze voor *Basic* had gedaan, urineerde in een badkuip waarin ze zou moeten baden. Toen had ze mijn scenario gelezen,
haar best gedaan om de rol te krijgen en de rest was Hollywood-geschie-
denis. Het grootste Amerikaanse sekssymbool sinds Marilyn Monroe.
Duidelijk bewijs dat Frank Capra ongelijk had toen hij zei: 'Een naakte

meid is een naakte meid, en dat is alles – en je kunt op geen enkele manier van een naakte meid een ster maken.'

Ze was Bill Clintons ideale vrouw, de rijpste van alle rijpe perziken, de apotheose van de goedgevormde blonde schoonheidskoninginnen die altijd zijn voorkeur hadden gehad – hetzelfde fysieke type als Dolly Kyle, zijn langdurige maîtresse; als Cathy Cornelius, de jonge medewerkster die hem op zoveel regeringsreizen had vergezeld; als Kirsty Zercher, de stewardess die hij had betast in het campagnevliegtuig; als Gennifer en Eleanor Mondale. En Sharon had ook veel weg van Hillary. Ze was slim en spontaan, maar niet zo grof. Degenen van ons die Sharon kenden, konden zich niet voorstellen dat ze ooit zou zeggen: 'Ik moet meer dan twee keer per jaar geneukt worden, Bill.' (Het was ook zo dat degenen van ons die Sharon kenden, zich niet konden voorstellen dat ze het ooit zou hoeven zeggen.)

En dan was er ook nog de JFK-connectie. Voordat hij gouverneur werd of president of Lekker Ding of de Engerd of Butthead – toen hij nog gewoon Bubba was, de dikke jongen uit Arkansas – had Bill Clinton de hand van JFK geschud op het Witte Huis, en dat had zijn leven bepaald. Hij deed alles wat JFK deed, zelfs in zoverre, dat hij, net als JFK, nooit geld bij zich had... dat hij, net als JFK, drie keer per dag een ander overhemd aantrok... dat hij, net als JFK, een *willard* had met een eigen waanzinnige wil, die in staat was om waardevolle ontdekkingen te doen. (Aan de muur van zijn privé-werkkamer, boven de plek waar hij Monica graag liet knielen, hing een portret van JFK.) Het was daarom passend, misschien zelfs voorbeschikt, dat als JFK, toen hij president van de Verenigde Staten was, 'echt heel erg geil' was voor Marilyn Monroe, de seksgodin van de New Frontier, Bill Clinton 'het heel diep had zitten' voor Sharon, de seksgodin van het millennium.

Sommige mensen die haar kenden, hadden het idee dat Sharon net zozeer een politicus was als hij. Zoals velen in Hollywood weten, is de carrière van een ster een levenslange politieke campagne. Iedere nieuwe film is een verkiezing. Sterren moeten zich net zo bewust zijn van hun image als politici, een van de redenen waarom sterren (simpele) heldenrollen kiezen, in een poging om de heldhaftigheid van hun personage met hun eigen karakter te laten samenvallen, gehuld in de verhevenheid en goedheid van hun personage. Sharon was extra gehandicapt, want haar ster was gestegen op de kracht van haar edele delen, maar ze had haar handicap goed gehanteerd.

Dankzij wat advies van Pat Kingsley, de Hollywood pr-nestor, *haar* Dick Morris, was ze het schaamhaar ontstegen. Ten eerste zei Sharon dat ze niet wist wat de regisseur aan het doen was toen hij *die* opname maakte, dat ze 'erin geluisd was' – voor het gemak vergetend dat de opname moest worden uitgelicht, dat de haar- en schminkmensen die ochtend het grootste deel van de tijd tussen haar benen hadden gezeten. Het was Sharons manier om te zeggen dat ze niet had geïnhaleerd. Toen begon ze aan het liefdadigheidscircuit, als woordvoerster voor aids, alle op-en-top Amerikaanse tradities opnieuw uitvoerend: Babe Ruth die zieke kinderen opzoekt en foto's laat maken. Vervolgens kleedde ze zich niet langer uit voor de camera, niet alleen als resultaat van een nieuw image, maar ook van haar leeftijd. ('Mijn kont hangt halverwege mijn knieën,' zei ze tijdens de productie van *Sliver* tegen me.) Toen raakte ze uiteindelijk in Jezus, hoewel ik me zorgen maakte dat het net zoiets was als Jimmy Swaggarts waarnemingen van de altijd maar heel kort aanwezige Heer.

Ze probeerde op de glorieuze top van haar roem te negeren dat ze maar één succesvolle film had gemaakt – net als Bill Clinton, die niet stilstond bij het feit dat hij twee keer als minderheidspresident was gekozen. Sommige van Sharons vrienden in Hollywood waren bezorgd dat ze zou eindigen als een van die slonzige, luidruchtige, achterhaalde types op *Hollywood Squares*, een beroepsberoemdheid als Zsa Zsa Gabor, met het uiterlijk van Petula Clark. Maar er waren ook Vrienden van Bill die bezorgd waren dat hij uiteindelijk elke ochtend de cafeïnevrije koffie van Steven zou krijgen.

Ik herinnerde me iets dat Sharon een keer laat op een avond, toen we allebei high waren van de Thaise hasj, tegen me had gezegd: 'Ik kroop de heuvel van gebroken glas op en ik zoog en ik zoog tot ik alle lucht uit mijn leven had weggezogen.' Perfect, dacht ik. Bill Clinton zou haar wel mogen – zowel vanwege de onuitsprekelijke Whitmaneske droefheid van de gedachte als om de verleidelijke belofte van de activiteit.

Ze zou *hem* ook wel mogen, dat wist ik zeker. Toen we met de rolbezetting voor *Sliver* bezig waren en de studio Billy Baldwin wilde, zei ze: 'Hij is een jongen. Geef me een man. Geef me Alec. Door Alec zou ik me zo over een tafel laten gooien.' Ze zou heel goed bij Bill Clinton passen... rigoureuze actie... scheuren over de weg in de turkooizen El Dorado cabriolet van Dolly Kyle, met 150 km per uur zwenken van rijbaan naar rijbaan... of gaan wandelen met Dolly, struikelen over een ligstoel in iemands voortuin, haar op het gras trekken en haar met zijn tanden uitkleden... of toen hij gouverneur was die groupie ontmoeten, Conny Hamzy, die het met Mick Fleetwood en Huey Lewis en Keith Moon en Don Henley gedaan had. *Hail, hail, rock and roll! Rock and roll is here to stay!*

Zo'n onversneden, glorieus jaren-'60-moment (in 1984). Vanuit een gang in het Hilton in Little Rock zag hij de groupie bij het zwembad. Ze droeg een bikini. Hij liet haar naar binnen brengen door een van zijn politiemensen. Geen prietpraat, geen sociale babbels. *Alec Baldwin meteen over de tafel!* 'Ik zou graag met je vrijen,' zei hij. 'Waar kunnen we naartoe? Heb je hier een kamer?' Ze had er geen kamer, ze kwam alleen om te zwemmen. Hij nam haar bij de hand. Hij liep heen en weer door de gang, probeerde deuren van vergaderzalen. *Verdomme! Godverdomme! Godverdomme al die mensen! Al die mensen in die vergaderzalen!*

Hij moest zo verschrikkelijk *nodig* met haar vrijen. 'Waar kunnen we naartoe gaan?' zei hij tegen haar. 'Waar kunnen we naartoe? Is er ergens een kamer vrij? *Waar* kunnen we naartoe?' Ze zei dat een van zijn mede-werkers maar een kamer moest nemen. 'Daar heb ik geen tijd voor!' zei hij. Hij stormde langs een andere gang, hield haar hand vast, aaide haar gezicht, betastte haar borsten, stak zijn hand in haar bikinibroekje, in-middels bijna struikelend door de gang, in hartstochtelijke opwinding allerlei deuren proberend. Er ging een deur open! Een waskamer... *er waren alweer mensen! Verdomme! Verdomme!* Ze kuste hem. Hij kneep in haar borsten. *Verdomme!* Hij moest naar een vergadering! *Verdomme! Verdomme! Verdomme!* Hij zei. 'Hoe kan ik je bereiken?' Zij zei: 'Ik sta in het telefoonboek.' Hij liep weg over de gang, keerde zich om. Ze zag de bobbel in zijn broek. 'Hoe lang blijf je nog bij het zwembad?' vroeg hij. Ze zei: 'De hele middag.' Hij was verdwenen.

Een woesteling. Gemaakt voor Sharon, vond ik, want die had zelf ook een aardige streep gekte. Niet lang nadat *Basic* was uitgekomen, gingen we uit. Ik haalde haar op bij haar huis vlakbij Mulholland, met uitzicht over de Valley. We rookten wat van haar Thai. Ze haalde twee flessen Cristal te voorschijn en we kwamen op het tapijt terecht, op handen en voeten rond haar poppenhuis. We kregen trek en stapten in de limo en gingen eten in een chic Hollywoods restaurant, zo stoned als garnalen. Er droop scampivocht van haar kin. Ze keek naar de andere gasten en zei: 'Wie zijn die klootzakken?' Het waren hoofden van studio's en agen-ten, die allemaal naar ons keken. We dronken nog wat Cristal en stapten weer in de limo en rookten nog wat Thai. Er moest muziek komen.

Rock 'n roll! We stopten bij Virgin Records en ze holde de trappen op om James Brown te halen, en toen kwam ze weer terughollen, met ge-spreide armen, als een diva, en zei heel hard: 'Waar *was* je nou?' terwijl iedereen staarde naar die twee geflipte gekken. We rekenden af en pro-beerden te vertrekken. Een veiligheidsbeambte deelde ons mee dat we probeerden te vertrekken via de winkelruit. Hij begeleidde ons naar een deur.

Op de terugweg naar haar huis zei ze: 'Ik heb deze bruine suède broek speciaal voor jou aangetrokken. Ik wist dat je hand daar terecht zou ko-men.' We gingen haar huis weer in en keken naar de fonkelende lichtjes. We dronken nog meer Cristal en kwamen weer terecht op het kleed naast het poppenhuis... en daarna ging ik terug naar mijn hotel, blij dat ik haar geschapen had.

Rechtstreeks uit *Basic*, die poppenhuisscène, dacht ik, terwijl ik na-dacht over Sharon en Bill Clinton. Hij was ook een personage uit die film. Hij was net zo overwerkt en hij praatte net als mijn Nick Curran. 'Ik schoof het in hun reet' (over de Republikeinen) en 'Hij is zo stom, hij krijgt nog geen hoer de brug over' (over Ted Kennedy) en 'Je weet waar-om mensen in de politiek gaan, hè? Vanwege hun onbevredigde seksuele behoeften' (over zichzelf?) en 'Zij kan een tennisbal door een waterslang zuigen' (over Gennifer). (Daarentegen hoorde Hillary niet in *Basic*, maar eerder in een van mijn latere films, *Showgirls*. 'Waar is die godvergeten klotevlag?' zei ze tegen een van de politiemensen in Arkansas. 'Hijs die godvergeten klotevlag!')

Ik dacht dat Sharon, in tegenstelling tot Hillary, die hij 'Hilla de Hun' en 'de Cipier' en 'de Sergeant' noemde, begrip zou hebben voor zijn seksuele afwijkingen. Als hij 's nachts wilde ontspannen, een beetje hasj roken, haar kanten nachthemd wilde aantrekken en Elvis op zijn sax spelen, zou Sharon dat best vinden. Ze zou ook haar eigen Thai hebben.

Over afwijkingen gesproken, ik realiseerde me dat Sharon en Hillary misschien meer gemeen hadden dan dat ze allebei slimme blondjes waren. Regisseur Wes Craven had me verteld dat Sharon zijn vrouw Mimi had verleid, nog steeds een van Sharons 'beste vriendinnen', en Mimi van hem had afgepakt. Toen Mimi's scheiding van Wes erdoor kwam, had Sharon Wes een dozijn dode rozen gestuurd. Ik besefte dat die dode rozen Bill Clintons grootste risico symboliseerden wat betreft een 'duurzame relatie' met Sharon. Ze was misschien wel zijn ideale vrouw, maar je moest geen geintjes met haar uithalen, of haar bedriegen.

Ja, ze had een liefdevolle, warme en knuffelige kant, met rugmassages en homeopathische medicijnen, maar... ze *was* de vrouw die een vertrek inging en *het contract afsloot*. Paul Verhoeven, de regisseur van *Basic*, zei dat ze Catherine Tramell *was*, de duivel zelf. Dit was de vrouw die, toen ze het uitmaakte met Dwight Yoakam, hem een 'broodje vuil' noemde, die, toen ze het uitmaakte met producent Bill Macdonald, zijn moeders verlovingsring per Federal Express terugstuurde.

Ze wist minstens zoveel over macht als Hillary, maar Sharons kennis was niet het resultaat van commissiebijeenkomsten en het beginnershandboek voor communistische propaganda uit 1930. Sharons kennis van macht was elementair, basaal, opgedaan in zittingen als fotomodel (toen ze negentien was) en op de divans van de *casting*-directeuren en in de achterkamers van schemerige black-light disco's in Milaan en Buenos Aires. Zo goed als Hillary was met een lancet en een dodelijke tong in een directiekamer, zo goed was Sharon met een ijspriem en een zachte tong op een divan. Sharon kreeg op persoonlijk gebied meestal wat ze wilde. Hillary kreeg meestal wat ze wilde op politiek niveau, maar veranderde, althans wat Bill Clinton betrof, op persoonlijk niveau in 'Hilla de Hun' en 'de Cipier' en 'de Sergeant'.

Ik zag Sharon in actie met regisseur Phillip Noyce toen we op het punt stonden *Sliver* op te nemen. Ze vond Noyce een rampzalige keus als regisseur. 'Hij is een grote oen,' zei ze. 'Hij weet niets van seks.' Phillip was een sjokkende, getalenteerde Aussie, die in diezelfde periode probeerde van zijn verslaving van vijf pakjes sigaretten per dag af te komen.

Toen de opnamen naderbij kwamen, richtte ze haar aandacht op een bepaalde scène in het script en zei dat die veranderd moest worden. De scène beschreef een vrouw die in het bad masturbeerde terwijl ze keek naar een Calvin Klein-advertentie in een tijdschrift. Sharon zei dat een vrouw nooit zo zou masturberen. Ik had de scène geschreven, maar ik wilde er geen ruzie over maken. 'Goed,' zei ik tegen Sharon, 'masturbeer zoals jij dat zelf wilt.' Maar Phillip besloot op zijn strepen te gaan staan. Hij wilde dat ze zo masturbeerde als ik het had beschreven. Hij was de *regisseur*. Daar ging het om.

Sharon dreigde de film te verlaten en stond op een bijeenkomst met Noyce in mijn suite in de Four Seasons. Zij en ik zaten naast elkaar op de bank. Phillip zat op een stoel tegenover ons. Het zweet stroomde over zijn gezicht en vanonder zijn oksels. Hij droeg een overallachtig pak met een zwart T-shirt. Zijn gezicht was asgrauw, zijn zenuwuiteinden trilden zichtbaar door de behoefte aan nicotine.

Sharon droeg een stijlvol wit niemendalletje van een jurk. Ik had een short en een hemd aan. Phillip begon over het 'visuele belang' van de Calvin Klein-advertentie in de masturbatiescène. 'Je hebt geen idee waar je het over hebt,' zei Sharon tegen Noyce. 'Het is een mannetjesfantasie; vrouwen doen het niet zo.' Phillip bleef aandringen.

Sharon wendde zich naar mij. 'Heb je last van je rug?' vroeg ze. Ik zei 'ja' – ik had een spier verrekt. Ze begon me te masseren terwijl Phillip bleef praten. 'Ga op het kleed liggen,' zei ze. Dat deed ik, op mijn buik. Ik merkte dat Phillip niet meer praatte. Ik merkte dat Sharon met gespreide benen op mijn rug ging zitten en zich heen en weer bewoog. Ik merkte dat ze geen ondergoed droeg.

Ze bewoog heen en weer, heen en weer. Ik wist dat ze met haar rug naar Phillip zat, die haar vanuit zijn stoel bekeek. Ik kon Phillip horen ademen. Het was stil in de kamer. Ze omklemde mijn zijden stevig met haar dijen, hield die positie een tijdje aan, en toen ontspanden we allebei. 'Beter?' vroeg ze lachend.

Ik lachte en gaf toe dat het een stuk beter ging met mijn rug. Ze ging van me af en ik draaide me om. Phillip zat ons aan te gapen, met grote ogen, grote zweetplekken op zijn zwarte T-shirt. Hij staarde ons een paar seconden aan en zei op vlakke, matte toon tegen Sharon: 'Doe de scène maar zoals je zelf wilt.'

Ze deed de opnamen *zoals ze zelf wilde* – niet alleen die scène maar ook alle andere scènes. *Zij* was de regisseur van de film.

Ze mocht Billy Baldwin ook niet – 'Hij is een sukkel,' zei ze – en gaf hem dezelfde ontkrachtingsbehandeling. Ze veegde haar mond af nadat ze hem gekust had of spoelde met mondwater. Ze beet op zijn tong bij het kussen; de volgende dag klonk hij alsof hij watten in zijn mond had. Billy raakte zo onzeker over zijn liefdesscènes dat hij onhandig en jongensachtig *werd*. Volgens Billy was dit Sharons manier van wraak nemen. Billy vertelde dat Sharon, toen Billy de rol kreeg, tegen een vriendin had gezegd: 'Ik zal zorgen dat die klootzak zo ontzettend verliefd op

me wordt, dat hij van voren niet meer weet dat hij van achteren leeft.'
Volgens Billy was ze 'ontzettend pissig' over het feit dat hij zijn partner
trouw bleef.

Het slechtste nieuws voor Bill Clinton, wat een 'duurzame relatie' tussen
hem en Sharon betrof, was volgens mij dat hij haar niet kon bedriegen.
Hillary mocht dan in zijn gezicht krabben, een schuimplastic beker tegen
zijn hoofd kapot drukken ('Slecht reactievermogen, Bill,' zei ze), of een
kastdeur uit zijn scharnieren schoppen... Sharon zou hem vermoorden.
IJspriem of arsenicum, hij was er geweest. Het goede nieuws voor Bill
Clinton was waarschijnlijk dat zijn ideale vrouw erg veel wist over masturbatie en hem kon helpen.

Ik vermoedde dat in deze 'duurzame relatie' Sharon Bill zou zijn en
Bill Hillary, Sharon JFK zou zijn en Bill Marilyn. Maar misschien wist
Bill Clinton dat. Dan was het enige dat Sharon en Bill zouden doen een
winstkerfje in het hout maken, zoals de oude pistoolhelden deden. Gewoon een extra winstkerfje (onder de gordel). Andermaal bevestiging
van het feit dat ze allebei supersterren waren.

Ik stelde eens een van mijn vrienden voor aan Sharon Stone, in de
hoop dat ze voor elkaar zouden vallen. Ik deed dat omdat ik verliefd
was op de vrouw van mijn vriend. Het werkte. Sharon en mijn vriend
werden verliefd op elkaar. Nog geen jaar later gingen ze uit elkaar. Ik
trouwde met de vrouw van mijn vriend en leefde nog lang en gelukkig.
Op de dag dat ik met Naomi trouwde, had ik de neiging om Sharon een
dozijn dode rozen te sturen, maar dat wilde ik iemand die ik geschapen
had niet aandoen... iemand van wie ik een ster gemaakt had... iemand
die, dankzij mij, zich zelfs niet hoefde om te draaien als de president
van de Verenigde Staten langs kwam om te groeten.

[11]

Hillary en Bill

'Weet je wat ik vanmiddag zat te denken?' zei Monica tegen Linda Tripp. 'Dat het, nou ja, het is zo raar, toen ik jong was, was het zo ontzettend belangrijk, je eerste keer, en met wie je dat deed, en mijn hemel, het is zo belangrijk. Blablabla. En nu stelt het geen bal voor.'

Er was een man, zei de jonge Hillary tegen haar ouders, die zijn gulp opengeritst had en haar zijn *willard* had laten zien. Een andere man had haar bedreigd met een vleesmes terwijl ze met haar vriendinnetjes speelde. En weer een andere man had haar op de grond gegooid, was boven op haar gaan zitten en begonnen haar te kussen, tot ze naar hem uithaalde en hij wegliep.

Haar ouders stonden voor een raadsel. Park Ridge, Illinois, was een keurige voorstad van Chicago. De extreem-rechtse, blank-racistische John Birch Society had veel aanhang in dit pastorale plaatsje zonder joden, Aziaten, Hispanics of zwarten. (Vele jaren later zou de voorstad het district worden van Henry Hyde, voorzitter van de Huiscommissie voor Justitie, die fel tegen abortus was.) De straten werden zo veilig gewaand, dat Hillary en haar twee broers alleen naar school mochten lopen. In de winter schaatsten de kinderen zonder begeleiding. En toch bleven dit soort dingen Hillary overkomen – een *willard*, een vleesmes, en iets dat bijna als verkrachting klonk.

Hillary's vader, Hugh, die in zijn jeugd in de steenkoolmijnen van Pennsylvania had gewerkt, daarna dozen had gestapeld om zijn universiteitsstudie te bekostigen, had de leiding van een bedrijfje dat truttige gordijnen op maat leverde. Hij was het soort man dat nog nooit van zijn leven een creditcard had gehad. Alles werd contant betaald – het Georgian huis van steen, de nieuwe Cadillac die hij elk jaar inruilde. Hugh Rodham pruimde tabak en was enthousiast over Barry Goldwater. Hij was kortaf en hield van confrontaties. Toen Hillary alleen maar tienen kreeg op haar rapport, zei hij: 'Je gaat zeker naar een makkelijke school.' Zijn kinderen kregen geen zakgeld: 'Ze eten en slapen gratis. We gaan hun niet ook nog eens betalen.' Toen Hillary hem tijdens het eten om geld vroeg voor de bioscoop, kreeg ze in plaats daarvan een extra aardappel op haar bord. Soms reed hij met zijn kinderen door de sloppenwijken om ze te laten zien hoe bevoorrecht ze waren. Maar hij zat wel met ze aan de keukentafel om ze met huiswerk te helpen, en hij speelde pinochle met ze. Hij leerde haar hoe ze een effectbal moest slaan. Haar broer zei dat ze 'papa's lieveling' was.

Haar moeder, Dorothy, noemde haar man 'Meneer Moeilijk.' (Hij had het waarschijnlijk goed kunnen vinden met Monica's vader, Dr. No.) Dorothy was de dochter van een vijftienjarige moeder en een zeventienjarige vader die kort na hun huwelijk uit elkaar waren gegaan. Ze gaf nu les op een zondagsschool, maar Hugh Rodham ging niet naar de kerk. Dorothy bemoeide zich alleen met Hugh en haar kinderen, organiseerde barbecues voor het gezin in de achtertuin en reed de kinderen naar school. Toen Hillary regelmatig in elkaar werd geslagen door een groter meisje in de buurt, was Dorothy degene die haar leerde hoe ze terug moest vechten. En Dorothy zei tegen slimme kleine Hillary dat ze later het eerste vrouwelijke lid van het Hooggerechtshof zou worden. (Monica's ambitie lag voor haarzelf hoger.) Dorothy en Hugh liepen in het bijzijn van de kinderen niet te koop met hun gevoelens voor elkaar, maar Dorothy had een bijzonder gevoel voor humor. Ze verscheen jaren later eens als non verkleed op een verjaarsfeestje van Hillary.

Toen Hillary ouder werd, ging ze veel sporten. Ze speelde tennis, voetbal, softbal en pingpong. Ze leerde kanovaren. Ze was badmeester in het zwembad. Hugh Rodham, die ooit gymnastiekleraar was geweest en deel had uitgemaakt van het Gene Tunney-programma van de marine, was tevreden. Als hij hoorde dat ze zich op school had misdragen, was hij degene die haar een pak slaag gaf. Ondertussen gaf Dorothy 'haar nooit advies over kleding en make-up en hoe ze jongens moest versieren.'

Hillary, die niet geïnteresseerd was in jongens, deed mee aan alle activiteiten op de middelbare school. Ze was lid van de feestcommissie, de schoolraad, de commissie voor culturele waarden, de pepclub, de discussieclub, de National Honor Society, de schoolkrant, de voorjaarsmusical. De schoolkrant vermeldde dat ze persoonlijk afstandelijk was tegen andere leerlingen, noemde haar 'Zuster IJskast' en voorspelde dat ze non zou worden (lang voordat haar moeder op haar verjaarsfeestje in nonnenhabijt verscheen). Ze stond bekend als 'het lievelingetje van de juf' (net als Bill Clinton op de middelbare school bekend stond als 'hielenlikker'). Ze ging een tijdje met een jongen uit, maar verbrak de relatie toen ze hem had gevraagd op haar konijnen te passen en hij er een liet ontsnappen. Ze gaf hem een klap op zijn neus. (Bill Clinton was gewaarschuwd.)

De jongens op school mochten haar niet. Ze was 'vrouwelijk', vonden ze, niet 'meisjesachtig'. En ze had opvallend vooruitstekende voortanden. Toen haar vriendinnen gezamenlijk gaatjes in hun oren lieten maken, ging ze niet mee. Ze speelde Carry Nation in een sketch op school. Zelfs haar vriendinnen vonden dat ze wel 'wat rustiger aan kon doen' met al haar activiteiten. Op de dag dat de prijzen op haar middelbare school werden uitgedeeld, was haar moeder 'gegeneerd' door de vele malen dat Hillary het toneel op moest.

Arbeiderskinderen, de paar die ze kende, hadden spontaan een hekel aan haar. Tijdens een voetbalwedstrijd op school zei ze 'Jee, het is flink koud' tegen de keeper van de tegenpartij.

'Ik zou willen dat mensen als jij doodvroren,' zei het meisje uit de binnenstad tegen haar.

'Je kent me niet eens,' zei Hillary.

'Ik hoef je niet te kennen om de pest aan je te hebben,' antwoordde het meisje.

Een methodistische dominee was de eerste sterke mannelijke invloed in haar leven, afgezien van haar tabakpruimende vader. Don Jones kwam net van de theologische hogeschool en reed in een rode Chevrolet Impala cabriolet uit 1959. Hij liet haar kennismaken met het werk van Bob Dylan en François Truffaut. Hij gaf haar een exemplaar van *Catcher in the Rye*. Don Jones reed met Hillary en de andere meisjes uit zijn bijbelklas naar de kampementen van de Mexicaanse migrantenarbeiders buiten Chicago. De meisjes deelden cake-jes en lappenpoppen uit aan de kinderen van de arbeiders.

Hij gaf zijn bijbelklas de nieuwe naam 'Universiteit van het Leven' en nam Hillary en de andere meisjes mee om Martin Luther King jr. te horen spreken. Hij nam hen mee naar de legendarische vakbondsleider Saul Alinsky uit Chicago, die 'scheet-ins' organiseerde bij diverse hoofdkantoren van bedrijven. Hij nam ze mee naar arme zwarte wijken, waar hij met een Picasso-reproductie zwaaide en aan de gettokinderen vroeg wat het voor hun betekende.

Hillary vond het allemaal fantastisch. 'Ze leek op zoek naar transcendentie,' zei pastor Jones. Maar ze drong er bij haar klasgenoten nog steeds op aan om op Barry Goldwater te stemmen. Ze besteedde evenveel energie aan haar pianolessen, die werden gegeven in het huis van haar leraar, in kamers die propvol stonden met opgezette honden, die de huisdieren van de leraar waren geweest.

Ze studeerde aan Wellesley College, een school voor kinderen van bemiddelde ouders, een van de Zeven Zusters aan de oostkust, ruim twintig kilometer van Boston. Ze werd in haar eerste jaar gekozen tot voorzitter van de Jonge Republikeinen. 's Middags bezocht ze theesessies, gekleed in stemmige jurken. Ze begroef zich in het schoolwerk, en schreef aan pastor Jones: 'De laatste twee weken van februari waren een orgie van decadent vermaak.' *'Een orgie van decadent vermaak'* betekende dat ze zich wat ontspande en drie keer per dag at. Als Jonge Republikein was ze kapot van John Lindsay, de burgemeester van New York, die zo knap was als een filmster.

Ze kreeg een relatie met een Harvard-student, met wie ze drie jaar verkering zou hebben. Het was een relatie die hij later 'romantisch maar platonisch' zou noemen. Dat betekende in de seksueel wilde jaren '60 dat Hillary Rodham een van de weinige vrouwen aan de universiteit was die niet geneukt werd. (Weet je nog van de klasgenoten die zeiden dat ze een non zou worden? Weet je nog van haar moeder die in een nonnenhabijt naar haar feestje kwam?) In 1968, toen degenen die zich verzetten tegen de oorlog in Vietnam zich schaarden onder de banieren van Eugene McCarthy en Bobby Kennedy, ging ze naar de Nationale Republikeinse Conventie in Miami, niet om te demonstreren, maar als deelnemer.

Maar terwijl ze nog een actief lid van de Republikeinse partij was, las ze al materiaal dat de Republikeinen als subversief beschouwden. Ze archiveerde keurig al haar exemplaren van *motive*, een maandelijkse publicatie met essays van Carl Oglesby, een marxistische mede-oprichter van Students for a Democratic Society. Naast terrorisme en rituele hekserij pleitte het blad ook voor lesbische liefde. Hillary vermaakte zichzelf soms door 'hippie te spelen'. Ze droeg een maand lang geknoopverfde kleren en schilderde bloemen op haar armen.

'Mijn hersens ontploften op Wellesley,' zou ze later zeggen, maar haar radicalisering begon met een lokale campuskwestie. Alle vrouwen op Wellesley ondertekenden een 'eed' waarin ze beloofden zich aan het boek met gedragsregels voor studenten te houden. Dat betekende onder andere thuis zijn om middernacht, jurken aantrekken voor het avondeten, en onderwerping aan kamercontroles. Hillary startte een campusbeweging om dit erewoordsysteem af te schaffen. Ze liet op eigen kosten buttons maken en droeg trots de hare: BREEK DE EED! stond erop. (Bill Clinton zou hem hebben gedragen.)

In haar laatste jaar werd ze gekozen tot voorzitter van de studentenraad. Ze was inmiddels een mollige vrouw met vooruitstaande tanden, en werd door het studentenblad beschuldigd van corrupte praktijken. 'De gewoonte om vrienden en leden van de incrowd te benoemen moet onmiddellijk ophouden om te voorkomen dat het, om een functie te bemachtigen, voorwaarde wordt dat je iemand kent die aan de macht is,' stelde het blad. Ze had nog steeds haar platonische relatie met haar vriend van Harvard, danste soms op de muziek van de Beatles of de Supremes, maar bracht vooral eindeloze uren door met politieke discussies in de eetzaal. Ze bedankte voor haar functies bij de Jonge Republikeinen en zei tegen haar vrienden dat ze geen Republikein meer was. Ze sprak vol lof over Eleanor Roosevelt, een voormalige presidentsvrouw, sociaal activiste, biseksueel, een vrouw wier man stierf in de armen van zijn minnares sinds jaren.

Hillary werd bevangen door een enorme woede toen ze hoorde van de moord op dominee Martin Luther King jr. De spreker op de dag van haar afstuderen van Wellesley was Edward Brooke, senator voor Massachusetts, een zwarte, gematigde Republikein, die voor de oorlog was, en voor wie Hillary nog maar twee jaar eerder campagne gevoerd had. Als voorzitter van de studentenraad mocht zij na Brookes speech enkele woorden zeggen. ('Zijn speech was een verdediging van Richard Nixon,' zei Hillary later.) 'Een deel van het probleem met empathie,' zei de toekomstige presidentsvrouw, wier echtgenoot bekend zou staan om zijn empathie, 'is dat empathie niet actief is. We hebben een heleboel empathie gehad; we hebben een heleboel sympathie gehad. We zijn op zoek naar meer rechtstreekse, extatische en diepgaande manieren van leven.' (*Rechtstreeks, extatisch en diepgaand... een goudmijn voor Freudianen.*)

Het tijdschrift *Life* citeerde uit haar speech en publiceerde een onflatteuze foto van haar met een te grote bril en een strakke, gestreepte broek. Na alle publiciteit werd ze uitgenodigd voor een zomerconferentie van de League of Women Voters waar ze een man ontmoette die door de jaren heen een grote steun zou blijken voor haar en haar toekomstige man: Vernon Jordan, het hoofd van het Voters Information Project van de NAACP. Ze overwoog een 'spirituele reis' naar India te maken – de Beatles hadden net Maharishi Mahesh Yogi ontdekt – maar besloot in plaats daarvan rechten te gaan studeren aan Yale. Ze zocht onmiddellijk contact met de leiders van de plaatselijke anti-oorlogsbeweging – een van hen was Gregory Craig, die later haar toekomstige echtgenoot zou verdedigen tegen een impeachmentaanklacht. Ze kleedde zich op Yale volgens de mode van de beweging: een Afghaanse jas van schapenvacht, een Levi's spijkerbroek met uitlopende pijpen of een zwarte pyjamabroek à la de Vietcong, sandalen, boerenblouses en een omabril met stalen randen. Ze droeg zo vaak zwarte rouwbanden dat sommigen dachten dat ze het alleen maar deed omdat ze het een mooi gezicht vond.

Hillary arriveerde op een koortsachtig revolutionair moment op Yale. Bobby Seale, de leider van de Black Panthers, de toekomstige barbecuesaus-baas, stond terecht voor de opdracht tot moord op een andere Panther. Rocksterren van de beweging kwamen op bezoek: Huey Newton, de toekomstige cocaïnemagnaat, en Tom Hayden en Jane Fonda, die haar vuist balde en in de lucht stak toen Huey uit zijn vliegtuig kwam. (Fonda en Hayden waren nog geen stel. Fonda kwam met de Canadese anti-oorlogsactivist en acteur Donald Sutherland.) Uit angst voor politiegeweld organiseerde Hillary een groep rechtenstudenten om toezicht te houden op de protesten en het proces van Bobby Seale voor de ACLU.

Toen de problemen eenmaal ontstonden, werden ze niet veroorzaakt door de politie. Ze waren afkomstig van de demonstrerende studenten. Panther David Hilliard zei tijdens een bijeenkomst op de campus: 'Er is niks tegen op moord op een klotesmeris.' Sommige studenten begonnen hem uit te jouwen. Hilliard riep: 'Boe! Boe! Boe! Boe Ho Chi Minh! Boe Koreanen! Boe Afro-Amerikanen! Boe alle gekwelde zwarten in dit land!' Het boegroep van de studenten zwol aan en Hilliard riep: 'Jullie zijn hartstikke gek als jullie denken dat ik hier blijf staan en me door een zootje zogenaamde pacifisten, jullie gewelddadige klootzakken, laat wegboe'en zonder geweld tegen jullie te gebruiken.' Een buitenlandse student die aan Yale studeerde in het kader van een uitwisselingsprogramma, klom het podium op om een paar woorden te zeggen en Hilliard schopte hem wreed tegen zijn bleekscheterige on-Amerikaanse kont.

Jerry Rubin, superster van de beweging, de toekomstige makelaar in onroerend goed in Beverly Hills, verscheen tijdens een andere bijeenkomst en zei: 'Wij weten wat werk is – een vies vierletterig woord... Alles zou gratis moeten zijn... Weg met rationaliteit; wij zijn irrationeel en onverantwoordelijk. Ik heb al in geen zes maanden een bad genomen... Ons arresteren voor hasj roken is alsof je joden arresteert omdat ze matzes eten... Punt een op de agenda is het vermoorden van je ouders, die tenslotte degenen zijn die ons in de problemen hebben gebracht.'

Nadat de supersterren van de beweging weer vertrokken waren, werd Hillary lid van de redactieraad van de *Yale Review*. Tijdens haar ambtsperiode publiceerde het blad een lang hoofdartikel ter verdediging van de Panthers, geïllustreerd met tekeningen van politiemannen als varkens. Een van de bijschriften luidde: 'Seize the Time!' – de Pantherstrijdkreet als oproep tot het gevecht. In de zomer van haar eerste jaar op Yale Law werkte Hillary voor het Children's Defense Fund in Washington, als medewerker van de stafleden van senator Walter Mondale. (Ze maakte kennis met Mondale en zijn gezin, waaronder die leuke kleine meid, Eleanor, die op een dag Monica Lewinsky praktisch een rolberoerte zou bezorgen toen ze ontdekte dat Eleanor, inmiddels geheel volwassen, zich samen met Hillary's echtgenoot in het Oval Office bevond.)

In het begin van haar tweede jaar op Yale zat Hillary in de bibliotheek toen ze merkte dat er een jongeman naar haar zat te staren. Hij had een jongensachtige, onverzorgde baard en lang haar. Hij was meer dan een beetje mollig, maar hij had er de lengte voor. Ze vond dat hij eruit zag als een teddybeer. Ze had hem weken eerder in de kantine gezien, waar hij op luide toon met een groepje mensen stond te praten over watermeloenen uit Arkansas. Toen Hillary hem nu naar haar zag staren, terwijl hij praatte met een vriend, stapte ze op hem af. 'Luister,' zei ze, 'als je naar me blijft staren en als ik terug blijf staren, kunnen we op zijn minst kennis maken.'

Hij vertelde haar over Arkansas, over de Toad Suck Daze Fair en het Hope Watermelon Festival en de Shriners Parade van Hot Springs. Toen ze elkaar beter leerden kennen, merkte ze dat hij vrijwel alleen leefde op boterhammen met pindakaas. Hij had een trage, zuidelijke tongval, las alles wat binnen zijn bereik kwam en maakte haar aan het lachen. Hij vertelde bizarre verhalen, een over Lyndon Johnson die op de vloer van het Oval Office seks had met een meisje dat, op aandringen van Johnson, een 'ban de bom'-teken om haar nek had. 'Hou toch op,

Bill!' zei Hillary dan, en: 'Lul niet zo, Clinton!' Ze gingen samenwonen, hij bezocht haar ouders en moest lachen om het feit dat Hugh en Dorothy hem dwongen om apart van Hillary te slapen, in een andere slaapkamer.

Hillary en Bill gingen in Texas werken voor George McGovern. Bill zat in Austin, aan de telefoons op het hoofdkantoor van de partij. Hillary zat in San Antonio, waar ze Hispanic kiezers inschreef. Ze zagen elkaar in de weekends. Ze wist niet dat hij door de week met andere vrouwen naar bed ging – één keer zelfs met drie in één week.

Bill ging mee op campagne in Arkansas met McGovern en diens vrouw, terwijl Hillary in San Antonio bleef. Toen McGovern een speech hield tijdens een geldinzamelingsbijeenkomst in het huis van een contribuant, ontmoette Bill toevallig zijn oude vriendin Dolly Kyle. Ze begonnen te kussen terwijl McGovern sprak, gingen naar buiten toen de kandidaat uitgesproken was en hadden seks in de tuin.

Maar Bill zei ook tegen andere vrouwen hoeveel hij voelde voor Hillary en hoe erg hij haar miste, zo ver van hem vandaan, helemaal in San Antonio. Op een avond begon hij tegenover een jonge vrouw te huilen over hoezeer hij Hillary miste, en de jonge vrouw begon hem te troosten... en van het een kwam het ander... en al gauw nam hij bezit van haar bovenop de grote vergadertafel, terwijl de telefoons in het campagnehoofdkwartier rinkelden.

Hillary raakte steeds meer verdiept in het feminisme, en Bill moedigde haar aan en steunde haar. Ze las een boek van Germaine Greer, getiteld *The Female Eunuch,* en hij bladerde het door toen ze eens een weekend samen in Austin waren. Hij zei niet tegen Hillary dat hij Germaine Greer al ontmoet had in Engeland. Hij had een van Greers lezingen bijgewoond. Greer zei dat seks met middenklasse-mannen altijd overschat werd en onbevredigend was. Toen ze klaar was, stond Bill Clinton op en stelde een vraag. 'Wat betreft het overgewaardeerde orgasme,' zei hij tegen het toekomstige boegbeeld van het feminisme, 'kan ik u, voor het geval u ooit overweegt om de middenklasse-mannen een tweede kans te geven, mijn telefoonnummer geven?'

Tijdens dit weekend en de vele andere die ze samen met hem in Austin doorbracht, was de toekomstige presidentsvrouw van de Verenigde Staten gelukkig. Weg was haar meisjestijd, weg waren de angstaanjagende beelden van *willards* en flonkerende vleesmessen, van mannen die haar op de grond legden en op haar gingen zitten. Voor het eerst van haar leven, eindelijk, godzijdank, na al die jaren van platonische afspraakjes, was Hillary, de mollige jonge vrouw met de vooruitstekende tanden, verliefd.

Hier was een man bezig zich een weg naar haar hart te banen, een man die zijn gulp zou openritsen en zijn potlood zou venten... heel vaak, bij heel veel andere vrouwen – maar niet zo vaak bij haar – in de loop van haar leven.

[12]

Monica, Andy en Butthead

'Hij is meer dan voldoende,' zei Monica. 'Hij is niet, o mijn God,
wat die van Andy was, maar hij is – hij is flink.'
'Je zei dat hij aan de dunne kant was,' zei Linda Tripp.
'Ik vergeleek hem met die van Andy,' zei Monica. 'Die van Andy is
enorm. Die van Andy is gigantisch.'

Monica vertelde Bayani Nelvis, een van de bedienden op het Witte Huis, dat ze de avond ervoor haar eerste sigaar gerookt had. Nelvis vroeg of ze een van Davidoffs van de president wilde hebben, uit zijn geheime privévoorraad.

'O mijn God,' zei ze. 'Gaaf!' Nelvis opende de deur naar de privé-eetzaal van de president... en daar stond *hij*, vlakbij de deur, op het punt om naar buiten te komen.

Hij gaf Nelvis wat papieren, vroeg of hij ze naar Leons kantoor wilde brengen en vroeg haar binnen te komen.

Zo gauw ze binnen was, stak ze haar hand uit en deed alsof ze zichzelf voorstelde.

'Monica Lewinsky,' zei ze. 'President Kleintje.'

Hij lachte. 'Ik weet hoe je heet.'

Hij zei dat hij geprobeerd had haar te bellen, maar dat hij haar nummer was kwijtgeraakt. Toen had hij het in het telefoonboek opgezocht maar niet kunnen vinden.

'Ik heb zelfs Lewinsky goed gespeld.'

'Ik heb een geheim nummer.

Hij schonk haar die trage, sexy glimlach en zei: 'Nou, dan begrijp ik het.'

'Wat doe je hier trouwens?' vroeg hij.

Ze vertelde over de sigaar die ze de vorige avond gerookt had en dat ze dat tegen Nelvis had gezegd en dat Nelvis er een van de president voor haar zou halen.

'Ik zal je er een geven.' Hij glimlachte. Hij nam haar mee naar zijn geheime voorraad en gaf haar een sigaar.

'Wat een grote,' zei ze.
'Ik hou van grote sigaren.'
'Ik ook,' zei ze en keek hem in de ogen.
Hij kuste haar en deed haar trui omhoog. Hij liefkoosde haar borsten met zijn mond. Ze legde haar handen om Willard en bracht hem tot leven. Ze knielde neer... en, na een tijdje, liet hij haar weer ophouden. Deze keer was er tenminste geen telefoontje tussen gekomen.
'Gelukkig nieuwjaar,' zei hij, terwijl hij zijn gulp dichtknoopte. Hij gaf haar een lange, emotionele kus.
Ze gaf hem opnieuw haar geheime telefoonnummer.
'Ik geef het je nu voor de laatste keer,' zei ze.
Hij ging naar de badkamer. Ze ging vertrekken. Ze zag hem door de open deur. Hij had Willard in zijn hand. Hij bracht Willard tot ontlading in de wasbak.
Een week later, weer op een zondagmiddag, ging bij haar thuis de telefoon. Ze nam op, maar er was niemand aan de lijn. Hij ging een paar minuten later opnieuw over, maar haar antwoordapparaat sprong aan. De beller zei niets. Ze nam de telefoon op en zei: 'Hallo?'
'Aha. Je bent er dus toch.'
Ze dacht dat het een studiegenoot was. 'Ja hoor,' zei ze achteloos. 'Hoe gaat het ermee? Wat is er aan de hand?'
'Ik weet het niet. Zeg jij het maar.'
'Goeie hemel!' zei ze. 'Jij bent het!'
Hij lachte oprecht.
'Waar ben je? Wat ben je aan het doen?' vroeg ze.
'Nou, ik ga over drie kwartier aan het werk.'
'Wil je wat gezelschap?'
'Dat zou heerlijk zijn.' Hij lachte. Ze gaf hem haar toestelnummer op kantoor en hij zei dat hij haar zou bellen. Ze reed door een sneeuwstorm om er te komen, ging aan haar bureau zitten en wachtte. Toen hij belde, zei hij dat ze langs zijn kantoor moest lopen, met wat papieren onder haar arm. Hij zou daar staan en het zou eruitzien of ze elkaar toevallig waren tegengekomen.
Maar toen ze bij de deur van het Oval Office kwam, was hij er niet. Wel een man van de geheime dienst.
'Ik heb wat papieren voor de president,' zei ze.
De agent bracht haar naar binnen. Hij zat achter zijn bureau en glimlachte.
'Doe de deur maar dicht,' zei hij tegen de agent. 'Ze blijft hier wel een tijdje.'
Hij vroeg of ze wat wilde drinken. Ze wist inmiddels wat dat betekende – een loopje naar zijn toiletruimte, naast de gang van het Oval Office naar zijn privé-werkkamer.
Hij nam haar mee naar de toiletruimte, omhelsde en kuste haar.
'Ik wil je beffen,' zei hij.

Ze had het idee dat ze flauwviel. 'Nee,' zei ze. 'Alsjeblieft.'

'Ik wil je beffen,' zei hij weer, nu met meer nadruk.

O mijn God! O mijn God! Dit was z-o-o-o onwaarschijnlijk! De president van de Verenigde Staten wilde haar beffen! Haar! Big Mac en Pig Mac en al die andere scheldnamen die ze voor haar gebruikt hadden. Omdat ze Gennifer Flowers' boek gelezen had, wist ze hoe goed hij was in cunnilingus.

'Dat kan niet,' zei ze tegen hem.

'Waarom niet?'

'Ik ben ongesteld.'

'Ach nee!' zei hij.

'Ja, ik weet het,' zei ze. Ze ging op haar knieën liggen... en na een tijdje liet hij haar ophouden.

Na afloop sabbelde hij aan een sigaar. Toen hij de sigaar in zijn hand had, zag ze dat hij de natte sigaar net zo vasthield als ze had gezien dat hij Willard vasthield als Willard een beetje nat was.

Ze keek naar de sigaar en ze keek hem aan en ze zei: 'Dat kunnen we ook wel eens doen.' Hij glimlachte.

Vier of vijf dagen later, rond middernacht, belde hij.

'Wat heb je aan?' vroeg hij.

Ze wist wat hij wilde. In Gennifers boek stond hoe dol hij was op telefoonseks... hoe lekker hij het vond als Gennifer schunnige taal uitsloeg.

Ze zei vieze dingen tegen hem met haar Marilyn Monroe-stem. Ze begon zichzelf te strelen en ze wist dat hij met Willard speelde. Zijn ademhaling werd zwaarder. Ze dacht dat ze praktisch tegelijk klaarkwamen.

'Lekker slapen,' zei hij, en hing op.

Op de zondag nadat ze voor het eerst telefoonseks hadden gehad, kwam ze hem toevallig tegen bij de lift in de gang van de westelijke vleugel. Haar haar zat slecht en ze droeg een zwarte baret. Hij vroeg of ze met hem meeging naar het Oval Office.

Toen ze daar aankwamen, zei ze: 'Gaat dit alleen maar om seks? Of heb je ook nog belangstelling voor mij als mens? Het is oké als het alleen maar om seks gaat. Maar ik wil het wel graag weten.'

Hij zei: 'Wat?' en lachte een beetje.

'Je vraagt nooit iets over mijzelf.'

Hij keek haar diep in de ogen en zei: 'De tijd die we samen doorbrengen is mij heel dierbaar.'

Hij sloeg zijn arm om haar heen en zei: 'Ik vind je baret schitterend. Het is een prachtige omlijsting van je lieve gezichtje.'

Hij zei: 'Je hebt geen idee wat een groot geschenk het is dat ik bij je kan zijn en met je kan praten. Onze tijd samen is me echt heel dierbaar. Het is hier erg eenzaam. Dat begrijpen mensen niet.'

Hij vertelde hoeveel pijn hij had – zijn rug deed pijn, maar erger nog, zei hij, hij was net op de hoogte gesteld van de dood van de eerste Amerikaanse soldaat in Bosnië.

Ze was opeens helemaal gerustgesteld. Hij was zo'n zorgzame en gevoelige man, zo duidelijk ontroerd over het feit dat er een soldaat gedood was als gevolg van een bevel dat hij gegeven had.

Terwijl hij haar begeleidde naar de gang en de toiletruimte, wilde ze dat tegen hem zeggen. Maar plotseling, voor ze iets kon zeggen, kuste hij haar hartstochtelijk.

'Ik voel me zo dom, hier met die domme hoed op.'

'Het is geen domme hoed. Het is een leuke hoed. Ik vind hem leuk.'

Ze knielde neer... en toen hoorden ze iemand in het Oval Office. Hij schoof Willard terug in zijn broek, ritste zijn gulp snel dicht, en haastte zich naar het Oval Office. Ze moest lachen toen ze hem zag lopen. Willard zag eruit als de Alien die op het punt stond door zijn kleren heen naar buiten te springen.

Hij kwam snel terug uit het Oval Office en zei dat hij weg moest, omdat hij een vergadering had. Hij leidde haar snel via een achterdeur naar het kantoor van zijn medewerker Nancy Hernreich en gaf haar een intieme en hartstochtelijke afscheidskus. Ze vertrok en probeerde in de gang van de westelijke vleugel te komen, maar de deur was op slot. Ze liep terug naar het kantoor van Nancy Hernreich.

Ze schrok toen ze hem daar nog zag zitten, op de bank van Nancy Hernreich, in zijn eentje, starend in het niets. Hij had Willard in zijn hand en was bezig hem tot ontlading te brengen. Ze keek even naar hem en Willard, glimlachte toen en liep naar haar Lekker Ding en kuste hem... terwijl hij Willard met zijn hand heen en weer bewoog.

De volgende dag, 4 februari, zat ze aan haar bureau toen hij haar uit de residentie in het Witte Huis belde en zei dat hij over anderhalf uur naar het Oval Office zou gaan.

Hij zei dat hij haar zou bellen als hij van de residentie bovenin het Witte Huis vertrok. Ze lette op de klok. Anderhalf uur gingen voorbij, toen twee, toen tweeëneenhalf... en net toen ze begon te denken dat hij haar liet zitten, belde hij, drie uur later.

Zij stelde voor dat ze elkaar 'per ongeluk expres' zouden ontmoeten, net als de vorige keer. Ze 'ontmoetten elkaar' toevallig in de gang en liepen door de Rozentuin naar het Oval Office. Hij nam haar meteen mee naar zijn privé-werkkamer en kuste haar. Ze had een lange jurk aan, met knopen van haar nek tot haar enkels. Hij maakte alle knopen los en trok haar jurk uit. Zij deed haar slipje en bh uit en stond voor het eerst naakt voor hem. Ze had alleen nog haar zwarte soldatenkistjes aan.

'Dat zijn dezelfde die Chelsea heeft,' zei hij.

Hij zei hoe mooi ze was en legde zijn hand tussen haar benen. Ze kwam klaar en ging toen op haar knieën zitten... en na een tijdje liet hij haar ophouden. Ze kleedden zich aan en gingen terug naar het Oval Office.

'Weet je zeker dat dit niet alleen om de seks gaat?' vroeg ze glimlachend.

Zijn ogen leken zich met tranen te vullen. Hij zei: 'Ik wil niet dat je ooit dat gevoel hebt; daar gaat het hier niet om.'

Toen vertelde ze hem over Andy Bleiler. Ze zei dat Andy getrouwd was en dat ze soms het gevoel had dat hij haar alleen maar seksueel gebruikte.

Hij luisterde goed terwijl ze het over Andy had, en toen ze uitgepraat was, zei hij: 'Wat een schoft.'

Ze had het gevoel dat het hem echt iets kon schelen, dat hij echt luisterde. Voor ze wegging liep ze naar zijn kant van het bureau en gaf hem een innige omhelzing. Hij kuste haar arm en zei dat hij haar zou bellen.

Ze zei: 'Ja, nou, wat is mijn telefoonnummer?'

Hij dreunde haar telefoonnummer thuis en op het werk perfect op.

'Oké,' zei ze. 'Je krijgt een 10,' en vertrok.

Toen ze terug was bij haar bureau, ging de telefoon.

'Ik wou alleen maar even tegen je zeggen,' zei hij, 'dat je echt een gaaf mens bent.'

Ze had voor het eerst het gevoel dat ze vrienden waren geworden. Dus begreep ze in de dagen erna niet waarom hij niet naar haar keek of naar haar glimlachte als hij haar zag. Ze had het gevoel dat er iets mis was. Ze hoopte dat hij haar op Valentijnsdag zou bellen, maar dat gebeurde niet. Toen hij haar op de maandag na Valentijnsdag, 19 februari, thuis opbelde, en ze zijn stem hoorde, wist ze zeker dat er iets mis was.

'Kan ik bij je langskomen?' vroeg ze.

'Ik weet niet hoe lang ik hier nog ben.'

Ze reed snel naar het Witte Huis, pakte wat papieren van haar bureau en ging op weg naar het Oval Office. Ze zei tegen de agent van de geheime dienst voor zijn deur dat ze wat stukken had die door de president ondertekend moesten worden.

Lekker Ding zat achter zijn bureau. Hij was bleek en zag er somber uit.

Hij zei: 'Ga zitten, *schat*.' Ze haatte het woord *schat*. Het was volgens haar een woord dat alleen oude mensen gebruikten.

Hij zei dat hij nagedacht had en dat wat zij hadden 'niet goed was.'

'Het spijt me,' zei hij. 'Ik wil Hillary en Chelsea niet kwetsen. Ik wil aan mijn huwelijk werken.'

Ze begon te huilen en probeerde hem op andere gedachten te brengen, en zei hoeveel ze voor hem voelde, en zei hoe goed ze voor elkaar waren en hoezeer ze elkaar nodig hadden.

'Nee,' zei hij, 'dit is niet juist.' En toen zei hij: 'Ik wil niet net zo zijn als die zakkenwasser in Oregon.'

Andy Bleiler, dacht ze. *De president van de Verenigde Staten vergeleek zichzelf met Andy Bleiler!* Het speet haar nu dat ze hem ooit over Andy verteld had.

'Weet je,' zei hij, 'als ik vijfentwintig was en niet getrouwd, zou ik je binnen drie seconden hier op de vloer pakken.'

'Ik begrijp het niet!' riep ze.

'Als je wat ouder bent, zul je het wel begrijpen,' zei hij. 'We kunnen vrienden blijven.' Hij omhelsde haar en zij probeerde hem te kussen. 'Dat kunnen we niet meer doen,' zei hij.

De telefoon ging en hij nam op. 'Ik moet dit gesprek beantwoorden,' zei hij.

Het was een suikerplanter, fluisterde hij tegen haar, en hij stond op het punt om wetgeving te ondertekenen die de suikerindustrie zou schaden. 'Als ik iemand naai,' – hij glimlachte naar haar – 'vertel ik het die persoon graag eerst.'

Ze vertrok, in tranen. Ze was drie keer voor hem op haar knieën gegaan, ze had hem met haar lichaam laten spelen, en nu liet hij haar vallen. *Maar ze was verliefd op hem!* Het was weer hetzelfde als met Andy Bleiler, die zei dat hij zich schuldig voelde omdat hij ontrouw was aan zijn vrouw en kind. Maar dat gaf haar tegelijkertijd weer wat hoop. Zo vaak als Andy Bleiler het met haar had uitgemaakt omdat hij zich schuldig voelde over zijn ontrouw, net zo vaak was hij bij haar teruggekomen om nog meer ontrouw te plegen. Haar enige hoop was nu dat de president van de Verenigde Staten net zo zou blijken te zijn als Andy, die haar jarenlang slecht behandeld had.

Ze zei tegen haar moeder en haar tante Debra dat Lekker Ding een einde had gemaakt aan hun relatie, en ze waren opgelucht, al zagen ze heel goed hoeveel verdriet ze ervan had. Ze had tegen hun geen woord gezegd over Willard; het enige waar ze het over gehad had was het flirten en het kussen. Maar ze hadden de kleurenfoto van de president van de Verenigde Staten naast haar bed gezien en maakten zich zorgen over haar.

Een week nadat Lekker Ding het had uitgemaakt, belde hij haar thuis. Hij had haar in de gang gezien, zei hij.

'Je zag er zo mager uit,' zei hij.

Ze bood aan om onmiddellijk naar het Witte Huis te komen om hem op te zoeken.

'Ik moet Chelsea helpen met haar huiswerk,' zei hij.

Een week of twee later zag ze hem weer toen ze een vriendin rondleidde door het Witte Huis. Hij droeg een spijkerbroek, een spijkerhemd en een honkbalpet. Hij was met Hillary in het theater van het Witte Huis geweest. Ze stelde hem voor aan haar vriendin en plukte stukjes popcorn van zijn hemd.

Tegen eind mei sneed ze haar hand aan een dossierkast en ging naar de arts van het Witte Huis. De volgende ochtend zag ze de dokter in gesprek met Lekker Ding, die was wezen joggen en zich misselijk voelde. De arts vroeg hoe het met haar hand was en Lekker Ding vroeg wat er gebeurd was. Hij belde haar die avond op haar bureau en zei: 'Het spijt me dat je je hand pijn gedaan hebt.'

Hij vroeg haar per telefoon om samen met hem naar een film te kijken in het theater van het Witte Huis. Ze zei dat het te riskant was. Er zouden nog meer mensen zijn.

'Je hebt gelijk. Het is te riskant.'

'Maar hoe zit het met dit weekend?' vroeg ze.

'Ik zal zien wat ik doen kan.'

Die zondag belde hij rond lunchtijd op haar bureau. De agent van de geheime dienst begeleidde haar naar het Oval Office. Hij was er niet. De agent stak zijn hoofd om de hoek van de gang en ze hoorden de wc doorspoelen. Ze voelden zich gegeneerd. In het Witte Huis ging het gerucht dat de president last had van buikgriep. Hij kwam zwetend te voorschijn uit het toilet, gekleed in spijkerbroek en T-shirt. De agent verdween.

Hij kuste haar op het moment dat de agent vertrok. In zijn hand hield hij een onaangestoken sigaar waarop hij had gesabbeld.

'Ik heb je zo erg gemist,' zei hij. Zijn vingers verdwenen diep in haar. Hij hield nog steeds de besabbelde, onaangestoken sigaar in zijn andere hand. Hij stak de sigaar in haar en begon hem op en neer te bewegen, heen en weer. Ze kwam klaar.

Hij haalde de sigaar te voorschijn en stak hem in zijn mond.

'Dat smaakt goed.' Hij glimlachte.

Hij kuste en omhelsde haar opnieuw. Toen ze haar hand uitstak om Willard vrij te laten, hield hij haar tegen.

Ze had het idee dat hij 'zich seksueel op haar wilde concentreren.' Hij had natuurlijk ook buikgriep. Ze was uitgelaten toen ze die dag naar huis ging.

Het was zes weken uit geweest tussen hen. Zijn schuldgevoel had zes weken geduurd... tot zijn verlangen naar haar te groot was geworden. Het goede nieuws was dat hij net als Andy Bleiler was. Het slechte nieuws was dat hij net als Andy Bleiler was.

Vijf dagen later, op vrijdag 5 april, werd ze bij haar baas geroepen. Timothy Keating was stafdirecteur Wetgevende Zaken. Hij deelde haar mee dat ze was ontslagen. De maandag daarop zou haar laatste dag zijn.

Maandag zou ze beginnen als assistent op het Pentagon, met het schrijven van persberichten. Keating gebruikte het woord *ontslagen* niet. Hij zei dat haar alleen 'een andere mogelijkheid werd geboden'. Maar ze wist wat het betekende.

'Je bent te sexy om hier te werken,' zei Keating. 'Het werk op het Pentagon is veel sexier.'

Ze had het gevoel dat haar wereld ineenstortte. Ze wist waarom ze 'overgeplaatst' werd. Zij en Lekker Ding hadden geprobeerd voorzichtig te zijn, geprobeerd om uit de buurt te blijven van de ramen van het Oval Office en de privé-werkkamer, en hun gescharrel zoveel mogelijk beperkt tot de gang en het toilet. Maar ze wist dat geruchten zich in het Witte Huis snel verspreidden. Ze was te vaak in zijn buurt geweest. Agenten van de geheime dienst hadden haar zijn kantoor zien in- en uitlopen, soms via de achterdeur.

En ze wist dat er vrouwen in de staf waren – velen vriendinnen van

Hillary, sommigen vroegere of huidige minnaressen – die zeer alert in de gaten hielden wie er zijn kantoor bezochten. Dit waren de vrouwen die ze de 'Krengen' noemde. Ze wist ook dat deze vrouwen – zo anders dan zij in stijl en kleding, zakelijk en ernstig, op bijna religieuze manier professioneel, – nu extra alert waren: het was april 1996, zeven maanden voor de presidentsverkiezing. Ze wist hoe het tijdens de vorige verkiezing door Gennifer bijna was misgegaan. De Krengen zouden er deze keer voor zorgen dat er geen 'bimbo-uitbarsting' ontstond, terwijl hij in verkiezingsstrijd gewikkeld was met Bob Dole, haar directe buurman.

En ze wist hoe graag hij van Bob Dole wilde winnen, die volgens hem 'een slecht, slecht mens is. Hij vindt het heerlijk om te korten op voedselbonnen – dat vindt hij heerlijk. Hij vindt het heerlijk om te snijden in Medicare. Hij geniet van snijden in het onderwijs. Hij vindt het lekker om het aantal immigranten te verminderen. Zo komt hij aan zijn trekken.'

Ze huilde het hele weekend. Hij belde haar 's zondagsmiddags.

'Kan ik bij je langskomen?' jengelde ze.

'Vertel me eerst wat er is gebeurd,' zei hij. Ze vertelde het.

'Ik wil wedden dat het iets met mij te maken heeft,' zei hij. 'Oké, kom maar hier.' Hij had net met Hillary een paasdienst bijgewoond.

Ze wist dat ze er niet uitzag, maar ze ging meteen naar hem toe. Er stond een agent van de geheime dienst voor de deur toen ze aankwam met haar stapel excuuspapieren. Hij wilde haar niet binnenlaten. Hij zei dat hij moest overleggen met een staflid, een van de Krengen. Ze zei: 'Alsjeblieft – ik ben zo terug,' en hij liet zich overhalen.

Lekker Ding zag er z-o-o-o triest uit toen ze hem zag. Zijn vriend Ron Brown, minister van Handel, was vier dagen daarvoor bij een vliegtuigongeluk omgekomen. Ze begon te huilen. Ze vertelde opnieuw van haar 'overplaatsing' en hij werd boos en opgewonden.

'Waarom moesten ze jou van me wegnemen?' zei hij. 'Ik vertrouw zo enorm op je.' Hij stond op en omhelsde haar lang en nam haar mee naar de gang.

'Als ik win in november, kun je hier zó terugkomen!' zei hij. Hij knipte met zijn vingers. Ze voelde zich een klein beetje beter en glimlachte tussen haar tranen door.

'Echt?' vroeg ze.

'Ik beloof het je,' zei hij. 'Je kunt elke baan krijgen die je wilt.'

'Kan ik de speciale pijpassistent van het Witte Huis worden?'

Hij begon hartelijk te lachen en zij lachte een beetje mee – ze huilde en voelde zich nog steeds ellendig.

Hij begon haar te kussen en trok haar trui uit. Hij streelde haar borsten en tilde ze uit de bh. Ze deed haar bh uit.

'Meneer de president, er is telefoon voor u!' riep iemand in het Oval Office. Hij maakte zich haastig van haar los en ging naar het Oval Office. Ze deed haar bh en trui weer aan. Toen was hij plotseling terug en zag dat ze zich aangekleed had.

'Verdomme,' zei hij. 'Waarom heb je je weer aangekleed?' Hij trok een gezicht naar haar.

Hij nam haar mee naar het prive-kantoor en nam de telefoon aan. Het was Dick Morris, zijn politieke adviseur. Terwijl hij met Morris praatte, liet hij zijn broek zakken en trok zijn onderbroek naar beneden. Lekker Ding keek haar niet aan, staarde maar wat in de verte terwijl ze op haar knieën ging... Ze wist niet precies waarom, maar dit was de eerste keer dat ze zich een hoer voelde. Alsof ze hem 'een beurt gaf'. Lekker Ding hing op en keek hoe ze bezig was met Willard. Hij zei niets.

Hij liet haar ophouden en ze keek naar hem op.

'Ik ben verliefd op je,' zei ze. Het was de eerste keer dat ze het zei.

'Dat is heel belangrijk voor me,' zei hij.

'Meneer de president!' riep Harold Ickes, een van zijn medewerkers, in het Oval Office.

'Kut! Godverdomme!' zei Lekker Ding.

Hij sprong op, trok zijn broek aan, en rende naar het Oval Office.

Ze fatsoeneerde zichzelf snel en vertrok achterlangs via de eetkamer. Ze huilde de hele rit naar huis. Ze was de baan kwijt waar ze van hield. De man van wie ze hield gaf haar het gevoel dat ze een hoer was. Maar toch hield ze nog van hem. Ze hield z-o-o-o veel van hem. Ze wist tijdens die rit naar huis niet dat ze die man van wie ze hield bijna een heel jaar niet zou zien.

De daaropvolgende maandag, 15 april 1996, was de eerste dag dat ze het Pentagon binnenstapte en ze wist dat ze het er vreselijk zou vinden. Het zag er verwaarloosd uit. Overal liepen uniformen rond. Iedereen was dodelijk onhip. In haar nieuwe baan moest ze voornamelijk banden uittikken of persberichten typen. Ze was van de hemel in de hel terechtgekomen.

Haar wereld werd duister. Ze zat bij de telefoon en wachtte op zijn telefoontje. Ze ging zelfs een tijdlang niet uit, uit angst dat ze een telefoontje zou missen. Hij belde zelden, en zei op een keer tegen haar: 'Maak je niet druk, ik zal voor je zorgen. Het komt allemaal goed.'

Als hij belde, wilde hij meestal telefoonseks – hij was nu zelf actiever, zei net zoveel vieze dingen als zij. Hij wekte haar een keer 's ochtends vroeg terwijl hij bij de Olympische Spelen in Atlanta was en zei, nadat hij was klaargekomen: 'Goeiemorgen!' En daarna: 'Wat een manier om de dag te beginnen!' Tussen juni en oktober 1996 belde hij haar acht keer voor telefoonseks.

Inmiddels had ze een verhouding met Ted, een oudere man die ze had leren kennen in het Pentagon, maar ze zei nog steeds tegen al haar vrienden en haar moeder en tante Debra hoe verliefd ze was op de president van de Verenigde Staten. Ze ging ook weer naar een afslankkliniek en reed naar het Witte Huis om Betty Currie cadeautjes voor hem te brengen: weer een Zegna-das, een T-shirt.

Ze bezocht regeringsceremonies en openbare evenementen waar ze hem even kon zien, zelfs terwijl ze doorging met haar relatie met Ted. Ze stond op de stoep te wachten toen hij en Hillary naar de kerk werden gereden; hij zag haar en wuifde. Ze vloog naar New York om een openbare plechtigheid voor zijn vijftigste verjaardag in Radio City Music Hall bij te wonen. Ze droeg een rode jurk, en terwijl hij zich door de menigte haastte, vlees knijpend, legde zij haar hand op Willard en kneep in Willards vlees.

Ze ging de volgende dag op de stoep buiten zijn hotel staan zodat hij haar naar hem kon zien zwaaien. Ze ging naar een geldinzamelingsbijeenkomst en zag hem een andere vrouw omhelzen in ongeveer dezelfde periode dat ze hem op tv met Eleanor Mondale in L.A. zag joggen. Ze bezocht een andere geldinzamelingsbijeenkomst en hij wees naar haar toen hij de zaal verliet, en ze dacht dat hij zonder geluid zei *Ik mis je.* Als ze niet bij Ted was, en er geen openbare plechtigheden waren waar ze hem kon zien, zat ze thuis te luisteren naar Billie Holidays 'I'll Be Seeing You.'

Tijdens een van zijn sekstelefoontjes zei ze hoe erg ze hem miste en smeekte hem om een ontmoeting. Hij zei dat hij het te druk had. Tijdens een ander sekstelefoontje vroeg ze hem haar met zijn saxofoon telefonisch een serenade te brengen op haar verjaardag. Hij beloofde dat hij op haar verjaardag zou bellen, maar deed dat niet. Tijdens een ander sekstelefoontje vroeg ze hem wanneer ze gemeenschap zouden hebben.

'Nooit,' zei hij.

Toen ze hem vroeg waarom niet, zei hij: 'Dat begrijp je wel als je ouder bent.'

Ze werd boos op hem en hij zei: 'Als je wilt dat ik je niet meer bel, hoef je het maar te zeggen.'

Eind september maakte ze het uit met Ted. Ze had ontdekt dat Ted met andere vrouwen naar bed ging terwijl hij tegen haar zei hoe dol hij op haar was. Begin oktober ontdekte ze dat ze zwanger was. Ted wilde niet eens de kosten van de abortus met haar delen. Hij ging die dag zelfs niet met haar mee. Ze ging alleen, en gebruikte het geld dat ze van tante Debra had geleend.

De dag nadat Lekker Ding was herkozen, ging ze naar de South Lawn om zich bij de menigte te voegen die hem begroette. Ze droeg haar baret. Hij zag haar en keek haar volgens haar 'veelbetekenend' aan.

Nadat ze hem op het gazon had gezien, wachtte ze op zijn telefoontje. Had hij niet beloofd, dat hij, als hij de verkiezingen won, haar *zó* terug zou halen naar het Witte Huis? Ze ging zelfs naar de kapper, in de zekerheid dat hij zijn belofte zou houden. Ze wachtte dagenlang bij de telefoon. Hij belde niet. Ze merkte dat ze onbedaarlijk moest huilen.

Ze had voor 2 december een reis geregeld naar Hawaï, vanwege de bruiloft van een vriendin, maar ze stelde haar vertrek een dag uit toen ze las dat Hillary, voor het eerst sinds de verkiezingen, de stad uit zou zijn. Dit wordt de laatste kans voor de Lekker Ding, zei ze bij zichzelf, maar ze noemde hem inmiddels niet altijd meer Lekker Ding. Soms noemde ze hem 'de Engerd'. Soms noemde ze hem 'de Grote Engerd.' Soms noemde ze hem 'Butthead'. Als hij haar nu niet belde, nam ze een ander telefoonnummer. Ze herinnerde zich hoe Gennifer hem beschreven had: 'een plat, tweedimensionaal stuk papier, zonder enig gevoel.'

Hij belde haar om ongeveer half tien 's avonds. Het was zes weken geleden sinds ze zelfs maar zijn stem over de telefoon gehoord had.

'Hallo,' zei hij. 'Bill hier. Ik heb strottenhoofdontsteking.'

Hij zei: 'Ik wou dat ik bij je was en mijn armen om je heen kon slaan.' Hij zei dat hij haar miste en vroeg of ze hem de volgende dag op het Witte Huis kwam opzoeken. Ze zei dat dat niet zou lukken – ze moest naar de bruiloft van haar vriendin op Hawaï en ze kon het geld voor haar ticket niet terugkrijgen.

Hij begon met telefoonseks en wilde dat zij praatte. Ze zette haar Marilyn Monroe-stem op. Ze hoorde een vreemd geluid aan de andere kant van de lijn. Eerst dacht ze dat hij klaarkwam, maar toen realiseerde ze zich dat het een ander geluid was. Ze luisterde. Hij *snurkte*.

Ze ging naar de bruiloft van haar vriendin, werd mooi bruin, en vloog toen naar Portland om Andy Bleiler op te zoeken. Andy vertrok stiekem bij Kate en ze brachten samen de dag door in een motelkamer. Andy vertelde dat hij zijn vrouw al meer dan een jaar ontrouw was met een andere vrouw.

Ze had zich zorgen gemaakt over pijn tijdens de gemeenschap vanwege de abortus van twee maanden geleden en wilde daarom eerst seks proberen met een vertrouwde minnaar. Haar dag met Andy in het motel bewees dat ze hersteld was, en ze vloog terug naar Washington.

Ze dacht na over haar relatie met de president van de Verenigde Staten. In de gang en het toilet, onderbroken door telefoontjes. Onderbroken door medewerkers. Onderbroken door een klop op de deur. Hij kon haar niet beffen omdat ze ongesteld was. Ze kon hem niet ontmoeten omdat hij campagne voerde. Ze kon hem niet ontmoeten omdat Hillary in de stad was. Ze kon hem niet ontmoeten omdat Eleanor Mondale binnen was. Ze kon hem niet ontmoeten omdat ze het geld voor haar reis naar Hawaï niet terug kreeg. Dan deed zijn rug pijn. Dan had hij buikgriep. Dan brak hij zijn been en liep hij op krukken. Lloyd Bentsen stond buiten te wachten. Klootzak Arafat stond buiten te wachten. Met Altoids kon ze het niet eens met hem doen. Ze kwam kauwend binnen en ze kusten, maar hij had geen tijd. President Zedillo kwam dineren.

Wat een relatie, dacht ze, 'voorspel voor het voorspel'. De Engerd. De Grote Engerd. Ze herinnerde zich hoe hij bij Gennifer een T-shirt had achtergelaten dat ze 's nachts kon vasthouden, nadat hij zich naar huis en Hillary had gehaast. Monica had zelfs niets om vast te houden. Het enige dat ze had was zijn foto op haar nachtkastje.

Ze was gedeprimeerd, maar ze verheugde zich op haar afspraak met de nieuwe vriendin die ze op het Pentagon had leren kennen. Ze wist zeker dat dit een levenslange vriendschap zou worden. Ze was ervan overtuigd dat haar nieuwe vriendin om haar gaf. Ze heette Linda Tripp.

[13]

Monica voelt zijn pijn

'Ik zou het over elke president hebben geloofd,' zei Monica.
'Nou, ik zou het van George Bush niet hebben gedacht,' zei Linda
Tripp. 'Hij was een soort grootvader.'
'Hij had een vriendin.'
'Niet waar!'
'Wel waar!'
'O, dat geloof ik niet,' zei Linda Tripp. 'Hij was zo'n – zo'n ouwe
kerel.'

De voormalige presidentsvrouw was er niet meer en hij woonde alleen in
het grote huis in de buurt van New York City dat ze samen hadden gekocht. Hij voelde zich een oude man, omdat hij elke dag zo vaak moest
plassen, omdat hij soms naar de sneeuw zat te staren vanuit het huiska-
merraam, met alleen Monica als gezelschap. Wie zou hebben gedacht
dat hij op zijn leeftijd zoveel tijd zou doorbrengen met haar... met Monica, nog steeds jong, nog steeds studerend voor haar titel in... internationale betrekkingen. Ze vatte zelfs de zondagochtend-praatprogram-
ma's voor hem samen.

Monica woonde niet bij hem in – hij had al genoeg schandalen gehad –
maar ze woonde dichtbij en kwam voortdurend langs. Op een keer was
hij zelfs naar haar appartement gegaan, en de voormalige president van
de Verenigde Staten was met Monica aan de piano gaan zitten en samen
hadden ze 'Happy Days Are Here Again' gezongen. Soms praatten ze
alleen maar. Hij zat in zijn stoel in de privé-werkkamer, zijn voet op de
sofa, grapefruitsap of druivensap bij de hand, wees met zijn bril naar
haar of zwaaide ermee, beet op zijn pen of balde zijn vuist om zijn argumenten kracht bij te zetten, en gebruikte de ouderwetse kreten die zij uit
de tijd vond, zoals 'Absoluut' en 'Niet mijn pakkie-an.'

Hij praatte veel over zijn moeder. 'Ze offerde alles voor ons op,' zei hij
tegen Monica. 'Ze werkte als een paard, ondanks alle pijn en tranen.' Hij
schonk Monica af en toe een drankje – de 'Aziatische martini' die hij
voor het eerst in Singapore had geproefd, de Chinese mai tai, 'sterk genoeg om je kapot te maken.'

'Je geeft me iets dat me kapot kan maken?' Monica lachte.

'Jij bent jong,' zei hij. 'Jij kan het hebben.' Ze wist hoe het leeftijdsver-schil tussen hen hem obsedeerde.

'Ik zie er verdomd oud uit,' zei hij tegen haar. 'Ik zie hoe jong jij bent en ik... nou ja... ik zie sommige leeftijdsgenoten en die zien er zo slecht uit.'

Hij zei tegen haar: 'Jij hebt je hele leven nog voor je. Mijn leven is voorbij, het ligt achter me.'

Bij een andere gelegenheid zei hij: 'Monica, je hebt een doel nodig in je leven. Dat geldt voor iedereen: landen, mensen. En iedereen zou een jonge geest moeten behouden. Dat is soms moeilijk, maar, Monica, het is nodig. Anders word je somber door het ouder worden en leg je je erbij neer.'

Soms, als hij in een dergelijke stemming was, kon ze hem aan het la-chen maken. 'Ik ben vrij goed in vorm,' gaf hij op een keer toe. 'Ik drink niet. Ik rook niet. Ik speel geen kaart meer. Wat doe ik eigenlijk nog?'

'Niets leuks,' zei Monica.

Toen hij tijdens een vlucht een Chinees gelukskoekje kreeg, gaf hij het haar en vroeg of zij het wilde openmaken en voorlezen. Hij glimlachte toen ze las: 'U bent geestelijk alert en analytisch.'

Ze wist echter dat hij, als ze niet bij hem was, voornamelijk alleen was, blikken chilibonen voor zichzelf opwarmde, aan zijn soepstengels met sesamzaad knabbelde, hotdogbroodjes toastte zodat hij het gevoel had dat hij in het stadion was terwijl hij op de tv naar een wedstrijd keek. Toen ze chili bij hem kwam eten, dekte hij de tafel zelf met het mooie servies. Hij bracht het grootste deel van zijn tijd door met het schrijven van zijn boeken, maakte zich zorgen dat zijn reputatie was geschaad door het schandaal, en vroeg zich af of hij nog wel gerespecteerd werd. 'Ik kan artikelen schrijven tot ik blauw zie,' zei hij. Als hij niet aan zijn boeken werkte, hielp ze hem. Hij had altijd naar haar ideeën geluisterd; hij las. Niet zozeer over politiek – 'Het is een smerige en cynische bezig-heid, dat is het altijd geweest en dat zal het altijd blijven' – als wel over filosofie.

'Ik kan mijn boek niet vinden!' zei hij eens ontsteld tegen haar. 'Ik be-grijp niet waar mijn Nietzsche kan zijn!' Hij zei: 'Een groot deel van de tijd begrijp ik niets van al die teksten.' Hij filosofeerde ook tegen haar: 'Ik geloof dat de mens zowel goed als slecht is, licht en donker. Het kwaad krijgt echter in bepaalde situaties de overhand omdat, hoewel de mens het vermogen heeft goed te zijn, zijn ingewortelde kwaad ge-neigd is hem soms te overmannen.' En: 'Ik denk dat we moeten wachten tot we dood zijn voor we de antwoorden krijgen. Dat denk ik echt. Vrede komt met de dood.' Ze vond het vervelend als hij zo tegen haar praatte. 'Er zijn nog zoveel boeken die ik moet lezen,' zei hij. 'Mijn da-gen zijn geteld. Jij hebt nog lang de tijd. Ik niet.' Ze vond het prettiger als hij haar, gniffelend, vertelde over de filosofen zelf: Rousseau had diverse buitenechtelijke kinderen; Marx was een dronkelap die regelmatig in de goot lag. Het viel Monica op dat, hoe ouder hij werd, de man die zich zo meesterlijk door zoveel zalen met mensen had gewerkt, steeds minder met mensen te maken wilde hebben. 'Waarom dat gerotzooi met mensen?' zei hij. 'Het kost alleen maar tijd die ik aan de grote boeken kan besteden.'

Monica vond het heerlijk om samen met hem op reis te gaan, te zitten kijken hoe hij zich bezighield met de leiders van de nieuwe wereld; te overnachten in gastenverblijven en luxueuze suites die de regeringen van het gastland ter beschikking stelden, haar kamer even verderop in de gang waar ze altijd beschikbaar was als hij belde. Wanneer ze hem opzocht in zijn suite tijdens hun buitenlandse reizen, wees hij altijd naar het plafond en legde een vinger op zijn lippen, om haar te waarschuwen dat ze naar hen konden luisteren of kijken. Ze hadden af en toe problemen tijdens hun reizen. De nieuwe president van Israël had haar argwanend bekeken en gevraagd: 'Kunnen we haar vertrouwen?' en de president van Letland kwam niet opdagen voor een bespreking en ze had andermaal de oude woede-uitbarsting van haar ex-president ervaren. 'Godverdomme!' zei hij tegen haar. 'Ik heb niet die hele reis gemaakt om hier te worden afgescheept of tweederangs mensen te spreken! Ik blijf hier geen seconde langer! We gaan weg! Nu!'

Maar hij had ook nog zijn zachte en romantische kant. Tijdens een nachtelijke wandeling door Anchorage, stopte hij en zei: 'Kijk hoe de lichtjes daar fonkelen. De kleuren... zijn gewoon verbijsterend. Alles is hier lichtgroen of lichtblauw. Ik weet dat mensen van New York houden, maar nu we dit gezien hebben, moeten we ons afvragen waarom we naar die godvergeten plek teruggaan.' In Moskou bukte hij zich en gooide een sneeuwbal naar haar. Daarna liet hij haar beslissen of ze vervolgens naar Praag of Boedapest zouden gaan. Ze koos Praag en hij zei: 'Dat is een magische stad, je zult versteld staan.' In Sint Petersburg vroeg de burgemeester waarom Monica geen sjaal droeg bij die bittere kou. De voormalige president van de Verenigde Staten antwoordde in haar plaats: 'Ze is een van die onverwoestbare types.' Op de Guangzhou-markt in China tikte hij op haar neus en zei: 'Wees voorzichtig met mensen die je benaderen om je dingen te verkopen. Niet iedereen is aardig.' En in Tokio zei hij tegen haar: 'Monica, van deze plekken moet je nooit genoeg krijgen, zelfs niet als je er nog duizend keer terugkomt. Dit is je eerste bezoek hier, dus alles is nieuw en spannend. Maar als je terugkomt, moet je alles bekijken alsof je het voor de eerste keer ziet.'

Monica maakte in Peking iets met hem mee dat ze nooit zou vergeten. Vanaf het moment dat de menigte hem op straat ontdekte, lieten de mensen hem niet met rust, sjorden aan hem, raakten hem aan, uitten hun bewondering voor hem. Toen ze zag hoe hij zich erin koesterde, genoot van wat hij later 'een bad in de menigte' noemde, dacht Monica:

'Alleen het feit al dat hij ergens ter wereld wordt gerespecteerd geeft hem een voldaan gevoel.' Ze gingen een theehuis binnen en hij deinde mee op de muziek. Hij raapte bij het podium een tamboerijn op en begon erop te spelen. De voormalige president van de Verenigde Staten, te schande gemaakt door zijn leugens... en hier was hij dan, zoveel jaren later, geliefd bij de massa's, met Monica in zijn omgeving, Monica die aanwezig was om dit ogenblik van openbaring met hem te delen.

Tijdens hun reizen leek het soms of hij haar gewoon even moest zien. Om middernacht vroeg hij haar naar zijn suite te komen, en toen ze arriveerde, was zijn kamer donker op een klein bureaulampje na. Hij was in pyjama en kamerjas. 'O hallo,' zei hij. 'Ik kon niet slapen.' Tijdens een vlucht naar huis fluisterde hij: 'Monica?'

Ze zei: 'Wat is er?'

Hij zei: 'O, niets. Sliep je?'

Toen ze niet met hem mee kon naar Moskou vanwege de laatste examens van haar postdoctorale opleiding, belde hij haar opgewonden op, soms wel twee keer per dag. 'Monica?' zei hij. 'Ik kan nauwelijks geloven dat ik je bereikt heb! Ik heb op goed geluk je nummer gedraaid en er maar het beste van gehoopt. Nou, het is hier vijf uur in de ochtend, maar ik kan niet slapen, dus ik dacht, ik bel je even en vertel je de laatste nieuwtjes.' Tijdens een ander gesprek zei hij: 'Ik weet hoeveel je van deze stad houdt. Ik wou dat je niet hoefde te studeren. De reisonderbreking in Londen was zeer de moeite waard. Het was prachtig. Hun lente is verder gevorderd dan de onze. De krokussen en de forsythia zijn uitgekomen en bloeien als gekken.' Hij belde haar ook op toen hij in een Moskouse straat was gevallen. 'Ik heb mijn knie geschaafd en een rib gekneusd,' zei hij. 'Als ik ademhaal doet het pijn. Ik weet niet wat er gebeurd is. Ik verloor gewoon een beetje mijn evenwicht en gleed uit... De sterren waren me dit keer kennelijk niet gunstig gezind.'

Toen hij eenmaal weer thuis was, bezocht ze hem met Halloween, zijn favoriete feestdag. Ze keek toe hoe hij door de tuin van het grote huis liep om snoep uit te delen aan en te praten met de kinderen uit de buurt, die daar verkleed op hem stonden te wachten. Een vader die een masker droeg met het gezicht van de voormalige president, kwam naar hem toe, en hij lachte en zei tegen de vader: 'Nou, meneer de president, het doet me genoegen kennis met u te maken.' De zoon van de vader vond het een goede grap en Monica zag dat hij het daarbuiten met de kinderen net zo naar zijn zin had als alle snoepverzamelaars.

Monica ging met hem naar Radio City Music Hall voor de jaarlijkse kerstshow. Ze keek naar hem terwijl hij keek naar de toneelvoorstelling van de geboorte van Christus. De verteller zei dat Christus was gestorven door toedoen van Zijn vijanden, maar dat elk menselijk wezen was beïnvloed door dat 'ene enkele leven'. Toen Monica naar hem keek, zag ze dat hij huilde, hij, die zoveel vijanden had gehad, wiens leven invloed had gehad op zovele miljoenen andere levens.

Drie weken voordat hij stierf, bracht hij een dag door in New York met de dochter van wie hij zoveel hield. Overal hielden mensen hem aan en vroegen hem om handtekeningen, maar wat zo belangrijk voor hem was, zei hij tegen Monica, was dat zijn dochter er getuige van was geweest.

'Het was gewoon prettig... te weten dat ze erbij was om het allemaal te zien en...'

'Het met je te delen,' zei Monica.

'Dat was heel belangrijk voor me,' zei Richard Nixon, tachtig jaar oud, tegen zijn tweeëntwintigjarige assistente voor documentatie en internationale betrekkingen, Monica Crowley.

[14]

Kathleen en de Verraadster

'Ik zei iets over Marsha Scott,' zei Monica. 'Hij zei – "Ze was mijn vriendin, rond 1968" of zoiets, net zoiets doms.'
'O ja,' zei Linda Tripp, 'hij rampetampte met haar op het kanaal of zoiets.'
'Ja.'
'God, wat plat!'

Op het toneel stonden al Monica en Paula Jones en Gennifer... en nu kwam er uit de donkere coulissen, geen *trailer trash* of een Beverly Hills-bimbo, maar een stijlvolle, intelligente en aantrekkelijke vrouw uit de betere kringen, Kathleen Willey, die een 'arme-ik'-monoloog ophing over alweer een ongewenste betasting in die bordeelgang tussen het Oval Office en de privé-werkkamer.

Zelfs terwijl de deskundigen nog koortsachtige voorspellingen deden over de onvermijdelijke 'volgende onthulling' die nu toch echt zou moeten volgen, leek het er plotseling op dat het al gebeurd was. Binnen een paar weken bleek Willeys monoloog echter een selectief en verdacht verslag te zijn. Het betastingsslachtoffer werd ontmaskerd als een elitaire, intrigerende voormalige stewardess die wat geld probeerde te verdienen door haar goed geconserveerde lichaam aan te bieden aan Bill Clinton, die zelden 'nee' zei. Achter het toneel bevond zich, fluisterend, haar klauwen scherpend, Monica's nieuwe 'levenslange' vriendin op het Pentagon, Linda Tripp, de Verraadster.

Kathleen Willey, die hield van skiën in Vail en zonnen op Bermuda, maakte in 1991 kennis met Bill Clinton, samen haar man Ed, een rijke advocaat in onroerend-goedzaken. Zij en Ed zetten het eerste campagnehoofdkwartier voor Clinton op in de staat Virginia. Toen de kandidaat per vliegtuig in Richmond aankwam voor een debat met George Bush en Ross Perot, haalde Willey hem met een groep andere Democraten op van het vliegveld. Nancy Hernreich, Clintons toenmalige chef de bureau in Little Rock, benaderde Willey op het vliegveld en zei dat Clinton haar telefoonnummer wilde hebben. Willey gaf het haar. Seconden eerder hadden de nieuwscamera's Willey in omhelzing met Clinton vastgelegd, waarna Clinton zich tot een medewerker wendde om te vragen wie ze was.

Bill Clinton belde haar die middag thuis op. Hij was zwaar verkouden. 'Het was heel prettig je te ontmoeten,' zei hij.

'Je klinkt alsof je kippensoep nodig hebt,' zei ze.

'Zou je me dat willen brengen?' vroeg hij.

'Nou, dat weet ik zo net nog niet,' zei Willey.

Er kwamen medewerkers zijn hotelkamer binnen en hij zei tegen Willey: 'Ik bel je later terug. Om zes uur.'

Toen hij om zes uur terugbelde, had Willey bezoek van een vriendin, Julie Hiatt Steel. Ze vroeg Julie om mee te luisteren. Willey zei tegen hem dat ze hem geen kippensoep kon komen brengen. Ze zou hem wel zien bij een geldinzamelingsbijeenkomst na het debat van die avond.

Op de avond van de verkiezingen vlogen Willey en haar man Ed naar Little Rock om Bill Clintons overwinning te vieren. Een paar maanden later, in april 1993, ging Kathleen Willey vrijwilligerswerk doen voor het Social Office van het Witte Huis. Ze reisde drie keer per week op en neer van haar huis in Richmond naar Washington. Ze organiseerde groepsrondleidingen door het Witte Huis. Ze trok muziekorkesten van middelbare scholen aan om er te spelen. Ze hielp mee met de organisatie van het Witte Huis Jazz Festival.

Kathleen Willey had inmiddels al geprobeerd Bill Clinton te versieren, zonder twijfel met spijt dat ze hem de kippensoep niet gebracht had. Net zoals Monica later zou doen, had ze hem een das gestuurd. Net als Monica later zou doen, gaf ze hem een boek – met net zo'n intrigerende titel als *Vox*, het telefoonseksboek dat Monica hem zou sturen. Willeys boek was getiteld *Honor Among Thieves*. Net zoals Monica later zou doen, belde ze Bill Clinton om hem te feliciteren met zijn verjaardag. Ze stuurde hem een handgeschreven briefje om hem uit te nodigen zijn wintervakantie in Vail door te brengen. Ze voegde eraan toe dat ze er half december zou zijn en bood aan zijn reis te regelen. Ze noemde haar man niet.

Terwijl ze Bill Clinton briefjes schreef en opbelde, worstelde Kathleen Willey met een persoonlijke nachtmerrie. Ed was betrapt op het verdonkeremanen van $340.000. Hij werd op de hielen gezeten door zijn slachtoffers en de politie. Kathleen Willey, die gewend was aan het goede leven, stond op het punt blut te raken.

De Verraadster had haar inmiddels in de gaten gehouden.

De Verraadster wist inmiddels hoe ze over Bill Clinton dacht.

De Verraadster had inmiddels vriendschap met haar gesloten.

Linda Tripp, drieënveertig jaar, was een 'vliegende keep' van de gemeenschappelijke secretariële afdeling van het Witte Huis. Ze had voor George Bush gewerkt en Bill Clinton had haar geërfd. Ze was de ex-vrouw van een beroepsmilitair, een luitenant-kolonel, die haar in de steek had gelaten met haar twee kinderen van studentenleeftijd. Dankzij haar ex-man had Linda Tripp aan de duistere zijde van het Pentagon gewerkt. Ze was zelfs toegewezen aan de supergeheime antiterroristische Delta Force. Ze was op de hoogte van spionagemissies en had toegang tot alle vertrouwelijke informatie. Ze was een gluiperd en een spion.

En daar zat ze dan, in het Witte Huis van Clinton, tussen mensen die ze verafschuwde – mensen die vloekten en spijkerbroeken droegen en deden alsof het Witte Huis hun universiteitsterrein was. Ze was een gedrongen, halsstarrig conservatieve spion tussen aantrekkelijke, seksuele jonge mensen die de regering overgenomen hadden. De vrouw die op wrede wijze door haar man was verlaten, scheen een bijzondere afkeer te hebben van Bill Clinton, de ster van het programma. Ze was goed op de hoogte van al die vrouwen van de staf van het Witte Huis – 'de afgestudeerden' die zijn kantoor bezochten en dingen voor hem en met hem deden die haar nooit gevraagd zouden worden te doen.

Dus probeerde Linda Tripp in de gunst en het gevlij te komen van Kathleen Willey, de vrijwilliger die een bijzondere relatie met Bill Clinton leek te hebben. De voormalige Pentagon-spionne was toevallig op het juiste moment op de juiste plek, aan het werk in de buurt van Kathleen, net zoals ze op het juiste moment op de juiste plek was geweest bij Vince Foster, aan haar bureau direct buiten zijn kantoor, als de laatste persoon die hem gezien voordat hij naar het park reed om zichzelf dood te schieten. *Op het juiste moment op de juiste plek...* om later te beweren dat ze de declaratienota's van Hillary's Rose Law Firm in zijn archieven had gezien.

Linda Tripp maakte veel werk van Willey, complimenteerde haar met haar kapsel, haar jurken, zelfs haar lage stem. Ze bracht Willey op de hoogte van haar spionagesuccessen, en wees aan welke stafleden behoorden bij 'de afgestudeerden' die Bill Clintons intieme behoeften bevredigden. Tripp vertelde Willey hoe kwaad ze was geweest toen ze naar McDonald's werd gestuurd om een cheeseburger te halen voor de president (een achteraf angstaanjagend beeld – de Verraadster, die walgde van Bill Clinton en die hem zijn van vet doortrokken eten kwam brengen). Ze zei voortdurend tegen Willey dat de president romantische belangstelling voor haar had: 'Moet je hem zien, Kathleen. Hij kijkt alleen maar naar jou en naar niemand anders in de zaal.'

Ondertussen was het leven van Kathleen Willey bezig in te storten. Zij en Ed hadden dringend behoefte aan geld. Ze was slechts een vrijwilliger op het Witte Huis; ze had betaald werk nodig. Op 29 november 1993 zocht ze Bill Clinton op in het Oval Office. Ze ging tegenover hem zitten.

'Er is iets waar ik het met u over moet hebben,' zei ze. Hij vroeg of ze een kopje koffie wilde en bracht haar... de gang in... naar zijn privé-werkkamer. Hij schonk haar koffie in een Starbucks-beker. Hij liet haar de privé-werkkamer zien en toonde zijn verzameling politieke buttons (net als hij later bij Monica zou doen).

'Ik heb een echt ernstig probleem,' zei ze tegen hem. 'Ik moet met u praten. Er is wat aan de hand in mijn leven. Ed heeft zichzelf wat financiële problemen op de hals gehaald en ik ben eigenlijk wanhopig. Het komt erop neer dat ik een baan nodig heb.'

Ze huilde. Ze wendde zich, opeens verlegen, van hem af en liep weg... naar de gang... en probeerde de afgesloten gangdeur die naar het Oval Office leidde te openen. Bill Clinton, die opeens achter haar stond, omhelsde haar.

'Het spijt me heel erg dat dit je is overkomen,' zei hij. Hij kuste haar. Ze stonden nog steeds in de gang. Ze had nog steeds de Starbucks-beker met koffie in haar hand. Hij streelde haar haren. Ze was bang dat ze haar koffie zou morsen.

'Je hebt geen idee hoe graag ik toen wilde dat je me die kippensoep was komen brengen,' zei hij.

Zij zei: 'Bent u niet bang dat er mensen in de buurt zijn? Wat gebeurt er als er iemand binnenkomt?'

Hij hield zijn arm boven haar hoofd. Hij keek op zijn horloge. Hij zei: 'Ja, ik heb een bespreking. Maar ik kan wel wat later komen.' Hij nam de Starbucks-beker van haar over en zette die op een plank.

'Ik heb dit al willen doen sinds ik je voor het eerst zag,' zei hij.

Hij kuste haar opnieuw. Hij streelde haar borsten en haar rug, en ging met zijn hand onder haar rok. Hij legde haar handen op Willard. Willard was stijf. Bill Clintons gezicht was zo rood als een biet.

Toen, de nachtmerrie van al zijn nachtmerries – *waarom gebeurde dat toch steeds weer?* – begon de een of andere idioot op de gangdeur te kloppen en riep: 'Meneer de president! Meneer de president!'

'Ik moet gaan!' zei Kathleen Willey. 'U hebt een bespreking.' Ze greep de Starbucks-beker van de plank en liep door het Oval Office en de deur uit.

Ze liep rechtstreeks naar het bureau van de Verraadster. 'Wat is er gebeurd met je lippenstift?' vroeg Linda Tripp. Ze gingen buiten aan een picknicktafel op het gazon van het Witte Huis zitten. Willey vertelde wat er was gebeurd. 'Ik wist wel dat de president jou wilde hebben,' zei Linda Tripp.

Willey ging terug naar Richmond en vertelde haar vriendin Julie Hiatt Steele wat er was gebeurd. Maar ze had een ander, veel ernstiger probleem. Ed was niet op kantoor en hij was niet thuis. Zij en Julie zochten overal, maar konden haar man niet vinden. De volgende ochtend vond de politie Eds lichaam. Hij had zelfmoord gepleegd. Kathleen Willey had het niet meer. Julie moest haar in een ziekenhuis laten opnemen.

Toen ze uit het ziekenhuis kwam en ernstig in de problemen zat, kreeg ze werk als secretaresse op het bureau van de raadsman van het Witte Huis, direct naast Tripp, die daar ook werkte. Kathleen Willey begon

Bill Clinton weer hartelijke en bemoedigende briefjes te sturen. Maar ze had nu een ander dringend probleem, net als Tripp. Er zou een nieuwe raadsman komen en dat kon betekenen dat hij een nieuwe secretariële staf meebracht. De Verraadster en Willey zochten Lloyd Cutler, de nieuwe raadsman, samen op. Ze zeiden tegen Cutler, de meest ervaren slimmerik in Washington, dat *zij hem* konden helpen om zich een weg te banen rond de intriges en de bureaucratie van het Witte Huis.

Toen Cutler met zijn werk begon, zei hij dat hij Willey tijdelijk in haar baan wilde handhaven, maar dat Tripp zou moeten vertrekken. De Verraadster kreeg een stuip! Willey, dat onbekwame, verwende kakmeisje dat nauwelijks een computer kon bedienen, mocht blijven? Kreeg *haar* baan? *Waarom?* Omdat de president van de Verenigde Staten haar een lekker stuk vond en wist dat Tripp dat niet was? Dezelfde oude Clinton-normen... een stel pronte tieten en een lekkere kont waren belangrijker dan een vrouw met werkervaring, een vrouw die aan Delta Force had meegewerkt.

'Denk maar niet dat ik niet weet wat hier gaande is!' schreeuwde Tripp tegen het onbekwame, verwende kakmeisje dat ze nu haatte. 'Denk maar niet dat ik niet weet waarom ik ontslagen word en jij mijn baan krijgt!'

'Waar heb je het over?' zei Willey.

'Ik weet dat ze jou willen houden omdat de president je in de buurt wil hebben,' zei Tripp.

Toen Linda Tripp op haar laatste dag het kantoor verliet, wendde ze zich tot Willey en zei, hard genoeg dat anderen het konden horen: 'Ik krijg je nog wel, desnoods over mijn lijk.'

Uit het Witte Huis verwijderd, veroordeeld tot een kamertje op het ministerie van Defensie, waar ze reisjes voor beroemdheden naar defensiehoofdkwartieren regelde, ging Linda Tripp tekeer en hield Kathleen Willey in de gaten. Ze ontdekte dat Willey al gauw het Witte Huis had verlaten, nu voor het ministerie van Buitenlandse Zaken werkte, en op kosten van de belastingbetalers reisjes maakte naar aantrekkelijke oorden als Jakarta en Kopenhagen. Het ministerie van Buitenlandse Zaken! Zo'n voormalige stewardess, die twee jaar geleden nog rondleidingen door het Witte Huis organiseerde! Die niet eens een computer kon bedienen! Maar die de president van de Verenigde Staten tussen haar benen had laten voelen en er niets van gezegd had!

In augustus 1997 vond het verhaal over het incident in de gang tussen de president van de Verenigde Staten en Kathleen Willey zijn weg naar de kranten. In eerste instantie sprak Willey niet met de pers. Het verhaal kwam naar buiten doordat een van de advocaten van Paula Jones gelekt had. In het begin ontvluchtte Willey elke vorm van publiciteit.

Haar verhaal werd ongeloofwaardig nadat ze een voor het hele land traumatisch interview had gegeven aan *60 Minutes*, waar ze in onderkoelde, stijlvolle en welgekozen bewoordingen verslag deed van wat er gebeurd was in de gang die naar de privé-werkkamer leidde. Het Witte Huis had vervolgens gewoon de hartelijke en bemoedigende briefjes vrijgegeven die ze aan Bill Clinton voor *en* na het incident had gestuurd.

Haar verhaal werd ook nog op een andere doorslaggevende manier ontkracht... door de Verraadster, die had gezegd: 'Ik krijg je nog wel, desnoods over mijn lijk.' Ja, zei Tripp tegen de pers, Willey was direct naar haar toegekomen nadat ze die dag het Oval Office had verlaten. Maar, zei Tripp, Willey was niet overstuur of ontsteld geweest. Ze was 'opgewonden'. Willey zat al achter Bill Clinton aan vanaf het moment dat ze op het Witte Huis was komen werken. Willey was 'een vrouw met een missie'. Tijdens hun gesprek aan de picknicktafel die dag, zei Tripp, had Willey haar advies gevraagd over 'de volgende stap' in haar nu ontluikende 'relatie' met de president. Dit was, zei Tripp, op geen enkele manier uit te leggen als 'ongewenste intimiteiten'. Het feit dat het Linda Tripp was die dit zei, iemand die toegaf dat ze een enorme hekel had aan Bill Clinton, was de beslissende factor in de ontkrachting van Kathleen Willeys verhaal.

Wat niemand destijds wist, was dat het hele verhaal was gelekt dankzij een anoniem telefoontje naar een van de advocaten van Paula Jones. De beller, die klonk als een vrouw van middelbare leeftijd, gaf de advocaat alle details over het incident in de gang en Kathleen Willeys naam. De advocaat lekte de informatie naar een verslaggever.

Linda Tripp had, al zou niemand het ooit kunnen bewijzen, een spionagemissie afgerond, als de eerste de beste (of slechtste) medewerker van Delta Force. Ze begon met een anoniem telefoontje. Ze vernederde Bill Clinton publiekelijk door zijn ordinaire seksuele gedrag naar buiten te brengen, dit keer met een vrouw die emotioneel in de war was en om zijn hulp vroeg. Ze vernederde Kathleen Willey door haar te ontmaskeren als een vrouw die bereid was haar lichaam te verkopen. En ze zorgde ervoor dat ze er zelf in de publiciteit afkwam als een edel mens, die bereid was de president te verdedigen tegen een aanklacht van ongewenste intimiteiten, terwijl iedereen wist dat ze van hem walgde.

Maar tegen de tijd dat de pers met haar kwam praten over Kathleen Willey, had de Verraadster, de Rat, een veel smakelijker en ranziger bot om op te knagen dan alle voorgaande. *Op het juiste moment op de juiste plek...* eerst met Vince Foster, toen met Kathleen Willey... en nu met een jonge vrouw die ze had leren kennen in het kantoor van het Pentagon, het type jonge vrouw waar Bill Clinton dol op was. Een jonge vrouw die stagiaire was geweest op het Witte Huis. Linda Tripp kraakte haar bot en wist dat het rechtstreeks afkomstig was uit de zachte witte onderbuik van Bill Clinton. De Rat rook geroosterd speenvarken.

[15]

Nixon bevrucht Monica

'Het leeftijdsverschil tussen ons,' zei Monica tegen Linda Tripp.
'Ik zou hem moeten vertellen dat ik ook een gehoorapparaat heb.'

Nixons Monica – Crowley – pijpte hem niet. Ze maakte notities en holde na hun gesprekken naar haar geheime dagboek. Maar op die manier, door ons de details te schenken over het slapeloze Nachtschepsel dat broedde, plannen smeedde en zijn vuist balde in zijn vorstelijke grafkelder in New Jersey, deed ze Nixon minstens net zoveel plezier als Monica Lewinsky Bill Clinton had gedaan.

Degene die haar met groot genoegen uitleverde aan de wereld was William Safire, voormalig speechschrijver van Nixon, nu gekleed in de eerbiedwaardige gewaden van de *New York Times*, die haar aanmoedigde de details los te laten over wat Nixon tegen haar had gezegd om haar zover te krijgen dat ze namens hem het nageslacht een poets wilde bakken. Monica Crowley bedankt Safire voor 'zijn wijze raad en warme steun'. Monica Crowley nam het allemaal in zich op en Nixon liet alles naar buiten komen.

Maar wie had ooit zo'n onthullend feit kunnen bedenken als de erkenning van het Nachtschepsel tegenover Monica dat Halloween zijn favoriete feestdag was? Honden janken, snijtanden blikkeren in de schemerige nacht in Jersey aan de vooravond van Allerzielen... en het Nachtschepsel zegt tegen Elvira – nee, nee, Monica! – dat hij er '*spookachtig*' uitzag op tv, dat George Bush een '*bloedeloze*' burgerman is, dat Janet Reno een 'partijgebonden *heks* is'.

In 1992, toen de verkiezingen met George Bush, Bill Clinton en Ross Perot naderden, kwam de bittere gal van het Nachtschepsel in schuimende, bittere, vulkanische uitbarstingen los. Tegen George Bush: 'Godverdomme, waarom toont hij geen enkel gezag?... Die man houdt zich alleen maar bezig met onnozele onzin... Hij loopt daar in New Hampshire koeien te aaien en te raaskallen over de Heer mag weten wat... Hij is een halfzachte gematigde Republikein... Ik kan niet geloven dat Bush heeft gezegd: "We zullen Saddam voor zijn reet trappen." Kun je je voorstellen dat Gorbatsjov zegt: "We zullen de Republiek voor zijn reet trappen'"?... *Ik denk dat de campagneleiders van Bush aan de drugs zijn...* Ik hoorde hem laatst zeggen: "Een scheutje Tabasco!" "Een scheutje"? In mijn tijd hoorde ik iedereen zeggen: "Wacht effe." Wat is in vredesnaam "effe"? ... Hij doet veel te hard zijn best om iemand van het volk te worden, spekzwoerd eten enzovoort, maar hij zo is hij niet... Bush had een zwak voor die hele oorlog in Vietnam.' Ross Perot was, zo zei hij tegen zijn Monica, 'een demagoog, een egomaan. Hij houdt zijn woord niet. Hij zegt niet wat hij bedoelt.' Jesse Jackson 'vindt het prettig om zich met controversiële zaken te bemoeien. Hij is uitgekookt.' Congreslid Nancy Pelosi was 'een trut', minister van Buitenlandse Zaken James Baker 'een stomkop' en journalist Bob Woodward 'die klootzak'. Gerry Ford was 'Arme Gerry Ford. Die gratieverlening heeft hem de das omgedaan.' Lyndon Johnson 'nodigde de pers uit in zijn toilet.' De Republikeinse adviseur David Gergen 'had er geen moeite mee zich te prostitueren. Hij gelooft nergens in.' Ron Brown, de toekomstige minister van Handel, en Dan Rostenkowski, Congreslid voor Illinois, waren 'corrupt tot in hun nieren.'

De vuist van het Nachtschepsel vloog omhoog en hij riep 'boem' toen hij het had over John Kerry, senator voor Massachusetts: 'Die vent stond met borden voor het Witte Huis te protesteren. *Die hufter gooide zijn medaille over het hek van het Witte Huis.* Ik deed verwoede pogingen om die godvergeten oorlog te beëindigen om te zorgen dat zijn diensttijd niet voor niets zou zijn geweest, en hij gooit zijn medaille in mijn gezicht!' Zijn vuist deed ook van *boem* toen hij dacht aan John Sununu, stafchef van Bush – 'Sununu? Goeie God! Wie is dat in vredesnaam?' – en aan zijn mede-Republikeinen – 'Er zijn maar een paar van onze mensen die deugen! *Niemand durft het aan om die klootzakken aan te pakken!* Ze hebben geen ballen!'

Het Nachtschepsel was nu net zo bitter als hij in de jaren '60 was geweest over 'al die linkse rakkers in het land' en 'de kleine klootzakken en etterbuilen van de media' en 'de orgie naar aanleiding van de Watergate-rotzooi.' Hij zei: 'Moet je kijken wat de pers mij aangedaan heeft, de cartoons van Herblock en wat al niet... De leugens staan in de koppen, en de waarheid zetten ze in de buurt van de corsettenadvertenties... Van de media stemde 78% voor McGovern.' Hij verwees naar Watergate als 'de Watergate-troep... die onzin... die malle, malle kwestie... Ik denk dat ze het heerlijk vinden om rond te wroeten in die Watergate-troep tot ze erin verzuipen... wat doet Watergate er nog toe? Het hoort thuis op een van de geschiedeniskanalen maar niet bij een van de grotere omroepen.' Hij was duidelijk dat hij inmiddels net zo alarmerend paranoïde was als in de jaren '60. 'Degenen die mij wilden pakken op Watergate, zaten al heel lang achter mij aan. Ze waren minder geïnteresseerd in Watergate dan in mij te grazen nemen vanwege Vietnam. Ik gaf ze wat ze hebben wilden, maar je kunt van me aannemen dat Watergate alleen maar een excuus was... Een van de grootste tragedies van Watergate was dat ik geen nieuwe conservatieve meerderheid kon opbouwen. En ik zou zijn begonnen met de dagbladjournalisten. Ik zou conservatieven binnengebracht hebben om die mensen aan te pakken. Daarom moesten ze me in 1972 wel onderuit halen. Ze wisten dat ik achter ze aan zat en dat het me zou lukken.'

Zittend in de stinkende duisternis van zijn privé-werkkamer met zijn bordeauxrode smokingjasje aan, spon het Nachtschepsel aan zijn harige spinnenwebben als verklaring van zijn daden. De duivel mocht dan verantwoordelijk zijn voor het beruchte gat van achttien-en-een-halve minuut in de dodelijkste Watergate-tape, maar JFK en LBJ waren verantwoordelijk voor Watergate zelf: 'Ik heb nooit willen accepteren dat er met twee maten gemeten werd. Democraten overleven het, Republikeinen leggen het loodje. Kennedy kon zich zo walgelijk gedragen als hij wilde – en mijn God! Hij heeft daar nogal wat schandelijke dingen gedaan! Maar hij werd beschermd. Johnson – hetzelfde verhaal, zij het minder, want hij was tenslotte geen Kennedy. Op de een of andere manier dacht ik abusievelijk of misschien dacht ik niet eens – misschien ging het onbewust – dat ik me net zo kon gedragen als zij.'

Vergeet zijn politieke dood; negeer de gore staak door zijn hart: het Nachtschepsel wist dat hij nog steeds in staat was dit land te leiden. '*Elke effectieve leider moet een klootzak zijn.* Je moet je mensen de stuipen op het lijf jagen om resultaat te boeken... Oorlog moet in idealistische bewoordingen gegoten worden, want anders is er geen mens die erachter zal staan. In Korea vochten we tegen de rooien. In Vietnam was het moeilijker om duidelijk te maken wat het doel was... De Golfoorlog was goed georganiseerd, maar ik ben bang dat het te kort duurde, en eerlijk gezegd, zelfs al is elke gewonde er een te veel, *in deze oorlog vielen te weinig slachtoffers...* We missen de grote lijnen. We hebben meer visie nodig, denken op de bergtop, dat soort dingen... We hadden Saddam door de CIA moeten laten uitschakelen... Ik voel niets voor die onzin van export van de democratie. *Democratie past niet overal.* Niet elke samenleving of cultuur is er geschikt voor.'

Hij kende de moerasratten die zijn Amerika opnieuw zouden opbouwen: Newt Gingrich: 'Hij is een bommenwerper en we hebben hem nodig.' ... Dan Quayle: 'Hij heeft groot gelijk.' ... Zijn voormalige speechschrijver Safire: 'Gewoon een goeie vent.' ... En voormalig speechschrijver Pat Buchanan: 'Hij is een buldog. Hij zal ze in hun nekvel vatten.' Het Nachtschepsel, wiens besprekingen in het Oval Office waren doorspekt met zoveel racistische en antisemitische scheldwoorden, deed enorme moeite om Buchanan te verdedigen: 'Buchanan maakt zich zorgen omdat hij een antisemiet genoemd wordt, wat absoluut onwaar en oneerlijk is. Zo is die man gewoon niet.' En hij koesterde een bijzonder slijmerige passie, die kennelijk wederzijds was, voor Bob Dole: 'Verdomd indrukwekkend... hij is de laatste grote hoop voor de partij in deze eeuw.'

Keer op keer bejubelde het Nachtschepsel Bob Dole. 'Hij is een vent van klasse, eenvoudig en eerlijk... Dole is de enige die leiding kan geven. Hij is momenteel verreweg de slimste politicus – en Republikein – in het land... Dole is een principieel mens, maar in een verkiezingsjaar zou hij niet zo dom zijn een stellingname te ondersteunen waarvan hij dacht dat die geen kans had om te winnen.'

Dole vertrouwde op het Nachtschepsel voor advies en Nixon werd volgens Monica 'Doles voornaamste, zij het schaduwadviseur.' 'Blijf jong!' adviseerde Nixon Dole en hij noemde wereldleiders die als zeventig-plussers nog geschitterd hadden – De Gaulle, Adenauer, Zhou En-lai. Nixon schreef een concept van negen bladzijden, getiteld 'Plan voor het Dole-spel' voor de verkiezingen van 1996. Hij zei tegen Dole dat 'persoonlijkheid' het voornaamste thema van de campagne moest worden. 'Het persoonlijkheidsthema zal hem tegen Clinton enorm helpen,' zei Nixon tegen Monica, 'voornamelijk omdat Clinton weinig tot geen persoonlijkheid heeft.' Het Nachtschepsel beschouwde de oorlogsheld uit Kansas als zijn zielebroer, al had Nixon tijdens de oorlog niet veel meer gedaan dan poker spelen. 'Er is niemand te vergelijken met Dole!' riep Nixon tegen Monica. Op een ander moment zei hij: 'Dole is de enige die goed bezig is.'

Bob Dole was altijd degene geweest die goed bezig was, wist Richard Nixon, die het voor een keertje eens was met de beoordeling van Barry Goldwater: 'Dole is de eerste man die we hier sinds lang hebben gehad die bereid is de tegenpartij bij de haren de heuvel af te slepen.' *Sleep ze bij hun haren van de heuvel af!* Dat was Dole ten voeten uit. Dole, die op het voorstel van een collega om het voedselbonnenprogramma te korten reageerde met: 'Krijgen degenen die verhongeren een begrafenispremie?'... Dole, die tegen een geamputeerde man zei dat hij jaloers op hem was, nadat de man in een veteranenziekenhuis naar Doles verminkte arm had gewezen en had gevraagd; 'Waarom snij je dat verdomde ding er niet af?' En het zag ernaar uit, vond Nachtschepsel, dat Elizabeth, de vrouw van Dole, al over net zoveel gal en azijn beschikte.

Ze waren allebei kleinsteedse jongens, respectievelijk uit Yorba Linda in Californië en Russell in Kansas, en hadden samen al een lange geschiedenis. Nixon waardeerde Doles merkwaardige gevoel voor geschiedenis. Dole mocht er bijvoorbeeld graag op wijzen dat hij 'op de dag af tachtig jaar nadat Abe Lincoln door *zijn* kogel geraakt werd' tijdens gevechtshandelingen gewond was geraakt. Nixon gniffelde toen Dole hem vertelde dat op de dag dat hij geboren werd de trein met het lichaam van de in ongenade gevallen Warren G. Harding door zijn geboortestad reed.

Nixon was degene die Dole had gered tijdens een moeilijke strijd in Kansas door keihard campagne voor hem te voeren en Dole was degene die tijdens Watergate had uitgehaald naar de *Washington Post*, met de tekst: 'Het grootste politieke schandaal van deze campagne is de schaamteloze manier waarop de *Washington Post*, zonder kerkelijke goedkeuring, onder de dekens is gekropen met de McGovern-campagne... Het is de meest intensieve journalistieke reddings- en bergingsoperatie van de Amerikaanse politiek.' Dole voegde eraan toe: 'Er bestaat culturele en sociale affiniteit tussen de McGovernisten en de directie- en redactieleden van de *Post*. Ze horen bij dezelfde elite, leven vaak broederlijk naast elkaar in dezelfde wijken, en frequenteren dezelfde feesten in Georgetown... De Republikeinse partij is het slachtoffer geweest van een spervuur aan ongefundeerde en onbevestigde verdachtmakingen door George McGovern en zijn partner in de vuilspuiterij, de *Washington Post*.' Dat was nog eens loyaliteit: verwijzen naar Watergate als 'ongefundeerd' en 'onbevestigd', en doen alsof Nixon met zijn campagne van leugens en illegale acties het slachtoffer was van wat Nixon 'al die linkse rakkers' noemde. Dole was inderdaad goed bezig, en vertoonde de gevolgen van alle DDT die hij in zijn jeugd op de boerenakkers van Kansas had ingeademd.

Jaren later, toen het Nachtschepsel werd begraven, was het zijn zielebroeder die de grafrede uitsprak, net als hij dat voor Pipse Pat had gedaan. 'Hoe Amerikaans?' had Bob Dole over Nixon gezegd. 'Een jongen die 's nachts de trein hoorde fluiten en droomde van al die verre plekken die aan het eind van het spoor lagen... De kruidenierszoon die hogerop kwam door harder en langer te werken dan alle anderen.' Bob Dole zei: 'De tweede helft van de 20e eeuw zal bekend staan als *Het Tijdperk van Nixon*.' Daarop stortte Bob Dole in en snikte.

Tegen de tijd dat de verkiezingsdag van 1992 naderbij kwam, spoot het Nachtschepsel pure gal, rechtstreeks gericht tegen Bill Clinton: 'Hij zo slap als pis op een rots... Hij is een godvergeten leugenaar... Hij is een mooie jongen die ze niet allemaal op een rijtje heeft, een kletskous en een opportunist... Hij is een schijnheilige drol... Hij heeft weinig tot geen persoonlijkheid... Hij is zo verdomd zelfingenomen... Hij is een sluwe vogel... Hij is hondenpoep... Hij is beschadigde waar, hij heeft de kliek van McGovern als adviseurs... Hij neemt media-anabole steroïden en de medewerkers van Bush zijn een stelletje padvinders... We hebben allemaal zo onze zwakheden, tenslotte zijn we ook maar mensen. We zwichten allemaal ergens voor: het zij macht, het zij geld, het zij vrouwen of drank of drugs. In Clintons geval elk van het bovengenoemde.'

Vanuit het schemerige standpunt van het Nachtschepsel gezien was Clinton het zwarte schaap. Bill Clinton was het symbool en de personificatie van de generatie die hem uit het ambt verdreven had. 'Als Bush van Clinton verliest, zal dat mijn overwinning van 1972 wegvagen, want dat was een referendum over Vietnam. Een overwinning van Clinton zou betekenen dat men nu zegt dat het oké was om je actief tegen de oorlog te verzetten... Als Clinton wint, zet hij de deuren naar de functie wijd open voor al diegenen die anders nooit in aanmerking zouden zijn gekomen, zoals Gary Hart, in 1988 nog. De meeste mensen van de media zijn echter net als hij. Ze zijn het met hem eens over Vietnam; ze hebben geëxperimenteerd met drugs en vrije seks... Clinton zou graag Vietnam erkennen. Hij staat te trappelen om naar Hanoi te gaan en er door de straten te lopen, waar hij zal worden verwelkomd door miljoenen Vietnamezen. Stel je voor! *De ultieme Vietnam-dienstplichtontduiker die Vietnam erkent!* Ongelooflijk!... Niet omdat hij toen tegen de oorlog was – bijna iedereen van zijn leeftijd was er tegen. Maar omdat hij nog steeds zegt dat hij ertegen is. Clinton vindt nog steeds dat de doelstellingen van Noord-Vietnam rechtvaardiger waren... Ik weet waarom hij deed wat hij deed om de dienst te ontlopen: hij wilde niet overhoop geschoten worden. Terwijl ik probeerde een eind aan die godvergeten oorlog te maken, liep hij zich te beroepen op privileges, ontliep hij de dienst en demonstreerde ertegen. Hij was een egoïstische, verwende aap. Hij bemoeilijkte mijn werk in hoge mate, en dankzij hem zijn er God weet hoeveel mannen in zijn plaats de dood ingestuurd. Ik zal je één ding vertellen: als hij tot president wordt gekozen, weet ik eindelijk zeker dat dit land naar de verdoemenis gaat.'

Maar een paar weken voor de verkiezingen wist het Nachtschepsel, architect van zoveel duivelse gebeurtenissen, dat de hel snel dichterbij kwam. De opiniepeilingen gaven aan dat Bill Clinton een aanzienlijke voorsprong had. 'Het enige dat hem nu nog zou kunnen vernietigen,' zei hij tegen zijn Monica, 'zou een onverwachte klapper zijn, bijvoorbeeld een brief waaruit blijkt dat hij tijdens Vietnam wilde afzien van het Amerikaanse staatsburgerschap, of een buitenechtelijk kind.'

Zelfs terwijl hij de miraculeuze oktober-verrassing van een onecht kind overwoog, merkte het Nachtschepsel dat hij gemengde gevoelens had over Hillary. Hij wist dat hij haar zou moeten haten – Hillary, die deel had uitgemaakt van de Huiscommissie voor Justitie die hem tot aftreden had gedwongen – en op een bepaalde manier deed hij dat ook. Hillary 'was angstaanjagend, haar ideeën zijn te gek voor woorden... ik kan het nog steeds niet geloven! Ze zat in de godvergeten commissie die mij wilde afzetten! Ze is een linkse radicaal!... Als zij aan de bak komt, jezus! Laat iedereen zijn veiligheidsgordels dan maar goed vastmaken... haar ogen zijn ijskoud... ze gelooft echt in die progressieve nonsens... De mensen om haar heen zijn allemaal links radicaal. Ze zullen haar in het verderf storten.' Maar op andere momenten respecteerde hij haar, bewonderde hij haar. 'Hoe kan ze daar naast hem zitten bij *60 Minutes*, wetend hoe hij van de ene vrouw naar de andere holt? Vernederend! Maar ze heeft een verborgen agenda. Ze is heel slim en ze wil alleen maar de godvergeten verkiezingen winnen. Nu even een beetje vernedering slikken en later aan de macht komen... Ze is een meestermanipulator achter de coulissen... Hillary is zo keihard. Ze *klapt* zelfs op een beheerste manier.'

Toen Bill Clinton was gekozen tot tweeënveertigste president van de

Verenigde Staten, zei de zevenendertigste president van de Verenigde Staten tegen zijn Monica: 'Clinton heeft het anti-Vietnam, dienstplicht ontduikende, drugsgebruikende gedrag van de jaren '60 gerechtvaardigd. Het grootste deel van die generatie deugde niet, deugde absoluut niet. De Zwijgende Meerderheid was een reactie op die morele verloedering, maar wie gaat het nu aanpakken? De Clintons zullen vier jaar lang, misschien acht, onze morele voorbeelden zijn. Vier jaar, en misschien kunnen we er nog bovenop komen. Acht, en de schade zal onherstelbaar zijn.'

Waar hij bang voor was, had zich in zijn geest al afgespeeld: Amerika was naar de verdoemenis gegaan. Hij praatte er de dag na de verkiezing van Bill Clinton over met Monica, toen er een vogel tegen het raam vloog, vlak boven zijn hoofd.

'Mijn God! Wat was dat in Jezusnaam?' zei het Nachtschepsel, terwijl hij een hand over zijn bestaakte hart legde.

'Er vloog een vogel tegen het raam, meneer de president,' zei Monica.

'O,' zei hij, 'viel-ie op de grond?'

'Nee,' zei Monica, 'hij was even verdoofd, maar herstelde zich en vloog weg.'

'Goed zo,' zei het Nachtschepsel, en zocht in de zompige uithoeken van zijn geest naar een onheilspellende betekenis van het gedrag van de vogel. Kort na de inhuldigingsplechtigheid ging hij zitten om president Bill Clinton een brief te schrijven. Hij feliciteerde hem met zijn overwinning en ging zelfs zover dat hij zei dat Bill Clinton 'de persoonlijkheid had om Amerika te leiden'... dat ging wel *erg* ver, vogel of geen vogel, nadat hij hem 'zo slap als pis op een rots' en 'een godvergeten leugenaar... met geen tot weinig persoonlijkheid' had genoemd. Het Nachtschepsel analyseerde zijn brief tegenover Monica: 'Ik weet wel dat het een beetje overdreven is, vooral dat gedoe over die persoonlijkheid, maar de man heeft een groot ego en je moet ze enorm opvrijen voor je iets bij ze bereikt.'

President Bill Clinton belde Nixon vrij snel nadat hij zijn brief ontving. De president sprak wel veertig minuten met hem! De president vroeg *zijn* advies over Rusland, en de president nodigde hem uit – *hem*, het Nachtschepsel – om weer naar het Witte Huis te komen voor een bespreking. 'Hij was heel beleefd, zonder flauwekul,' zei Nixon tegen zijn Monica. 'Noch Reagan noch Bush hebben mij de afgelopen twaalf jaar ooit op de agenda gezet... noch Kennedy noch Johnson hebben mevrouw Nixon en mij ooit op het Witte Huis uitgenodigd... Clinton heeft dingen tegen me gezegd waarvan hij absoluut niet wil dat ze in de openbaarheid komen. *Ik vraag me af of zijn afluisterapparatuur werkt...* Hij noemde Hillary niet, helemaal niet. En ik gaf hem diverse voorzetjes. Hij reageerde nergens op. Vreemd.' Tijdens een etentje met Bob Strauss, zijn oude politieke vriend uit Texas, vlak na zijn gesprekje van veertig minuten met de president, vertelde Bob Strauss dat president Clinton hem had toevertrouwd dat zijn gesprek met Richard Nixon 'het beste gesprek' was geweest dat hij als president had gehad.

Toen het Nachtschepsel terugkeerde naar het Witte huis voor zijn afspraak met de president van de Verenigde Staten, dronken ze allebei cola-light – Clinton uit het blikje, Nixon uit een glas. Bill Clinton vertelde hem dat hij zwaarder was geworden tijdens zijn verdediging tegen Gennifers aanklacht in New Hampshire. Bill Clinton gebruikte woorden die hij van Nixon gewend was: *klootzak, hondenlul, rotzak.* Bill Clinton nam hem mee naar de residentie om Hillary en Chelsea te ontmoeten: 'Het kind holde direct naar hem toe en keek niet eens naar haar moeder. Het was duidelijk dat ze met hem een warme relatie had, maar voor haar bijna bang was... Hillary is iets heel bijzonders. Ze was heel beleefd tegen me en zei de juiste dingen... Hillary zei tegen me dat we "veel bereikt hadden in binnenlandse aangelegenheden", maar complimenten van haar zijn als... ik weet niet wat.'

Er mocht dan een staak in zijn zwarte hart steken, maar het Nachtschepsel voelde zich herboren na zijn terugkeer naar het Witte Huis. Hij kon er niet over ophouden: 'Clinton weet wat de spelregels zijn... dit reisje naar Washington was waarschijnlijk het beste sinds ik geen president meer ben... het was het beste gesprek dat ik heb gehad met een president sinds ik president was. Beter dan met Bush, en met Reagan heb ik nooit zo'n gesprek gehad. Met de anderen was het nooit een dialoog... Clinton leert snel en hij is niet bang om zich naar andermans deskundigheid te voegen. Mijn enige zorg is dat hij verwaand wordt als zijn opiniepeilingen gunstig zijn, en dan minder bereid zal zijn om naar me te luisteren... *zolang hij met mij praat, is er geen probleem.*' En praten deden ze. Bill Clinton belde hem keer op keer voor advies.

De bewondering van het Nachtschepsel voor Hillary groeide inmiddels praktisch uit tot verliefdheid. 'Hillary wordt een boegbeeld... Voor hem is niemand bang. *Hillary boezemt angst in!*' Hij zei tegen David Gergen, Clintons nieuwe adviseur: 'Ze is er altijd, werkt met hem samen, werkt apart, zet hem onder druk om meer te doen, doet zelf meer. Niemand kan haar intomen!' Hij deed Gergen zelfs suggesties om Hillary beter uit te laten komen. 'Zwak Hillary's scherpe kanten af. Ze kan er niet blijven uitzien als die Franse vrouwen tijdens de revolutie bij de guillotine, die alleen maar toekeken terwijl ze breiden en breiden.' Hij imiteerde een chagrijnige Madame Defarge om er zeker van te zijn dat Gergen begreep wat hij bedoelde. Nadat hij Hillary voor het Congres had zien getuigen over haar plannen voor de gezondheidszorg, zei hij: 'Godverdomme! *Ze kan mensen in trance brengen!* Ze heeft ze allemaal ingepakt! Ze raakten in vervoering en gaven haar een staande ovatie. Ze laat haar klauwen zien, maar doet het zo walgelijk lieftallig dat ik ervan moet kokhalzen.' Het was een wonder dat Monica niet eens haar wenkbrauwen ophaalde over de manier waarop hij maar doorging over Hillary: 'Ze is zo pienter... Ze is onzichtbaar wanneer er negatieve dingen losbarsten... *Ze is sterk en besluitvaardig, ze is gewoon goed... Ze is daar de rots van kracht en intelligentie.'*

Maar als er al een ontluikende relatie bestond tussen het Nachtschepsel en de presidentsvrouw, werd die in de kiem gesmoord toen de levenspartner van het Nachtschepsel, zijn lankmoedige vrouw, Pipse Pat overleed. De president van de Verenigde Staten ging niet naar de begrafenis van Pipse Pat, net zo min als Hillary; net zo min als een ander lid van het kabinet. Bill Clinton stuurde... *een zwarte man...* Vernon Jordan, die een paar jaar later zou proberen Monica Lewinsky aan een baan te helpen. Het Nachtschepsel was beledigd, gekwetst, geschokt en woedend! 'Vernon Jordan? De Clintons stuurden Vernon Jordan? *Kom* nou toch! Hillary had moeten komen! Hij komt bij mij voor advies hoe hij zijn hachje moet redden en hij kan niet eens een lid van het kabinet sturen naar de begrafenis van mevrouw Nixon?'

Laat ze allemaal de klere krijgen! dacht het Nachtschepsel, en dompelde zich andermaal onder in zijn vat van borrelend gal, terwijl hij opeens met gefronste wenkbrauwen aandacht begon te schenken aan het zich ontwikkelende schandaal dat Whitewater heette. 'Hillary zit er tot over haar oren in, ze zijn allebei zo schuldig als wat... het is erger dan Watergate. Bij Watergate maakte niemand woekerwinsten, en *wij hadden geen lijk...* Clinton en Hillary zijn allebei schuldig aan het belemmeren van de rechtsgang, misschien wel meer. Punt uit. Onze mensen moeten niet schromen om dit ding bij zijn nekvel te pakken en alle bewijzen eruit te schudden. Watergate was fout; Whitewater is fout. Ik heb de prijs betaald, de Clintons zouden ook de prijs moeten betalen... Hij doet net of Whitewater niet bestaat. Dat heb ik natuurlijk ook geprobeerd en het werkt niet echt... Hoe durft hij te kankeren over de verslaggeving? Ze hebben hem tot nu toe met zachte handschoenen aangepakt. Hij zou, zoals Johnson altijd zei, hun reet moeten likken in de etalage van Macy's... En dan te bedenken dat Hillary achter mij aanzat tijdens Watergate! Ze maken dezelfde verdomde fouten die wij gemaakt hebben... en toen zat Hillary in de Impeachment Commissie te schreeuwen over de achttien-en-een-halve minuut die aan de tape ontbraken, en nu zit ze in Little Rock aan de versnipperaar.'

Toen het Nachtschepsel op de televisie zag hoe de Paus ontvangen werd door de Clintons, snauwde hij: 'Nou, wat zeg je me daarvan? De Paus en de Clintons bij elkaar! De Heilige en de Zondaar! Wat een koppel! En daar staat Hillary! Jongens toch!' *Geen groter furie dan van een Nachtschepsel wiens pipse levenspartners begrafenis is versmaad...* en in zijn woede belde hij zelfs Bob Dole, zijn zielebroeder, om te zeggen dat hij 'een hele gocie' aan de selecte Whitewater Commissie moest toevoegen – 'We moeten daar niet een stelletje sukkels de vragen laten stellen.'

Maar onder de oppervlakte was hij diep gedeprimeerd. Als slimme politieke manipulator wist hij dat Whitewater Bill Clinton net zo min ten val zou brengen als zijn vrouwenjagerij. 'Misschien doet het er niet meer toe,' zei hij somber tegen zijn Monica. 'kijk om je heen – overal seks, drugs en geweld. Weet je nog hoe dit allemaal begon in de jaren '60? Ze noemden het de tegencultuur. De normen verdwenen. Niemand gaf nog om anderen, alleen om zichzelf... dus, begrijp je, de mensen hebben Clinton gekozen omdat ze overal om zich heen zedeloos gedrag zien. Het bereikt een punt waarop het ze niet meer raakt. Dus zitten ze te luisteren naar wat hij zegt over gezondheidszorg en het beschermen van de gevlekte bosuil en zijn ze toondoof wat zijn persoonlijkheid betreft.'

Het Nachtschepsel werd nog somberder omdat hij wist dat zijn geloofwaardigheid wat betreft zedenverwildering gering was. 'Watergate heeft mij elke kans ontnomen om iets geloofwaardigs over dergelijke dingen te zeggen. Onze critici zullen zeggen: "Wie is Nixon dan wel dat hij dit mag zeggen? Hij heeft er zelf aan bijgedragen! Hij is de man van Watergate, van Vietnam. Hij moest oneervol ontslag nemen."'

Het Nachtschepsel kwam steeds terug op het punt waarop hij dacht dat alles voor hem fout was gaan lopen – niet Watergate, maar onze protestdemonstraties in de jaren '60 en '70. 'Het was een ellendige godvergeten periode,' zei hij tegen zijn Monica. 'Ik was degene die dat *hippieschoelje* dat zich tegen de oorlog verzette moest afbluffen... die *godvergeten demonstranten*... mijn God, ik was niet alleen van een andere generatie dan die mensen, het was alsof ik van een andere planeet kwam... De druk van de oorlogvoering brak Johnson, maar ik stierf nog liever dan dat ik me dat liet gebeuren. Johnson vertrok als een gebroken man. Ik heb als president altijd geweten dat we als regering een verantwoordelijkheid hadden die niet door een paar waardeloze demonstranten te niet kon worden gedaan. Ik kon niet voorkomen dat ze onze waarden en onze cultuur vernietigden, maar ik kon wel zorgen dat ze niet meer tegen ons konden zeggen dat we niet in staat waren om te regeren.'

Het Nachtschepsel erkende dat het doden in 1970 op Kent State van vier demonstrerende studenten 'niet juist was,' en voegde eraan toe: 'Die lui *waren* communisten.'

Wat? Wat was dit voor vuiligheid die het Nachtschepsel spuide, zat ik te denken. *Communisten? Zij* waren communisten? De jongelui op Kent State? Ik was verbijsterd door de immense omvang, de gruwel van zijn leugen, hoewel het dezelfde leugen was waarop hij zijn hele loopbaan had gebaseerd. Hij had Jerry Voorhis en Helen Gahagan Douglas als communisten gebrandmerkt, toen hij het in het begin tijdens verkiezingen tegen hen had opgenomen. En nu waren de vier jongelui die door de jongelui van de National Guard – onder invloed van Nixons giftige en haatdragende retoriek – waren doodgeschoten op Kent State ook communisten. Bill Schroeder, de doorsnee Amerikaanse ROTC-student met de appelwangen... een communist! Allison Krause, de dochter van een directielid van Westinghouse... een communist! Sandy Sheuer, de pacifistische dochter van een overlevende van de holocaust... een communist! Jeff Miller, met zijn met bloemen beschilderde appartement... een communist!

Hij belasterde en onteerde de doden die *hij* in hun graf geholpen had. Het enige woord dat daarvoor mogelijkerwijs paste, was wat Congreslid Dan Burton nu gebruikte voor Bill Clinton tijdens diens impeachment-beproeving: 'Smeerlap!'

En toen ik zag dat zijn Monica – nee, nee, zijn *Elvira!* – niet eens aan hem twijfelde, niet eens zei *Communisten, meneer? Die kinderen?* veegde ik al die romantische kletskoek uit mijn brein over het sneeuwballengevecht dat ze in Moskou hadden gehad en de flonkerende lichtjes van Anchorage. Zijn Monica stond toe dat hij met haar hetzelfde deed wat de andere Monica aan Bill Clinton had toegestaan. Richard Nixon had zijn Monica woorden in de mond gelegd, zaadjes die de gedachten van toekomstige generaties moesten bevruchten met haat.

Monica Crowleys zonde was volgens mij veel dodelijker dan die van Monica Lewinsky. Wat elk van deze twee in de mond van zijn eigen Monica had gelegd, bepaalde het verschil tussen Bill Clinton en Richard Nixon, tussen progressieven en conservatieven, tussen *ons* en *hen*.

[Tweede akte]

Trein met onbekende bestemming

Newts, crawling things in slime and mud, poisons,
The barren soil, the evil men, the slag and hideous rot...

Do you hear that mocking and laughter?
Do you hear the ironical echoes?

WALT WHITMAN, *Leaves of Grass*

[1]

De Verraadster en de Voddenbaal

'Ik vond het gewoon fijn dat hij bang was,' zei Monica tegen Linda Tripp. 'Vind je dat niet walgelijk? Ik genoot ervan. Ik vond het heerlijk dat hij zo bang was. Ik kon het aan zijn stem horen.'

Terwijl ze doorknaagde aan de sappige ingewanden van Monica en haar tot op het bot uitkleedde, zowel persoonlijk als aan de telefoon, had de Rat, de Verraadster, een bondgenoot gevonden: een kettingrokende vrouw met een van whisky doortrokken stem die zich uitgaf voor literair agent voor zulke onwaarschijnlijke types als Mark Fuhrman, de racistische Dirty Harry met een bekendheid als die van O.J., en Gary Aldrich, ex-FBI'er en de auteur van het misleidende en kwaadwillende anti-Clinton traktaatje, *Unlimited Access.*

Lucianne Goldberg was de ideale partner voor Linda Tripp. Ze had het wellustige verslag van Dolly Kyle over seks met de jonge Bill Clinton al in handen, en schreef zelf soft-porno romans als *Madame Cleo's Girls.* Ze was zestig-plus, en nauw gelieerd aan rechtse figuren als Al Regnery, de uitgever, en Tony Snow, ex-speechschrijver voor Bush en nu een van Rupert Murdochs huurlingen.

Als literair agent was Goldberg vooral bekend omdat ze Judy Chavez vertegenwoordigde, een in sadisme gespecialiseerde prostituee. Chavez werd berucht door haar onthulling dat Arkady Shevtsjenko, overloper uit de Sovjet-Unie, haar voor vijf nachten gezelschap met geld van de CIA tienduizend dollar per maand betaalde. Goldberg verkocht haar met handboeien en zwepen doorspekte verhaal aan een uitgever en zei later: 'De laatste keer dat ik Judy zag, was ze van top tot teen in slangenvel gekleed. Hoeveel pythons waren er wel niet er aan te pas gekomen om dat kostuum en die vijftien centimeter hoge hakken te fabriceren? Ze had net zo goed een zweep kunnen vasthouden. Met die prachtige witte huid en dat zwarte haar straalt ze heel subtiel pijn uit. "Ik ga je martelen, ranselen met mijn tong, en je pijn doen."'

Degenen in Washington die op de hoogte waren van de intieme relatie tussen Linda Tripp en Lucianne Goldberg vonden het heel logisch, die twee als onderwerp van dezelfde ordinaire foto: de Rat die in haar dichtgeslibde goot lag te knagen aan een bot, terwijl naast haar de ongezonde Voddenbaal lag te schranzen, allebei met een sigaret in hun bloedrode mond.

Linda Tripp wendde zich voor het eerst tot Lucianne Goldberg 'voor advies en bescherming' toen ze net was verbannen van het bureau van de raadsman van het Witte Huis. In die eerste maanden van woede besloot ze als ingewijde een verslag te gaan schrijven van de seksuele strapatsen in het Witte Huis, onder meer over Kathleen Willeys magische avonturen in de sprookjesgang. Ze belde tv-verslaggever Tony Snow weer op, die ze had leren kennen in het Witte Huis onder Bush. En Snow, die Clinton 'de Caligula van de Ozarks' noemde, stuurde haar door naar de Voddenbaal.

Goldberg was helemaal weg van Tripps idee: een combinatie van politiek en seks, haar twee voornaamste interesses, het zou misschien zelfs een beter boek worden dan haar eigen *Purr, Baby, Purr*. Tripps boek zou *Behind Closed Doors* gaan heten en haar pseudoniem zou 'Joan Dean' worden, een geinige en valse verwijzing naar John Dean, wiens getuigenis Nixon ten val had gebracht. Tripp zou Bill Clinton ten val brengen en Joan Dean zou haar wrekende grap voor ingewijden zijn. Goldberg stuurde Tripp naar een redacteur bij Regnery, een uitgeverij die zich van oudsher bezig hield met karaktermoord op progressieven en/of Democraten.

Op het laatste moment trok Tripp zich terug, bang dat ze haar baan op het ministerie van Defensie kwijt zou raken als ze het boek schreef. 'Liefje,' had Lucianne Goldberg tegen haar gezegd, 'als je de grote baas verlinkt, blijf je niet in overheidsdienst.' Joan Dean was dood.

Jaren later, toen ze bezig was Monica uit te kleden, maakte de Verraadster een foutje en zei tegen Monica dat ze een 'alles-onthullend' boek over alles wat ze wist zou schrijven als ze ooit haar baan bij de overheid kwijtraakte. Monica hechtte er geen belang aan, zich niet bewust van het feit dat haar nieuwe zorgzame, moederlijke vriendin al druk bezig was het boek te verkopen. Snow had de Voddenbaal voor haar gebeld en nu belde Goldberg Tripp, die niet wist dat Goldberg, ook geen politieke maagd, *hun* gesprek op band vastlegde.

Ze hadden het erover hoe ze het best konden profiteren van wat de Verraadster wist. Ja, ze kon een boekcontract krijgen, maar om hun beider winst zo groot mogelijk te maken konden ze het best het verhaal eerst lekken, of 'fragmenten' lekken, en terwijl de fragmenten zich via de ether vermenigvuldigden bij een uitgever binnenlopen met het *hele* verhaal en naar buiten komen met miljoenen dollars. Ze moesten het publiek eerst 'prikkelen', en ze kozen *Newsweek*-verslaggever Michael Isikoff als lek voor de fragmenten. Ze bespraken ook de mogelijkheid om Tripps slijmerige kennis aan de advocaten van Paula Jones door te geven en het verhaal van de stagiaire en de president via de rechtbank breed naar buiten te brengen.

Tripp uitte haar hebzucht in schijnheilige bewoordingen door te zeggen dat ze 'ontzet' was over Bill Clintons gedrag. 'Het is weerzinwekkend!' zei ze. 'Hij moet zijn verdiende loon krijgen.' Ze beschreef zichzelf ook als de zorgzame beschermster van de jonge vrouw aan wier ingewanden ze ondertussen zat te knagen. 'Het is genoeg geweest. Ik vind persoonlijk dat de tijd gekomen is... dat ze verder moet. Op dit moment gaat ze door een emotionele hel... ik zou graag zien dat ze vertrok en haar leven weer oppakte.'

'Nou, heb je met haar gepraat over de mogelijkheid om de publiciteit te zoeken?' vroeg Goldberg.

'Dat wil ze niet.'

'Wat kun je er dan mee doen?'

Tripp zei dat ze data en verslagen van ontmoetingen had bijgehouden. Van telefoongesprekken en van de cadeaus die de stagiaire en Bill Clinton hadden uitgewisseld.

'Ja,' zei Goldberg, 'maar je realiseert je dat de pers haar zal vermalen. Ik bedoel, ik vind het een prima idee. Ik zou er binnen de kortste keren in meegaan, maar wil jij degene zijn die dit kind, eh...'

'Ze is geen kind,' zei Tripp. 'Ze komt uit een zeer bevoorrecht milieu in Beverly Hills. Ik bedoel, ze is absoluut door de wol geverfd... ze was geen slachtoffer. Toen dit begon, was ze zelf duidelijk een actieve deelnemer.'

'Je moet ervan uitgaan dat je haar kwijtraakt als vriendin,' zei Goldberg.

'O,' zei Tripp hooghartig. 'Die beslissing heb ik al genomen.'

Tijdens hun tweede telefoongesprek, een week later, volgens zeggen door geen van beiden op band vastgelegd, zei Goldberg tegen Tripp dat ze de telefoongesprekken met haar jonge vriendin, de voormalige Witte Huis-stagiaire, op band moest vastleggen. 'Je hebt bewijsmateriaal nodig, je moet tapes hebben.'

Tripp, die bang werd, zei dat het 'onvriendelijk' zou zijn om haar vriendin op band op te nemen. 'Nou, liefje, als je de grote baas wil vangen, kun je hem beter afmaken.'

Tripp begon bandopnames te maken van Monica en vertelde Goldberg wat ze van Monica op de band kreeg. Monica dacht dat Bill aan de drugs was, omdat hij af en toe 'wegviel'. Monica gaf haar de data waarop zij en Bill telefoonseks hadden. Bill had koortsuitslag die volgens Goldberg verdacht veel leek op herpes.

Ze bleven plannen bedenken om de fragmenten naar buiten te brengen om het publiek te prikkelen. Tripp werd door Norma Asness, een rijke vrouw die goed bevriend was met Hillary Clinton, uitgenodigd om een weekend door te brengen in Greenwich, Connecticut. Tripp was al eerder bij Asness geweest, bij een Chanoeka-feest in Asness' huis in Georgetown en ook bij een rondleiding door het Pentagon, die Tripp voor haar had geregeld.

De uitnodiging van Asness was volgens de voormalige Delta Force-medewerkster een geheime operatie van het Witte Huis. Ze belde Goldberg en die was het met haar eens.

'Je wordt belazerd,' zei Goldberg.

'Je denkt toch niet dat ze me gaan vergiftigen?' vroeg Tripp.

'Eh, nee. Ze gaan je inlijven. Ze gaan je doodknuffelen, je laten zien hoe je zou kunnen leven als je loyaal blijft...'

'Oké,' zei Tripp. 'Nou, dan hoef ik me geen zorgen te maken. Ik dacht alleen maar, o jee, dus ze gaan me vermoorden of zo als ik daar kom...'

'Nee, ze gaan je niet vermoorden.'

Ze stoofden nu in hun eigen heksenbrouwsel, heimelijk, en hadden alleen vertrouwen in elkaar (hoewel Goldberg nog steeds stiekem Tripps telefoontjes opnam, net als Tripp stiekem Monica's telefoontjes opnam). Ze besloten gezamenlijk dat Tripp haar advocaat niet kon vertrouwen omdat hij soms golf speelde met een van de laaggeplaatste raadslieden van het Witte Huis, en Tripp stuurde hem de laan uit. Ze besloten dat ze Isikoff, de *Newsweek*-verslaggever aan wie ze van plan waren de fragmenten te lekken, niet konden vertrouwen omdat hij misschien zelf een boek ging schrijven.

Uiteindelijk besloten ze zich te wenden tot de enige persoon die welwillend zou staan tegenover Linda Tripps verhaal over Bill Clinton en Monica Lewinsky, de enige persoon die hun afkeer van Bill Clinton deelde: Kenneth W. Starr. Ze zouden Ken Starr gebruiken om hun miljoenen dollars van de uitgevers te bemachtigen. Tripp zou uit de school klappen en de domineeszoon zou alles opslorpen en uitbraken in krantenkoppen.

Getver. Lucianne Goldberg vond het gewoon fantastisch! Ze had het niet zo naar haar zin gehad sinds de goeie ouwe tijd, in 1972, toen ze duizend dollar per week verdiende als spion op het campagnevliegtuig van George McGovern, toen ze memo's schreef die ijlings rechtstreeks naar het Witte Huis gingen, die alleen door Richard Nixon gelezen werden, de man die haar ingehuurd had. De Voddenbaal dacht nog steeds met warme gevoelens aan Nixon, haar duistere beschermengel.

Dankzij kettingrookster Goldberg en haar vriendin, kettingrookster Tripp, werd het Nachtschepsel weer op de wereld losgelaten, verrees hij uit het graf, om mensen te bekladden, te klauwen, bloed te zien... om het Bill Clinton betaald te zetten... dat hij de zwarte Vernon Jordan naar de begrafenis had gestuurd van Pipse Pat, zijn door kanker verwoeste vrouw... voor de jaren '60, voor de demonstraties, voor Watergate, voor zijn aftreden, voor zijn afgang.

[2]

David Geffen is kwaad

'Ik las ergens,' zei Linda Tripp,' dat hij de nacht heeft doorge-
bracht in het huis van de partner van Steven Spielberg. Castle-
baum of Castleman of zoiets.'
'O ja?' zei Monica.
'In L.A.'
'O.'
'Ik weet het niet,' zei Linda Tripp. 'Ik weet niet wie dat is. Die
man is mij totaal onbekend.'

David Geffen zat in zijn eentje in de werkkamer van zijn buitenhuis in
Malibu toen ik binnenkwam. Hij keek naar de impeachment-hoorzittin-
gen van de Huiscommissie voor Justitie, hoewel, *kijken* alleen was misschien niet het goede woord, viel me op. Hij keek dreigend, kwaad, fron-
send naar het toestel. Hij zag eruit alsof hij iemand ging vermoorden.
'Kun je je voorstellen wat deze klootzakken aan het doen zijn?' zei hij.
'Kun je je voorstellen dat die klootzakken echt denken dat het ze gaat
lukken?'

Een paar dagen later was acteur Alec Baldwin te gast in Conan
O'Briens programma *Late Night* van NBC en hij riep op tot moord op
Henry Hyde, de voorzitter van de Huiscommissie voor Justitie, en zijn
gezin. Ik vreesde dat Hollywood een schot voor de boeg loste (net als
Alec Baldwin kennelijk).

Dat was raar, want Bill Clinton was nooit Hollywoods eerste keus geweest voor de functie in het Oval Office. In de eerste plaats had je oorlogsheld Bob Kerrey, de op en top Amerikaanse progressief uit Nebras-
ka, die een overheidswoning in Lincoln gedeeld had met Hollywoods
eigen Debra Winger. Dan had je Bill Bradley. Toen er proefballonnetjes
werden opgelaten dat Bill Bradley, saai en zonder veel uitstraling, zich in
1992 kandidaat zou stellen voor het presidentschap, boden regisseur
Sydney Pollack en Robert Redford aan om de voormalige basketbalster
met de wallen onder zijn ogen mediatraining te geven.

Pas toen Bill Clinton al gekozen was en Michael Ovitz hem uitnodigde
om naar zijn I.M. Pei CAA-vesting te komen – er werd overwogen om
herinneringsbekers te produceren met aan de ene kant Ovitz' portret en

aan de andere kant dat van Clinton – gaf de stad Bill Clinton haar zegen. Als tegenprestatie maakte Clinton van de slaapkamer van Lincoln tot Hollywoods kantine in Washington.

De slaapkamer van Lincoln was een plek die andere presidenten in ere hadden gehouden, die alleen gebruikt werd door een tsaar als Lew Wasserman, de grote baas van Universal (die er *zowel* door JFK en Reagan werd uitgenodigd). Maar nu genoten zelfs regisseurs en uit de gratie geraakte komieken als Chevy Chase er bij overnachtingen van historische stoeipartijen met hun vrouwen. Chevy, die beroemd was geworden door zijn imitatie van Gerry Ford, overnachtte op het Witte Huis dankzij Bill Clinton, gewoon weer een rare, wilde kronkel in de Amerikaanse politiek.

Iedereen in de stad wist dat Harry Thomasson, de tv-producent, een van Bill Clintons meest vertrouwde adviseurs was. Hij had zelfs zijn eigen kantoor op het Witte Huis. Maar iedereen die een beetje belangrijk was, wist dat Harry *niet* belangrijk was – tenminste niet in deze stad. Hij was een *tv*-producent in een stad die graag en welwillend tv-geld accepteerde – maar televisie nog steeds als enigszins minderwaardig beschouwde, een plek waar je werkte terwijl je probeerde bij de film te komen of er daar al uitgegooid was.

De stad had van oudsher een arrogante progressieve traditie. Jack Valenti, hoofd van de Motion Picture Association of America, de officiële lobbygroep van de amusementsindustrie in Washington, was een voormalige Witte Huis-medewerker van LBJ, die zijn loopbaan begonnen was met elke ochtend de maïspresident bij te praten terwijl deze op het gemak zat, en hem het presidentiële wc-papier aan te reiken. Norman Lear, de schepper van *All in the Family*, was de oprichter van People for the American Way, een organisatie met 250.000 leden die was opgezet om zich door middel van de televisie in te zetten voor progressieve onderwerpen en doelen. Onder vele anderen hadden Warren Beatty en Barbra Streisand en Marlon Brando tijd, geld en acteertalenten gewijd aan kandidaten en doelstellingen. Gerespecteerde oudere regisseurs als John Frankenheimer en Norman Jewison hadden als adviseurs opgetreden voor de noodlottige campagne van Bobby Kennedy. De meeste studiohoofden of vice-presidenten waren mensen die in de jaren '60 waren afgestudeerd en sterk progressieve opvattingen hadden.

Het viel mij bijvoorbeeld makkelijk om een film te maken over een groep rechtse neo-nazi's (*Betrayed*) en de studio was verrukt toen Pat Buchanan de film aanviel omdat hij 'on-Amerikaans' zou zijn. Als Buchanan die mening was toegedaan, vonden we, dan hadden we dus in ieder geval iets goed gedaan. De studio koos Costa-Gravas als regisseur. Costa-Gravas was zelfs nog nooit in het Amerikaanse Midwesten geweest, maar werd dankzij de schokkend-briljante film *Z* in alle progressieve kringen als een held beschouwd.

We waren gedeeltelijk verenigd in onze progressiviteit door ons geloof in de vrijheid van meningsuiting. We waren ervan overtuigd dat de Nixons en Gingriches van deze wereld, die wauwelden over de maatschappelijke invloed van geweld op het scherm, hun eigen geheime agenda hadden. Ten eerste waren ze het oneens met onze politiek en probeerden ze het publiek zover te krijgen dat ze onze films boycotten of erbij weg zouden blijven, en ten tweede wisten ze verdomd goed dat de echte wapens het geweld veroorzaakten en niet de wapens op het witte doek, maar ze gebruikten de kwestie van filmgeweld als boeman om de bijdragen van de wapenlobby niet in gevaar te brengen. Toen ik een column schreef voor *Variety*, waarin ik wees op het expliciete, overdreven geweld in een roman van Newt Gingrich, ontving ik schriftelijke gelukwensen van veel Hollywood-producenten.

We deelden ook een afkeer voor de krachten van de rechtse onderdrukking. Richard Dreyfuss probeerde nog steeds, zoveel jaren later, het antifascistische boek *It Can't Happen Here* van Sinclair Lewis verfilmd te krijgen. Er waren weinig conservatieven in de stad: David Horowitz, ooit een Nieuw-Linkser, nu een conservatieve ideoloog; scenarioschrijver Lionel Chetwynd (*The Hanoi Hilton*); gevallen ster Tom Selleck; Charlton Heston van de NRA; en Arnold Schwarzenegger (hij telde niet mee – hij was een Kennedy). De paar conservatieven maakten soms in het openbaar bezwaar tegen wat zij 'progressieve propaganda' op het scherm noemden, maar ze konden er niets tegen doen. Ze moesten al moeite doen om aan het werk te komen. Niet dat ze het helemaal mis hadden: regisseur Betty Thomas definieerde tegenover mij de lachfilms van de jaren '90 kort en bondig als 'grappige momenten met progressieve tussenvoegsels'.

Hollywood was door middel van de navelstreng verbonden – een eigen factie-actie – met de beweging van de jaren '60 en '70. Toen de Weatherpeople ondergronds gingen, werden ze gesteund door acteur Jon Voight. Producent Burt Schneider en regisseur Bob Rafelson financierden Huey Newtons dure appartement aan de oever van het meer in Oakland. Regisseur Emile de Antonio en cameraman Haskell Wexler, Oscarwinnaar, maakten toen de Weatherpeople op de vlucht waren zelfs een documentaire waarin zij verheerlijkt werden, ongeacht het feit dat het jongste boek van de Weather Underground was opgedragen aan Sirhan Sirhan of dat Bernardine Dohm haar leger zover probeerde te krijgen dat ze Charles Manson steunden. Ze noemde de mensen die door de Manson-familie waren vermoord 'de Tate Acht', en zei: 'Moet je nagaan. Eerst vermoordden ze die varkens, toen gingen ze eten in dezelfde kamer, ze staken zelfs een vork in de maag van een slachtoffer! Wow!' Als er mensen waren in Hollywood die van de Weatherpeople hielden, dan waren er ook Weatherpeople die van Hollywood hielden. De *Wild Bunch* van Sam Peckinpah was hun cinematografische bijbel. Bernardines stoottroepen keken keer op keer naar de vertraagde beelden van het geweld in de film en werden geïnspireerd door de door drugs geïnspireerde, dronken Peckinpah-obsessie met bloed.

Maar niemand in Hollywood had een sterkere band met de jaren '60 dan Jane Fonda... zelfs voor ze Tom Hayden tegenkwam, haar Nieuw Links-ideoloog uit het Midwesten. Ik ontmoette Fonda voor het eerst toen ze was gearresteerd in Cleveland voor het invoeren van een heel klein beetje hasj uit Canada. (Haar politiefoto werd op de meeste muren van het politiekantoor op Payne Avenue gehangen.) We raakten bevriend toen ze mijn boek over de schietpartij op Kent State had gelezen en het goed vond. Toen ik scenario's ging schrijven, probeerden we vergeefs MGM een film te verkopen over Karen Silkwood, de kernenergie-activiste. Ik mocht Fonda – haar intelligentie, haar betrokkenheid bij een betere samenleving – en de subtiele, ingehouden virtuositeit van haar toneelspel. Maar ze werd ouder – nog steeds een verbijsterend mooie vrouw in een stad die actrices afdankt als ze tegen de veertig lopen ('restantjes *Beef Wellington*', zei een producent tegen mij).

Ik had een idee voor een scenario, dat uiteindelijk de film *Music Box* zou worden, en vroeg Jane of ze eventueel de hoofdrol wilde spelen. Ik wist dat ze niet meer zoveel scenario's kreeg toegestuurd als vroeger. Ze legde zich vast voor de hoofdrol voordat ik het scenario geschreven had. Toen ze het gelezen had, was ze verrukt. 'Het is een prachtige rol,' zei ze. 'Het wordt een geweldige film.' Costa-Gravas, de regisseur, was een vriend van Jane en had zelfs bij haar thuis gelogeerd. Toen hij het scenario kreeg, besloot hij dat Jane te oud was voor de rol. Irwin Winkler, de producent, en ik probeerden hem van gedachten te laten veranderen, maar hij bleef bij zijn standpunt. Jane begon een campagne om Costa ervan te overtuigen dat ze de rol kon spelen. Ze liet haar haar anders kappen, trok een sexy jurk aan en deed auditie op videoband. Winkler en ik vonden haar geniaal op de band (geen enkele ster maakte auditiebanden), maar Costa was niet te vermurwen. Hij wilde Jessica Lange.

Jane was diepbedroefd. Ze had haar contract om de film te doen al ondertekend en de studio moest haar meer dan een miljoen dollar betalen om haar *niet* mee te laten doen aan de film. Niet veel later besloot ze Hollywood te verlaten. Ik kon haar geen ongelijk geven. Het was 1987... de jaren '60 waren lang geleden. Ze schreef een briefje om me te bedanken voor mijn pogingen om haar aan *Music Box* te laten meedoen. Ze ondertekende het met 'Power to the People!'

Een deel van Hollywoods gloedvolle, strijdbare vooruitstrevendheid kwam ook voort uit een door de media gevoed schuldgevoel over de zwarte lijst – toen veertig jaar geleden een groep scenarioschrijvers, regisseurs, acteurs en producenten niet aan het werk kon komen vanwege hun vermeende communistische sympathieën en hun weigering om erover te getuigen voor een Congrescommissie van het Huis van Afgevaardigden.

Deze verbijsterend onrechtvaardige zwarte lijst was tegen het midden van de jaren '90 opgeklopt tot Hollywoods eigen holocaust. De Schrijversbond, die haar eigen eigentijdse creatieve geschilpunten uit te vechten had, vond het kennelijk veiliger en edeler om stil te blijven staan bij de zwarte lijst uit het verleden dan om bij de studio's op te komen voor de rechten van de huidige schrijvers. De Schrijversbond organiseerde een eindeloze serie congressen en getuigenverklaringen over de martelaren van veertig jaar geleden.

Toen Elia Kazan, die wel getuigde en verlinkte in de tijd dat de gekwelde scenarioschrijvers dat niet deden, eindelijk de Oscar kreeg die hij verdiende, was zijn ontvangst zo kil alsof hij Leni Riefensthal was, de regisseuse van nazistische propagandafilms. De ijzige ontvangst ontstond interessant genoeg niet alleen door toedoen van die paar oudere producenten en regisseurs die Kazans tijdgenoten waren, maar ook van jongere acteurs als Ed Harris, die zijn progressieve geweten in het knoopsgat van zijn smoking droeg.

Er waren een paar mensen in Hollywood zo radicaal links dat zij glimlachten toen Reagan werd neergeschoten. Reagan werd neergeschoten door de halve gare John Hinckley, die geobsedeerd was geraakt door Jodie Foster in de film *Taxi Driver*. Het scenario voor *Taxi Driver* was geschreven door Paul Schrader, die het dagboek van Arthur Bremer gebruikte als uitgangspunt voor zijn scenario. Bremer was de halve gare die George Wallace had neergeschoten. 'Twee rechtse vliegen – Reagan en Wallace – in één klap,' zeiden deze verknipte aanhangers van Hollywood; Bremer met de hulp van Hollywood in de vorm van scenarioschrijver Schrader.

Sommige mensen in Hollywood waren beroepsprogressieven, die de politieke smartlappen zongen waarvan ze wisten dat de hoofden van studio's (en vele critici), fatsoenlijke sociaal geëngageerde lieden uit de jaren '60, ze graag hoorden. Oliver Stone was daarvan het meest geslaagde voorbeeld. Stone, een man met te veel persoonlijke excessen, leek net zo vaak wel stoned als niet. (Ik zag hem een keer een vrouw bij haar haren uit een bar sleuren.) Oorspronkelijk was hij de schrijver van aangrijpend gewelddadige, soms lachwekkende, melodrama's in schuttingtaal – *Midnight Express, Scarface, The Hand* – later werd hij een soort heilige van links met zijn twee indrukwekkende Vietnamfilms – *Platoon* en *Born on the Fourth of July*. Beide films waren gericht tegen de oorlog en waren uitvergrotingen op het witte doek van de gevoeligheden van de demonstranten uit de jaren '60.

Maar hij overtrof zichzelf met *JFK* en *Nixon*. Beide films bestonden van a tot z uit leugens. Erger nog, met het oog op toekomstige generaties, beide films pretendeerden de waarheid te tonen. Maar Stone noemde zichzelf geen progressieve propagandamaker; hij noemde zichzelf 'een filmmaker die de gedocumenteerde werkelijkheid toont'.

De twee verschillende films werden door twee verschillende studio's gemaakt, in de wetenschap dat het grove, ten hemel schreiende leugens waren die de hersens van de kiezers van morgen zouden verzieken. Ik wist echter dat de films niet gemaakt werden omdat progressieve types uit de jaren '60 leiding gaven aan de studio's en in Stones leugens geloofden. Ze werden gemaakt omdat de hoofden van de studio's ervan uit gingen dat Stones films winst zouden maken (*JFK* maakte winst, *Nixon* niet).

Ik wist ook uit ervaring dat in een frontale botsing tussen gezamenlijke progressieve idealen en geld verdienen, in Hollywood het geld altijd won. In 1998, in een periode dat de opgefokte progressieve stad zich rond Bill Clinton schaarde, schreef ik een scenario voor Paramount getiteld *Land of the Free*, over de heropleving van rechtse milities door het hele land. De studio hoopte dat Mel Gibson de militieleider wilde spelen die ik had gecreëerd, een charismatische, gevaarlijk aantrekkelijke man die in wezen een racist en een antisemitisch moreel monster was. Gibson weigerde het scenario en zei dat hij 'zo'n slechterik' niet wilde spelen. De studio vroeg me om het te herschrijven, zodat de hoofdpersoon 'niet zo'n slechterik zou zijn'. 'Maar deze kerels *zijn* slecht,' zei ik tegen de studio. 'Ze zijn vreselijk. Ik wil de milities niet goedpraten.' De studio zei: 'Maar we willen echt heel graag dat Mel meedoet.' Ik weigerde het te herschrijven; de studio legde het project op de plank.

Ik bevond me in 1987 in dezelfde positie met *Music Box*. Mijn scenario eindigde met de onthulling dat de minzame oude opa een nazi-oorlogsmisdadiger was. Universal bood de mogelijkheid om de film te maken, zei het graag te willen doen – als ik tenminste het eind veranderde en zorgde dat de grootvader onschuldig bleek aan alle oorlogsmisdaden. 'Dat wordt een rechtvaardiging van alle oorlogsmisdadigers die door regeringen in de hele wereld worden vervolgd,' zei ik. 'Het wordt uiteindelijk een aanval op de organisaties die deze mensen vervolgen.' De studiodirecteur zei: 'Ja, maar op deze manier verkopen we geen kaartjes.' Gelukkig vonden producent Irwin Winkler en regisseur Costa-Gravas en ik een studio die het scenario in zijn oorspronkelijke vorm wilde verfilmen. (We verkochten geen kaartjes.)

Sommige mensen vlogen binnen onder de politieke radar en bleven als ze succes hadden. Wie kon het wat schelen dat filmbons Andy Vajna zijn geld om naar Hollywood te komen had verdiend door in Hong Kong als pruikenhandelaar een contract te sluiten met de regering van communistisch China om het afgeschoren haar van dissidenten op te kopen? Wie kon het wat schelen dat Mel Gibson de meest verschrikkelijke homofobe teksten uitsloeg tot zijn pr-mensen zijn mond dichtplakten? Wie kon het wat schelen dat de man die die Disney-film regisseerde een veroordeelde kinderverkrachter was? Wie kon het wat schelen dat Marlon Brando antisemitische opmerkingen maakte in *Larry King Live* – hij was Marlon Brando, en Larry King, die joods was, kuste hem, nietwaar? Wie kon het wat schelen dat Bruce Willis zei: 'Als ik zwart was, zou ik ook bij Farrakhan zijn'? Of: 'FDR wist dat Pearl Harbour aangevallen zou worden en liet het desondanks gebeuren.'? Bruce Willis was een groot kassucces, toch? Dit in tegenstelling tot Charlton Heston, die aan de kassa dood, begraven en gemummificeerd was, en toevallig ook nog voorzitter van de National Rifle Association.

Hollywoods geloof in burgerlijke vrijheden, zelfs in seksuele privacy, raakte af en toe ook in het ongerede. In 1983, toen ik de film *Jagged Edge* aan het schrijven was, was mijn producent Martin Ransohoff, de eerbiedwaardige wilde neushoorn van het vak, keihard, slim, niet iemand om mee te sollen. De studiomanager die belast was met het project was Craig Baumgarten, die in de jaren '70 een pornofilm had geproduceerd en erin had meegespeeld. Toen Ransohoff een meningsverschil had met Baumgarten en de indruk kreeg dat Baumgarten hem niet met voldoende respect behandelde, vroeg hij mij om tussenbeide te komen en Baumgarten te waarschuwen dat hij op de hoogte was van de pornofilm. Ik waarschuwde hem, maar Baumgarten, jong en brutaal, sloeg mijn waarschuwing in de wind. Een band met de pornofilm verscheen al snel op het bureau van een van de directieleden van Columbia Pictures. Toen hij een paar dagen later ontslagen werd, barstte Baumgarten in snikken uit en geloofde nauwelijks wat hem was overkomen.

De studio die Baumgarten ontsloeg was toen het eigendom van Coca-Cola, een bedrijf waarvan de betrokkenheid bij drie van de grootste schandalen in Amerika niet onopgemerkt voorbijging: Fatty Arbuckle gebruikte een Coca-Colaflesje om zijn jonge slachtoffer inwendig af te rossen; rechter Clarence Thomas had Anita Hill volgens haar beledigd door zijn opmerking dat er schaamhaar zat op zijn blikje coke-light; Bill Clinton gebruikte als smoes tegenover zijn secretaresse dat hij Monica van het Oval Office naar zijn privé-werkkamer bracht 'om haar een coke-light te geven.' Coca-Cola, zo merkten de historici ook op, was het colabedrijf van de progressieve Democraten. Pepsi steunde vooral de Republikeinen, met name Richard Nixon, die, zoals het zijn verraderlijke aard betaamde, privé coke-light dronk.

Terwijl er zo nu en dan kwalijke en uitgesproken onprogressieve dingen gebeurden, zoals het ontslag van Baumgarten, volgde de stad het voorbeeld van Hillary en raakte verslaafd aan het psychotherapeutisch jargon van de New Age. Michael Lerner, de maharishi van Hillary, werd zelfs uitgenodigd voor een paar studiocongressen. 'Facilitators' werden vaste klanten bij de retraites van de industrie en moesten als regenmakers positieve energie opwekken.

Superagent Arnold Rifkin hing rond met Tony Robbins, de goeroe van het lopen-over-hete-kolen. Producenten Jon Peters en Peter Guber die hun samenwerking verbraken, maakten bekend dat ze *samen in therapie gingen*. (Ik lag in die periode in scheiding. 'Ga in therapie met je ex,' zei Peters tegen me. 'Het helpt niet, maar zij krijgt de indruk dat het je wat kan schelen. Het scheelt je minstens een miljoen dollar.')

Die knuffelige stemming sijpelde al gauw door naar het witte doek, en toen *Forest Gump* zo'n succes bleek te zijn, gingen alle studio's opeens op zoek naar 'spirituele' of 'godsdienstige' verhalen. Sylvester Stallone banjerde op een middag door mijn huiskamer en probeerde me zover te krijgen dat ik een 'diep spiritueel' scenario voor hem zou schrijven. Hij zei dat hij al jaren een boek wilde verfilmen waarin hij Jezus Christus zou spelen. Nu had hij een beter idee. Hij wilde een televisiedominee spelen, een eigentijdse genezer die wonderen verrichtte. We hadden een bespreking in een kamer vol directieleden bij Universal. Sly schreed door de kamer, zwaaide met zijn armen, alsof hij de woorden van de Heer predikte. Een directielid zei: 'Luister jongens. Sly, jij bent een topspierbundel. Joe, jij hebt net *Showgirls* geschreven. Vinden jullie niet dat dit voor jullie allebei een te grote overgang is?'

Naarmate meer mannen zich in films aan sensitivitytrainingen onderwierpen, werden steeds meer mannen in kantoren in Hollywood het doelwit van aanklachten van ongewenste intimiteiten. Mannen met meer geld en macht gingen naar de rechter of troffen snel een schikking. Maar anderen, waaronder middenkaderpersoneel van de studio's, werden ontslagen. Een producent in mijn kennissenkring werd niet alleen ontslagen, maar liet zich, uit angst voor publiciteit, chanteren tot het verkleinen van zijn aandeel in toekomstige films.

De meeste heteroseksuele mannen verkozen al snel alleen nog mannelijke assistenten in te huren. Een vrouwelijk studiodirectielid, die getrouwd was met een regisseur, had zo veel rechtszaken en schikkingen over ongewenste intimiteiten gezien, dat ze haar man verbood om nog vrouwen op te nemen in zijn team. De hele stad nam de strategie over. Terwijl dat aan de gang was, probeerden bekende feministen toch nog in Hollywood contracten voor scenario's en producties af te sluiten. Gloria Steinem en ik hadden op een avond een prettig gesprek bij mij thuis over een film over de jonge Marilyn Monroe.

Terwijl David Geffen keek naar de hoorzittingen van de Huiscommissie voor Justitie, klonken er bij Spago onderaardse geluiden dat Warren Beatty, de Mark McGwire van de zwaardvechters, overwoog om zich kandidaat te stellen voor het presidentschap.

Het was een oorverdovend gerucht. Je had enerzijds Clinton, bijna uit het ambt gezet terwijl hij niet eens gemeenschap had gehad, en anderzijds Warren, lid van de Hall of Fame, de menselijke seksmachine met de slaperige oogjes, die zijn blik richtte op het bevuilde Oval Office. Het gerucht wilde dat Gary Hart – *Glorie, glorie, halleluja!* – zijn adviseur was. Het gerucht wilde dat Pat Cadell, die zo graag scenarioschrijver had willen zijn, informeel terug was in de verkiezingsindustrie.

Ik kon me het gesprek in Robert Evans' projectiekamer heel goed voorstellen, met een loeiende open haard en de polaroidfoto's van naakte vrouwen op tafel... opgedirkte Warren en bittere Gary en ijdele Evans met zijn honkbalpet van het Witte Huis van Bush en grijzende Pat... en de roodharige vrouw met de sigaar in haar gat die hun Perriers brengt, terwijl zij de finesses doornemen van de verleidingen van het politieke leven.

Niet lang nadat ik David Geffen sprak, zei hij tegen verslaggevers dat hij James Rogan uit Californië, lid van de Huiscommissie voor Justitie, een Republikein die onwrikbaar vóór impeachment was, bij de verkiezingen in 2000 tot 'doelwit nummer één' had gekozen. Ik wist dat David rijker was dan God en sluwer dan de duivel, en het leek mij dat James Rogan David maar beter vergiffenis kon vragen... *op zijn knieën.*

[3]

Ross Perot en drugs

*Monica zei: 'Ik heb zoiets van – "Ik heb er geen flauwe notie van
wie je werkelijk bent."'*
*'Je realiseerde je geen moment aan wie z'n pik je zat te zuigen,' zei
Linda Tripp.*
'Nee. Dat weet ik,' zei Monica.

Het geroep om Bill Clintons impeachment weigerde te bedaren, de twee
rabiate gorgonen Schandaal en Ondergang waarden als bezeten amok-
makers door het land... en Ross Perot, die Clinton al twee keer geholpen
had om met een minderheid van stemmen president te worden, sprong
woedend in de bres om opnieuw van dienst te zijn. Perot, Amerika's Tinnen Soldaatje, beschuldigde de president van druggebruik in het Witte
Huis.

Die aantijging sleurde alle andere beschuldigingen mee in het absurde.
De sigaar was al surrealistisch genoeg, de vierentwintig uur durende fel-
latio-marathon op de tv was al bizar genoeg... maar *drugs in het Witte
Huis*? Daarmee begon Bill Clinton te lijken op een soort Tony Montana
met zijn kop in een zilveren schaal cocaïne. Volgens Perot waren Bill
Clintons roekeloosheid, onverantwoordelijkheid en leugenachtigheid
alleen maar te verklaren door aan te nemen dat hij aan de drugs was.
Perot neuzelde als een wederopgestane Carry Nation. Over de drugsdui-
vel in plaats van de drankduivel.

We maakten ons vrolijk om de woorden van het Tinnen Soldaatje,
hoewel degenen onder ons die de jaren '60 echt doorlééfd hadden in
het diepst van ons hart wisten dat het Tinnen Tekenstripsoldaatje waarschijnlijk indirect toch de roos had geraakt... zij het wel een roos die vrijwel iedereen irrelevant vond. Marihuana en cocaïne, onze favoriete
drugs, brachten je er niet toe de natie iets voor te liegen of je gulp open
te trekken met de woorden: 'Kus hem...' hoewel allebei die drugs dat
kussen veel lekkerder maakten. Perot drong herhaaldelijk aan op publicatie van de medische gegevens van de president – zoals die ook van andere presidenten waren gepubliceerd – maar we wisten goed waarom Bill
Clinton daar niets voor voelde. Hij was niet de enige die in de loop der
jaren zijn neustussenschot beschadigd had.

We kenden de geruchten dat Bill Clinton tijdens zijn verkiezingscampagne in Arkansas op een avond ijlings naar het ziekenhuis moest worden gebracht vanwege een overdosis cocaïne. Waarom zou hij persoonlijke gegevens vrijgeven die alleen maar gênant (George Bush had – wat anders? – aambeien) of nog erger waren? (JFK, die behandeld was voor gonorroe, leed zijn hele leven aan acute uretrale gonokokkemie, een genitale ontsteking die een branderig gevoel geeft bij het urineren.)

We wisten dat Bill Clinton dezelfde dingen gedaan had als wij. Als student in Oxford had hij rondgehangen in rokerige, met kussens bezaaide kamers, waar hij thee en sherry dronk met de vrouwtjes, hasj en wiet rookte en leerde om, in de woorden van een van die vrouwtjes, 'te inhaleren'. Een oude vriendin, Sally Perdue, vertelde dat hij haar als gouverneur in 1983 joints uit een sigarettendoos en cocaïne uit een plastic zakje offreerde. Gennifer beschreef hoe hij haar cocaïne aanbood in haar appartement, voordat ze tussen de zwarte satijnen lakens van haar extragrote tweepersoonsbed klommen. Tijdens een van zijn personeelsfeestjes in Arkansas deelde een secretaris wiet, hasj, cocaïne, pillen en spuiten uit aan de gasten. Dit was het soort leven dat velen van ons soort mensen maar al te goed onder de knie hadden gekregen: kaarsen, wierook, zwarte satijnen lakens, gestreepte gordijnen, wiet, coke en seks.

In het begin van de jaren '80 was Bubba aan de rol, net als wij. Hij maakte de bars van Little Rock onveilig, bleef hangen tot sluitingstijd en keek naar de dansende meisjes – nooit met Hillary maar dikwijls met Roger, zijn halfbroertje. Roger snoof zestien keer per dag cocaïne en gebruikte vier gram per dag.

Roger was het soort figuur dat zijn eigen scheten in brand steekt. Zijn moeder leerde hem lezen uit haar paardenblad. Roger was een norse nietsnut die opgegroeid was met weinig meer om handen dan gitaar spelen, in de met psychedelische affiches omhangen spiegel kijken hoe zijn haar groeide en 'Red Roses for a Blue Lady' zingen voor zijn moeder.

Roger was dol op de man die hij altijd 'Grote Broer' noemde en er bestaat een videotape waarop hij, al cocaïne snuivend, zegt: 'Hij was als een vader voor me toen ik opgroeide, mijn hele leven lang, daarom staan we elkaar zo na.' Roger en Grote Broer zetten de bloemetjes buiten in het begin van de jaren '80, toen Grote Broer gouverneur was en Roger in zijn 'Feesthut,' het gastverblijf bij de ambtswoning, woonde en 's avonds laat, als hij een hongerkick kreeg, de keuken plunderde.

Je zag Roger en Grote Broer vaak aan de boemel gaan. Een serveerster in een club met de naam de Bistro verklaarde later voor een tribunaal dat ze cocaïne verkocht had aan Roger Clinton, die deze vervolgens aan Grote Broer overhandigde. Ze zei dat ze Bill Clinton 'vaak' cocaïne had zien snuiven en beschreef de avond waarop de gouverneur van Arkansas zo total loss was dat hij langs een muur afgleed en steun moest zoeken aan een... vuilnisbak. De beheerder van een flatgebouw waar Roger korte tijd woonde, zei dat ze Roger en Grote Broer had horen praten over de kwaliteit van de cocaïne die ze aan het snuiven waren. Een verborgen camera filmde Roger op een avond toen hij probeerde cocaïne te kopen. 'Ik moet wat voor m'n broer hebben,' zei Roger. 'Die heeft een neus als een stofzuiger.'

Maar vier gram coke per dag is veel, verdomd veel, en Roger had zo'n enorme behoefte dat hij grote risico's nam. Hij begon te dealen... op hetzelfde moment dat de vrienden van Bill Clinton de indruk kregen dat de gouverneur, die een groot deel van zijn tijd doorbracht aan zijn flipperautomaat in het souterrein van zijn ambtswoning, aan een vreemde matheid, een onverklaarbare losbolligheid leed.

Roger vloog naar New York met cocaïne onder zijn kleren, waaronder één keer in het gezelschap van een zich officieel van niets bewuste Grote Broer. Roger dealde coke in opdracht van een stelletje zware jongens, en op een avond werd zijn sportwagen gestolen met alle cocaïne aan boord. Zijn leveranciers wilden meteen twintigduizend dollar zien en dreigden hem te vermoorden.

Een later FBI-onderzoek bracht aan het licht dat Grote Broer naar een zakenrelatie ging, die later zelf werd veroordeeld voor illegale handel in drugs, en hem vroeg Roger een poosje op zijn boerderij in Florida te laten onderduiken. Maar de FBI had Roger in de peiling en hij kreeg twee jaar in een federale gevangenis in Texas (aangeklaagd door ene Asa Huchison, die vele jaren later opnieuw zou opduiken als een van de fanatiekere leden van de Huiscommissie voor Justitie die eiste dat Grote Broer van zijn ambt ontheven werd).

Grote Broer zat in de rechtszaal toen zijn kleine broertje veroordeeld werd, met een rode en ietwat lekke neus. Na afloop zei de gouverneur van Arkansas op de trap van het gerechtsgebouw, nog steeds geëmotioneerd: 'Ik ben vastbeslotener dan ooit alles te doen wat in mijn macht ligt om de illegale drugs in onze staat te bestrijden.

'Tja... mooi... Jézus zeg... nou en? Hij gebruikte toch geen heroïne, wel? Hij spoot toch niet? Hij lag toch niet voor lijk op de smerige vloer van een of andere crack-tent? (Hoewel je moest toegeven dat langs een muur afglijden en zich aan een vuilnisbak vastklampen wél enigszins verontrustend was.)

Snuifcocaïne was geen achterbuurtdrug, maar de drug voor de betere kringen, misschien zelfs nog chic, de lievelingsdrug van hippe vogels en de elite van Hollywood, de legendarische drug van Sigmund Freud en Sherlock Holmes. Cocaïne was onze drug, de drug van de geboortegolfgeneratie. (De jeugd mocht zich wat ons betrof vergrijpen aan Ecstacy; een aantal van ons, inmiddels een dagje ouder, was erdoor in het ziekenhuis beland.)

Terwijl ik naar het getier van Ross Perot luisterde, herinnerde ik me mijn eigen vrijage met cocaïne in de jaren '70, toen ik bij *Rolling Stone* zat, die zoemende kleine bijenkorf van cocaïnebedrijvigheid. Als de plaatselijke dealers een verhaal in het blad goed vonden, vooral mijn artikelen waarin ik corrupte agenten van de narcoticabrigade aan de kaak stelde, gaven ze uiting aan hun waardering door een paar gram op kantoor te laten bezorgen.

Ik was dol op de bevrijdende vreugderoes van cocaïne, het oeverloze geklets, en in mijn ervaring was het 't enige afrodisiacum dat echt werkte. De geilheid van JFK was naar verluidt deels het gevolg van de cortison die hij kreeg toegediend tegen de ziekte van Addison (Bill Clinton nam ook cortison, voor zijn sinusholten en zijn knieën), maar wat mij betrof was cocaïne het grootste godsgeschenk voor de man sinds de uitvinding van het condoom. Mijn seksuele partners waren grotendeels dezelfde mening toegedaan – cocaïne bracht een explosief, orgastisch vuurwerk op gang dat wel acht uur kon doorgaan.

Wel ontdekte ik dit niet bij iedereen zo was. Hunter Thompson, wiens ontbijt in die tijd uit twee Bloody Mary's, vier lijntjes coke en een half pakje sigaretten bestond, vertelde me dat het hem zin gaf om te schrijven. Jann Wenner vertelde me dat het hem in staat stelde Hunters proza te redigeren. Mijn conclusie was dat het ons energie geeft voor datgene dat we het liefste doen. David Felton, een andere redacteur bij *Rolling Stone*, was gek op praten... Hunter was gek op schrijven... Jann was gek op redigeren... en ik was gek op seks.

Het leed geen twijfel dat cocaïne gevaarlijk was. Je kon er echt gestoord van worden. Ik zag Grover Lewis, weer een andere redacteur bij ons, op een avond in een bar een kwartier lang proberen sigaretten uit een jukebox te halen. Toen ik een nachtje in een motel doorbracht met een snoepje van *Rolling Stone*, merkte ik plotseling dat ik niet kon praten. Ik stond mijn seksuele mannetje, maar ik kon ongeveer tien uur lang geen woord uitbrengen (later hoorde ik van een arts dat ik een miniberoerte had gehad – op mijn achtentwintigste).

In de loop der jaren hielden de meesten van ons op onszelf te beschadigen met cocaïne – in mijn geval aangezet door die miniberoerte. In andere gevallen leidde de dagelijkse tol van het ouder worden tot hetzelfde resultaat. Maar meestal was de reden onze kinderen. We wilden niet dat onze kinderen hun eigen gezondheid en leven in de waagschaal stelden zoals wij dat gedaan hadden. Sommigen van ons namen de lijfspreuk van Nancy Reagan over: 'Just Say No!' Anderen, die misschien iets realistischer waren en beseften dat de appel niet ver van de boom valt, gaven hun kinderen, toen die teenagers werden, het stichtende voorbeeld van hun persoonlijke ervaring. Wiet is oké, zo lang je er maar voor zorgt dat niets anders doorheen gemengd is, vooral geen *angel dust*. Cocaïne tast je neusslijmvliezen aan en veroordeelt je tot een leven lang Claritingebruik. Heroïne is een verslaving waar je nooit meer van afkomt. Crack is even erg als heroïne – daarmee eindig je óf in de goot óf achter de tralies. Speed is dodelijk. Ecstacy kan je een hartstilstand bezorgen. Eén pilletje LSD kan je op een permanente frontale lobotomie komen staan.

En daar stond Ross Perot te verkondigen dat de president van de Verenigde Staten, wiens hele neus naar de kloten was en die op grote schaal Claritin gebruikte, een drugsprobleem had... nog afgezien van al zijn andere problemen. Ik wist zeker dat Bill Clinton inmiddels even clean was als ik, en ik was van alle smetten vrij (op nicotine na, net als Clinton).

Maar terwijl ik het Tinnen Soldaatje aan één stuk door tegen Bill Clinton als 'onze opperbevelhebber' van leer hoorde trekken, begon ik langzaam door te krijgen wat Perot wérkelijk in de krop stak: niet het pijpen of de sigaar of het liegen, maar de godvergeten dienstplicht. Bill Clinton had (net als ik) met succes en op slinkse wijze de godvergeten dienstplicht ontdoken – een *halsmisdaad* in de ogen van het Tinnen Soldaatje!

[4]

Bubba en de stoppelkoppen

'Ik meende gehoord te hebben dat hij twee gehoorapparaten heeft,' zei Linda Tripp. 'Dat is hoogst ongebruikelijk aangezien het verlies van hoge tonen meestal voorkomt bij soldaten die met zware artillerie of wapens werken.'
'Nou, hij zit nogal eens in de herrie van bands en partijconventies,' zei Monica. 'Ik bedoel, rock 'n roll!'

Wat Ross Perot niet doorhad, was dat de meeste mannen van mijn generatie op zijn minst geprobéérd hadden de dienstplicht te ontduiken. We zagen zo'n uitstapje naar die van ongedierte krioelende rijstvelden helemaal niet zitten. We snapten niet – toen niet en later niet – waar die oorlog voor nodig was.

Communísten? Waar sloeg het op dat we oorlog voerden tegen tweederangs communisten in Vietnam, terwijl Amerika op hetzelfde moment aanpapte met de superstars van de communistische eredivisie in Moskou en Beijing? En dat we moesten gaan vechten omdat we gestuurd werden... omdat het een dienstbevel was... omdat die boerenpummelige of die amorele opperbevelhebber daartoe besloten had... dat lapten we aan onze laars.

Lyndon Johnson of Richard Nixon boezemden ons geen enkel respect of vertrouwen in. We wilden geen geweren dragen, we wilden magazijnen met joints. We wilden niet doodgeschoten worden, we wilden high worden en van bil gaan.

En nu wilden ze ons weghalen van onze witte Beatle-elpees en naar wierook geurende kamers en ons haar afknippen... en ons laten koeioneren door zo'n ingeteelde stomme stoppelkop in de basisopleiding? En ons vervolgens geweren in de handen stoppen met de opdracht 'spleetogen' dood te schieten, die we beschouwden als broeder-hippies die door de stoppelkoppen van de wereld gemaltraiteerd werden? *Lulkoek!* Godjezus nee, ons niet gezien!

Sommige jongens schoten hun eigen teen of pink eraf. Sommigen bleven zo lang mogelijk op school en kozen voor een carrière die een universiteitsstudie vereiste. Anderen propten zich tien keer per dag vol met pasta en lieten zich opzwellen tot monsters, in de hoop afgekeurd te worden op grond van zwaarlijvigheid. Weer anderen hielden op met eten en werden skeletten in de hoop afgekeurd te worden op grond van ondervoeding. Sommigen duwden voorwerpen in hun rectum in de hoop zichzelf te beschadigen en afgekeurd te worden op grond van het zich bezondigd hebben aan anaal geslachtsverkeer. Anderen bezóndigden zich aan anaal geslachtsverkeer. Sommigen gingen naar Canada.

De stoppelkoppen van de wereld konden kletsen wat ze wilden over de eerloosheid van de dienstplichtontduikers. We voelden geen enkel eerverlies en geen greintje schaamte. Voor ons gevoel waren de stoppelkoppen eerloze en schandelijke robotten, goede nazi's die de bevelen opvolgden van hogergeplaatste stoppelkoppen die een schandvlek waren op het nieuwe, liefhebbende, vreedzame Amerika dat wij probeerden op te bouwen.

Voor ons was iedereen die niet alles op alles zette om buiten deze ongerechtvaardigde en zinloze oorlog te blijven stom of immoreel of doodgewoon láf. We waren ervan overtuigd dat mensen die deze schunnige oorlog propageerden zich hadden laten vergiftigen door naar Sinatra of Sammy Davis Jr. of Eddy Arnold of de homohaatster Anita Bryant te luisteren.

Toen Bill Clinton met een Rhodesbeurs studeerde in Oxford en zijn oproep kreeg om op 3 mei 1969 ingelijfd te worden, rende hij letterlijk in paniek naar een vriend. Hij was zo overstuur dat hij hyperventileerde. Hij bonkte op de deur, maar zijn vriend was niet thuis. Hij liet zich snikkend op de grond vallen.

Hij wist inmiddels dat hij de politiek in zou gaan en hij wist ook dat Amerikanen zouden weigeren hun stem uit te brengen op zelfs maar een hondenvanger die naar Canada was gegaan of zijn pink erafgeschoten had of voorwerpen in zijn rectum geduwd had om de dienstplicht te ontduiken. Zijn ambities en zijn intuïtieve inzicht in de Amerikaanse realpolitik lieten hem weinig keus: de stoppelkoppen zouden nog jaren hun eigen 'overheidsdienaren' kiezen... net zo lang tot onze generatie oud genoeg was om haar waarden aan onze kinderen door te geven en Amerika via de stembus te veranderen.

Bill Clinton was even gekant tegen deze oorlog als wij en hij wist dat hij deze oproep hoe dan ook – *hoe dan ook* – ongedaan moest zien te maken. Hij belde zijn moeder en stiefvader met de vraag of ze mensen kenden die aan de vereiste touwtjes konden trekken. Hij vroeg zijn stiefvader te proberen hem in de *National Guard* of het Opleidingscorps voor Reserveofficieren te krijgen.

In zijn wanhoop vloog hij terug naar Washington voor een onderhoud met de machtigste man die hij kende, senator J. William Fulbright, de voorzitter van de Commissie Buitenlandse Zaken van de Amerikaanse Senaat. Bill Fulbright, die zich begon te ontpoppen als een verklaard tegenstander van de oorlog, was een vriend en ex-werkgever. Als jongeman was Bill Clinton chauffeur van de senator geweest tijdens diens verkiezingscampagne in Arkansas, waarbij hij met roekeloze snelheden de staat had rondgescheurd; later had hij in Fulbrights kantoor in Washington gewerkt. Hij smeekte de senator hem onmiddellijk in een onderdeel van de *National Guard* of het Opleidingscorps voor Reserveofficieren te plaatsen, zodat hij niet in dienst hoefde. De senator beloofde een paar mensen te bellen.

Ten einde raad en totaal in de war ging Bill Clinton naar Little Rock om met een andere vriend te praten, iemand die in dienst was van de algemeen secretaris van de Republikeinse partij in Arkansas. Zo hoog was zijn nood dat hij, een jonge, uiterst progressieve Democraat, zich gedwongen zag aan te kloppen bij de Republikeinen, een partij die nog steeds aan de leiband liep van de belangengroeperingen voor rassenscheiding en racisme, om te proberen aan de dienstplicht te ontkomen. Op voorspraak van zijn vriend bracht de algemeen secretaris van de Republikeinse partij in Arkansas een bezoekje aan de directeur van de Selectiecommissie van de staat Arkansas, die op zijn beurt een bezoek bracht aan het hoofd van het Opleidingscorps voor Reserveofficieren aan de universiteit van Arkansas, kolonel Eugene Holmes.

Bill Clinton schoor zijn baard af en liet zich kortwieken voordat hij kolonel Holmes, een veteraan van de krijgsgevangenkampen van de Tweede Wereldoorlog en de dodenmars van Bataan, onder ogen kwam – een doorgewinterde pacifist op bezoek bij een gedecoreerde oorlogsheld. Kolonel Holmes had twee zoons in Vietnam. Bill Clinton zat twee uur op kolonel Holmes' kantoor en probeerde hem ervan te overtuigen dat hij niet opgeroepen diende te worden; dat hij, die de pest had aan de oorlog en aan alles waar de stoppelkoppen voor stonden, de ideale stoppelkop-officier zou zijn. Hij zwoer dat hij geen tegenstander van de Amerikaanse oorlog in Vietnam was. De stoppelkoppige kolonel Holmes zei dat hij erover na zou denken. De volgende dag werd hij bestookt met telefoontjes van invloedrijke landelijke en plaatselijke politici die erop aandrongen Bill Clinton in het Corps Reserveofficieren onder te brengen. 'De algemene teneur van de telefoontjes was,' zei kolonel Holmes later, 'dat senator Fulbright druk op hen uitoefende en dat ze mijn hulp nodig hadden.

Kolonel Holmes was hun van dienst en vernietigde Bill Clintons oproep voor de dienstplicht, enkele dagen voordat die van kracht werd. Hij deelde Bill Clinton in bij het corps Reserveofficieren van de universiteit van Arkansas. Maar hij deed meer dan hem bij het universiteitscorps onderbrengen; hij hield hem buiten de oorlog. Kolonel Holmes besloot Bill Clinton toestemming te geven zijn jaar in Oxford af te maken én twee jaar rechten te studeren, voordat hij zich hoefde te melden. En iedereen wist dat deze pijnlijk impopulaire oorlog over drie jaar afgelopen zou zijn.

Weer terug in Oxford en verlost van de oorlog ging Bill Clinton voor het eerst de straat op om ertegen te protesteren. Hij werd een van de leiders van de anti-oorlogsbeweging in Oxford. Samen met vijfhonderd andere demonstranten marcheerde hij naar de Amerikaanse ambassade aan Grosvenor Square. Hij droeg een zwarte armband en een bord waarop met een viltstift de naam van een in Vietnam gesneuvelde soldaat geschreven stond. Hij leidde een anti-oorlogsdienst in een naburige kerk. Daarna marcheerde hij terug naar de Amerikaanse ambassade met een dertig centimeter hoog kruis in zijn armen, dat hij in een symbolisch gebaar tegen het hek van de ambassade plaatste.

Inmiddels berichtten de kranten dat Richard Nixon 35.000 manschappen uit Vietnam ging terugtrekken. Andere berichten meldden dat de dienstplicht binnenkort tijdelijk zou worden opgeschort – en dat bij de hervatting ervan alleen negentienjarigen en 'uitsluitend dienstplichtigen die zich vrijwillig voor dienst in Vietnam hebben gemeld' opgeroepen zouden worden. Nixon maakte zich sterk voor een lotingssysteem, meldden andere krantenberichten, waarin men maar één jaar dienstplichtig was. Er zou willekeurig getrokken worden uit een reeks getallen van een tot en met 365. Als jouw geboortedag er als een hoog nummer uitkwam, zou je nog maar één jaar lang gevaar lopen. Als je geboortedag als laag nummer getrokken werd, zou je nooit een oproep krijgen.

Bij de eerste dienstplichtloterij, kort na het verschijnen van deze berichten, kwam Bill Clintons geboortedatum als nummer 311 uit de loting. Nu wist hij dat hij, ook zonder het Opleidingscorps voor Reserveofficieren, nooit in dienst zou hoeven. Hij had kolonel Holmes en zijn Reserveoffieren nodig gehad om zijn oproep vernietigd te krijgen, maar nu waren ze alleen nog maar ballast. Hij wist dat hij met dit lage nummer nooit opgeroepen zou worden.

Hij schreef een brief aan kolonel Holmes met het verzoek heringedeeld te worden als 1-A (voor onmiddellijke inlijving), wétend dat dit nooit zou gebeuren vanwege zijn lage lotingsnummer. Hij wist ook dat dit gebaar hem uitstekend van pas zou kunnen komen als hij later naar een openbare functie dong. Het zou opgevat kunnen worden als een vaderlandslievend gebaar: een jongeman die al úitstel gekregen had, maar dat ópgaf en, op papier althans, de indruk wekte dat hij bereid was naar het front te gaan. De stoppelkoppen zouden het prachtig vinden.

In het besef dat hij ontsnapt was, gaf hij kolonel Holmes de volle laag, alsof hij niet in staat was zich te beheersen. Hij stuurde hem een brief. Hij schreef kolonel Holmes, bijna alsof hij zich verkneukelde, dat hij hem had voorgelogen. Hoewel hij tijdens zijn onderhoud met kolonel Holmes gezworen had dat hij niet tegen de oorlog was, schreef hij nu dat 'de bewondering [tussen hen] wellicht niet wederzijds zou zijn geweest als u iets meer had geweten over mij en over mijn politieke opvattingen en activiteiten.' Hij schreef dat hij 'iedere dag actief was tegen een oorlog die ik afkeurde en verachtte met een intensiteit die ik vóór Vietnam alleen maar voelde voor het racisme in Amerika... Ik heb tegen de oorlog geschreven en gesproken en gedemonstreerd.' Hij schreef: 'Ik had geen enkele belangstelling voor het Corps Reserveofficieren zelf en het heeft er alles van weg dat ik mezelf alleen maar gevrijwaard heb voor lichamelijk letsel.'

Bill Clinton bedankte de stoppelkop dat hij hem 'van de dienstplicht verlost' had. 'Geen enkele regering,' schreef hij, 'die werkelijk wortelt in beperkte parlementaire democratie, zou de macht mogen hebben haar burgers te laten vechten en doden en sneuvelen in een oorlog waar ze mogelijk tegen zijn, een oorlog die misschien zelfs verkeerd is, een oorlog waarin de vrede en vrijheid van ons land in ieder geval niet rechtstreeks bedreigd worden. In de Tweede Wereldoorlog was de dienstplicht gerechtvaardigd, omdat het leven van de bevolking als geheel op het spel stond. Het hele land dreigde ten onder te gaan, en individuele mensen moesten vechten om het leven en de cultuur van hun landgenoten te redden. Bij Vietnam is dat niet het geval.'

In veel opzichten was zijn brief een eloquente uitdrukking van wat velen van ons over de oorlog dachten. Aan de manier waarop hij de autoriteiten bezwendeld had kleefden rock 'n roll-aspecten die veel dienstplichtontduikers alleen maar konden bewonderen. Hij haatte de oorlog en dreigde ingelijfd te worden. Hij had zijn oproep ontdoken door een oorlogsheld te belazeren en hem politiek in de tang te nemen. Daarna trok hij de straat op om te protesteren tegen een oorlog die hem al niet meer kon deren. Daarna ontsnapte hij uit het wespennest van het Corps Reserveofficieren waar hij zich in had gemanoeuvreerd om aan de dienstplicht te ontkomen. Daarna vertelde hij de oorlogsheld in geuren en kleuren hoe hij hem belazerd had. Daarna las hij de oorlogsheld de les over oorlogvoeren.

Het werd bijna zijn ondergang toen hij het zes jaar later opnam tegen een Republikeinse veteraan uit de Tweede Wereldoorlog in de verkiezingen voor het Congres van Arkansas, en de Republikein vragen begon te stellen over hoe Bill Clinton aan de dienstplicht ontsnapt was. Bill Clinton wist dat zijn brief aan kolonel Holmes het hem bijzonder lastig zou kunnen maken. Hij wilde hem terug.

Hij had kolonel Holmes al één keer in de tang genomen via zijn vriend senator Fulbright, en nu zette hij hem opnieuw in de klem via vrienden in het bestuur van de universiteit van Arkansas. De oorlogsheld belde een assistent met de boodschap dat hij 'de brief van Clinton uit het archief verwijderd wilde zien'. De assistent stuurde de brief naar kolonel Holmes, die hem terugzond naar Bill Clinton.

Zestien jaar later, in 1991, kreeg deze assistent, Ed Howard, telefoontjes van journalisten over een brief die Bill Clinton naar verluidt ooit aan kolonel Holmes geschreven had. Ed Howard kwam Bill Clinton in Little Rock tegen en vertelde hem over de nieuwsgierige verslaggevers.

'Daar hoef je niet over in te zitten,' zei Bill Clinton. 'Dat heb ik geregeld.'

Niemand wist van het bestaan van een kopie van de brief, kennelijk gemaakt door een andere assistent van kolonel Holmes. De kopie werd tijdens de voorverkiezingen in New Hampshire in 1992 aan de pers doorgespeeld, waarna Bill Clinton en zijn adviseurs enkele dagen van de kaart waren. Er waren mensen die de kopie beschouwden als de perfect getimede wraak van een belazerde en de les gelezen oude oorlogsheld. Hoe zou Amerika reageren op een brief van een presidentskandidaat waarin deze vierkant toegaf de dienstplicht ontdoken te hebben?

Helemaal niet, bleek al spoedig. Mijn generatie was volwassen geworden. We hadden onze waarden aan onze kinderen doorgegeven. De stoppelkoppen waren dood of stervende of in ieder geval de draad kwijt, zoals Ross Perot. En ze waren nu ook duidelijk in de minderheid.

In het door ons gecreëerde Amerika was het ontduiken van de dienstplicht geen reden om iemand je stem te onthouden... even weinig reden om iemand je stem te onthouden als fellatio of een lekkere sigaar. In beide gevallen dacht Bill Clinton dat er geen bewijzen bestonden voor wat hij had gedaan. Hij ontkende gewoon alles. De ene leugen werd ontmaskerd door een brief, de tweede door een blauwe jurk.

[5]

Mark Fuhrman en de marineblauwe jurk

*'Mag ik je iets vragen?' vroeg Linda Tripp. 'Ik vrees het ergste. Jij
ook? En ik bedoel echt het allerergste!'
'Wil je de echte waarheid horen?' vroeg Monica. 'Wil je dat ik je
de echte waarheid vertel? Ik vrees maar één ding, en dat is dat jij je
mond niet houdt.'*

Het was een marineblauw jurkje met een gesloten hals – knoopjes tot bo-
venaan toe – dat $49.95 gekost had in de Gap. Het was geen 'cocktail-
jurk', zoals een van de aanklagers van Kenneth W. Starr zei. Het was een
jurk van een kleur en een snit die Monica, altijd paranoïde over haar gewicht, slanker maakte.

Het zou een van de beroemdste jurken in de Amerikaanse geschiedenis worden, bekender dan Scarletts rode jurk in *Gone with the Wind*, en
het effect ervan op de regering van Amerika was bijna even dodelijk als
het bloedbevlekte roze pakje dat Jackie Kennedy droeg toen LBJ aan
boord van *Air Force One* beëdigd werd.

Deze simpele 'werkjurk,' zoals Monica hem noemde, zou ook bekendheid krijgen als een van de meest sexy jurken in de recente populaire
cultuur – prikkelender dan Barbra's bijna doorzichtige broekpak bij de
Oscar-uitreiking, prikkelender dan Marilyns witte lovertjes, prikkelender dan het zwarte veiligheidsspeldgevalletje dat Elizabeth Hurling een
baan als model opleverde. Monica's marineblauwe werkjurk was ongetwijfeld het belangrijkste mode-statement van de Gap sinds de zwarte
Gap-coltrui die Sharon Stone, de andere vriendin van Lekker Ding, op
de Oscar-uitreiking gedragen had.

Op 28 februari 1997 hadden Monica Lewinsky en Bill Clinton elkaar
elf maanden niet gezien, hoewel ze een keer of zes telefoonseks hadden
bedreven, terwijl hij het land afreisde op zijn campagne tegen Bob Dole
en het Tinnen Soldaatje. De dag daarvoor was Monica door Betty Currie uitgenodigd voor Bill Clintons wekelijkse radiotoespraak. Monica
had samen met zes andere gasten toegekeken terwijl hij zijn toespraak
hield en zich vervolgens voor de zoveelste keer laten kieken met Lekker

Ding, met wie ze bijna een jaar lang uitsluitend per telefoon intiem was geweest.

Ze waren een blauw paar. Hij droeg een marineblauwe blazer en een overhemd van spijkerstof; zij droeg de marineblauwe jurk die ze pas had laten stomen. Ze vond hem lekker zitten. Toen de foto was genomen – 'Ik was echt nerveus,' zei Monica – vroeg Bill Clinton haar naar Betty Curries kantoor te gaan omdat hij iets voor haar had.

Ze babbelde met Betty terwijl Bill Clinton zich met de andere gasten bij de radiotoespraak onderhield, en toen Bill Clinton Betty's kantoor binnenkwam, bracht Betty hen naar het Oval Office. Ze bracht het tweetal naar de privé-werkkamer en vertrok.

'Kom hier,' zei Monica tegen Bill Clinton. 'Kus me alstublieft.'

'Wacht, wacht nu even,' zei hij. 'Even geduld,' en hij gaf haar een met gouden sterren versierd doosje. Ze maakte het open en vond een glazen speld in de kleur van haar jurk. Terwijl ze die bewonderde, liet hij bijna schaapachtig iets in haar tas glijden en zei zacht: 'Dit is voor jou.'

Monica keek in haar tas en vond een prachtige, in leer gebonden uitgave van Walt Whitmans *Leaves of Grass*. Ze beschouwde het als het 'meest betekenisvolle' en 'mooiste' cadeau dat ze ooit van hem gekregen had. Voor haar gevoel gaf hij door middel van Whitmans woorden uiting aan de intensiteit van zijn genegenheid voor haar.

Bill Clinton zei dat hij de boodschap gezien had die ze hem op St.-Valentijnsdag via de persoonlijke advertenties van de *Washington Post* gestuurd had, een opdracht aan 'Lekker Ding' met een citaat uit *Romeo en Julia*: 'With love's light wings did I o'erperch these walls/For stony limits cannot hold love out/And what love can do, that dares love attempt.' Bill Clinton vertelde haar hoe dol hij was op *Romeo en Juliet*.

Daarna kuste hij haar en liepen ze naar de gang die ze zo gemist had. Ze maakte zijn spijkerstoffen overhemd open. Hij zei: 'Luister, ik moet je iets heel belangrijks vertellen. We moeten enorm voorzichtig zijn.' Hij kuste haar opnieuw en maakte de bovenste knoopjes van haar marineblauwe jurk los. Ze deden wat ze al eerder gedaan hadden en ze knielde op de grond. Plotseling verstijfde hij. Hij dacht dat hij iemand in het Oval Office gehoord had.

Ze liepen naar de toiletruimte naast de gang en ze knielde opnieuw. Na een poosje hield hij haar tegen en duwde haar weg. Ze stond op, sloeg haar armen om hem heen en fluisterde: 'Ik hou zoveel van je. Ik snap niet waarom je niet wilt dat ik je klaar laat komen. Ik bedoel, dat is belangrijk voor me. Ik bedoel, het is net of het niet compleet is, snap je? Alsof er iets ontbreekt.'

Hij fluisterde: 'Ik wil niet aan je verslaafd raken. Ik wil niet dat jij verslaafd raakt aan mij.'

Even keken ze elkaar aan. 'Ik wil je niet teleurstellen,' zei hij.

Ze knielde opnieuw en voor het eerst voelde ze Willard in haar mond tot een climax komen.

'Ik voelde me echt beroerd toen het gebeurd was,' zou hij later zeggen.

'Je moet je opknappen,' zei hij nu tegen haar. Ze knoopte haar jurk dicht en stiftte haar lippen en toen kwam Betty Curric als bij toverslag weer opdagen en stond plotseling voor de deur van de privé-werkkamer. Betty ging hen beiden voor naar het Oval Office en bracht haar vervolgens naar buiten.

Hoewel haar vertrek nogal abrupt was geweest, was Monica in de zevende hemel. Ze had zijn vertrouwen gewonnen. Hij had haar toegestaan af te maken wat hij nooit eerder had gewild. Ze waren niet met elkaar naar bed geweest, maar tot vandaag had hij haar ook niet echt toegestaan hem te pijpen.

Nu hadden ze de stap gezet van fellatio interruptus naar fellatio. Ze droomde van de dag dat ze van fellatio op coïtus zouden overschakelen... of in ieder geval op coïtus interruptus. Dit was de beste dag, dacht Monica, die ze ooit gehad hadden. Hij had haar *Leaves of Grass* en zijn eigen zaad gegeven. Ze was dankbaar voor allebei.

Ze ging meteen met een paar vriendinnen eten bij McCormick and Schmidt en ging daarna naar huis. Ze gooide de blauwe jurk in de kast. Weken later zag ze de jurk weer, toen ze op het punt stond om met haar vriendinnen uit te gaan. Ze probeerde hem aan te trekken, maar ze was iets dikker geworden en hij paste niet meer.

Ze zag dat er twee 'kleine puntjes' op zaten – vlekjes op de voorkant, op de borst en op een heup. Ze vroeg zich af of de vlekjes van de president waren. Ze vroeg zich ook af of ze afkomstig waren van de guacamole of het spinaziesausje die ze die avond bij McCormick and Schmidt gegeten had. Ze gooide de jurk terug in de kast. Wel zei ze er iets over tegen twee van haar vriendinnen, met de opmerking dat Bill Clinton 'eigenlijk de stomerij zou moeten betalen'.

Tegen de Verraadster vertelde ze het ook. Linda Tripp had met behulp van Monica een dieet gevolgd en bij wijze van beloning mocht ze naar Monica's appartement komen om kleren uit te kiezen die Monica niet meer droeg. En in de kast hing de marineblauwe jurk. Monica vertelde Tripp het verhaal en liet haar de vlekjes zien.

De Verraadster was in alle staten. Ze belde Michael Isikoff, verslaggever van *Newsweek* en vertelde hem over de vlekjes op de marineblauwe jurk.

'Moet ik hem meenemen?' vroeg ze.

'Waarvoor?' vroeg Isikoff.

'Om aan jou geven.'

'En wat moet ik ermee?'

'Hem laten onderzoeken,' zei Tripp.

'Jézus, waar héb je het over?' schreeuwde Isikoff.

'DNA?'

'En waar moet ik godverdomme een monster van het DNA van de president vandaan halen?' vroeg Isikoff, waarna hij haastig ophing.

Tripp belde Lucianne Goldberg, en die had het antwoord. Ze had juist een man in haar appartement in New York – *op de juiste plaats op het juiste moment* – die alles van vlekken en DNA afwist. Uit het giftige riool van de O.J. Simpson-zaak klom nu de gewezen smeris, bekend als 'Führer Man' en 'Fuhrman de Duitser,' omhoog en werd ingelijfd in het complot de president van de Verenigde Staten ten val te brengen.

De gewezen rechercheur uit Los Angeles, Mark Fuhrman, was een duivels volmaakte partner voor Tripp, de voormalige Delta Force BLACK-BAGGER, en Goldberg, de gewezen Nixon-spion. Ex-marinier Führer Man, die nazi-aandenkens verzamelde en inmiddels schrijver was geworden, was er tijdens het Simpsonproces van beschuldigd vals bewijsmateriaal ondergeschoven te hebben. Hij had een psychiater bij de politie een keer verteld dat hij genoeg had gekregen van het Corps Mariniers 'omdat ik rondgecommandeerd werd door een zootje Mexicanen en nikkers.' Een getuige verklaarde dat hij hem had horen schreeuwen dat 'alle nikkers verbrand hoorden te worden'. Hij woonde inmiddels in een klein stadje in Idaho, niet ver van het hoofdkwartier van de Aryan Nation, een stad die wemelde van gewezen agenten van de politie van Los Angeles.

Führer Man wist precies wat de Verraadster en de Voddenbaal met Monica's marineblauwe jurk konden doen. Een wattenstaafje was voldoende. Een plastic zak. Steriel water. Maar ze moesten een manier vinden om de jurk in handen te krijgen.

Tripp en Goldberg wisten precies wat de jurk betekende. Met een op DNA onderzochte jurk met zijn zaad erop kon Bill Clinton niet 'ontkennen, ontkennen, ontkennen' (zoals hij tegen Gennifer gezegd had). Deze keer zou het de mannetjesmakers van het Witte Huis niet lukken hier haar woord tegen het zijne uit te spelen. En als Bill Clinton zijn ontmoetingen met Monica Lewinsky voor de rechtbank ontkende, liep hij kans in de gevangenis te belanden. Ze móesten op de een of andere manier de hand op die marineblauwe jurk zien te leggen!

Op kantoor in het Pentagon zei Tripp op een dag tegen Monica dat ze bijna platzak was. Ze was zo blut, zei ze, dat ze haar kleren verkocht. Die ochtend had iemand het pakje dat ze aanhad gezien en wilde het kopen. Meteen. Letterlijk recht van haar lijf. Dus of ze naar Monica's appartement kon gaan, vroeg de Verraadster, en iets uit haar kast kon lenen? Nu metéén? Zodat ze het pakje dat ze droeg kon verkopen? Oké, zei Monica, ze zou samen met Tripp naar haar appartement gaan.

O nee, zei Tripp, ze wilde niet dat Monica al die moeite deed. Kon Monica haar niet gewoon de sleutel geven? Monica dacht even na en zei dat ze het niet echt een fijn idee vond dat iemand alleen in haar appartement was. De Verraadster schuimbekte en wierp Monica voor de voeten dat ze haar niet vertrouwde.

Als Tripp en Goldberg de jurk niet letterlijk in handen konden krijgen, moesten ze proberen te voorkomen dat Monica hem naar de stomerij stuurde. Ze besloten haar zo bang te maken dat ze dat niet zou doen.

'Ik wil dat je hierover nadenkt,'zei Tripp tegen Monica. 'En neem me voor de verandering eens serieus, oké?'

'Ik neem je altijd serieus,'zei Monica.

'Je bent erg koppig,'zei Tripp. 'Je bent erg koppig.' Ze zuchtte. 'Die marineblauwe jurk. Goed, ik kan alleen maar zeggen dat ik weet hoe je je vandaag voelt, en ik weet ook waarom, maar je hebt nog een heel lang leven voor de boeg en ik weet niet wat er met je zal gaan gebeuren. Net zo min als jij. Ik weet niks en jij weet niks. Ik bedoel, de toekomst is een schone lei. Ik weet niet wat je te wachten staat. Ik had liever dat je die jurk nog in je bezit had, voor het geval je hem over jaren en jaren nog eens nodig zult hebben. Verder wil ik niks zeggen.'

Monica zei: 'Denk je dat ik tien of vijftien jaar lang een jurk kan bewaren met zaad van –'

'Hé, luister,' zei Tripp. 'Mijn neef is een genetische hoe-heet-het...' Dat was een leugen. De neef over wie ze het had, was de logé van de Voddenbaal, Führer Man.

'...en tijdens het O.J. Simpsonproces vroeg ik hem van alles over DNA en weet je wat hij zei? Ik zal het nooit vergeten. En hij is doctor en zo. En hij zei dat bij een geval van verkrachting – dat ze, stel je voor, dat ze dit vijf jaar geleden nog niet konden. Als een vrouw verkracht is, bijvoorbeeld, en ze heeft maar één speldenprikje opgedroogd zaad, tien jaar na datum, als ze een nat wattenstaafje neemt en dat erover heen wrijft en ze heeft een speldenprikje zaad op haar wattenstaafje, dan kunnen ze met absolute... met zekerheid vaststellen of het DNA overeenkomt.'

Monica zei: 'Waarom kan ik het er dan niet afschrapen en in een plastic zakje doen?'

Tripp zei: 'Je kunt het er niet afschrapen. Je moet een wattenstaafje gebruiken. En ik denk dat ik dit tegen mijn eigen dochter zou zeggen. Daarom zeg ik het tegen jou. Ik zou tegen mijn eigen dochter zeggen: Voor je eigen ultieme bescherming, waarvan ik, mea culpa, hoop dat je die nooit nodig zult hebben. Maar ik wil ook niet dat je de jurk wegbrengt. Serieus, dit zou ik tegen mijn eigen dochter zeggen, die zou antwoorden dat ik dood kan vallen, maar –'

'Nou, ik zal erover nadenken,' zei Monica.

Tripp zei: 'Geloof maar gerust dat ik weet hoe je je op dit moment voelt. Ik wil alleen niet je opties voor later wegnemen, voor het geval je ze nodig mocht hebben. En geloof me, ik weet waarschijnlijk beter dan iedereen, op je moeder na, dat je die jurk nooit, maar dan ook nooit zou gebruiken als het niet strikt noodzakelijk was. Dat weet ik. Geloof me, ik vertrouw de mensen om hem [Clinton] heen voor geen cent en ik wil gewoon dat je die jurk hebt, voor je eigen bestwil. Doe hem in een zak, doe hem in een ritstas en berg hem ergens op, bij je schatten, desnoods, ik bedoel, maakt niet uit. Stop hem in een van je antieke dingetjes.'

'Maar waarom?' vroeg Monica, 'Wat denk je dat –'

'Ik weet het niet, Monica,' zei Tripp, haar angstaanjagende woorden met zorg kiezend. 'Ik heb gewoon zo'n hardnekkig rotgevoel in mijn achterhoofd.'

'En als ik de jurk niet meer heb?' vroeg Monica.

'Volgens mij is het een zegen dat je hem wel hebt,' zei Tripp. 'En wie weet wordt die in de toekomst je enige verzekeringspolis. Of je hebt hem helemaal niet nodig en dan kun je hem weggooien. Maar ik... ik wil nooit of te nimmer ergens lezen dat je in de penarie zit omdat iemand je ineens een "stalker" noemt of zo... en in deze tijd... ik vertrouw niemand. Misschien ben ik paranoïde. En zo ja, hou me ten goede. Ik zeg niet dat je het moet doen als je er geen zin in hebt. Ik zeg alleen maar dat het verstándig zou zijn om het te doen. En ik zou hem ergens neerleggen waar niemand weet waar hij ligt behalve jij...'

Angst... Paranoia... Moederlijke bezorgdheid... Monica's eigen moeder erbij slepen... doen alsof ze haar eigen dochter van advies diende... en tegelijkertijd de conversatie opnemen en dagelijks overleg plegen met de Voddenbaal, die Führer Man te logeren had. Een samenzwering van geteisem. Maar een geslaagde. In een later gesprek gaf Monica uitdrukking aan haar tegenzin haar Lekker Ding en het Witte Huis te verraden: 'Ik zou deze mensen – al was ik bang voor mijn eigen leven – niet dwars willen zitten – *al was ik bang voor mijn eigen leven...*' Ze deed precies wat de Verraadster haar had opgedragen. Ze stopte de marineblauwe jurk in een plastic ritszak, samen met haar 'schatten' (bandjes met zijn boodschappen op haar antwoordapparaat) en hing de zak in een kast in het appartement van haar moeder in New York.

Toen Tripp uit de school klapte door de assistant van Kenneth W. Starrr, Jackie Bennett op te bellen, vertelde ze de aanklagers over de marineblauwe jurk waar Monica nooit iets over gezegd zou hebben. Starrs aanklagers wisten dat ze dankzij Tripps tip over het bestaan van de jurk zowél Clinton als Monica in de tang hadden.

Als Clinton onder ede ontkende dat hij en Lewinksy een seksuele relatie hadden gehad, zouden de vlekken op de jurk het bewijs zijn dat hij meineed had gepleegd. Als Monica ontkende de jurk in haar bezit te hebben of hem liet stomen, zou ze zich schuldig maken aan meineed of belemmering van de rechtsgang door het vernietigen van bewijsmateriaal. Ze hadden zelfs een getuige – Tripp – die de vlekken niet alleen gezien had, maar ook met Monica gepraat had over hoe belangrijk de blauwe jurk was, een gesprek dat was opgenomen op een bandje dat nu in hun bezit was.

Toen Monica eindelijk vrijheid van rechtsvervolging had gekregen, vroegen de aanklagers onmiddellijk om de jurk, zodat ze voor de keus stond hem over te dragen of de gevangenis in te gaan. De Verraadster had haar finaal voor het blok gezet. De marineblauwe jurk kreeg nummer Q3243 en werd naar een FBI-laboratorium gestuurd. De president van de Verenigde Staten werd gedwongen een bloedmonster te geven. De vlekken op de blauwe jurk bleken noch van guacamole noch van een spinaziesausje afkomstig te zijn.

[6]

Jay Leno en de sigaar

'O, ' zei Linda Tripp. 'Ik begin onderhand te denken dat hij een enorme idioot is, maar wie ben ik?'
'En ik begin te denken dat hij meer een klootzak is dan een idioot,'
zei Monica.
'Wat dacht je van alle twee, een idioot én een klootzak?' vroeg Linda Tripp.

Hij had op zijn sax gespeeld in Arsenio Halls programma, had bijna zijn ondergoed laten zien op MTV, en nu, terwijl een vloedgolf van schunnige geruchten en aantijgingen over Amerika werd uitgestort, probeerde hij opnieuw hip te zijn. Hij probeerde het à la Bart Simpson: 'Ik heb niets gedaan. Niemand heeft iets gezien. Je kunt niks bewijzen.' Maar de Bart Simpson-benadering werkte niet. Steeds meer dagbladen begonnen zijn aftreden te eisen.

De kranten hadden een oude uitspraak van collega-Democraat Bob Kerrey – 'Clinton is een buitengewoon goede leugenaar. Buitengewoon goed. Besef je dat wel?' – uit het lijkenhuis opgediept en die begon overal op te duiken. Een rubriek in de *Washington Times* noemde hem 'een liegende, diefachtige boer in Allen Edmonds' veren.' Een voormalige assistent van Reagan zei dat hij 'evenveel lulkoek verkocht als een warme bakker en dat het Witte Huis verdacht begon te stinken.' Dezelfde assistent, Lyn Nofziger, merkte vol leedvermaak op: 'Met al die advocatenkosten kan Bill Clinton zich geen kapsels van 200 dollar meer veroorloven.' De voorzitter van de Republikeinse partij in Ohio zei dat Bill Clinton 'een geval van recto-craniale omkering' was: 'Is het echt nodig dat de CIA onder het bevel staat van een figuur die de onthulling van Victoria's Geheim als belangrijkste hobby heeft?' En collega-Democraat senator Fritz Hollings van South Carolina zei: 'Clinton is even populair in South Carolina als aids.'

Zelfs het heiligdom dat in Clintons opdracht in het Pentagon was aangelegd kwam plotseling onder vuur. De gang op de derde verdieping van het Pentagon, die 'de gang van de opperbevelhebber' werd genoemd, was gevuld met plafondhoge foto's van Bill Clinton in het gezelschap van de hoogste militaire bevelhebbers. Het was nooit een populair project geweest vanwege de manier waarop hij de dienstplicht in Vietnam ontdoken had, maar nu begonnen de ambtenaren van het ministerie van Defensie met kantoren in de buurt van die gang hem helemaal te vermijden. Een schoonmaker kreeg opdracht het glas waarachter de foto's waren opgehangen elke morgen schoon te maken... om het speeksel te verwijderen dat er de vorige dag op was achtergelaten.

Maar in de ogen van sommige assistenten werd Clintons presidentschap het meeste schade toegebracht door de dagelijkse onttakeling van Bill Clinton ten overstaan van 70 miljoen Amerikanen. Jay Leno was Amerika's cynische geweten in de jaren '90, en de keiharde Clinton-grappen waarop hij zijn publiek elke dag onthaalde, ademden een veel minder milde geest dan zijn grapjes over de senatoren Bob Packwood en Bob Dole destijds.

Volgens Bill Clinton waren de grappen waarmee Jay Leno hem elke avond aan de schandpaal nagelde – en die de volgende dag Amerika rondgingen – vernederend en bevestigden ze het beeld van 'de domme heikneuter' en de 'Caligula van de Ozarks,' dat de columnisten van hem tekenden. 'Vandaag kwam aan het licht dat Clinton een keer telefoonseks met Hillary wilde hebben, maar Hillary zei: "Vanavond niet, ik heb oorpijn."' Of: 'Al Gore is nog maar één orgasme verwijderd van het presidentschap.' Of: 'Monica overweegt de president voor de rechter te slepen. Ze wil een miljoen dollar smartengeld en 2,50 dollar voor de stomerij.'

Het geintje dat Bill Clinton volgens een vriend echt misselijk vond was dit: 'Ex-president Jimmy Carter is in het ziekenhuis opgenomen om zijn huiduitslag te laten behandelen. Hij zal er zeker bovenop komen, maar als er één Democratische president met huiduitslag was, zou je toch denken dat het Clinton moest zijn.'

Leno's grappen brachten duizenden Internet-imitators voort die hun producten naar kantoren in heel Amerika e-mailden: 'Waarom draagt Bill Clinton een boxershort? Om zijn enkels warm te houden.' ... 'Wat is het populairste spelletje in het Witte Huis? Slikkertje.' ... 'Wat is Bill Clintons definitie van veilig vrijen? Als Hillary de stad uit is.' ... 'Wat is de enige verkiezingsbelofte die Clinton gehouden heeft? Fleetwood Mac weer bij elkaar brengen.' ... 'Waarom heeft Bill Clinton zulke korte nagels? Omdat hij voortdurend moet terugkrabbelen.' ... 'Waarom is Bill Clinton niet besneden? Omdat het beste stuk dan weggegooid zou zijn.' ... 'Wat zijn de twee ergste dingen aan Bill Clinton? Zijn gezicht.' ... 'Wat is het verschil tussen Bill Clinton en een brommer? Een brommer heeft maar één zuiger.' ... 'Wat is Bill Clintons lievelingsinstrument? De tong-tong.' ... 'Wat is Bill Clintons idee van voorspel? 'Hé, kijk es hier, wijf!'

Nog vernederender voor de president van de Verenigde Staten waren de grapjes over de First Lady: 'Wat zou er gebeuren als Hillary doodgeschoten werd? Dan zou Bill Clinton president worden.' ... 'Hillary is de enige vrouw die naast haar man staat. Alle anderen moesten knielen.' ...

'Hoe hebben Bill en Hillary elkaar leren kennen? Op de middelbare school gingen ze uit met hetzelfde meisje.' ... 'Waarom is Chelsea zo lelijk? Erfelijkheid.' ... 'Wat voor soort sieraden staan Hillary het best? Handboeien.' ... 'Wanneer krijgen we een vrouw in het Witte Huis? Zodra Hillary vertrekt.' ... 'Wat gebeurde er toen Bill Clinton een testosteron-injectie kreeg? Hij veranderde in Hillary.' ... 'Waarom zijn de vrouwelijke stafleden van het Witte Huis kwaad op Hillary? Omdat ze de toiletbril omhoog laat staan.' ... 'Wat is Hillary's nieuwe bijnaam? Toornroosje.' ... Waarom draagt Hillary coltruien? Zodat we haar adamsappel niet zien bewegen als Bill praat.' ... 'Waarom draagt Hillary geen korte rokken in het Witte Huis? Ze wil niet dat de mensen haar ballen zien.' ... 'Wat is het verschil tussen Hillary en de olievelden van West-Texas? In de olievelden wordt wel eens geboord.'

En alsof het niet-aflatende voortwoekeren van de grappen – door de wind verspreid stuifmeel – nog niet erg genoeg was, gaven de toiletten van het Witte Huis ook de nodige graffiti te zien: KEN STARR DOET HET IN ZIJN ONDERGOED ... CLINTON HOUDT VAN PIJPENKRULLEN ... BUDDY IS EEN KONTLIKKER. En bumperstickers overstroomden het land: HILLARY GAAT DOOR ... EERST HILLARY, DAN GENNIFER, NU WIJ ... WE HEBBEN ER GENOEG VAN, GEEF ONS BUSH TERUG ... GEWIKT EN GEWOGEN, INGESLIKT EN NIET GESPOGEN ... HÉ HILLARY, MOND HOUDEN EN ONTSMETTEN ... DE PRESIDENT GEEFT VOORLICHTING ... ABORTEER CLINTON ... IK HEB OP BUSH GESTEMD ... WAAR IS LEE HARVEY OSWALD ALS WE HEM NODIG HEBBEN? ... IK VOEL JE AMANDELEN ... IK HOU VAN EEN SAPPIGE SIGAAR.

Zijn sigaar! Zijn geliefde sigaar! De sigaar waarvan hij altijd zo genoten had en die hij niet meer kon roken. Hillary was al erg genoeg met haar nuchtere uitspraak dat het Witte Huis een rookvrije zone was, maar nu zei Dick Morris: 'Zorg dat je nooit meer met een sigaar gezien wordt! Nooit of te nimmer! Niet in je hand! Niet in je mond!' Bill Clinton wist precies waarom. Hij wist dat Dick Morris zoals steeds gelijk had, maar hij had altijd zo van zijn sigaren genoten en hij en Monica hadden zoveel lol gehad... alleen al met over sigaren práten. Hij had zelfs een antieke zilveren rechtopstaande sigarenhouder van haar gekregen. Hij had zelfs twee boeken over sigaren in zijn privé-werkkamer staan – *The Ultimate Cigar Book* van Richard Carlton Hacker en *The Cigar Companion* van Anwar Bati en Simon Chase – naast een boek dat hij van Monica gekregen had – *Oy Vey! The Things They Say!* En *The Little Engine That Could* van Wally Piper.

Geen sigaren meer. Weg, net als Monica. Haar orale fixatie kostte hem uiteindelijk de zijne. Hij voelde zich als de Arabische onderdanen van de middeleeuwse sultan die het risico liepen hun neus te verliezen als ze betrapt werden op het roken van een sigaar. Een sigaar was 'de metgezel van de eenzame, de vriend van de vrijgezel, het voedsel van de hongerige, de hartversterker van wie bedroefd is, de slaap van de slapeloze, het vuur van wie het koud heeft.' Er waren twee dingen die een man nooit vergat: 'Zijn eerste liefde en zijn eerste sigaar.' Een sigaar 'verdoofde verdriet en vulde de uren van eenzaamheid met een miljoen lieflijke beelden.'

Was die sigaar met Monica in de privé-werkkamer de beste sigaar die Bill Clinton ooit genoten had? Tja, in sommige opzichten misschien wel. Was het de slechtste sigaar die Bill Clinton ooit gerookt had? Tja, in sommige opzichten misschien wel. Maar hij was kwaad dat hij ze niet meer mocht roken, ze niet eens meer in zijn mond mocht steken. JFK vond zijn sigaren heerlijk, Churchill had er in zijn eenennegentig jaar een kwart miljoen opgerookt.

Heel dat nationale gewetensonderzoek over een natte, afgesabbelde Davidoff en niet één geleerde historische bolleboos op de tv die erop wees dat de sigaar een patriottisch voorwerp was – in en in Amerikaans. Benjamin Franklin subsidieerde het Continental Congress met een lening op tabakstermijnen. Met het geld dat Franklin voor 'het koninklijke blad' voor sigaren kreeg, financierde hij de Amerikaanse Revolutie. En de Unie won de Burgeroorlog dankzij drie sigaren, gevonden door twee soldaten van de Unie. De sigaren waren in een paar velletjes papier gerold die de strijdplannen van generaal Robert E. Lee bleken te bevatten.

Nee, dit ging gewoon te ver, dacht Bill Clinton, al die smeerlappen die hém uitscholden, al die grappenmakers die hem vernederden, al die verrekte bumperstickers en die mensen die zich als sigaar verkleedden, alsof het hele land spontaan Vastenavond vierde. En hij kon verdomme niet eens meer een sigaar opsteken. Hij zat alleen in het donker op Nancy Hernreichs sofa en mijmerde vol heimwee over zijn verloren koninklijke bladeren, hun vlees, hun stevige structuur, het ontbreken van uitpuilende aderen, hun zaailingen... en de voorzichtige, handmatige verzorging die zijn koninklijke bladeren vereisten.

Terwijl hij zich op zijn gemak achteruit liet zakken op Nancy Hernreichs sofa, nog steeds denkend aan de verzorging van zijn koninklijke bladeren, kwam er plotseling, in deze periode van grapjes, een grapje in hem op dat hij van Monica gehoord had: 'Waarom zien joodse mannen pornofilms het liefst van achteren naar voren? Omdat ze de hoer dan het geld terug zien geven.' Bill Clinton dacht ook aan het grapje dat hij haar verteld had: 'Wat krijg je als je een joods-Amerikaanse prinses kruist met een Apple? Een computer die nooit plat gaat.'

Bill Clinton herinnerde zich met pijn in het hart hoe ze gelachen hadden. Hij sloot zijn ogen in het donkere vertrek... op weg naar een paar seconden zoete eenzame troost in deze nachtmerrieachtige tijd... en hij ritste zijn...

[7]

Billy kan er niets aan doen

'Ik bracht mijn mama en mijn tante mee naar een aankomstplech-
tigheid,' zei Monica. 'De Grote Gluiperd zei: "Ik heb ze gezien.
Knappe vrouwtjes."
En ik zei: "Hou je mond." Niet zo vreselijk knap, niet knapper
dan ik.'
'Ik vraag me af wat hij dacht,' zei Linda Tripp.
'Dat hij hen ook best een keer zou willen pakken.'

Een Amerika dat in toenemende mate op zoek was naar verdrongen herinneringen en oertrauma's en gewelddadige kinderjaren bood nóg een
manier om Bill Clintons daden te vergoelijken. De opperbevelhebber
was het ópperslachtoffer en de ware schuldige was die oude boeman
van de jaren '60: de maatschappij. Of, in dit geval, het gezin. Met name
Bill Clintons 'problematische jeugd'.

Clintongezinde psychiatrische teams op de praatshows schoven de
schuld voor het parket waarin de president zich bevond wenend op zijn
moeder, zijn vader, zijn stiefvader, zijn grootmoeder en zijn grootvader.
Alsof de hele familie besloten had de politiek van de verschroeide aarde
op hem los te laten. De president onthield zich van commentaar terwijl
de zielenknijpers ons eufemistisch meedeelden dat mama een slet, papa
een hoerenloper en een dronkaard, stiefpapa een hoerenloper, een
dronkaard en een vrouwenmishandelaar, oma een slet en een opamis-
handelaar en de arme oude seniele opa een doodgewone ouderwetse
zuiplap was. Het was een familiebeschrijving die Erskine Caldwell niet
verbeterd zou hebben.

Na al die jaren van kindermishandeling en een leven van achterlating
was Bill Clinton volgens de zielenknijpers recentelijk ook nog eens op
wrede wijze van drie sleutelfiguren in zijn leven beroofd. Zijn geliefde
moeder Virginia stierf in 1994. Zijn belangrijke 'vaderfiguur,' de Israëli-
sche premier Yitzak Rabin, stierf in 1995. Zijn boezemvriend Ron
Brown, minister van Handel, stierf in 1996.

Terwijl de zielenknijpers deze recente persoonlijke 'trauma's' de revue lieten passeren, zeiden ze er niet bij dat Bill Clinton zijn Monica twee dagen na de dood van Ron Brown naar het Oval Office ontbood om zich door haar te laten pijpen, en evenmin dat de president op de videotape die gemaakt werd op weg naar de begrafenis van Ron Brown lachend grapjes maakte met een vriend.

Wat ze wel zeiden was dat Ron Browns vliegtuigongeluk Bill Clinton waarschijnlijk sterk deed denken aan het auto-ongeluk waarin zijn vader omkwam toen hij zelf nog in de moederschoot zat. Ze vertelden dat Bill Clinton het tijdens de begrafenis van Rabin bijna te kwaad had gekregen, maar niet dat dit publieke vertoon waarschijnlijk goed was voor enkele miljoenen joodse stemmen in de verkiezingen van 1996. (Toen Hillary zich een paar jaar later opmaakte om zich kandidaat te stellen voor de New-Yorkse Senaat, vond ze diep in het methodistisch gebladerte van haar stamboom plotseling 'joodse familieleden'.)

We moesten geloven dat Bill Clintons problemen allemaal begonnen waren met Bill Blythe, de dronken vader die in dat auto-ongeluk om het leven kwam, en met zijn moeder Virginia. De zielenknijpers beschreven Virginia als flamboyant, behaagziek, extravert, een 'uitgaanstype' met een blonde streep door haar zwarte haar, zware make-up en dikke, zwierige, geverfde wenkbrauwen. Bill Blythe, zeiden ze, was een 'vrouwenjager' die 'een leven van leugens leidde.'

Toen Bill Clinton één jaar oud was, liet zijn moeder hem aan de zorgen van haar moeder en vader over om buiten de stad te kunnen gaan werken. Virginia's moeder, Edith, was precies hetzelfde als haar dochter: een energieke, luidruchtige, behaagzieke vrouw van het type 'laat-maar-waaien.' Zij had eveneens dikke geverfde zwierige wenkbrauwen en eveneens zwart haar met een blonde streep erdoor. Edith leed aan driftbuien en smeet met keukengerei en sloeg haar echtgenoot, die meer en meer zijn toevlucht zocht bij de fles.

Het jongetje noemde Edith 'mamaw' en volgens de zielenknijpers was mamaw een 'driftverslaafde' en 'papaw' een drankverslaafde. Mamaw gaf hem de ruimte om te drinken en papaw gaf haar de ruimte voor haar driftbuien. (Volgens de zielenknijpers leken zowel Bills moeder als zijn grootmoeder bovendien op een streeploze Monica.) Als peuter zag Billy zijn oma zijn ongelukkige opa ervan langs geven, met als gevolg, zeiden de zielenknijpers, dat hij 'zijn angst voor vrouwen diep in zijn binnenste begroef.'

Billy's moeder kwam terug toen hij drie jaar oud was en het gezin was herenigd, maar volgens de zielenknijpers was dit helemaal geen goed nieuws. Als je hen moest geloven, was dat pas het begin van Billy's problemen. Zowel zijn moeder als zijn grootmoeder waren dol op hem, maar dat was niet goed. Dat was slecht, aangezien het inhield dat de twee behaagzieke, witgestreepte vrouwen een 'in hoge mate pathologische' strijd om hem voerden.

Sommige zielenknijpers dachten dat oma, met haar nutteloze, hulpeloze dronkaard van een echtgenoot, verliefd was op de kleine Billy. Billy, ook niet op zijn achterhoofd gevallen, besefte dat twee 'openlijk seksuele', zwaar opgemaakte vrouwen om zijn aandacht vochten. Volgens de zielenknijpers leerde hij 'een uitbuiter' en 'een manipulator' te zijn, hetgeen verklaart wat hij vele jaren later in de gouverneurswoning in Little Rock tegen een vriend zei: 'Wat moet ik dán doen met al die vrouwen die zich aan mijn voeten werpen?'

Hoewel er geen aantoonbare bewijzen waren dat peuter Billy het slachtoffer van incest of seksueel misbruik was geweest, zeiden de zielenknijpers dat het huis waarin hij leefde *seksueel geladen* was en bewoond werd door twee vrouwen met een *opzichtige leefwijze.* De omstandigheden in huis en de aard van de twee vrouwen brachten in zijn jeugd 'een zekere mate van *emotionele incest*' met zich mee. Deze sensuele vrouwen waren *overdreven verleidelijk,* ook al raakten ze Billy alleen maar aan met genegenheid, nooit met seksuele bijbedoelingen.

Er was niets gebeurd, maar volgens de zielenknijpers was er toch iets ergs gebeurd – omdat hij bemind en aanbeden werd door zijn moeder en grootmoeder. Dat hield niet in dat hij het zoveelste door een aanbiddende moeder en grootmoeder tot in de grond verwend jongetje was. Nee, het hield in dat hij 'getraumatiseerd' en 'misbruikt' was. Ze hadden zich even zeker aan Billy vergrepen alsof ze zich echt aan hem vergrepen hadden. De arme kleine Billy was het slachtoffer van *incestloze incest.*

Mama en oma waren onbewuste pedofielen die de vergissing begingen de arme Billy ertoe te brengen 'seks vroegtijdig te associëren met opwinding en intense prikkeling,' wat verklaarde waarom hij vele jaren later samen met rock-groupie Connie Hamzy als een bezetene een kamer probeerde te vinden in het Hilton Hotel in Little Rock. Er gebeurde niets seksueels in de kindertijd van de arme Billy, benadrukten de zielenknijpers, maar dat wilde nog niet zeggen dat er geen levenslange seksuele schade was aangericht.

Toen Billy vier jaar oud was, verscheen zijn stiefvader Roger Clinton ten tonele, een vrouwenjager zoals Bill Blythe, een dandy, een snelle jongen en net als Bill een drinkebroer. Billy's moeder Virginia, zeiden de zielenknijpers, viel steeds voor hetzelfde type man, of voor een mannelijke tegenhanger van zichzelf, en Virginia was een 'flirt' (lees: het niet-zielgeknepen woord *slet*).

Roger handelde in Buicks en hij sloeg zijn vrouw omdat hij dacht dat ze hem bedroog. Of omdat hij haar bedroog en ervan uitging dat als hij haar bedroog, zij hém eveneens moest bedriegen. Roger Clinton was, zeiden de zielenknijpers, een 'alcoholverslaafde driftverslaafde.'

Virginia, die zijn klappen onderging en een oogje dichtdeed voor zijn drinken, gaf hem nu de ruimte zoals opa oma de ruimte gaf en oma opa de ruimte (en er nog steeds van langs) gaf. Volgens de zielenknijpers bleef Virginia bij Roger omdat ze oma zo vaak opa had zien aftuigen. Ze voelde zich thuis bij dat geweld. Het was 'normaal'. De kleine Billy zag Roger zijn moeder aftuigen, maar dat vond hij normaal, omdat hij oma opa had zien aftuigen en omdat hij zijn moeder en oma voortdurend tegen elkaar had horen schreeuwen (vanwege hem).

Vervolgens verhuisde Roger Clinton zijn vrouw en stiefzoon van Hope naar Hot Springs in Arkansas – nog meer koren op de molen van de zielenknijpers. Hij was een dronkaard die haar bedroog en zij was een slet die hem bedroog, en nu verhuisden ze naar Sodom, het Las Vegas van de Ozarks, waar ze allebei ook nog eens zwaar aan het gokken raakten.

Hot Springs was een hoerenkast die vierentwintig uur per dag open was en de zielenknijpers zagen drie dingen aan de verhuizing die slecht waren voor de kleine Billy. Ten eerste hing er een sekslucht in de stad die het jongetje met volle, prikkelende teugen opsnoof – en die zijn hele verdere leven in zijn neus zou blijven hangen. Ten tweede was Hot Springs een hypocriete stad waar de zwijnerijen die plaatsvonden alom onder de tafel geveegd werden en waar het jongetje leerde de hele rest van zijn leven te liegen en te ontkennen. En ten derde draaide de hele stad om de renbaan en de casino's, en hoewel het jongetje zeker niet gokte, werd hij onbewust aangestoken door de gokkoorts van zijn ouders. Zijn hele leven lang zou hij opgewonden raken, risico's nemen en proberen onder de gevolgen uit te komen (ontdekking, in zijn geval).

Andere zielenknijpers zagen andere kernpunten en parallellen: Virginia en oma en Roger Clinton waren allemaal 'sensatiezoekers' en de kleine Billy was altijd in hun buurt... Bill Blythe en Virginia en oma vormden kleine Billy's 'neurologisch samenstel' waaraan Roger Clinton alleen maar indirect bijdroeg, wat klonk als een chique manier om de theorieën van erfelijkheid en opvoeding door elkaar te hutselen.

Hot Springs stuwde het niveau van kleine Billy's misbruik ongetwijfeld omhoog. Nu hadden Virginia en Roger het voortdurend met elkaar aan de stok, dronken ze meer dan ooit en bedrogen ze elkaar meer dan ooit. Billy deed het inmiddels naar buiten voorkomen alsof het thuis koek en ei was. Hij leerde dat liegen *noodzakelijk* was om de *reputatie* van zijn gezin te bewaren.

Hij loog voor hén, in hun belang, een dubbele verklaring voor het feit dat hij ons jaren later met geheven vingertje recht in ons gezicht zou liegen. Ten eerste om de reputatie van zijn gezin te bewaren, van Hillary en Chelsea, en ten tweede om ónze reputatie te bewaren, die van Amerika in de gemeenschap der naties, om te voorkomen dat ons land voor de hele wereld te kijk werd gezet.

Wat de kleine Billy Clinton leerde, daar in Hot Springs, dankzij Rogers en Virginia's wederzijdse gewelddadigheid, was *liegen voor Amerika* zoals hij loog voor hen. Zijn leugens beschermden Rogers en Virginia's aanzien, precies zoals zijn leugens op een goede dag dat van Hillary en Chelsea zouden beschermen... én dat van alle Amerikanen. De kleine Billy Clinton was een *heldhaftige* leugenaar, zelfs toen al.

Toen Roger meer begon te drinken – hij loste zelfs een keer een schot op Virginia waar de jongen bij stond – probeerde Billy de mishandeling van zijn moeder door Roger te compenseren door zijn eigen mishandeling te negeren en te proberen zijn moeder te behagen. Ze prees Billy en vertelde hem dat hij alles kon worden wat hij wilde in zijn leven. Hij wilde haar niet teleurstellen. Hij werd eerzuchtig en werkte hard om haar dromen voor hem werkelijkheid te maken.

Maar volgens de zielenknijpers waren die pogingen haar geliefde zoon te bezielen met het verlangen iets van zijn leven te maken niet goed. Ze waren zelfs even slecht als de genegenheid waarmee ze hem als kleuter overladen had. Virginia vergreep zich opnieuw aan Billy. Hij probeerde een held voor haar te zijn, met als gevolg dat hij zich 'terminaal uniek' voelde.

Ik ben bijzonder, zei Bill Clinton misschien tegen zichzelf toen hij begon het succes na te streven dat zijn moeder hem zo wanhopig toewenste. Maar hij had beter een mislukking kunnen zijn. Want als mislukkeling, zeiden de zielenknijpers, zou hij zich meer bewust zijn geweest van zijn verwantschap met de meerderheid van de mensheid en niet gezwoegd hebben onder het gewicht van de stress die zijn werkzucht en ambitie op zijn schouders legden.

Virginia's poging haar zoon te inspireren was alleen maar meer misbruik. Winnen en proberen te winnen was verliezen. Verliezen en geen enkele poging wagen was winnen. Door zo vreselijk zijn best te doen zijn moeder te behagen, door te proberen iets van zichzelf te maken, stond Bill Clinton zijn moeder toe hem opnieuw te misbruiken. Niet het slachtoffer van haar misbruik zijn betekende niet haar held zijn, niet de redder van haar (en zijn eigen) zelfrespect zijn.

Toen Billy zestien was, liet Virginia zich na twaalf jaar schreeuwen, gillen, drinken, schuinsmarcheren en gokken van Roger scheiden. Billy getuigde zelfs tegen zijn stiefvader, tegen de man die hij 'pappa' genoemd had, de man wiens achternaam hij officieel had aangenomen. Vervolgens, na de echtscheiding, nadat Billy al zijn moed verzameld had en zijn stiefvader in een kwaad daglicht had gesteld, besloot Virginia opnieuw met Roger te trouwen.

Over in de steek gelaten gesproken, mompelden de zielenknijpers afkeurend. O Sigmund! O Carl! O Art Janov, die ergens in de heuvels van Malibu zijn zielenknijpersziel zat uit te krijsen! Billy had het in de rechtszaal voor haar opgenomen en zij had hem de rug toegekeerd en was teruggegaan naar haar waardeloze boemelaar... terwijl de verraden en in de steek gelaten tiener toekeek. Dit was de beste verklaring, zeiden de zielenknijpers, voor het feit dat Bill Clinton 'problemen' met vrouwen had. Voor het feit dat hij een *verborgen vijandigheid* in zich droeg die hem er zijn hele verdere leven toe bracht vrouwen te beschouwen als voorwerpen om te penetreren of op neer te zien als ze voor hem neerknielden. Dit was zijn wraak op zijn moeder voor de manier waarop ze hem met zijn stiefvader verraden had.

Na zijn hertrouwen zonk Roger Clinton, impotent, met een lever die de afmetingen van een meloen had aangenomen, steeds dieper weg in de zwarte poel van zijn alcoholisme. Hij bracht het grootste deel van de dag op zijn kamer door, met de fles tussen zijn benen. En nu, zeiden de zielenknijpers, werd Bill Clinton, bijna een jongeman, de 'echtgenoot' van zijn moeder, de opgeverfde, witgestreepte, behaagzieke vrouw die in zijn vroegste jeugd incestloze incest met hem bedreven had, de vrouw die hem nog zo recentelijk verraden had door opnieuw te trouwen met de half-comatose, half-menselijke, alcohol-doordrenkte spons in de andere kamer.

Echtgenoot van de vrouw die zijn moeder was... en uit dankbaarheid voor zijn liefde, zijn vergiffenis voor haar verraad, bouwde Virginia een altaar in hun huis voor al Billy's middelbare-schooltrofeeën. Toen hij ging studeren, zeiden de zielenknijpers, en begon met het penetreren en beurten geven van de ene vrouw na de andere, probeerde Bill Clinton alleen maar zijn moeder 'terug te vinden', een echtgenoot op zoek naar zijn ontrouwe vrouw, niet zeker wetend wat er zou gebeuren als hij haar vond. Zou hij haar beminnen of doden? De liefde met haar bedrijven of haar gebruiken? Haar behagen of vernederen? Haar verzorgen of verkrachten?

De zielenknijpers hadden overal een verklaring voor: Bill Clinton was bezeten van seks vanwege zijn moeder en oma. Hij bedreef seks die wel of geen seks was met Monica omdat die op zijn moeder en oma leek. Hij was seksueel onverzadigbaar vanwege de incest die geen incest was met zijn moeder en oma. Hij loog aan één stuk door vanwege het hypocriete Hot Springs en omdat hij had moeten liegen over het drinken en het vechten van zijn ouders. Hij hield van trio's omdat zijn moeder en zijn oma om hem hadden gevochten. Hij was eerzuchtig omdat hij zijn moeders zelfrespect beschermde. Hij kreeg driftbuien omdat hij zijn stiefvader zijn moeder had zien aftuigen. Hij stond Hillary toe hem te slaan omdat hij oma opa had zien aftuigen.

Bill Clinton, een moderne president, werd afgeschilderd als het slachtoffer van incest, pedofilie, kindermisbruik, erotomanie, seksuele verslaving, gokverslaving, alcoholverslaving, driftverslaving, vrouwenmishandeling, mannenmishandeling, opa-mishandeling, gebrek aan zelfrespect, jaloezie en armoede.

Bill Clinton was de misbruikte, vleesgeworden boksbal die voor veel van de progressieve kwesties van de jaren '90 als 'Bewijsstuk A' kon dienen. De president van de Verenigde Staten was de personificatie van de nachtmerrie die volgens veel progressievelingen verdrongen en diep weggezonken in de nationale psyche huisde. Hij was het levende slachtoffer van de verschrikkingen die we onze kinderen en kleinkinderen met zoveel inspanning probeerden te besparen.

Als de zielenknijpers het bij het rechte eind hadden, was Bill Clinton voor geen van zijn daden verantwoordelijk. Dan was hij een goed-uitziend podium waarop twee sletten en twee dronkaards een psychodrama hadden opgevoerd dat in Hope zijn première beleefde, in Hot Springs werd voortgezet en in Het Witte Huis een internationale sensatie werd. Als de zielenknijpers het bij het rechte eind hadden, was Bill Clinton niet alleen slachtoffer maar ook oorlogsgewonde. Maar als de zielenknijpers gelijk hadden, hield dat ook in dat een zwaar gestoorde figuur met zijn vinger op de Amerikaanse atoomknop zat.

En hij kwam op de televisie, dit opperslachtoffer, om vergiffenis te vragen voor iets waarvan hij niet wilde toegeven dat hij het gedaan had. Wat viel het ons moeilijk om geen tranen van sympathie te plengen voor de arme in de steek gelaten Bill Clinton!

Bill Blythe liet hem in de steek door dood te gaan. Zijn moeder liet hem in de steek voor een betrekking buiten de stad. Zijn stiefvader liet hem in de steek voor zijn fles. Zijn moeder liet hem in de steek door opnieuw met zijn stiefvader te trouwen. Zijn grootmoeder liet hem in de steek door dood te gaan. Zijn grootvader liet hem in de steek door dood te gaan. Zijn stiefvader liet hem in de steek door dood te gaan. Zijn moeder liet hem in de steek door nog eens met twee nieuwe stiefvaders te trouwen toen Roger Clinton eindelijk doodging. Gennifer liet hem in de steek voor een boek, net als Dolly Kyle. Zijn moeder, Vince Foster, Ron Brown en Rabin lieten hem allemaal in de steek door dood te gaan. Stephanopoulos liet hem in de steek voor een boek en voor Sam en Cokie. Dick Morris liet hem in de steek voor een boek en voor Rupert Murdoch en Trent Lott. Barbra liet hem in de steek voor voor een televisie-acteur. Monica liet hem in de steek voor een boek en Ken Starr. Hillary en Chelsea moesten nog beslissen. Zodat het erop begon te lijken dat alleen Buddy nog over was. Zoals Harry Truman al zei: 'Als je in Washington een vriend wil, neem dan een hond.'

Buddy was ongetwijfeld een verbetering na Zeke, Chelsea's getikte cocker-spaniel die uiteindelijk voor de gouverneurswoning in Little Rock werd doodgereden tijdens het achtervolgen van een auto. Zeke had aan één stuk door geblaft en aan deuren gekrast en zelfs politieke heibel veroorzaakt door voortdurend de aanriemvoorschriften van Little Rock te overtreden. Zelfs hondenpsychiaters konden de van zijn zinnen beroofde Zeke niet tot zwijgen brengen; daar was een auto voor nodig.

Hoewel Buddy op politiek pr-gebied niet zulke hoge ogen scheen te gooien als de eerdere presidentiële honden Fala (FDR) en Yuki (LBJ), zou hij waarschijnlijk niet tegen de Chinese Muur gepist hebben, zoals C. Fred van Bush. Hoewel Buddy nog niet zindelijk was gemaakt, wat het foto's nemen ietswat bemoeilijkte. Bovendien was hij in Clintons privé-werkkamer recht naar Monica toegelopen en had zijn neus tussen haar benen geduwd. 'Buddy,' was Monica's reactie geweest, 'jij hebt hier meer verstand van dan je baasje.'

Terwijl de zielenknijpers in de praatshows in Bill Clintons ziel bleven knijpen om te proberen zijn hachje te redden, begonnen de pr-mensen van het Witte Huis hem eveneens te knijpen – over de mogelijkheid dat een of andere progressieve, sympathiserende zielenknijper met het idee zou komen aandragen dat Buddy... aan zijn gedrag te oordelen... eveneens het slachtoffer van misbruik was, net als zijn baasje.

(8)

Bob Doles janpieter

Wie wist ervan? Ja? Niemand. Tijdens de campagne. Tegen Clinton. Om de enchilada. Ik had de juiste boodschap. Karakter, karakter, karakter. Aan wie zou je je kinderen toevertrouwen? En al die tijd. Werd zijn janpieter gepijpt. Door onze buurvrouw. Verdikke. Door die meid. Lipinski. Kaczynsky. Weet ik veel.

Bob Dole wist het niet en Elizabeth Dole evenmin. We wisten dat ze onze buurvrouw was. We hadden haar bij de lift gezien. Maar we wisten niet dat ze zijn janpieter kende.

Raar toch hè? Hoe een dubbeltje rollen kan? Jazeker, hier bij de Watergate. Wij alle drie. Bob Dole. Elizabeth Dole. Monica Lipinski. En onze buurvrouw, Lipinski, wordt beroemder dan Watergate! Dorothy had gelijk. Ja? In die film over Kansas. 'Kansas ligt kilometers achter ons, Toto.'

Ik had de verkiezingen al bijna in mijn zak. 'Je hebt hardlopers en je hebt doodlopers.' Dat zei mijn pa. Driemaal is scheepsrecht. Dat zei iemand anders. Tachtig en '88; dit was de derde keer. Ik had het precies goed aangepakt door te blijven hameren op de boodschap, de boodschap, de boodschap. Ik gaf ze een paar grapjes. In Kansas hebben we zulke grote sprinkhanen dat ze varkensneuzen eten. We bouwen circustenten met onze koolbladeren. We gebruiken maïsstengels om bruggen mee te bouwen. En dan weer terug naar de boodschap – Karakter! Karakter! Karakter!

Over de oorlog hoefde ik het niet eens te hebben. De schouder. De sigarendoos. De pen in mijn rechterhand. Bob Dole kreeg klop maar stond weer op! Iedereen wist ervan. Heel anders dan thuis in Kansas. Daar moest ik die tv-advertenties uitzenden. Een foto van mij en een foto van mijn schouder. Deze keer niet. Ik hoefde niet eens over de oorlog te praten. Iedereen wist ervan. Net als iedereen wist dat hij de dienstplicht ontdoken had.

De grote stille kwestie van de campagne. Tweede Wereldoorlog tegen Vietnam. Mijn jaren in het ziekenhuis tegen zijn jaren in Oxford. Een Purperen Hart tegen zijn uitstel. NASA tegen Spoetnik. De NFL tegen de NLF. Kansas tegen Hollywood. Dood tegen Rood. Graag tegen niet. Lood tegen loodvrij.

De andere belangrijke kwestie behalve de oorlog die de laatste aller oorlogen was – dat zei Eisenhower toch, niet? Die kwestie was zijn janpieter. Wij noemden het karakter. Iedereen wist van hem en ook van zijn janpieter.

Bob en Elizabeth Dole waren gelukkig getrouwd. Dat wist ook iedereen. De oorlog speelde daar ook een rol bij. Bob Dole was lichamelijk gehandicapt, niet het soort man dat een janpieter hád. Het was míjn karakter tegen het zijne. Appelvlaai tegen kersenvlaai. Rijpheid tegen zijn saxofoon. Dubbel-focusglazen tegen zijn zonnebril. Mijn ontbrekende schouder tegen zijn janpieter. Bob Dole spreekt de waarheid! Bob Dole houdt van Amerika! We wisten dat wij op dat gebied ook een miniem risico liepen. Qua jan-pieter. Mijn echtscheiding. Ik nam het door met mijn jongens. Met de vrouw van George Will en Rudman en David Keene. Maar het was allemaal al zo lang geleden, helemaal in '72, dat we dachten dat Bob Dole nergens last van zou hebben.

Reagan was gescheiden. En Phyllis, mijn ex, deed weer mee. Ze ver-kocht STEM OP DOLE-buttons in 1988. En onze dochter, Robin, die inmiddels een meid van over de veertig was, had aan iedere campagne meegewerkt.

Dus Bob Dole had zijn zaakjes in orde gemaakt. Hij had zijn eigen kies-district in zijn zak. Bovendien waren alle jongens van mening dat Elizabeth de doorslag zou geven. Elizabeth die zo'n stralende persoonlijkheid was op het podium. Haar armen om Bob en Robin. De meeste kiezers zouden niet eens weten dat Phyllis nog leefde.

Verdikke, we hadden een vliegende start, toch? Bob Dole met zijn bood-schap: Karakter! Karakter! Karakter! En precies tijdens de Nationale Demo-cratische Conventie kwam de janpieterkwestie om de hoek kijken. Als een handgranaat die midden in hun feestje viel. En al hun schouders eraf knalde. Dick Morris, de kleine wezel, betrapt bij een snol. Morris, Clintons pooier, betrapt terwijl hij tweehonderd dollar per uur betaalde. Om aan haar tenen te mogen sabbelen. Om naakt op handen en voeten op het vloer-kleed te zitten en te blaffen als een hond. Bob Dole moest lachen. Het was te mooi om waar te zijn. Hoewel Trent en Jesse Helms een beetje ner-veus waren. Morris werkte ook voor hen.

Maar ik lachte. Morris zei zelfs tegen de snol dat hij het best een keer met Hillary wilde doen. Hij vertelde haar dat er bacteriën op Mars waren. Dat was topgeheim. Hij liet haar meeluisteren als hij met Clinton praatte. Terwijl de snol hetzelfde deed als ons buurmeisje. Hun enige optie was Morris ont-slag laten nemen. Hoewel ik weet dat hij Trent bleef adviseren. En iemand in het Witte Huis noemde hem een 'aanhangsel'. Ja, dat was een goeie. Hij was inderdaad een aanhangsel. Van het mannelijke soort. Karakter! Karak-ter! Karakter! En dan gebeurt er dit. En Morris' aanhangsel herinnert de kie-zers aan Clintons aanhangsel. De juiste boodschap. De juiste boodschap. De juiste boodschap. Reken maar!

Bob Dole sprak er natuurlijk met geen woord over. Bob Dole verlaagde zich niet. Hij herinnerde zich het advies dat hij in '72 van president Nixon gekregen had. Toen Bob Dole ging scheiden. Bob Dole ging naar de Baas en bood zijn ontslag aan als voorzitter van het Nationale Republikeinse Co-mité. En de Baas zei dat een politicus op zijn openbare gedrag beoordeeld moest worden. Niet op zijn privé-leven. Hij gaf me een boek dat Bob Dole zorgvuldig las. Het ging over Israeli, de beroemde Engelse Eerste Minister. Jongen van formaat, Israeli. Groter dan Churchill. Groter dan Thatcher. Meer het formaat van Babe Ruth. Dempsey. Sam Rayburn. En volgens het boek was Israeli zes keer getrouwd geweest. Buitelde door meer slaapkamers dan de clowns die door Ringley en Baileys circus buitelden. Dus Bob Dole zei geen woord over de wezel op handen en voeten. Blaffend als een hond. Maar de kiezers hoorden het allemaal haarscherp. Wat Bob Dole niet zei.

Wat een start! Een verpletterende start! Je reinste carte blanche! En na die start... *kwam ik ten val*. In Kansas. In Californië. Je hebt de foto's waarschijnlijk gezien. Ik kon er niets aan doen. Bob Dole spreekt de waarheid! Bob Dole houdt van Amerika! Ik ben niet jong. Ik ben van rijpe leeftijd. Ik probeerde bij mijn boodschap te blijven. Maar ze begonnen gifgas te spuiten. Zo zijn ze nu eenmaal, de linkse rakkers, zoals de Baas altijd zei. Ze wilden wraak nemen vanwege Morris, de wezel die naakt op de grond knielde.

Verdikke, ze noemden míj de beul. Ze wreven me aan dat ik naar de moeder van een tegenstander in Kansas geschreven had. Om te zeggen dat hij aan de drank was! Dat ik een andere tegenstander een aborteur genoemd had! Dat ik gezegd had dat de Democraten de dood van 1,8 miljoen Amerikanen in de Tweede Wereldoorlog op hun geweten hadden! Dat ik mijn ontbrekende schouder gebruikte om stemmen te werven! Dat ik een grauwende rottweiler was! En toen kwamen zíj opzetten!

Ze wreven me aan dat ik een vice-presidentskandidaat gekozen had, Jack Kemp, van wie beweerd werd dat hij homoseksueel was. En een dienstplichtontduiker. Ze deden het niet rechtstreeks. Ze ontkénden dat ze het gezegd hadden. Om het verhaal langer in de pers te houden. Om de aandacht van de kiezers van de wezel op het vloerkleed af te leiden. De wezel ontkende dat hij het zelf gedaan had. Als de wezel die hij was. De wezel zei dat de berichten onjuist waren. Dat hij en zijn campagnevoerders geruchten 'natrokken'. Dat Jack homoseksueel was. En onder de dienstplicht uitgekomen was op grond van een blessure die hij als prof-*football*-speler had opgelopen.

Bob Dole wist hoe smerig dit was. Het belasteren van een eerbare, onkreukbare NFL-huisvader. De veteraan van talloze verdedigingsacties. Het lamslaan van de balspeler. Een poging tot karaktermoord op Bob Doles ontbrekende schouder. De wezel ontkende alles. Allemaal om on-Amerikaanse activiteiten te verhullen. Van de twee janpieters. Die van Kennedy – ik bedoel van Clinton. En van Dick Morris. Bob Dole spreekt de waarheid! Bob Dole houdt van Amerika! Dit was fout. Fout, fout, fout.

Hun volgende schot kwam nog dichterbij. Roger Stone. Een van mijn campagne-medewerkers. Een goede man. Een eerbare Republikein. Een vaderlandslievende Amerikaan. Directeur Politieke Zaken van president Reagan. Hield zelfs nauw contact met de Baas in zijn laatste jaren. Bezocht hem in zijn huis in New Jersey. Fluisterde hem politieke roddelpraatjes in. Hield de Baas op de hoogte. En nu drukten de flutblaadjes foto's af van Roger. Blote borst en een masker voor. Foto's van zijn vrouw op een bed. Met niet veel aan. Foto's uit een advertentie die Roger geplaatst had. In seksblaadjes. Op zoek naar groepsseks. Ze waren in een seksclub gesignaleerd. Bij een orgie. In een van de advertenties van Rogers vrouw stond iets over een heet wijf. Dat naar echte mannen snakte.

Bob Dole geloofde er geen woord van. Het kan me niet bommen wat er op de foto's stond. Ze wilden Roger te grazen nemen vanwege Reagan. Vanwege de Baas. Vanwege Bob Dole. Omdat Roger onze beste man was om anderen negatief af te schilderen. Omdat de seksmaniak tegen wie ik mijn presidentscampagne voerde zijn oog op Rogers vrouw had laten vallen. Op de begrafenis van de Baas. Dezelfde vrouw wier foto's in de advertenties stonden. Die haar maten opgaf als 40DD-24-36.

Stel je voor. President Nixon zit amper onder de grond. Ik doe de grafrede. (Bob Dole huilde.) En de president van de Verenigde Staten – op de begrafenis van een van de grootste presidenten uit de geschiedenis – denkt aan zijn janpieter. Ze wilden Roger te grazen nemen. En dat deden ze. Zoals ik al zei, ik geloof er geen woord van. Maar ik vroeg hem ontslag te nemen.

Daarna pakten ze Arthur Finkelstein. Een kogel in de rug. Arthur was Rogers mentor. Een van de beste adviseurs in de Republikeinse partij. Iets aan de rechtse kant. Werkte voor de anti-homojongens. Helms. Don Nickles. Lech. Faircloth. Veel van Arthurs jongens werkten nu voor Bob Dole. En heel toevallig komt nu aan het licht – na Morris – na Roger – dat Arthur – bááááh! – homoseksueel is. Dat Arthur samenwoont met zijn – bááááh! – homoseksuele echtgenoot. Of echtgenote. Of wat dan ook. Ik weet niets van dat soort dingen. In Kansas hadden we dat soort dingen niet. En ze voeden twee jongens op. Ja! Goed gehoord. Arthur is homoseksueel. Hij wordt betaald door de jongens die niet van dat gedoe houden. En hij en zijn weet-ik-veel hebben twee jongens.

Ik diende de klootzakken van repliek. Laat niemand zeggen dat Bob Dole zich laat kisten. Dat hij niet terugsteekt als ze hem steken. 'Alles is geoorloofd behalve niks.' Dat zei ma. Ik attaqueerde de toevoerlijn van de klootzakken. Hun geldtoevoer. Hollywood. Bob Dole wierp ze voor de voeten dat ze geld verdienden aan muziek die zijn stem gaf aan het 'verkrachten, martelen en verminken van vrouwen.' Aan films die hun stem uitbrachten voor 'nachtmerries van verdorvenheid.'

Ik legde het er flink dik bovenop. De Baas zou trots op me geweest zijn. Het was net een van mijn toespraken van vroeger. Over het langharige tuig in onze straten. Bob Dole liet ze wakkerschrikken. Bob Dole opende het vuur op ze met een machinegeweer. De vrouw van George Will en mijn andere jongens dachten dat de kogels Clinton om de oren floten.

Ik probeerde bij mijn boodschap te blijven. Karakter! Karakter! Karakter! Maar een aantal van mijn jongens maakte zich zorgen. Misschien werd de boodschap een tweesnijdend zwaard. Een plaag van sprinkhanen uit Kansas. Een spelletje Russische roulette. Ik had het gevoel dat we door een spervuur renden. Dat Bob Dole weer in de Tiende Bergdivisie zat. Op de Pra del Blanco. Of waar het ook was.

De troepen – Roger, Arthur – werden getroffen. Ik begon moe te worden. Te struikelen. Maar als ik nog even. Door de modder ploeterde. Dan zou ik op verkiezingsdag. Onze vlag. Op deze hoop vuil en smerigheid planten. En de Super Bowl winnen. Ik lette niet op de opiniepeilingen. De opiniepeilingen waren sluipschuttervuur. Miskleunen van de scheidrechters. Opiniepeilingen dienden genegeerd te worden. Ik moest door het middenveld blijven rennen. Op een koude dag in Green Bay. Door de granaatscherven. Sluipschuttervuur. Winnen voor de USA. Voor de coach, FDR. Ike. De Brooklyn Dodgers. Weet ik veel.

Het lukte nog bijna ook. Ik kreeg die vlag bijna geplant. Won bijna mijn kampioensring. Half oktober liep ik tegen mijn eerste kogel aan. Een paar weken voor de verkiezingsdag. Het was de echtscheiding. Phyllis! Phyllis en Robin!

Eerst schreven de flutbladen dat ik Phyllis in het ziekenhuis had leren kennen. Tijdens mij revalidatie na de oorlog. Dat ze me hielp weer te leren lopen. Mijn vlees voor me sneed. Me hielp weer te gaan studeren. Aantekeningen voor me maakte. Me hielp mijn advocatenexamen te doen. Altijd stenografeerde. Mijn kleren naaide. De kleren van mijn campagnemedewerkers naaide. Dat ik in het laatste jaar van ons huwelijk in de kelder sliep. Alléén. Dat ik twee keer per jaar bij Phyllis en Robin at – met Kerstmis en met nieuwjaar. Dat ik haar na drieëntwintig jaar huwelijk aan de kant zette. Gewoon door te zeggen: 'Ik wil weg.'

Ze maakten me even slecht als Gingrich. Die zijn vrouw om echtscheiding vroeg toen ze in het ziekenhuis lag. En juist te horen had gekregen dat ze kanker had. Het klonk niet best. Een vrouw die me geholpen had weer te leren lopen en mijn vlees voor me sneed. Haar op die manier aan de kant zetten. Ik kon er geen woord van ontkennen. Bob Dole spreekt de waarheid. Bob Dole houdt van Amerika.

Maar die eerste kogel was een schampschot. Ze haalden Phyllis aan die zei dat ik een workaholic was. Dat het daardoor misgelopen was. Ik werkte te hard voor Amerika. Als je een reden zoekt om iemand die je heeft geholpen weer te leren lopen aan de kant te zetten is Amerika geen slechte keus. En er was geen ruzie. Ze verdiende geld aan de verkoop van haar Bob Dole buttons, toch? Voorlopig viel het dus mee.

Toen kreeg ik er een in mijn ontbrekende schouder. Een granaatscherf ter grootte van een grote dikke leugen. Gewond in de campagne voor Europa. Opnieuw gewond in mijn campagne tegen Clinton. Ik wist niet eens zeker of Phyllis hiervan wist. Workaholic, hè? Ja nou! Een week voor de verkiezingen, na zo trouw op mijn boodschap gehamerd te hebben. Karakter! Karakter! Karakter! Na mijn toespraak in Hollywood over waarden. En ze pakten Bob Dole op karakter. Op zijn janpieter. Omdat hij hem niet in zijn gulp kon houden. Bob Dole op één lijn gezet met de seksmaniak tegen wie hij het had opgenomen.

Het was lang geleden. Begin jaren '70. Maar ik wist dat dat geen verschil zou maken. Het hele land was op dat moment seksueel hoteldebotel. Maar ik wist dat die vlieger ook niet op zou gaan. Bob Dole was Bob Dole. Bob Dole had het Purperen Hart. Bob Dole had de ontbrekende schouder. Bob Dole werd niet geacht een janpieter te hebben.

Haar naam was Meredith Roberts. Ze was vijfendertig in die tijd. Een secretaresse aan de universiteit van Washington. Ik was vijfenveertig. Senator. De flutbladen hadden haar gevonden. Ze was drieënzestig. Nog steeds ongetrouwd. Woonde samen met een zootje poezen. Ze was ook nog steeds kwaad op me. Ze zei dat ze Bob Dole 'Bobby D.' noemde. Dat iedereen dacht dat Bob Dole over water kon lopen. Maar zij wist dat Bob Dole niet kraakhelder was. Dat we zogenaamd stapelgek op elkaar waren.

Verdikke! Het verbaasde me niet dat ze nog steeds kwaad op me was. Ze dacht dat ik haar had laten vallen voor Phyllis. Ze dacht dat ik terugging naar mijn vrouw. Fout, fout, fout. Ik ging inderdaad naar Phyllis, maar het was een andere Phyllis. Niet mijn vrouw Phyllis, maar Phyllis Wells. Een model. Karakter! Karakter! Karakter! En nu was Bob Dole Bobby D. geworden.

Bob Dole spreekt de waarheid! Bob Dole houdt van Amerika! Maar Bob Dole wilde president worden! We probeerden het bloed van deze voltreffer te stelpen. Dat viel niet mee. Het was nu duidelijk dat ik de vrouw die me geholpen had opnieuw te leren lopen aan de kant had gezet vanwege mijn janpieter. Daarna, opnieuw vanwege mijn janpieter, liet ik de vrouw vallen die voor mijn janpieter zorgde. Voor een model dat béter voor mijn janpieter zorgde.

Ik zei tegen de kiezers. Niet lezen die troep. Niet naar de tv kijken. Trek je eigen conclusies. Laat je niets door anderen opdringen. We probeerden het buiten de grote kranten te houden. Een paar van mijn jongens die vroeger voor Finkelstein gewerkt hadden, praatten met de *Washington Post*. Ik stuurde Elizabeth op de hoofdredacteur van de *Post* af. Dat gaf me wel een raar gevoel. Mijn vrouw die ging vragen of ze een verhaal over dat ik mijn ex-vrouw bedrogen had buiten de krant wilden houden.

Sommige kranten hielden het achter. Andere niet. Maar tegen die tijd was ik toch al doodgebloed. Bob Dole was oud. Bob Dole viel neer. Bob Dole had maar één ding voor bij de kiezers. Karakter! Karakter! Karakter! En nu had karakter zich omgedraaid. En Bob Dole in zijn janpieter gebeten.

Bob Doles schouder was vergeten. Bob Dole was de grap geworden. 'Een kandidaat voor de lijmfabriek. Op zijn best als de herdenkingsdienst niet voor hem zelf is. Voor hem is het glas Metamucil altijd halfvol. De vrouw in kwestie was Wanda Flintstone. Om een meer presidentiële indruk te maken is hij begonnen hasj te roken en prostituees aan te spreken.'

Ik stierf in de modder. Gespiest door mijn vlag. Slick Willy versloeg Bobby D. Mijn kampioensring lag de lengte van mijn janpieter buiten mijn bereik. Mijn rechterhand kon er niet bij. Dit soort dingen kunnen in elke wille-keurige oorlog gebeuren. Op elke willekeurige zondag. Lees S.L. Marshall maar. Luister naar John Madden. Kijk maar naar *Private Ryan*.

En toen, toen het allemaal voorbij was, toen Bob Dole dood en begraven was, ontdekte ik dat die meid Lipinski ons buurmeisje was. Bill Clinton en Bob Dole waren veteranen van dezelfde campagne. Hij had Hillary. En Gen-nifer. En Lipinski. Ik had Phyllis. En Meredith. En de andere Phyllis.

Toen werd ik opnieuw getroffen. Bob Dole lag politiek gesproken twee meter onder de grond. Maar desondanks deed het zeer. Een dokter in Kansas zei dat ik een jonge vrouw naar hem toe had gebracht. Om abortus te laten plegen. In 1972. Een van mijn gewezen verkiezingsmedewerkers bevestigde zijn woorden. Maar het was niet waar! Bob Dole spreekt de waarheid! Bob Dole gelooft niet in abortus! Bob Dole vindt abortus fout. Fout, fout, fout. Bob Dole is niet Bobby D. Bob Dole is niet Bill Clinton.

Bob Dole houdt van Amerika, niet van zijn janpieter. Maar hij heeft er wel een. Zoals ieder mens. Niet íeder mens, natuurlijk. Alleen mannen. Daar be-doel ik niets seksistisch mee. Bob Dole is geen seksist. Seksisme is fout. Fout, fout, fout. Wat? Wat zei je? Wat doet het? Serieus? Verdikke! Hoe heet het? *Niagara*?

[9]

Billy lust er wel pap van

'Ik heb gisteren zoiets stouts gedaan,' zei Monica tegen Linda Tripp, 'maar ik kon het niet laten. Egon Schiele – da's een van mijn favoriete schilders. Die schildert altijd van die naakte vrouwen en zo. Heel erotisch. Dus ik koos zo'n prentbriefkaart met dus zo'n... nou, blote... hartstikke spiernaakte meid. Geen draad aan d'r lijf. En die kaart heb ik naar hem toegestuurd.'

Wat sommige mensen het ergst schenen te vinden – bijvoorbeeld de eerwaarde Donald Wildmon, hoofd van de American Family Association, en James Dobson, leider van Focus on the Family – was dat de president van de Verenigde Staten met zichzelf speelde.

'Moeten we deze man, die we in het rapport van Starr in de westelijke vleugel zien masturberen,' schreef de conservatieve columnist George Will, wiens vrouw, Mari, ooit tekstschrijfster was geweest voor de destijds impotente Bob Dole, 'nog 28 maanden in het Witte Huis laten wonen?'

Het was net alsof sommige mensen met dat oude, geel uitgeslagen boek over haar en wratten op je handpalmen zwaaiden: *Onania, Of de Snode Zonde van Zelfbevlekking en Al Hare Schrikwekkende Gevolgen, met Geestelijke en Lichamelijke Adviezen aan Hen Die Zichzelve door Deze Verfoeilijke Praktijken Reeds Schade Berokkend Hebben, Gevolgd door den Brief ener Dame aan den Auteur Aangaande Gebruik en Misbruik der Huwelijkssponde, met een Antwoord van den Auteur (4de ed. Londen 1726).*

Congreslid Bob Barr had het over 'de vlammen van hedonisme, de vlammen van narcisme, de vlammen van op zichzelf gerichte zedelijkheid,' en herinnerde zijn luisteraars aan wat senator Orrin Hatch over Clarence Thomas, inmiddels lid van het Hooggerechtshof gezegd had – 'dat iemand zo pervers kan zijn – ik ben ervan overtuigd dat dit soort mensen bestaat, maar die zitten in de regel in een krankzinnigengesticht.'

Vlammen van hedonisme... krankzinnigengesticht... George Will dreef in een andere column de spot met een psycholoog die gezegd had: 'Masturbatie kan geen kwaad en helpt mensen zich te ontspannen'... schamperde over met jezelf spelen... waarvan de psycholoog zei dat 99% van de Amerikanen het deed, maar slecht 1% het toegaf.

Speelde George Will nooit met zichzelf als Mari er met de impotente Dole op uit was, of als een knappe jonge beginneling bij de Chicago Cubs een bal over de omheining sloeg, of als hij naar het strakke witte jurkje keek dat Cokie afgelopen zondag aanhad op de tv? Had Bob Barr tussen zijn drie huwelijken in nooit met zichzelf gespeeld? Of Orrin Hatch, als hij aan de pornoster dacht die ooit op zijn kantoor gewerkt had? Of na een tochtje door de streek in Mormonenland waar mannen zeven vrouwen hadden?

Masturbatie leek nog steeds de zonde die de gekken met hooivorken gewapend en vuur en zwavel spugend de straat op stuurde. Het was nog steeds de 'erfzonde' die ons allemaal tot zondaars maakte. Toen Jocelyn Elders, directeur-generaal van de Gezondheidszorg onder Bill Clinton, zei: 'Ik vind dat masturbatie een onderdeel is van de menselijke seksualiteit, een onderdeel van iets dat misschien zelfs aangeleerd moet worden,' vond het 'high-tech lynchgerecht' waarover Clarence Thomas gesproken had werkelijk plaats en moest Elders ontslag nemen. ('Als president Clinton naar Jocelyn Elders geluisterd had,' grapte Jay Leno voordat het *Starr-rapport* de onanistische neigingen van de president had onthuld, 'zou hij nu niet in de penarie zitten.')

Maar Bill Clinton zat in de penarie en ontkennen hielp deze keer niet. Hij maakte er een gewoonte van met zijn Willard te spelen; hij had het gedaan met Gennifer en hij had het twee keer gedaan met Monica. Michael Isikoff, de verslaggever van *Newsweek*, kreeg nog voor het verschijnen van het *Starr-rapport* een anoniem telefoontje van een vrouw die door Bill Clinton in zijn privé-werkkamer betast was en die vervolgens had moeten toezien hoe de president Willard uit zijn broek haalde en 'het karwei zelf afmaakte.'

De mannetjesmakers van het Witte Huis wilden niet met zoveel woorden over aftrekken praten, hoewel Clintongezinde theologen Jezus' vermaning 'bemin uw naaste gelijk uzelf' aanhaalden. Het hoofd van de Amerikaanse soloseks-beweging, Harold Litten, vroeg: 'Masturbeerde Jezus of had hij nachtelijke zaaduitstortingen, natte dromen?' Nou, als je de bijbel gelooft dat Jezus in elk opzicht een mens was – dan moet het 't een of 't ander geweest zijn.' Andere godsdienstgeleerden wezen op Sinte Theresa en Johannes van het Kruis als voorbeelden van heilige onanisten (hoewel Johannes zichzelf ook geselde, iets waarvan niemand Bill Clinton tot dusver beschuldigd had). Sint Bernard werd aangehaald met de woorden: 'Wie eenmaal de geestelijke kus van Christus' mond ontvangen heeft, spant zich gretig in die opnieuw te voelen.'

Wereldlijke geleerden wezen intussen op beroemde rukkers als Tolstoy, Nietzsche, de Maupassant, Wagner, Jack London en Shakespeare, en haalden zelfs een van de sonnetten van de Bard aan: 'The sin of self-love possesseth all mine eye/And all my soul and all my every part/And for this sin there is no remedy/It is so grounded in word in my heart.'

In het Witte Huis werd overwogen (naar verluidt op voorstel van James Carville) het onanisme van de president in een politieke context te presenteren: De wereld was overbevolkt, overal werd honger geleden. Wat de president deed was goed voor de hele wereld.

Howard Stern verdedigde onanie op de radio door er de rassenkwestie bij te halen: 'Het dichtst dat ik ooit bij seks met een zwarte vrouw ben gekomen, was masturberen bij een plaatje van Tante Jemima op een doos pannenkoekmix.' De generatie blanke jongens die in hun jeugd gretig elk nummer van de *National Geographic* lazen, wist precies wat hij bedoelde.

Uiteindelijk voerden de mannetjesmakers geen enkele verdediging aan, omdat Bill Clinton al bij de eerste oogopslag te herkennen was als de klassieke handwerker. Onanisten zijn om voor de hand liggende redenen dol op jacuzzi's, en het eerste dat Bill Clinton in het Witte Huis had laten installeren was een jacuzzi. Onanisten zijn dol op joggen, dol op het flappen van hun stijve piemel tegen hun huid, en Bill Clinton had zijn hele leven gejogd.

Sommige mensen wezen ook op zijn rode gezicht. Waarom was hij zo vaak rood aangelopen? Wat had hij gedaan? Dat hij dol was op Willard stond buiten kijf, een hedendaags voorbeeld van Leonardo da Vinci's uitspraak: 'Vaak heeft de penis een leven en een intelligentie die onafhankelijk zijn van de man, en je zou zeggen dat de man er verkeerd aan doet zich ervoor te schamen hem een naam te geven of hem aan de wereld te tonen; dat hij er de voorkeur aan geeft te bedekken en te verbergen wat hij zou moeten versieren en ceremonieel, als een dienaar, tentoon zou moeten spreiden.' Bill Clinton schaamde zich niet voor de zijne; hij gaf hem een naam en toonde hem aan de wereld – 'Kus hem' – hij versierde hem en spreidde hem tentoon aan Flowers, Monica en anderen. En hij had zijn eigen ceremonieel op Nancy Hernreichs sofa of boven de gootsteen.

Hij paste ook in het klassieke profiel van de onanist in zijn relatie met Monica, zoals omschreven door de gerespecteerde Dr. Karl Menninger. 'Ze zijn bijzonder trots op hun geslachtsorganen en het is zelfs niet onjuist te zeggen dat zulke personen masturbatie verkiezen boven geslachtsverkeer. Het geslachtsverkeer dat ze bedrijven is vaak niet meer dan een soort intravaginale masturbatie.' In Monica's geval was de masturbatie zelfs dát niet – ze was intra-oraal. De eerste keer dat ze Willard in haar mond nam, wist hij niet eens hoe ze heette. (De gretigheid waarmee hij Willard voor de dag haalde suggereert in ieder geval dat de conservatieve schrijfster Ann Coulter het mishad met haar theorie dat Willard leed aan de ziekte van Peyronie ofwel kromming van de penis, sinds die tijd in Washingtonse kringen bekend als 'de ziekte van Ann Coulter.')

Militante onanisten in het hele land, een ontzagwekkend grote zwijgende meerderheid die net als andere vergeten Amerikanen naar emancipatie streefde, verwelkomden Bill Clinton binnen hun kring.

Ze hoopten natuurlijk dat Bill Clinton voor hen zou doen wat Martin Luther King Jr. voor het zwarte volksdeel, Harvey Mills voor de homoseksuelen, Cesar Chavez voor de Latijns-Amerikanen en Gloria Steinem en Lorena Bobbit voor vrouwen hadden gedaan. Pee-wee Herman was de enige die deze kans had gehad, maar die was besmuikt afgedropen alsof hij zich schaamde voor de activiteit – waaraan de meesten van ons zich ook wel eens schuldig gemaakt hadden – waarop hij in die bioscoop betrapt was.

Door te zeggen: Jazeker, ik masturbeer, net als vrijwel iedereen, en net als vrijwel iedereen vind ik het heerlijk! had Bill Clinton mannen en vrouwen over de hele wereld kunnen bevrijden van de minachting en het vooroordeel waaronder ze gebukt gingen. De tv-series hadden homoseksualiteit al tot een doodnormale, echt Amerikaanse eigenschap gemaakt; kon Bill Clinton niet hetzelfde doen voor soloseksualiteit? Lincoln had een paar honderdduizend zwarte slaven bevrijd – wat stelde dat voor vergeleken bij het bevrijden van honderden miljoenen zwarten, blanken, bruinen, gelen, albino's enzovoort? Bill Clinton had een combinatie van Mandela, Walesa, Gandhi en Yeltsin kunnen zijn.

Maar ze werden wreed teleurgesteld, de militante onanisten die 'm in aubergines en meloenen, avocado's en uitlaten staken. Bill Clinton was Bill Clinton, die zei dat hij niet geïnhaleerd had, die geen dienstplicht ontdoken had, die geen seks had bedreven met Gennifer en Monica, die zelfs ontkende dat hij sigaren rookte – 'Ik geef toe dat ik er een nam toen kapitein Scott O'Grady in Bosnië gevonden werd, omdat ik zo gelukkig was. Het was een vorm van feestvieren.'

Zelfs de onanisten werden nijdig op hem, even nijdig als George Will en Bob Barr. Hadden ze eindelijk deze tietaholische soloseksueel in de best denkbare positie om hen te helpen – het Oval Office – en nu liet hij hen in de steek. Hij rukte zich het hele Witte Huis door af (in ieder geval in de nieuwe jacuzzi en zeker ook op het nieuwe jogcircuit), waarschijnlijk met plumeaus en Dampo en bloemenvazen en scrotumriempjes en servetringen en vibrators... en net als Pee-Wee Herman kroop hij besmuikt in een hoekje, in de hoop dat de Amerikanen het zouden vergeten... in plaats van hen aan het kruis te nagelen vanwege hun hypocrisie. Hij gebruikte in ieder geval een kanjer van een vibrator van Sears; dat wisten we van Gennifer.

Wat een kans was dit voor Bill Clinton om een zelfde soort doorbraak te maken als Nixon met China, Reagan met Gorbatsjovs Rijk van het Kwaad, Jimmah met Hugh Hefners *Playboy*. Net als de rest van zijn generatie had Bill Clinton gerukt op uitgelaten jonge trekfestijnen, gerukt bij striptease-shows in vaudevilletheaters, gerukt bij het zakbiljarten op school, gerukt bij het doorkijken van de catalogus van Sears, gerukt bij het zien van de bijbelse spektakelfilms van Cecil B. DeMille, gerukt bij het luisteren naar de stem van Claudine Longet. Rukken, rukken, rukken (DeSalvo, de Wurger van Boston, rukte zich acht keer per dag af) en nu verprutste hij zijn kans. Hij was te schijterig om Amerika te vertellen dat hij graag met zijn plasser speelde.

Hij was een fan van onaneren. Hij hield zelfs van diverse soorten telefoonseks. Hij hield van het soort waarbij Monica voor hem op de grond knielde en hij aan de telefoon staatszaken besprak met die suikerrietmagnaat of met het Congreslid Bosnië doornam of met Dick Morris praatte.

De telefoonseksconversatie met Morris was een soort telefoonorgie, een sekslijngesprek voor vier personen. Bill Clinton stond met de hoorn aan zijn oor en Monica aan zijn Willard in het Witte Huis en praatte met Morris, die een hoorn aan zijn oor en een hoer aan zíjn *willard* had in hotel Jefferson.

Maar zelfs dat was niet eens je ware. Dat was als Monica zijn 'telefoonhoer' speelde, zoals de sekslijnmeisjes zichzelf noemden. Monica was goed in het imiteren van het fluwelen stemgeluid van Marilyn en had het aangeboren sexy stemmetje dat de sekslijntelefonistes allemaal probeerden na te doen. Monica was zo geschift dat hij haar álles kon laten doen.

Nadat hij de sigaar in haar had gestoken, nadat hij haar de in leer gebonden gedichtenbundel van Walt Whitman gegeven had, had zij hem het briefje gestuurd met 'Whitman is zo heerlijk dat je hem op dezelfde manier moet lezen als het proeven van... een goede sigaar – pak hem, rol hem heen en weer in je mond en geniet.' Monica, die telefoonseks als volgt aan Vernon Jordan beschreven had: 'Hij regelt zíjn zaken aan de ene kant en ik regel de mijne aan de andere.' Monica was een sensationele telefoonhoer, in tegenstelling tot Gennifer, die het nooit met overtuiging deed en een van hun sessies aldus in haar boek had beschreven.

> Bill zei nooit rechtstreeks: 'Kom, ik heb zin in telefoonseks.' In plaats daarvan ging het meestal als volgt. We waren bijvoorbeeld leuk aan het praten. Plotseling begon Bill dan zachter te praten en dan wist ik dat hij warm begon te lopen.
> 'Wat heb je aan?' vroeg hij dan.
> 'Niks, behalve die zwarte teddy die ik van jou gekregen heb,' zei ik dan. 'Ik heb mijn hand op de meisjes [haar borsten] en ik ga er heel zachtjes over wrijven.'
> 'Weet je wat ik wou?' vroeg Bill dan ademloos.
> 'Nee. Wat dan?'
> 'God, ik wou dat je hier was en hetzelfde kon doen met de jongens [zijn testikels].'

En zo gingen we nog een poosje door tot Bill eindelijk klaarkwam.

Hij was dol op seks met Monica per telefoon. Ze hadden vijftien keer telefoonseks en maar tien keer 'echte' lichamelijke seks. Hij nam het initiatief tot alle telefoongesprekken. Halverwege een gesprek begon hij zachter te praten en zei: 'Ik wil het over iets anders hebben.'

Monica wist wat ze deed, net als de Tiffanys, de Vanessa's, de Porsches en de Mercedessen van de sekslijnen, die kreunden en schreeuwden en op de juiste 'pikknoppen' van hun klanten drukten. Net als de beste telefoonactrices kon Monica de telefoonhoer slurpgeluiden maken. Ze zoog op haar vingers en smakte met haar lippen. Ze liet haar vingers in het speeksel tussen haar tanden en haar lippen fladderen en maakte een vochtig geluid dat als je het overdreef op een waterval of een wasmachine leek. Ze wist de vier simpelste schuttingwoorden uiterst creatief te gebruiken. Telefoonseks met Monica was werkelijk 'op één na het beste wat er bestond.'

En wat was er zo verschrikkelijk aan dat hij haar opbelde voor wat telefoonseks? Tweehonderdvijftigduizend Amerikanen belden elke avond de sekslijnen. Bill Clinton belde immers geen sekslijn. Hij wist dat dat ongepast zou zijn voor een president van de Verenigde Staten. Hij had zijn eigen persoonlijke, toegewijde, zwijmelende telefoonhoer. Hij maakte geen deel uit van dat louche leger van gezichtsloze mannen die elke avond de sekslijnhoeren opbelde en dingen zei als: 'Smeek erom... Ik wil je horen krijsen... Je bent mijn varkenskut... Kruip voor me... Krab me harder.'

Geen enkele telefoonhoer zou van Bill Clinton kunnen zeggen wat een sekslijnactrice over haar cliënten zei: 'Ze haten de vrouwen op wie ze geilen en moeten vrouwen vernederen tijdens de seksdaad. Ze beschouwen vrouwen als lijven zonder naam. Ze aanbidden hun pik en praten nergens anders liever over.' Dankzij Monica kon geen enkele telefoonhoer dat ooit van hem zeggen. 'Ze moeten me zo snel mogelijk iets vernederends noemen. Dat helpt ze niet alleen om klaar te komen, maar het bevrijdt hen ook van het opgekropt verlangen de vrouw verbaal te onteren en te misbruiken.'

Terwijl masturbatie en orale seks onderdeel werden van het nationale debat over het pijpen en de sigaar (een debat dat jaren eerder begonnen was, tijdens het onderzoek naar de zaak Clarence Thomas en Anita Hill, met Long Dong Silver en het schaamhaar op dat Colablikje), scheen niemand het lef te hebben, zelfs Kenneth W. Starr niet, om de meest seksueel ontvlambare onthulling van het *Starr-rapport* verder na te pluizen. Het was een simpel, kort zinnetje, voetnoot 209. '*Lewinsky. 8/26/98 verkl. te 20. Ze deden ook aan oraal-anaal contact.*' Pijpen, een sigaar, rukken en... *anilingus*?

Kontlikken? Wat de leerboeken beschrijven als 'kussen of likken in het anale gebied' in het Oval Office? 'Er zijn mensen die een sterke, misschien zelfs exclusieve voorkeur hebben voor anuslikken of om daar gelikt te worden,' schrijft een van de boeken. 'Anderen genieten van beide, hetzij om de beurt, hetzij door te experimenteren met posities waarin ze elkaar wederzijds kunnen likken... van alle vormen van anale stimulatie roept anuslikken waarschijnlijk de grootste afkeer en walging op. De meeste mensen hebben al vroeg geleerd dat we iets dat vies is vooral niet in of in de buurt van onze mond moeten laten komen... Mensen die besluiten het anuslikken te exploreren proberen dat gewoonlijk bij voorkeur tijdens of meteen na het douchen of baden. Dit kan de minder appetijtelijke luchtjes die gewoonlijk in het anale gebied hangen wegnemen en verkleint tevens de kans op het tegenkomen van fecaliën.' De meeste artsen rieden mensen ten sterkste aan bij het kontlikken een rubberen tandbeschermer te gebruiken.

Het kontlikken dat in het Oval Office plaatsvond, bleef achter als het grootste onopgeloste mysterie van het *Starr-rapport*. Geen enkel krantenbericht repte erover; Jay Leno maakte er geen grapjes over. De kinderen van Amerika, die al geleerd hadden over penisgrootte, schaamhaar op Colablikjes, pijpen, masturbatie en een intra-uteriene sigaar, werd dit bespaard.

Zelfs Starr en zijn aanklagers voelden Monica niet nader aan de tand met vragen als: Wie likte wie? De insiders in Washington die álles wisten, zeiden dat de gelikte anus die van de president geweest moest zijn, maar dat was puur gokwerk. Was het mogelijk dat Bill Clinton cunnilingus in gedachten had, maar omdat Monica ongesteld was overschakelde op anilingus?

Uit het *Starr-rapport* bleek duidelijk dat er geen rubberen tandbeschermer was gebruikt en dat noch Clinton, noch Monica van tevoren gedoucht hadden. Had een van beiden een geslachtsziekte? Had de president van de Verenigde Staten het nationale belang op het spel gezet door over te gaan – áls hij dat inderdaad gedaan had – op kontlikken?

Het debat over het presidentiële rukken had in ieder geval één gezonde uitwerking op het politieke lichaam: het drukte de *fellatio* in het Oval Office naar de achtergrond. Naarmate er meer feiten boven water kwamen, bleek dat behalve Monica een heleboel mensen het met Bill Clinton eens waren dat pijpen geen seks was. Een van de staatspolitiemannen die gouverneur Clinton in Arkansas bewaakten, zei dat de gouverneur hem jaren geleden verteld had dat in de bijbel stond dat pijpen geen seks was. Een gouverneur die samen met gouverneur Clinton een conferentie bijwoonde, had hem hetzelfde horen beweren. Andere publieke figuren bleken hetzelfde onderscheid te maken.

Congresvoorzitter Newt Gingrich had zich twintig jaar geleden door een verkiezingsmedewerkster laten pijpen maar wilde niet met haar slapen, zodat hij kon zeggen: 'Ik ben nooit met jou naar bed geweest.' Senator Chuck Robb uit Virginia had zijn maîtresses toegestaan hem te masseren en te pijpen, maar weigerde met hen naar bed te gaan, zodat hij een verklaring kon uitgeven waarin stond: 'Ik heb niets gedaan dat ík beschouw als ontrouw aan mijn vrouw.' Zelfs Sammy Davis Jr. had zich door Linda Lovelace laten pijpen, maar wilde niet met haar naar bed.

In de film *Clerks* van 1994 kwam een personage voor dat drie minnaars gehad had, maar zevenendertig mannen had gepijpt. 'Orale seks is geen echte seks,' zei ze. Een onderzoek van *Playboy* onder jonge mannen en vrouwen aan twaalf universiteiten in 1996 bracht aan het licht dat ongeveer 50% van de studenten orale seks niet als 'echte seks' beschouwde. Driekwart van de ondervraagden zei dat ze de mensen met wie ze alleen maar aan orale seks gedaan hadden niet op hun lijstje hadden gezet. Het leek erop dat orale seks, althans onder jongeren en hippe vogels, gewoon een vriendelijk stapje voorbij een kus op beide wangen of een hand geworden was, een soort zeer persoonlijke ... *manicure* voor 'vrienden onder elkaar.' Vrouwen als Liz Phair en Alanis Morisette zongen gemoedelijk: 'I want to be your blow job queen' en 'Would she go down on you in a theater?'

Dat *Playboy*-onderzoek bevatte nog meer slecht nieuws voor de heren Wildmon, Dobson, Will en Barr. Bijna de helft van de ondervraagde studenten had in elkaars bijzijn gemasturbeerd, meer dan tweederde had aan telefoonseks gedaan, eenderde had bondage geprobeerd, een op de vijf had tijdens het seksen een blinddoek gebruikt, vier op de tien vrouwen hadden in het bijzijn van anderen aan seks gedaan en de overgrote meerderheid had met een partner naar pornofilms gekeken.

Terwijl de eerwaarden en hun trawanten tegen masturbatie fulmineerden, hadden Amerikanen alleen al in 1996 acht miljard dollar uitgegeven aan pornofilms, sekstheaters en sekshulpmiddelen. De *toeschouwers* bij een honkbalwedstrijd van de Cincinnati Reds juichten toen ze hoorden dat hun museumdirecteur was vrijgesproken van de aanklacht van schennis der openbare eerbaarheid wegens het tentoonstellen van de foto's van Robert Mapplethorpe. En Howard Stern vertelde op de radio niet alleen hoe graag hij naar bed zou willen gaan met Lamb Chop, maar voerde ook een gast op die zijn piemel in een muizenval stak en een tweede die er piano mee speelde.

In Los Angeles eiste Hugh Hefner de president eveneens voor zichzelf op. Bill Clinton was niet alleen de eerste rock 'n roll-president (Jann Wenner), de eerste zwarte president (Toni Morrison), volgens Hefner was hij 'de eerste *Playboy*-president'. Hefner had evenals de meeste andere mannen van zijn generatie in L.A. Viagra ontdekt, was gescheiden en had, volgens zijn tijdschrift, 'de reputatie van de *Playboy*-villa als feesthoofdkwartier hersteld.' Een welbekende filmproducer die minder fortuinlijk was, ontdekte Viagra en kreeg prompt twee beroertes. Viagra, schreef de *Playboy*, 'bood de mogelijkheid tot een terugkeer naar op de fallus geconcentreerde seks, *de grote god Pik*.'

Sommige fundamentalisten en hun bondgenoten, die met hun kruisen zwaaiden alsof het bezems waren om 'Amerika schoon te vegen,' werd dit te veel. Pijpen, masturbatie, de sigaar en anilingus... Mapplethorpe, Viagra en nu de grote god Pik.

De meeste Amerikanen haalden hun schouders op, grinnikten misschien een keer en gingen naar de videotheek om hun pornofilms te huren of te kopen. De voorzitter van de Huiscommissie voor Justitie Henry Hyde, klonk een beetje benauwd: 'Ik vraag me af of er na deze cultuuroorlog een Amerika overblijft dat het waard is om voor te vechten.'

Oproerkraaier Paul Weyrich, voorzitter van de conservatieve Free Congress Foundation, gooide het bijltje erbij neer: 'Ik geloof niet meer dat er een morele meerderheid bestaat. Ik geloof niet dat de meerderheid van de Amerikanen onze waarden werkelijk onderschrijft. De cultuur waarin we leven wordt een steeds breder riool. Om je de waarheid te vertellen geloof ik dat we worden meegesleurd door een cultureel verval van historische afmetingen, een verval dat zo groot is dat de politiek er gewoonweg door overweldigd wordt.'

Wie kon er de president van de Verenigde Staten op aankijken als hij nu en dan, zelfs in deze tijden van crisis, zelfs terwijl we allemaal op het beloofde bijbelse Armageddon afstevenden, in de lens keek met... een grote, brede door Christus gekuste, soloseksuele, verrukte, rood aangelopen (en wie weet bekakte) grijns?

[10]

Beter dan een lavalamp

*'Ik weet het niet meer, weet je,' zei Monica. 'Ik kan begrijpen dat
er zoiets speelt als waarheid, weet je wel. We zijn allemaal Gods
kinderen. God is synoniem met goed, waarheid en liefde en geluk
en allerhande goede dingen.'*
'Daar kan ik op dit moment niet over inzitten,' zei Linda Tripp.

Een week voordat hij en Monica de sigaar probeerden, zaten Bill Clinton en Hillary op het podium tijdens het diner van de Nationale Radioen Televisieverslaggevers woedend naar Dom Imus te kijken, een niets en niemand ontziende revolverheld uit het Oude Wilde Westen, die grapjes maakte over zijn rokkenjagerij. 'Herinner je je het kunstgras achter op dat vrachtwagentje nog?' vroeg Imus, terwijl hij veelbetekenend naar Bill Clinton keek.

Toen Billy en Hillary terugkeerden naar in het Witte Huis, zat Hillary's goeroe, de zichzelf wereldlijk spiritualist en reïncarnatie van de godin Athene noemende Jean Houston, al te wachten om soelaas te bieden. De president verdween om naar een wedstrijd van de Arkansas Razorbacks op de tv te gaan kijken, maar Jeanie bleef bij Hillary om haar op te beuren. Hillary vond haar sympathiek en vertrouwde haar. Jean Houston had Hillary's gesprekjes met Mahatma Gandhi en Jezus Christus geregeld, en vooral dat met Hillary's grote voorbeeld Eleanor Roosevelt, wier portret in olieverf boven Hillary's bureau in haar kantoor hing.

De relatie tussen de presidentsvrouw en Jean Houston was een uitvloeisel van Hillary's verlangen na haar afstuderen aan Wellesley om de zomer vrij te nemen en de heilige plaatsen van India te bezoeken. Ze had altijd spirituele neigingen gehad – voelde zich aangetrokken tot de liedjes van Rod McKuen en *Jonathan Livingston Seagull*. Een poosje lang droeg ze zelfs een stemmingsring en verlichtte ze haar kamer met een lavalamp. Ze wilde meedoen aan het swami-gedoe waar een heleboel mensen in de jaren '60 – na de ontdekking door de Beatles van de Maharishi Mahesh Yogi – zich mee bezighielden. Wat LSD of hasj, even rondzwemmen in de heilige Ganges, enig verheven medegevoel met de bedelaars en zoeken naar God in een land vol goden en heiligdommen en steekvliegen.

Hillary besloot dit niet te doen. In plaats daarvan besloot ze voor een advocaat van de Zwarte Panters in Berkeley te gaan werken, maar het verlangen was er, net als voor ons toen we in de jaren '60 naar plaatsen als Esalen in Big Sur trokken en tijdens het eten van gebraden kip kippenvet op ons gezicht smeerden om beter te kunnen communiceren met de vogel die we verorberden.

Later, toen we ouder werden, in de jaren '70 en '80, vond onze spiritualiteit comfortabeler uitdrukkingswijzen dan de halve wereld rondtrekken om amoebedysenterie op te lopen. We begonnen stukken in zilver gevat kristal met ons mee te dragen en gebruikten onze heilige voorwerpen als toverstokken. We ondernamen pelgrimstochten naar hygiënischer spirituele plekken zoals de Vortex op Kauai, met een McDonald's vlak in de buurt. We begonnen te luisteren naar Yanni en John Tesh en, met kerstmis, naar Mannheim Steamroller. Tony Robbins, Marianne Williamson en Jean Houston, de dochter van een schrijver van komische scenario's, werden onze seculiere goeroes en wereldlijke theologen, de Pat Robertsons en Jerry Falwells en Jimmy Swaggarts van de linkervleugel van het post-hippie, New Age-tijdperk.

Hillary kwam bij Jean Houston terecht via haar kortstondige vrijage met Michael Lerner, schrijver van 'The Politics of Meaning' en redacteur van het tijdschrift *tikkun*, het soort obscure blaadje dat Hillary, die in haar studententijd netjes alle artikelen van Carl Oglesby in een archief onderbracht, graag ontdekte. Wat Lerner te vertellen had, vooral gezien als een beschrijving in spiegelbeeld van haar echtgenoot de president van de Verenigde Staten, moet diepe indruk op haar gemaakt hebben.

'Als onze wereld genezen moet worden,' schreef Lerner, 'dan zal dat gebeuren door gewonde genezers, mensen die zelf genezing behoeven. Zodra we dit beseffen, staan we volledig in ons recht als we eisen dat de media ophouden zich druk te maken over de persoonlijke tekortkomingen van politieke figuren en zich opnieuw concentreren op de inhoud van hun ideeën... De eis in de Amerikaanse politiek dat onze leiders op een hoger zedelijk niveau staan dan de rest van het land heeft niet tot een nieuw niveau van zedelijkheid in de politiek geleid. Het enige resultaat is dat onze leiders leugenaars zijn, omdat ze gedwongen worden te pretenderen dat het hun gelukt is de verleidingen en verwringingen die de rest van de bevolking met hun zedelijke tekortkomingen opzadelen, op magische wijze te vermijden.'

Zelfs het Nachtschepsel, verdorven en verwrongen als hij was, zag betekenis in de vrijage tussen Hillary en Lerner. Hoewel hij het soms afdeed als 'dweperige lulkoek,' 'Hillary's excentrieke onnozele sentimentaliteit.' En 'Hillary met haar gezwets over die lulkoek van Michael Lerner – de politieke zin van betekenis of wat het goddomme ook is,' zei Nixon ook: 'Hillary heeft het nog niet zo gek gezien. Er bestaat daar een groot spiritueel vacuüm.'

'Gewonde genezers' moet de uitdrukking geweest zijn waardoor Hillary het meest getroffen werd, niet alleen vanwege haar echtgenoot, maar ook vanwege zichzelf... gewond door haar kruistocht voor de gezondheidszorg die zo meedogenloos neergeslagen was... gewond door de opiniepeilingen, waarin ze nog nooit zo slecht had gestaan (vóór Monica)... gewond door Whitewater en de eindeloze reeks verhalen die impliceerden dat ze een oplichtster was... gewond door de eeuwige, onophoudelijke aantijgingen dat haar echtgenoot haar vanaf de tijd van hun verloving bedrogen had met alles wat schommelde.

Als Bill Clinton een gewonde genezer was, gold dat voor mevrouw president Clinton evenzeer, en ze zocht hulp bij de Geest in de Fles die gespecialiseerd was in het genezen van gewonden, Jeanie Houston, die in haar jeugd ooit een zevenjarig contract als actrice in Hollywood aangeboden had gekregen. En wat was daar mis mee? Zou je bijvoorbeeld echt kunnen zeggen dat Jimmy Swaggart niet kon acteren?

Het was niet de eerste keer dat een presidentsvrouw haar toevlucht zocht bij een goeroe. 'Mommy' – zoals Ronald Reagan Nancy noemde – had de hulp ingeroepen van astrologe Joan Quigley in San Francisco, die naam had gemaakt in *The Merv Griffin Show*. (In de ogen van Republikeinen van een eerdere generatie, die zich met veel tamtam tot Billy Graham wendden, was het even logisch om een astrologe aan te klampen als het consulteren van een gewone arts dat voor gewezen hippies was.)

Merv introduceerde Mommy bij Joan Quigley en gedurende zeven jaar bestierde Joan Quigley het leven van Ronald Reagan. Als Mommie de president van Ronnie was, dan was Quigley die van Mommy. 'Wanneer Ronnie ergens heen moest,' zei Joan Quigley, 'moest ik alle plaatselijke horoscopen trekken – die van het land, die van de premier van het land. Ik moest Ronnies horoscoop trekken. Ik deed meer dan vijftig of zestig horoscopen per jaar voor hem. Ik wist niet alleen ver van tevoren wanneer Ronnie dingen ging doen, maar ik bepaalde zelfs wanneer hij vertrók. Maar heel weinig dingen waren verboden – ik kon doen wat ik wilde.'

Quigley analyseerde Gorbatsjovs horoscoop en zei tegen Mommy dat hij en Reagan 'een visie zouden delen.' Quigley vertelde Mommy wanneer de president beter niet voor de pers kon verschijnen en wanneer hij zich niet onder de mensen moest wagen. Quigley bepaalde het tijdstip van de presidentiële debatten en beweerde dat Reagan de verkiezingen door haar toedoen gewonnen had. 'Het is aan mij te danken dat Carter verloor. Wat ik deed, was een tijdstip uitkiezen waarop Carter onvoorzichtig zou zijn en zich zou verspreken.' Quigley plande de uitstapjes naar Bitburg en Bergen-Belsen en zag erop toe dat de reis naar Bergen-Belsen 'veel publiciteit zou opleveren.' Quigley besloot dat Reagan beter niet het land rond kon gaan om Iran-Contra te verdedigen.

'Ik gaf heel vaak advies over de betrekkingen tussen de supermachten,' zei Quigley, die ook vertelde dat ze dacht Ronald Reagan zelfs voor moordaanslagen te kunnen vrijwaren. 'De moordaanslag hing samen met de Jupiterster in conjunctie. Dat wordt de grote mutatie genoemd. In de tijd dat Reagan gekozen werd, viel die in de Weegschaal. Hoewel ik wist dat het gevaarlijk was... meende ik dat het me toch zou lukken, dat ik hem, als ik me echt concentreerde, zou kunnen behoeden.'

Mommy wendde zich ook tot Quigley vanwege een ander probleem, hetzelfde probleem waarmee Hillary naar de herboren godin Athene zou lopen. Mommy was ook gewond. Ze had problemen met haar imago. Ze was gedaald in de opiniepeilingen. 'Ik wist precies wat me te doen stond,' zei Quigley. 'Nancy was de aantrekkelijkste vrouw in het Witte Huis sinds Jackie. Ze verwachtte behandeld te worden als een mode-idool – zoals Jackie destijds – maar de situatie in de Verenigde Staten was totaal anders dan toen de Kennedy's in het Witte Huis zaten. In die tijd wilden de mensen een soort koninklijke familie; toen de Reagans naar Washington kwamen, was de inflatie tot in de dubbele cijfers gestegen... dingen als extra porselein aanschaffen leek extravagant, ook al was het een privé-donatie, en haar connecties, haar namenstrooierij, stuitte de gemiddelde burger tegen de borst. Bovendien paste een modeplaatje gewoon niet bij de tijd. Dus ik zei tegen Nancy: "Geen modetijdschriften. Je kunt naar feestjes gaan als je wilt, maar zorg dat er alleen maar over officiële gelegenheden gepraat wordt. Om sympathieker over te komen moet je de nadruk leggen op *kinderen in moeilijkheden* en eenvoudige mensen."'

'*Kinderen in moeilijkheden* en eenvoudige mensen.' Het leek wel alsof Hillary Clinton, jaren later, Quigleys advies gehoord had. Interessant genoeg was de onofficiële co-auteur van het boek dat ze *It Takes a Village* noemde, haar eigen goeroe Jean Houston.

Jean Houston beroemt zich erop de afstammeling te zijn van mensen als Sam Houston, Robert E. Lee, Thomas Jefferson en de Todados op Sicilië. Ze werd geboren in Los Angeles, terwijl haar vader, de grollenmaker, op de gang dit grapje bedacht: 'Wat krijg je als je een kies, een kauw en een baby met elkaar kruist? Een kieskauwende baby.' Ze werd vernoemd naar de lievelingsactrice van de priester die haar doopte, Janet Gaynor, maar haar ouders besloten dat ze 'Jeanie' mooier vonden. Haar vader schreef grappen en grollen voor Ed Wynn, Eddie Cantor, Henny Youngman, Jack Benny en George Burns. Als klein meisje werd ze getraumatiseerd door een acteur die verliefd werd op haar jonge hondje, Chickie, waar hij uiteindelijk 450 dollar voor bood. Haar vader, altijd platzak, wilde het hondje dolgraag voor zoveel geld verkopen, maar haar moeder stak er een stokje voor en zette de gemene acteur op zijn nummer. (De acteur was Ronald Reagan. Geen wonder dus dat zij en Hillary vriendinnen zouden worden.)

Het meisje zag de wereldlijke Heer in de vorm van een houten buiksprekerspop, Charlie McCarthy, toen ze acht was. Ze was samen met haar pappie naar Edgar Bergen gegaan, die pappie grapjes moest gaan brengen, en ze kwamen een kamer binnen waar Eddie Bergen met zijn rug naar hen toe stond. Edgar praatte met Charlie, converseerde met de pop alsof die een mens was. Charlie gaf zijn eigen kijk op de dingen. Ze kreeg kippenvel en het leek alsof ze werd aangeraakt door 'een elektrische hand'. Jean Houston werd bezield door het inzicht dat mensen 'zoveel meer bevatten dan wij denken.'

Ze deed het uitermate slecht op school en toen ze wilde gaan studeren was het resultaat van haar psychotechnische test erbarmelijk. Een leraar merkte op dat ze 'ongeschikt was voor intellectuele arbeid'. Op de een of andere manier wist ze Columbia Universiteit binnen te komen en als lange, opvallend uitziende jonge dame met ravenzwart haar zat ze binnen de kortste keren bij de toneelafdeling. Ze was een begaafd actrice, speelde samen met Peter Falk in een toneelstuk dat off-Broadwayprijzen kreeg en werd gevraagd voor een auditie voor *Jane Eyre* in Hollywood.

Na een wonderbaarlijk herstel van wat een bijkans fatale aanval van tyfeuze koorts schijnt te zijn geweest, begon ze godsdienst te studeren. Ze maakte kennis met een aantal psychiaters die een studie maakten van LSD en die haar vroegen bij hun onderzoek te helpen. Hoewel ze een van de weinige mensen in New York was met een wettige voorraad LSD, slikte ze het zelf maar drie keer, maar dat weerhield haar er niet van een 'psychedelische gids' te worden voor meer dan driehonderd mensen die LSD-trips maakten. 'Dan opende ik de deur van de magnifieke kathedraal binnenin een groene paprika, of ik omringde mijn cliënten met een overvloed van groenten en fruit en verzocht hun daar een vriendschappelijke relatie mee aan te gaan. Ik pelde langzaam de bladeren van een maïskolf af en dan wisten mijn cliënten dat ze een mysterie hadden bijgewoond.'

Toen ze genoeg had van LSD, begon ze aan een studie waarin ze werkte met zintuiglijke deprivatie, audiovisuele overbelasting en iets dat 'de heksenbezem' werd genoemd, een metalen schommel waar het studieobject op moest gaan staan met een ondoorzichtige bril op. Dankzij een van haar Siciliaanse moeder gekregen hangertje besefte ze dat Athene haar 'archetype' was. Ze maakte uitstapjes naar de Acropolis en droeg het hangertje dag en nacht. 'Net als Athene,' schreef ze, 'probeer ik de wereld opnieuw te weven door technologie, cultuur, kennis en geest samen te brengen in een mooier patroon en een levensvatbaardere samenleving. Ik red voortdurend mensen die afgedankt zijn, de abnormalen, de excentriekelingen, de gewonden en de onzichtbaren.' Ze beschreef zichzelf als 'een priesteres van de binnenruimte' en een 'reizigster in buitenruimtes.'

Terwijl De Geest in de Fles voor zichzelf Athene als haar archetype opwierp, zagen anderen iets onmiskenbaar Christusachtigs in haar gedrag. Ze beweerde wonderen verricht te hebben, dat ze zichzelf in vier dagen tijd van een borsttumor ter grootte van een sinaasappel verlost had, dat ze mensen die geen kinderen konden krijgen een baby 'geschonken' had. Ze behoedde zichzelf op miraculeuze wijze voor koudvuur na gestoken te zijn door een reuzenkwal. 'Ik schijn in de dromen van een heleboel mensen op te duiken,' schreef ze. Ze praatte vaak over haar tijd in India, waar een paar jongetjes de vrouw met het lange haar bij een altaar zagen staan en schreeuwend naar haar wezen: 'Jezus Christus! Jezus Christus!' 'Ik heb het gevoel dat ik de pijn van anderen kan overnemen en deze daardoor kan te helpen te verzachten, en dat mijn geslonken ego me in staat stelt oog te hebben voor niet alleen hun pijn maar ook voor de diepe innerlijke waarheid, de absolute waarde van hun leven' – wat voor sommige mensen net zo klonk als Bill Clinton die zei: 'Ik voel uw pijn' of Jezus van Nazereth die zei: 'Neem uw bed op en wandel.'

Als je haar beschrijving van haar moeder leest, zou je denken dat ze het over een bovennatuurlijk wezen heeft: 'Mijn moeder is altijd visionair geweest, een bewoonster van diverse werelden, een vrouw die engelen ziet, die de toekomst kan voorspellen, die een diepe intuïtie bezit en op vele niveaus tegelijk werkt.' Haar 'Avonden van Schenking' deden denken aan Jezus de wonderdoener. De Geest in de Fles zegende vaak 180 mensen op één avond. Ze kwamen naar haar toe en zij hield hun handen vast. Daarna vormden ze een 'kring van communicatie' met keiharde Bachmuziek op de achtergrond en 'schonk' Jean Housten hun alles wat ze verlangden.

De mensen betaalden grof geld voor de geschenken en voor Jean Houstons boeken en video's, aangezien seculaire religie geen roeping zonder winstbejag is. Ze hoorden haar dingen zeggen als: 'Als ik 's avonds thuis ben, zet ik gewoonlijk mijn computer en modem aan en stem ik mezelf af op de wereld. Via Internet en diverse andere netwerken ben ik door de muziek der frequentie aangesloten op de planetaire geest.' *De godin Athene in cyberspace? De wonderdoener die vernoemd was naar Janet Gaynor en getraumatiseerd werd door Ronald Reagan... aan het internetten?*

'Alle systemen, zowel de persoonlijke als de maatschappelijke, bevinden zich in een overgangsstadium. Zodra psychologische energie niet langer verbonden is met maatschappelijke krachten, gaan veel mensen en instellingen op zoek naar de groene wereld binnenin zichzelf om mee te helpen de woestenij buiten opnieuw te bezaaien.'

'De groene wereld binnenin zichzelf'? *Maar was er geen groene wereld buiten henzelf, die De Geest in de Fles gretig uitmelkte?*

'De patronen in het weer, de turbulentie van de winden, het ritme van een Afrikaanse trommelaar, de door koninginnen en sjamanen en vierders van het nieuwe jaar verrichte rituelen, de bronstgewoonten van pauwen en prairiehonden, de buitenlandschappen van de natuur en de binnenlandschappen van onze dromen – belichamen allemaal fractale verschijnselen.'

Wát? Wablief? 'Fractaal'? 'De bronstgewoonten van pauwen en prairiehonden?' *Over wie had ze het? De Donald en Bill Clinton? Wat had die wijze dwaas van een pop met zijn pandjesjas, Charlie McCarthy, haar op achtjarige leeftijd aangedaan?* Ze had geschreven: 'Ik kan over de meest abstruse intellectuele onderwerpen praten en ze laten klinken als een spontane preek in een tentenkamp.' Ze had een visioen van haar overleden vader beschreven. Volgens haar eigen verhaal had de oude grollenmaker haar aangeraden naar een paar komische shows te gaan en 'daarna kun je die zwendel waar je in zit vaarwel zeggen.'

De eerste ontmoeting tussen Jean Houston en Hillary vond plaats in het gezelschap van concurrerende goeroes als Tony Robbins, 'De Vuurloper,' en Marianne Williamson, 'De Liefdesgoeroe voor Hollywoodsterren.' Dit gebeurde tijdens een feestje in Camp David.

Jean Houston zei tegen Hillary dat die zich als vrouw in de frontlinie van de strijd voor vrouwenemancipatie bevond. Hoewel ze zich misschien een tikje liet meeslepen, mogelijk een fractie te theatraal werd, vertelde Jean Houston Hillary ook dat ze een combinatie was van Jeanne d'Arc, Mozart met afgehakte handen en een gekruisigde vrouwelijke Christus.

Hillary waardeerde haar inzicht. De Geest in de Fles legde Hillary haar theorie voor van gewond-zijn, een theorie die o zo naadloos aansloot op Hillary's overtuiging dat de media haar achtervolgden. 'Het verwonden van ons leven kan leiden tot een terugtrekken van onze essentie, het uitlogen van onze geest. Of we kunnen besluiten het te zien als de beproevingen die het lot ons doet ondergaan om zoveel gaten in ons te slaan dat we alsnog heilig kunnen worden.'

Jean Houston drukte deze gedachte ook nog op een andere manier uit: 'Ik zeg vaak bij wijze van grapje dat Christus niet zonder zijn kruisiging kan – anders hebben we geen hupsakee.' En om zeker te weten dat Hillary begreep dat ze te maken had met een serieuze, innerlijk bewogen, zélf gewonde genezer: 'Wanneer ze, voorafgaand aan hun transformatie, door de donkere nacht van de ziel trekken, voel ik dat ik dit samen met hen ervaar, dat ik deel in hun pijn en verdriet, alsof ik die zelf onderging. Mijn hypergevoelige beschikbaarheid voor het gewond-zijn van anderen veroorzaakt een niet-aflatende innerlijke pijn die scherp contrastreert met het vrolijke uiterlijk dat ik de wereld voorhoud.'

De twee vrouwen hadden een aantal dingen gemeen. Hillary had aan de universiteit een drie jaar durende platonische verhouding met een man gehad, terwijl Jean Houston negen jaar lang een platonische relatie had gehad met een man die 'romantische betrekkingen' onderhield met andere vrouwen. Net als Hillary was Jean Houston aan de universiteit de koningin van het buitenschoolse gebeuren geweest: lid van de studentenraad, voorzitster van alle verenigingen waar ze lid van kon worden, 'het meisje in de klas waar iedereen de pest aan had.' En ze koesterden allebei een diepe bewondering voor Eleanor Roosevelt, de pionier van de rechten van het kind en maatschappelijke vooruitgang en de eerste biseksuele presidentsvrouw in het Witte Huis. Jeanie had als jong meisje Eleanor in levende lijve ontmoet via haar vader de grollenmaker. Haar vader had ooit voor ober gespeeld in mevrouw Roosevelts lievelingsrestaurant en haar bij wijze van publiciteitsstunt met ijs bespoten. Later had hij grapjes geschreven voor enkele toespraken van FDR. Hillary bewonderde Eleanor al jaren en had kort na Bill Clintons verkiezing zelfs publiekelijk gezegd dat ze 'soms met haar praatte en haar om hulp vroeg,' op de manier waarop andere vrouwen in het verleden met Sint Theresia van Avila of de Kleine Bloem of de Heilige Maagd Maria gesproken hadden.

Toen Hillary en De Geest in de Fles elkaar voor de tweede keer troffen, begonnen ze meteen over Eleanor Roosevelt. Jean Houston was er zeker van dat Eleanor Hillary's 'archetype' was. Ze had een techniek die ze 'koppelen met je engel' noemde, een soort acteursoefening waarin de acteur béide kanten van een dialoog improviseert om een beter idee van zijn of haar 'personage' te krijgen. Jean Houston spoorde haar cliënten aan met hun spirituele zielsvrienden, hun 'engelen' te praten door beide kanten van de dialoog te improviseren.

Jeanie suggereerde dat Hillary er goed aan deed haar relatie met de lang overleden presidentsvrouw verder uit te diepen en samen liepen ze naar het solarium bovenop het Witte Huis. Een paar van Hillary's assistenten gingen mee. Iemand liet gepofte maïs, krakelingen en fruit aanrukken.

Al spoedig begon Hillary, aangemoedigd door Jean Houston, driftig met Eleanor te koppelen en ze vroeg haar hoe ze haar eigen gewond-zijn had overwonnen. Hillary vertelde Eleanor dat ze zich zo eenzaam voelde. Daarna werd Hillary Eleanor en sprak tegen zichzelf met haar Eleanorstem: 'Je moet doen wat je zelf goed dunkt,' zei Hillary-als-Eleanor tegen zichzelf.

De Geest in de Fles hield Hillary voor dat ze moest begrijpen dat Eleanor ook ernstig gewond was geweest, maar dat ze daar overheen gekomen was. Hillary moest met haar archetype koppelen en blijven koppelen tot ze Eleanors kracht kon aanboren om haar eigen gewond-zijn te overwinnen.

Daarna stelde Jeanie voor dat Hillary een praatje maakte met Gandhi, wat Hillary deed. Ze vertelde het kleine mannetje hoezeer ze hem bewonderde. Vervolgens wilde De Geest in de Fles dat Hillary met Jezus Christus praatte. De andere mensen in het vertrek kauwden op hun popcorn. Hillary, uitgeput na haar gesprekken met Eleanor en de Mahatma, voelde weinig voor een onderhoud met Jezus Christus. Ze zei dat dit te persoonlijk was en dat ze naar Chelsea moest gaan kijken, die buikpijn had.

In latere sessies zei Jeanie Houston tegen Hillary dat 'net zoals het maken van een baby gebeurt door het verwonden van de eicel door het sperma, zo gebeurt het maken van de ziel door het verwonden van de psyche.' Ze praatte over de soorten eten en drinken die haar zouden helpen haar gewond-zijn te genezen: macadamia-noten, 'zo gevuld van macadamialiteit,' zondroge tomaten, 'geheugen en verlangen, aardgebonden, door de zon gekust, getransformeerd tot iets etherisch,' kaviaar – 'Je kauwt er niet op, maar drukt het als een heilig woord tegen je verhemelte'; en truffels – 'Dit is meer dan alleen maar extase; dit is de liefde die alle menselijke begrip overstijgt.'

Terwijl Jeanie aan het boek werkte waarvan ze oorspronkelijk wilde dat Hillary het schreef, kreeg ze het gevoel dat Bill Clinton zich niet op zijn gemak voelde als zij in de kamer was. Ze informeerde bij Hillary, en Hillary zei: 'Mijn echtgenoot is een erg conservatieve man.' Tja, misschien was Bill Clinton wat betreft koppelen met archetypes of wat betreft truffels als 'alle menselijke begrip overstijgende liefde' inderdááed een conservatieve man die liever voor de tv ging zitten kijken hoe de Razorbacks klop kregen, een hamburger at en mopperde over de onzin die de halfgare Imus had uitgeslagen, dan naar Jean Houstons uit de lucht gegrepen buitenissigheden te luisteren. Of misschien wist Slick Willy gewoon al te goed wat zwendelen was.

Maar met een lekkere, natgesabbelde Davidoffsigaar in zijn hand was Bill Clinton in staat tot radicale, creatief onconservatieve dingen die geen priesteres ter wereld ooit tot archetype zou kunnen verheffen. En wat betreft zijn eigen gewond-zijn – die rode schrammen en blauwe plekken waarmee hij soms rondliep na een familietwist in de privé-vertrekken – Bill Clinton wist dat het hem altijd zou lukken iemand te vinden wier zijdezachte, troostende borsten, heet tegen zijn knappe, gewonde gezicht gedrukt, hem genezing zouden schenken.

[11]

Bubba met zijn kont in de boter

AAN: Bubba
VAN: Joe
RE: Lang leve Hollywood!

Beste Bubba,
Producer Rob Fried vertelde me dat hij na een dag golfen met jou in Burning Tree samen met jou in de limousine naar het Witte Huis reed en dat jij over Paula Jones begon te klagen. Ze had net haar aanklacht ingediend en jij zei: 'Jezus nog aan toe, een dezer dagen gaat iemand me er nog van beschuldigen dat ik hem in een koe gestoken heb.' Dit was vóór Monica.

En Rob zei tegen jou: 'Meneer de president, daar heeft Joe Eszterhas al een script over geschreven.' Hij doelde op een scenario van mij uit 1989. Het heette *Sacred Cows* en ging over een fictieve president die in zijn heimwee naar zijn puberteit op de boerderij precies deed wat Bill Clinton zei. Rob bracht me een bezoekje en stuurde je mijn script, maar hij hoorde niets meer van je.

De enige indirecte reactie die ik kreeg, kwam van Steven Spielberg, die *Sacred Cows* zou gaan produceren, maar zich plotseling terugtrok en een kamer vol stafleden van United Artists meedeelde dat het hem niet meer 'lekker zat' de film te produceren vanwege zijn nieuwe 'vriendschap' met jou.

Maar niks aan de hand, Bubba. Ik raakte Steven Spielberg kwijt vanwege jou, maar ik geloof wel dat ik weet waarom. Wat dondert het ook, het is maar een film, en *Basic Instinct, Showgirls, Sliver, Jade, Flashdance, Jagged Edge...* ik wéét dat je ze allemaal gezien hebt. Ik weet dat je een fan bent. Niet alleen vanwege wat Dick Morris over *Basic* zei, maar ook door wat Gennifer zei. Als ik een vaste kern van fans voor die films heb, dan weet ik dat jij mijn allertrouwste fan bent, Bubba.

Dit is wat Gennifer zei: 'Op een avond vroeg Bill me een kort rokje aan te trekken met niets eronder, in een stoel te gaan zitten en voortdurend mijn benen over elkaar te slaan terwijl hij toekeek. Hij werd er zo geil van, alleen maar van het kijken, het was fantastisch. Hij zei dat hij hierover gelezen had in een tijdschrift, lang voordat Sharon Stone het filmpubliek een kick gaf door het in *Basic Instinct* te doen. Hij had de fantasie dat dit scenario op een dag tijdens een vergadering werkelijkheid zou worden.'

Natuurlijk vond je die film mooi, Bubba. Hij gaat immers over jou en Gennifer. Sommige stukken zijn een directe homage aan jullie relatie. Jij liet je door Gennifer met zijden sjaaltjes aan het bed vastbinden – de eerste scéne van mijn film. 'Bill vond het heerlijk om smerige taal uit te slaan,' zei Gennifer, en Michael Douglas in *Basic* is ook zo iemand. Nu ik erbij stilsta; Monica had het over Michael in *Basic* kunnen hebben toen ze jou beschreef: 'Die rauwe, intense seksualiteit die ik een paar keer zag – als ik je mond aan mijn borst zag of in je ogen keek terwijl je de diepte van mijn geslacht peilde.' Dat gedoe van ijs op Gennifer laten druppen vond plaats nadat Gennifer het ijs met een ijspriem gebroken had. De krankzinnige drang seks te willen bedrijven met Pookie – in een telefooncel, in een herentoilet, op een bureau, in een bed in de etalage van een meubelwinkel – die aandrang om te 'neuken als konijnen' is de drang die de drijvende kracht is in elke scéne van *Basic*.

Als Gennifer haar relatie met jou beschrijft, beschrijft ze de subtekst van niet alleen *Basic*, maar ook van *Sliver* en *Jade*. 'Het enige waar ik aan kon denken was onze seksspelletjes! Wat we de avond daarvoor met elkaar gedaan hadden en wat we de volgende dag zouden doen. Ik was de hele dag in een trance. Ik deed alsof ik normaal functioneerde en werkte, maar ik werd de hele tijd geobsedeerd door wat we deden. Als ik terugkijk, geloof ik dat we verslaafd waren aan de seksuele opwinding. Het was bijna hetzelfde als verslaafd zijn aan een verdovend middel. Naarmate de verslaafdheid groeide, smachtten we naar meer en meer seks van een hogere intensiteit.'

Je moet daar weg, Bubba. Je hoort niet thuis in Washington of Little Rock of Chappaquiddick. Hollywood is jouw stekkie. 'Verslaafd aan de seksuele opwinding... meer en meer seks van een hogere intensiteit.' Deze stad riekt naar seks uit al zijn celluloid poriën.

Iedereen hier zuigt op Altoids voor een frisse adem en alle vrouwen hebben pepermuntjes in hun Chanel en Prada tassen. Showbusinessmensen gebruiken Gold Bond medicinaal poeder voor dat tintelende gevoel en lichtgevende Fiesta-condooms voor een komisch intermezzo. En de vrouwen hier, Bubba! 'Gelei op veren,' om Billy Wilder aan te halen.

Een stad vol lellen en dellen op jacht, would-be sterren, pikvriendelijk en experimenteel, hun buik vol van alledaagse Al Gore-orgasmes. Verslingerd aan crush-video's, gezichtsaerobics en Kegeloefeningen. Vrouwen met precies de juiste hoeveelheid speeksel en gebeeldhouwd vlees.

Ze doen álles om slank te blijven. Ze slikken lintwormen. Ze gaan naar Costa Rica om het plaatselijke water te drinken en de chicste darmbacterie op te pikken. Ze stoppen zich vol met Ritalin en Dexedrine. Ze drinken citroensap met cayennepeper. Ze etcn in sinaasappelsap gedrenkte wattenbolletjes voor hun ontbijt.

Vrouwen als rijpe perziken met volle snoeptafels en jungletrommels... 'Als je het mij vraagt is die hele obsessie voor de grootte van iemands borsten gewoon pervers,' zei Jane Fonda, en liet kort daarna implantaten inzetten.

Er zijn geen pizzakonten in Hollywood, Bubba, en je hoeft ook geen dinosauruspik te hebben om het hier te maken. Iedereen waardeert ccn gevoelige pik die van wanten weet en niet disfunctioncel gigantisch is, vooral in een tijd dat veel van de jonge dekhengsten de hunne laten ringen. Je zou hier een menselijke paranometer kunnen worden, Bubba, en de nauwheid van vaginale wanden kunnen gaan meten.

Herinner je je die kaart nog die Monica je stuurde? Die waarop stond: 'Niets zou me gelukkiger maken dan jou weer te zien, behalve jou naakt te zien met een lotje in de ene hand en een spuitbus met slagroom in de andere'? Je hoeft niet te denken dat je haar nog ooit zult zien, Bubba, maar kom toch hierheen. Dit is precies wat Hollywood voor jou zou betekenen: naakt zijn met een lotje in je ene hand en ccn spuitbus met slagroom in de andere.

Ik weet dat je je hele leven in de politiek hebt gezeten, niet in de showbusiness, maar Reagan werd pas president nadat hij hier zijn politieke leerschool had doorlopen. Hollywood was zijn trainingskamp om het in Washington te maken. Washington zal jouw trainingskamp geweest zijn om het in Hollywood te maken. Je zult zien hoe weinig verschil er is. Misschien kan ik je overtuigen van de noodzaak hier naartoe te verhuizen. Misschien als ik je een kijkje achter de coulissen geef...

Ongewenste intimiteiten

Het is een oud Hollywoodgrapje, Bubba: 'Ken je die van het Poolse sterretje dat met de scenarioschrijver naar bed ging om te proberen de rol te krijgen?' Het recordbedrag waarvoor het script voor *Basic Instinct* verkocht, haalde alle voorpagina's. In Hollywood zelf haalden ze de grootste koppen die ze hadden uit de kast.

Ik merkte meteen dat er iets veranderd was. Elke keer als ik in L.A. kwam, gaf de conciërge van het hotel me een stapel brieven. Ze zaten vol glansfoto's van aankomende filmsterretjes, compleet met privé-telefoonnummer. Soms waren er met de hand geschreven en geparfumeerde briefjes bijgesloten. *Ik durf te wedden dat Monica haar briefjes parfumeerde.* Sommige vrouwen op de foto's waren topless. Sommigen waren naakt. Eén envelop bevatte een zwart slipje dat naar aardbeien rook. *Gennifer?*

En ik ben maar een joker met een gewone schrijfmachine, Bubba. Heb je er enig idee van wat er met jóu zou gebeuren, de voormalige president van de Verenigde Staten?

Rolmodellen

In de tijd dat ik Tom Hedleys oorspronkelijke scenario *Flashdance* aan het herschrijven was, bleef de regisseur, Adrian Lyne, maar doorzagen... doorzagen... en doorzagen over *Last Tango in Paris*.

Dat was een van zijn lievelingsfilms, zei Adrian, en hij wilde *Flashdance* iets van de scherpte van *Last Tango* geven.

'Het probleem met dat idee, Adrian,' zei ik, 'is dat deze film een sprookje is, een suikerspin, over een jonge danser en een groepje jongeren dat naam probeert te maken.'

Met andere woorden, ik maakte Adrian duidelijk dat er in deze film geen plaats was voor de klomp boter. *Volgens Gennifer was je dol op boter.*

Maar Adrian bleef maar mokken en mokken en vlak voor de opnamen zouden beginnen vroeg hij een scriptoverleg aan – in Caesar's Palace in Las Vegas, kun je nagaan. En we zouden twee vliegen in één klap slaan door daar ook audities te houden. *Jij zou er je vingers bij aflikken, Bubba.* We zouden honderden van de mooiste en aantrekkelijkste jonge danseressen in Las Vegas op auditie krijgen. Toen ik aankwam, bleek mijn hotelsuite in bordeelrood te zijn uitgevoerd. Zelfs het plafond was rood. Zelfs het brandende neon buiten het raam was rood. *Maar geen zebrastrepen.*

Don Simpson, een van de producers, had een suite met een jacuzzi midden in de woonkamer – *Daar kan Camp David niet aan tippen, hè?* – en daar vond het merendeel van de creatieve actie plaats. Simpson zat in de jacuzzi met een sigaar in zijn mond, een fles Tanqueray op de rand en een blad met lijntjes wit poeder op de grond. Wij zaten op stoelen om hem heen.

Na een drukke auditiedag besloot Simpson een feestje in zijn suite te geven voor de danseressen die al auditie hadden gedaan. Honderd beeldschone vrouwen en wij vieren – Don, zijn co-producer Jerry Bruckheimer, Adrian en ik. *Je begint al geil te worden, hè?*

Het werd laat, we waren allemaal doodmoe en ik wilde Don welterusten wensen. 'Hij is daar,' zei Jerry, met zijn duim naar een slaapkamer wijzend. Ik maakte de deur open en zag Simpson in zijn blote vel met een jonge vrouw tegen de muur staan. Hij zat in haar. Ik zei: 'Welterusten, Don,' en hij zwaaide zonder zijn bezigheden te onderbreken of om te kijken, en zei: 'Morgenvroeg half negen, oké?' *Ik ben blij dat Betty Currie nooit zoiets gezien heeft.*

Om half negen de volgende ochtend zat Don weer in de jacuzzi en gingen we verder met het scriptoverleg. Adrian koos dit wazige moment om weer op *Last Tango in Paris* terug te komen.

'Ik heb het,' zei hij. Hij trok een paar met potlood bekrabbelde blaadjes papier uit zijn zak. 'Dit is wat we gaan doen,' zei hij. Hij pauzeerde dramatisch. 'Onze heldin, Alex, wordt op haar achtste door haar vader verkracht.

Jerry Bruckheimer, een expert in ondoorgrondelijkheid, zei niets. Simpson keek me vanuit de jacuzzi aan met een ondeugende grijns op zijn grauwe gezicht.

Ik zei: 'Adrian, ben je helemaal van de pot gerukt? Ben je helemaal lijp geworden? Jij wilt onze heldin... verkrácht... laten worden door haar vader? In dit sprookje, in dit positieve verhaal? Ga je toch je klont boter gebruiken? Dan hou ik het voor gezien! Ik ben weg! Pleite!'

Ik stormde de suite uit, gooide mijn spullen in een tas, nam een taxi en vloog naar huis.

Adrian ging me zoeken, realiseerde zich dat ik verdwenen was en ging razend van woede terug naar Dons suite.

'Hij is weg!' zei hij. 'Wil je wel geloven dat die verdomde klootzak weg is?'

Maar hij bedacht zich. Toen *Flashdance* uitkwam, zat er geen klont boter in, geen incest, geen verkrachting.

Tijdens het schieten van *Jade* had regisseur Billy Friedkin een soortgelijke fixatie op *Belle de Jour*.

'Dit is *Belle de Jour* niet, Billy,' zei ik voortdurend. En Billy antwoordde steeds: 'Je hebt gelijk, je hebt gelijk.'

Maar toen ik de eerste montage zag, bevatte die een langdurige seksscène (later ingekort) met allerlei duistere foefjes – *ik zal hem je toesturen, Bubba* – en met een vrouw die een nylon masker en stilettohakken droeg en die, dacht een aantal mensen abusievelijk, veel weghad van Billy's vrouw, studiobaas Sherry Lansing. *Geen nylon maskers voor Hillary, hè?* De scène stond niet in het script.

'Wat moet dat voorstellen?' vroeg ik Billy. 'Wat doet die scène daar? Wat hebben we daaraan?'

Billy glimlachte. 'Gewoon een klein stukje *Belle de Jour*,' zei hij. *Hoe vaak heb je die film gezien?*

Kus hem!

Richard Gere had een idee voor me, zei mijn agentschap. Ik sprak met hem af in zijn suite in het Chateau Marmont. Hij ontving me hartelijk en bood me een stoel aan. Hij ging tegenover me zitten. Hij droeg een spijkerbroek en een blauw overhemd. *Jouw smaak, Bubba.*

Wat hij in gedachten had, zei hij, was een film over het blueswereldje in Chicago in de jaren '50. Muddy Waters, Howlin' Wolf –

'Jimmy Reed,' zei ik.

'Ken je het dan?' vroeg hij.

Ik vertelde hem over Memphis Minnie en Mance Lipscomb en we praatten uitgebreid over Robert Johnson.

'Neem me niet kwalijk,' zei hij plotseling, 'ik heb een fotosessie. Je hebt er toch geen bezwaar tegen dat ik me even verkleed, hè?'

'Natuurlijk niet,' zei ik. Hij verdween in een slaapkamer. Ik bleef zitten en dacht na over het maken van een film over de blues. Het klonk goed.

Richard kwam terug, nog steeds in de spijkerbroek en het overhemd, maar met een schone spijkerbroek en een schoon overhemd in zijn handen.

'Memphis Slim,' zei ik. 'Die heeft me altijd gefascineerd. Ik ben dol op dat boogie-woogie geluid en voor je het weet, wordt de man een banneling en leeft twintig jaar lang als de burgemeester van Parijs.' *Precies wat jou hier zou gebeuren.*

'Maar geen binding met Chicago,' zei Richard. Hij stond drie meter van me af. Hij begon zich uit te kleden.

'Nee, dat klopt,' zei ik.

Hij had zijn overhemd uit. Hij maakte zijn riem los en trok zijn gulp open.

'Big Bill Broonzy,' zei Richard, 'die kwam uit Chicago.'

Hij had zijn broek uit. Hij droeg geen onderbroek. *Weg met die boxershort – dit zou jij ook moeten doen.*

'Big Joe Turner?' vroeg ik.

'Kansas City.'

Richard wrong zich in de schone strakke spijkerbroek.

'Big Mama Thornton?' vroeg ik.

'Misschien. Ik weet dat ze een paar dingen op Chess gedaan heeft.'

Richard maakte zijn riem vast en begon zijn schone overhemd aan te trekken. Zijn gulp stond nog steeds open. *Daar weet jij alles van, Bubba.*

'Als het aan mij lag,' zei ik, 'zou ik het liefst eerst wat research doen. Een paar maanden in Chicago doorbrengen en wat onderzoek plegen.'

'Prima idee,' zei Richard. 'Het zou een beregoeie film moeten kunnen worden, wat dacht je?'

Hij ritste zijn gulp dicht.

'Geinig om te doen,' zei ik.

'Inderdaad,' zei hij. 'Hartstikke geinig.'

Hij vroeg me mee te lopen naar de parkeerplaats.

'Ik heb de pest aan fotosessies,' zei Richard. We gaven elkaar een hand. 'Ik bel je volgende week wel op,' zei hij. 'Dan maken we een afspraak.'

Ik bedankte hem. We glimlachten tegen elkaar. Hij stapte in zijn flitsende kleine Porsche en raasde weg.

Dat was het laatste wat ik van hem hoorde. *Zou jij niet willen dat je nooit meer van Paula Jones had gehoord?*

De slachtpartij op zaterdagavond

De eerste keer dat ik Gina Gershon ontmoette, op een meter afstand van een naakte en bezwete Elizabeth Berkley op de set van *Showgirls – Kalm aan, Bubba, anders krijg je nog bursitis in je hand!* – vertelde ze me hoe goed ze mijn scenario vond. 'Ik weet dat je geïnspireerd bent door het verhaal van Zeus en Aphrodite,' zei ze. 'Dat is een van mijn lievelingsverhalen.'

Nou, dáár was ik niet zo zeker van, maar haar werk vond ik goed. Ik had een script getiteld *Original Sin* bij Morgan Creek Productions liggen, een verhaal over een romance in een vroeger leven, en ik wist de directeur van het bedrijf, Jim Robinson, zo ver te krijgen dat hij naar haar vertolking in *Showgirls* keek. *Jim is een jongen van stavast die een goed karwei kan waarderen.*

Robinson vond haar goed, maar hij zei: 'Gina is geen ster. Ze is maar een sterretje.' Ik zei dat ze een ster zou kunnen worden als ze de juiste rol kreeg. *Ik weet zeker dat je Gina verdomd leuk zou vinden!* Robinson had zijn twijfels, maar ik overtuigde hem. Morgan Creek contracteerde Gina voor de hoofdrol in *Original Sin*. Ik wist dat ze niet gewend was grote rollen te krijgen. 'Ik vind het script fantastisch,' zei ze, 'het is volmaakt.' Ze vertelde me dat zij ook een romance in een vroeger leven had gehad, net als het personage dat ze speelde. *Jij en Cleopatra?*

We hadden een regisseur nodig. Ik had de documentaires van de Engelse regisseur Nick Broomfield gezien en bewonderd en nodigde hem uit voor een onderhoud. Ik vroeg hem of hij er iets voor voelde een speelfim te regisseren. Daar had hij wel zin in. Ik gaf hem *Original Sin*. Hij vond het scenario 'erg goed' zei hij, maar hij 'had zo zijn gedachten'. We brachten een middag door met praten over 'zijn gedachten'. Ik zag er wel iets in en vertelde Robinson dat ik de perfecte regisseur gevonden had. Hij was niet onder de indruk.

'Dit is verdomme een documentairemaker,' zei Robinson, 'bovendien is hij Engels. Deze film speelt in het diepe zuiden. Wat weet hij verdomme van het zuiden? *Robinson heeft iets van Carville en Ickes in zich.* Ik kreeg hem zover dat hij met Broomfield ging praten en intussen herschreef ik het script aan de hand van Nicks 'zo zijn gedachten.' Robinson vond Broomfield geschikt, vond het scenario geschikt, tekende een contract met Nick en we konden gaan filmen.

Een maand later belde Robinson me op en vroeg: 'Hoe zit het verdomme?'

Broomfield, zei hij, was niet bezig locaties te checken of audities te doen of een filmcrew te zoeken.

Ik vroeg: 'Wat doet hij dan?'

Robinson zei: 'Hij werkt aan dat verdomde script.'

Ik zei: 'Wáááát?'

Toen ik weer bedaard was, vroeg ik: 'En ik dacht dat je het goed vond.'

'Ik vónd het ook goed,' zei hij. 'Maar Broomfield niet. En Gina Gershon ook niet.'

Ik zei: 'Wáááát?'

Toen ik weer bedaard was, zei ik: 'Gina Gershon mag in haar handen wrijven dat ze in die film speelt. Nick Broomfield mag zich in zijn handen wrijven dat hij die film regisseert. *Ik* heb jou ervan overtuigd ze te contracteren.' *Hoe zou jij reageren als Al Gore je een grote bek gaf?* Robinson lachte. 'Precies,' zei hij. 'Bel ze maar op.'

Ik belde Gina op en zei dat ik gehoord dat ze problemen had met het scenario. 'Niet echt,' zei ze. 'Ik bedoel, ik vind het fantastisch. Het is echt perfect. Maar Nick en ik hebben erover gepraat en ik maak me wat zorgen over mijn motivatie in sommige scènes. Ik snap niet waarom ik doe wat ik doe. Nick en ik hebben een paar ideeën om mij wat andere dingen te laten doen.'

Ik belde Broomfield op. 'Gina's leeft zich echt in in haar rol,' zei hij. 'Ze "groeit" al in haar personage. Ze heeft een paar inzichten die de moeite waard zijn om naar te luisteren.'

'Ze "groeit" in haar personage?' zei ik. 'Wie heeft dat personage gecreëerd? *Ik* toch zeker? Als zij in haar personage wil 'groeien' hoeft ze alleen maar te doen wat er in het script staat.' *Improviseert Al Gore ooit? Jezus nee!* 'Ik begrijp wat je bedoelt,' zei Broomfield. 'Maar ik denk dat we hierover moeten praten.'

Ik wilde nergens over praten. Mijn script en ik hadden deze mensen dit karwei bezorgd en nu spanden ze samen om te veranderen wat ik geschreven had?

Precies op dit delicate ogenblik kwam Jon Bon Jovi, die *Original Sin* fantastisch vond en een van de hoofdrollen wilde spelen, van de andere kant van Amerika overvliegen voor overleg in mijn huis in Malibu. Robinson en Bon Jovi kwamen tegelijkertijd aan en enkele minuten later arriveerden Nick en Gina in elkaars gezelschap.

Tijdens het overleg werd het Robinson en mij al gauw duidelijk dat Bon Jovi veel meer in het scenario zag dan Nick of Gina. Jim en ik vonden dat Bon Jovi perfect in de film paste, maar Broomfield en Gina behandelden hem tamelijk neerbuigend.

'Ja, misschien heb ik morgen inderdaad tijd om je auditie te laten doen,' zei Broomfield, met een Engels accent dat steeds vetter werd. *Hij zou uitstekend gevallen zijn bij Blumenthal.*

'Heb je acteerlessen gehad?' vroeg Gina aan Jon. *Jij hoeft je nergens zorgen over te maken – Harry Thomason is beter dan Stanislavsky.* Nick en Gina excuseerden zich, zodat Jim en Jon en ik alleen achterbleven om de gebeurtenissen van de avond nog eens door te nemen.

'Die vent is een zakkenwasser,' zei Robinson over Broomfield. 'Volgens mij heeft hij het lef niet om te regisseren. Daarom zoekt hij niet naar locaties en houdt hij geen audities. Daarom is-ie nog steeds met het script aan het rotzooien. Hij durft gewoon niet te beginnen.'

Ik zag dat Robinson zich ergerde aan de houding van Nick en Gina tegenover Bon Jovi, die een heleboel moeite had gedaan om bij dit overleg aanwezig te zijn.

'Het was jouw idee Broomfield hier aan te zetten,' zei Jim.

'Gooi hem eruit,' zei ik.

Toen Nick Broomfield de volgende morgen naar Morgan Creek kwam om Jon Bon Jovi een auditie af te nemen, vond hij geen Jon. Wel vond hij mensen van de bewakingsdienst die hem op verzoek van Jim Robinson naar het hek escorteerden. Er werd een regeling getroffen met Nick en enige tijd later werd er ook een regeling getroffen met Gina. *Toch zou je gek op haar zijn, Bubba.*

Sensitivity training

Enkele jaren na het succes van *Jagged Edge* overleed de regisseur, Richard Marquand, op achtenveertigjarige leeftijd in Engeland aan een beroerte, met achterlating van een echtgenote en twee kleine kinderen.

Richard was een goede vriend van me. Helemaal overstuur nam ik contact op met de mensen die met hem aan de produktie gewerkt hadden. Toen ik Glenn Close in New York aan de lijn kreeg, was ik nog steeds in een shocktoestand. Ze zei geen woord toen ik haar de bijzonderheden vertelde. Richard was in schijnbaar blakende gezondheid met zijn vrouw in Griekenland op vakantie gegaan, enzovoort. Toen ik klaar was, bleef het stil.

'Glenn?' zei ik.

'Ja, ik ben er nog,' zei ze.

Er volgde opnieuw een stilte, en toen zei Glenn: 'Nou, weet je, hij heeft helemaal niks voor me gedaan in die film. Mijn kont leek veel te dik.' *Politiek is ook geen pretje, wat?*

High Noon

Frank Price was directeur van Columbia toen ik *Jagged Edge* schreef. Hij had als scenarioschrijver voor de tv gewerkt en stond bekend als een gewiekste manager. Hij vond de afloop van mijn script vreselijk en stond erop dat de film eindigde met de onschuld van Jeff Bridges en een omhelzing van Jeff en Glenn Close. Ik antwoordde dat ik dit een dom televisie-idee vond.

Hij zei dat hij *McCloud* en *Columbo* geproduceerd had.

'Ik weet wat je gedaan hebt, Frank, en dat maakt het probleem er alleen maar groter op,' zei ik. *Frank had E.T. afgewezen.*

De producer, de veteraan Martin Ransohoff, stond aan mijn kant. We wisten niet wat we moesten doen. De baas van de studio had me rechtstreeks opgedragen de afloop te veranderen en ik had geweigerd.

Ransohoff belde zijn vriend Herbert Allen, lid van de raad van bestuur van Columbia – *Zoveel macht als hij heeft zal jij nooit krijgen, Bubba* – en ontdekte dat Frank niet al te vast in het zadel zat.

We besloten te wachten tot hij ontslagen werd. Om de week wilde Frank Price weten waar de nieuwe afloop bleef en om de week antwoordde Marty Ransohoff: 'Joe is er nog steeds mee bezig.' Drie maanden lang speelden we verstoppertje... tot Frank Price eindelijk op straat werd gezet.

Drie dagen na zijn ontslag leverde ik mijn nieuwe afloop in – dezelfde die ik eerder geschreven had. De nieuwe directeur vond mijn nieuwe oude afloop prima en zo werd de film opgenomen. Het kon geen kwaad dat de nieuwe directeur mijn voormalige agent was.

Het kan geen kwaad Janet Reno als minister van Justitie te hebben, nietwaar?...

Negatieve reclame

Je herinnert je Ryan O'Neal nog wel, hè, Bubba? Hij speelde Al Gore in *Love Story*, die volgens Al het verhaal van Al en Tipper is. (Ik neem aan dat Tipper, een ontzagwekkende vrouw, op de een of andere manier uit de dood is opgestaan.)

Een paar jaar geleden schreef ik een scenario getiteld *An Alan Smithee Film: Burn Hollywood Burn*, waarin een personage voorkwam dat James Edmunds heette, een cynische, proleterige, slinkse producer in Hollywood. *Jij kent hem wel – hij heeft drie keer in de Lincoln-slaapkamer gelogeerd.* We konden de juiste acteur niet gevonden krijgen en toen dacht mijn vrouw aan Ryan O'Neal. Ryan was een grote ster geweest, maar hij kreeg allang geen grote rollen meer. Hij trad niet meer in films op maar in het tijdschrift *People*, waar hij over zijn relatie met zijn dochter Tatum of zijn oude liefde Farrah Fawcett praatte. Hij was afgewerkt in Hollywood en was kilo's aangekomen. Zijn vetrollen begonnen de afmetingen van die van Alec Baldwin aan te nemen. *Hoe gaat het met Kim?*

Ik vond het een fantastisch idee. Wie kon beter een Hollywoodbeest in een satire op Hollywood spelen dan een Hollywoodbeest dat door Hollywood was afgedankt? Ik stuurde het script naar zijn agentschap en binnen een dag had Ryan de rol geaccepteerd. Binnen een week zat hij aan de lunch in mijn huis en vertelde me met luide stem dat dit het beste script was dat hij ooit gelezen had. Na de lunch omhelsde hij me en toen vroeg hij mijn vrouw erbij te komen en omhelsde hij haar op een manier die mij (en haar) iets te intiem was. *Jouw soort omhelzing, Bubba.*

De opnamen begonnen en we maakten plannen om Ryan en Farrah een keer voor het avondeten uit te nodigen. De dag voor dat etentje vroeg ik mijn assistent het af te zeggen. Een week regen in Malibu had tot landverschuivingen geleid en Malibu was vrijwel onbereikbaar geworden. Op de avond van het geplande etentje ging de bel aan ons hek en onze huishoudster kwam zeggen dat Ryan en Farrah gearriveerd waren. Naomi en ik hadden allebei een oud klofje aan en de vloer, die nat was van een lekkend raam, stond vol dozen meeneemchinees. In die toestand konden we geen gasten ontvangen en dus zeiden we tegen de huishoudster dat ze tegen Ryan en Farrah moest zeggen dat we niet thuis waren. Ik belde mijn assistent, die opbiechtte dat hij vergeten was het diner af te zeggen. De volgende dag belde ik Ryan en maakte mijn excuses en ik stuurde bloemen naar Farrah, waarop ik geen enkele reactie kreeg. *Nee! Niet doen! Luister alsjeblieft naar me – blijf uit de buurt van Farrah!*

Toen de opnamen verdergingen, werd het iedereen op de set duidelijk dat Ryan een verhouding had met onze vrouwelijke hoofdrolspeelster, de jonge Leslie Stephenson met de zwoele ogen, die een prostituee speelde. Op een dag kwam Ryan me vertellen dat hij en Leslie ergens in Malibu samenwoonden en dat hij bij Farrah was weggegaan. 'Dat komt allemaal door jou,' zei hij. 'Als jij dat script niet geschreven had, zou ik Leslie nooit ontmoet hebben. En sinds dat debâcle met dat etentje is mijn verhouding met Farrah nooit meer goed geweest. Ze was razend. Ze had zich helemaal opgedirkt – twee uur had ze erover gedaan – we reden door de regen naar jullie huis, en jullie waren niet thuis.'

Hij maakte een verliefde en gelukkige indruk, maar hij was en bleef Ryan. We zaten samen in een limousine op weg naar een filmvertoning en hij praatte over Leslie, maar onder het praten streelde zijn hand voortdurend langs het blote been van mijn vrouw, tot ik uiteindelijk zei: 'Ryan, als je haar nog één keer aanraakt, breek ik je arm.' *Ik wed dat je dat nooit tegen Vince gezegd hebt, wel?* In de bioscoop bleef Ryan in een hoek staan om uit de buurt van het publiek te blijven, hoewel er voor zover ik kon zien niemand hem om een handtekening kwam vragen.

Vlak voordat de film werd uitgebracht, organiseerde de studio een dag voor de pers in hotel de Four Seasons. Ryan zou er ook bij zijn, maar de avond tevoren hoorde ik dat hij niet zou komen. Hij had de pest aan dat soort gelegenheden, werd me verteld. Hij had er in de loop der jaren al veel te veel gedaan naar zijn zin. Ik belde zijn agentschap en zei: 'Hoor es. Die vent was uitgerangeerd. Het kostte me een hoop moeite om de regisseur ertoe over te halen hem de rol te geven. Hoebedoelu: "Hij komt niet"?' Ryan belde me later die avond en zei dat er sprake was van een misverstand... natuurlijk zou hij komen.

Toen ik de volgende morgen de Four Seasons binnenkwam, zei een pr-man van de studio dat Ryan er was en klaarstond om de interviews te doen die de studio voor hem had geregeld. Alles leek in orde totdat... een producer me kwam vertellen dat hij Ryan zojuist in zijn suite had gezien en dat de suite naar marihuana stonk. Daarna kwam de producer me vertellen dat hij zojuist Ryans eerste interview had gezien en dat Ryan had gezegd dat hij 'de film niet echt goed vond,' dat hij er niet eens over wilde praten. Hij wilde praten over een andere, onafhankelijke film waarin hij een kleinere rol had gespeeld. *Laat Hillary's plan voor de gezondheidszorg maar zitten; we kunnen veel beter over de Gevlekte bosuil praten.*

Ik belde zijn agent en zijn agent begon te krijsen: 'Haal hem daar weg!

Nu meteen! Hij moet daar onmiddellijk weg!' Even later vertrok Ryan, met achterlating van een briefje voor mij waarin hij schreef dat hij zich niet goed voelde. Hij meende griep te hebben en moest naar huis. *Jij kunt ook een Hollywoodbeest zijn, Bubba!*

Niks vragen, niks zeggen

Studio's en producers vinden het soms moeilijk te beslissen wat ze van een script vinden en soms nog moeilijker om die beslissing onder woorden te brengen.

Ik herschreef een script getiteld *Other Men's Wives*, over vrouwen die hun echtgenoot bedriegen. *Waarom moeten ze ook altijd over ons praten, wat jij?* Het hoofd van de studio was Sherry Lansing – *Daar zou je ook op vallen* – en de producers waren Wendy Finerman (*Forrest Gump*) – *Te mager voor jouw smaak* – en Mario Kassar, de eens legendarische directeur van Carolco.

Op vrijdagmiddag liet ik die drie het scenario per koerier bezorgen. De zondagmorgen daarop belde Sherry me op en zei: 'Ik ben er niet zo kapot van, maar zeg maar niks tegen Wendy of Mario. Ik wil eerst hun reactie horen. En ik wil er ook nog over nadenken. Misschien heb ik het mis.'

Wendy belde me die zondagavond. 'Ik ben er niet echt kapot van.' zei ze. 'Heb je al iets van Sherry of Mario gehoord?'

Ik zei van niet.

'Nou, misschien heb ik het verkeerd,' zei Wendy. 'Ik wil het nog een keer lezen en er nog eens over nadenken. Zeg maar niks tegen Sherry of Mario over wat ik ervan vind. Ik praat zelf wel met ze.'

Op maandag had Mario nog niets van zich laten horen en Sherry en Wendy hadden geen van beiden teruggebeld.

Mario belde dinsdag om twaalf uur. Hij maakte een verwarde indruk.

'Joe,' zei hij 'we zijn altijd vrienden geweest. Ik wil dat je me de waarheid vertelt. Heb je van Sherry gehoord wat zij van het script vindt?'

'Wacht es even, Mario,' zei ik. 'Als jij me nu eens eerst vertelt wat jíj ervan vindt.'

'Luister, Joe, het maakt geen donder uit wat ik vind. Ik heb geen studio meer te runnen. Ik ben enkel de producer. Ik wil het eens zijn met wat Sherry vindt.' *Je zou Dick Morris mee hier naartoe moeten brengen.*

Ik zei dat Sherry er niet kapot van was.

Twee uur later belde hij weer, woedend. 'Hoe kon je zeggen dat ze er niet kapot van is als ze er wél kapot van is?'

Ik vroeg: 'Is ze dat dan?'

'Er staan een paar dingen in waar ze niet zo kapot van is, maar het geheel vindt ze goed.'

'Weet je het zeker?'

'Tja, de verbinding was nogal slecht – ze is op weg naar een retraite voor zakenlui in de Bahama's – maar –'

'Misschien kun je haar beter terugbellen.'

'Nee,' zei hij 'Ik heb een beter idee. Ik ga een paar mensen in Paramount bellen – Goldwyn en Manning en een paar anderen – om te horen wat Sherry tegen hén gezegd heeft.'

'Bedoel je dat ze hen misschien iets anders heeft verteld?'

'Dat horen we vanzelf.'

De volgende dag belde hij opnieuw om te zeggen dat hij op basis van zijn gesprekken met studiobazen als John Goldwyn en Michelle Manning tot de conclusie was gekomen dat Sherry het script niet goed vond.

'Vonden Goldwyn en Manning het goed?'

'Die hebben meer tijd nodig om erover na te denken.'

Wendy belde me een afspraak te maken voor overleg met haar en Mario.

'Waar gaan we het over hebben?' vroeg ik.

'We moeten vast zien te stellen wat we van het script vinden.'

'Nou, ík vind het prima,' zei ik.

'Jij telt niet mee, jij hebt het geschreven.'

'Waarom praten jij en Mario er dan niet over zonder mij?'

'Daar heb je gelijk in,' zei Wendy. 'Goed idee.'

Jij had Hillary ook meestal niet bij de kabinetsvergaderingen, wel?

De politiek van karaktermoord

• Toen ik hoorde dat een directeur van Columbia, ene Robert Lawrence, een van mijn scenario's had afgekraakt tegen een filmster, belde ik hem op en zei: 'Ik kom morgen naar de studio en ik sla je volkomen beurs!' De volgende dag ging ik voor andere zaken naar Columbia en Lawrence had zich ziek gemeld. *F... Milošević!*

• Jaren later dook dezelfde Lawrence op als manager bij United Artists, waar ik zojuist een contract voor drie films had getekend. Ik zei tegen tegen studiodirecteur Jerry Weintraub dat ik niet met Lawrence wilde werken, en Jerry liet hem op zijn kantoor komen. 'Als jij Joe dwarszit,' zei Weintraub, 'sodemieter ik jou dit verrekte raam uit.' Lawrence knikte, glimlachte en droop af. *F... Saddam!*

• Producer Marty Ransohoff hoorde in een telefooncel op een vliegveld dat Jane Fonda mijn script voor *Jagged Edge* niet goed vond. 'Dat stomme gore kutwijf!' schreeuwde Ransohoff in de hoorn. 'Wat weet zij van dat soort dingen? Jane Fonda pijpte de Vietcong.' *Zijn moeder heeft voor Goldwater gewerkt.*

• Robert Evans hoorde dat een van de clausules in het contract van Sharon Stone voor *Sliver* luidde dat Evans nooit tegelijkertijd met Sharon op de set mocht zijn. Sharon had een vriendin die beweerde dat Evans haar maandenlang naakt en met een halsband om in zijn huis opgesloten had gehouden. Evans' reactie: 'Sharon Stone is een stom kutwijf en een leugenares met beurs geneukte hersens. Zelfs als ze me al het geld dat ik

verzopen heb aanboden, zou ik haar nog niet willen neuken. Ik heb nooit in mijn leven een meisje aan een halsband gehad.' *'Ik heb geen seksuele relatie met die vrouw gehad, juffrouw ...'*
• Toen ik publiekelijk bezwaar aantekende tegen de 'burgeraanhouding' van homoseksuelen door producer Alan Marshall van *Basic Instinct* tijdens het opnemen van die film in San Francisco, belde het hoofd van Caralco, Mario Kassar, mijn agent Guy McElwaine. Mario stikte zowat van woede.

'Wat denkt Joe wel? Hij zet ons allemaal voor lul!' schreeuwde Mario.

'Hij heeft er bezwaar tegen dat jij demonstranten arresteert,' zei Guy.

'Ik sleep hem voor de rechter!' schreeuwde Mario.

'Als je dat doet,' zei mijn agent, 'kun je erop rekenen dat elke homoseksueel tussen San Francisco en Parijs tegen de film gaat demonstreren.'

'De klootzak!' schreeuwde Mario. 'Ik laat hem koud maken.' *Door Kathleen Willeys dooie poes?*
• Omdat hij de indruk had dat producer Irwin Winkler een script aan de pers had doorgespeeld voordat hijzelf klaar was om het te verkopen, belde mijn agent, Guy McElwaine, hem op en zei: 'Als je op straat loopt en mij voorbij ziet rijden, maak dan dat je wegkomt! Want ik ga je door een etalageruit rammen. Als je in een restaurant zit en ik kom binnen, maak dan dat je wegkomt. Want ik sleep je er aan je nekvel uit. Als je in een toiletruimte bent en ik zie je, prevel dan een gebedje! Want ik steek je kop in een plee.' *F... Linda Tripp!*
• Wetend dat Jean-Claude van Damme me achter mijn rug belasterd had, omdat ik probeerde hem aan mijn scenario te houden, belde ik zijn agent, Jack Gilardi. 'Ik zal je vertellen wat ik ga doen, Jack' zei ik. 'Ik kom straks met een honkbalknuppel naar je kantoor en sla je knieën kapot zodat je niet meer kunt lopen. Daarna sla ik je ribben kapot zodat je niet meer kunt ademen. Daarna sla ik je oren kapot zodat je niet meer kunt horen. Je hoofd zou ik ook kapot kunnen slaan, maar denken kun je toch al niet. Dus in plaats daarvan sla ik je ballen kapot zodat je niet meer kunt neuken.' *Je zou je hier thuisvoelen, makker.*

Ongeveer een jaar later zag ik hem met zijn vrouw en een paar vrienden bij een zwembad in Maui. Ik ging naar ze toe en maakte mijn excuses en we gaven elkaar een hand.

'Maar ik moet zeggen dat het klonk als een klok,' zei Jack. 'Ik herinner me vrijwel woord voor woord wat je zei. Je zou het in een van Jean-Claudes films moeten zetten.' *Camp David-verdragen?*

Discussiepunten

Jagged Edge ging over een bekende figuur, de redacteur van een krant in San Francisco, Jack Forester, die zijn vrouw vermoordt en de dans ontspringt. *Heb het hart niet in je lijf!*

Zijn alibi is onder andere de onwil van het publiek te geloven dat een gerespecteerde figuur en echtgenoot zijn vrouw op zo'n afschuwelijke en gewelddadige manier om het leven kan brengen. *Jou zouden ze onmiddellijk verdenken.*

De crux van Jack Foresters verdediging is het feit dat het moordwapen, een mes met een gekartelde rand, nooit gevonden werd. *De debiteurenadministratie van advocatenkantoor Rose?*

In de zomer van 1993 brachten Naomi en ik een middag door met O.J. Simpson en zijn vrouw Nicole aan het zwembad van de Ritz-Carlton op Maui. O.J. vertelde hoe graag hij in een van mijn films zou spelen en hoe goed hij *Basic Instinct* en *Jagged Edge* vond.

Een jaar later, toen Naomi en ik de schokkende bijzonderheden van de moord op Nicole Simpson en Ron Goldman hoorden, dachten we aan ons gezellige middagje in de Ritz met O.J. en Nicole. We waren zeer zijdelings betrokken bij de rechtszaak. Nog maar een dag of wat voordat hij lid van O.J.'s verdedigingsteam werd, had advocaat Bob Shapiro mij vertegenwoordigd in mijn echtscheidingsproces in Marin County.

Toen O.J.'s proces zich ontvouwde, werd ik getroffen door de overeenkomsten met *Jagged Edge*. Het begon met een bekende figuur die beschuldigd wordt van moord op zijn vrouw. Zijn advocaten voerden aan dat hij een goede vader was en dat hij dol was op Nicole – dat een man die zoveel van zijn vrouw hield, haar onmogelijk op zo'n afschuwelijke en gewelddadige manier om het leven gebracht kon hebben. Vervolgens was er een moordwapen, een mes, net als in *Jagged Edge*, dat nooit gevonden werd. Een griezelig toeval wilde zelfs dat de rechtbank tijdens O.J.'s proces een mes voorgeschoteld kreeg, niet het moordwapen maar iets dat leek op het moordwapen.

'Deze zaak heeft wel iets weg van *Jagged Edge*,' zei ik schertsend tegen Bob Shapiro.

Hij keek me recht in mijn ogen en zei: 'Je moest eens weten.'

Ik had *Jagged Edge* al heel lang niet gezien – de film werd in 1985 uitgebracht – en ik zette hem nog eens op. Plotseling zette ik de band stil, draaide hem terug en liet hem weer verder spelen. Ik voelde de rillingen over mijn rug lopen.

De moorden waren op dezelfde dag gepleegd. De nacht van 12 juni in de film, de nacht van 12 juni in werkelijkheid.

Later vroeg ik Shapiro wat zijn internationale beroemdheid voor hem inhield. 'Die houdt in,' zei hij, 'dat ik overal ter wereld gepijpt kan worden.' *Gooi Bennett eruit en neem Bob Shapiro in dienst.*

Vernon Jordan had haar aangeprezen

Charles Evans, de broer van Bob, de algemeen producer van *Showgirls*, liet regisseur Paul Verhoeven bij zich komen en zei dat hij zojuist de perfecte hoofdrolspeelster voor *Showgirls* een auditie had afgenomen... in zijn hotelkamer in New York. *Ik zei toch dat je showbusiness leuk zou vinden!*

Verhoeven sprong de zachtaardige Evans bijna naar de keel. 'Jij doet geen audities!' schreeuwde hij. 'Dat is míjn werk! Ben je helemaal besodemieterd? Jij laat meisjes op auditie komen in je hotelkamer? Wil je dat we allemaal voor de rechter worden gedaagd voordat we één opname gemaakt hebben?' *Rustig maar. Iedereen doet het. Maak je maar geen zorgen.*

Charlie Evans wierp tegen dat dit meisje beeldschoon en talentvol was. 'Alsjeblieft,' zei hij, 'laat haar auditie doen.'

Paul zei: 'Je kunt het schudden! Ik wil niet eens weten hoe ze heet.'

Paul ging door met zijn audities in L.A. en op een goede dag liet hij een jonge vrouw met de naam Elizabeth Berkley opdraven, een vrij onbekend tv-sterretje. Volgens de mensen die de auditie bijwoonden schaamde Elizabeth zich nergens voor en maakten de vorm en afmetingen van haar blote borsten zichtbaar indruk op Paul. *Misschien kun jij beter regisseur worden.* Toen de opnamen begonnen, knoopten Paul en Elizabeth een heftige en publieke verhouding aan, niets bijzonders voor regisseurs tijdens het draaien van een film.

Je zou de set van *Basic*, de film die Paul en ik eerder gedaan hadden, prachtig gevonden hebben. Regisseurs kijken naar hun set zoals jij naar je raamloze gang kijkt, maar Paul slaat alles. Hij vertelde me een keer dat hij zijn beste seksuele ervaring beleefd had met een vrouw die in bed poepte als ze klaarkwam. *Nee, niet Farrah.* Zijn Rabelaisiaanse instelling was perfect voor *Basic*, waarvan de set een in een sardineblikje geperst vat libido en testosteron was.

Om zich voor te bereiden op de opnamen ging Michael Douglas naar Mexico om af te vallen en de zon op te zoeken 'om mezelf mooi te maken'. De opnamen begonnen en Michael had een affaire met Jeanne Triplehorn; daarna hadden Sharon en Michael een confrontatie die uitdraaide op het soort patstelling waarbij ze allebei eisten dat de ander het laatste stapje deed voordat ze elkaar omhelsden.

Toen raakten Paul en Sharon gefixeerd op elkaar. *Je kent Sharon: 'Ik ben om de haverklap naakt,' zei ze tegen het tijdschrift* People. Maar Sharon stond erop dat Paul zijn vrouw verliet – wat Paul weigerde – voordat de fixatie compleet was. *Dat was bij jou toch niet nodig?* Toen sprong er een slagader in Pauls neus – al dan niet ten gevolge van een stomp van Michael Douglas – dat is me nooit helemaal duidelijk geworden. *De diverse getuigenverslagen van de diverse gebeurtenissen werden even haarfijn uitgeplozen als jouw getuigenis voor de Grand Jury.*

Maar goed, om op *Showgirls* terug te komen... Elizabeth bleef de hele film lang ongegeneerd doen. 'Ik probeer haar te helpen een scène te spelen,' zei Gina Gershon tegen mij, 'en zij vertelt me in geuren en kleuren wat ze die avond met Paul z'n pik gaat doen.' *Elizabeth is het meisje van je dromen! Sla op je bongo's! Bel haar op! Stuur haar* Leaves of Grass! *Nu meteen!*

Pas toen de opnamen erop zaten, vertelde Charlie Evans tegen Paul dat de jonge vrouw die hij in zijn hotelkamer op auditie had gehad Elizabeth Berkley was.

Ik hoop dat ik je overtuigd heb, Bubba, en bedankt dat je een fan bent. O.J. is ook een fan; het eerste wat hij deed toen hij vrijgesproken werd was achter elkaar naar *Showgirls* en *Jade* kijken.
Ik voel je verdriet.

Joe

P.S. Steven kan doodvallen. Jij zou het ook fantastisch doen in *Sacred Cows*.

(12)

Een lekker hapje voor de president

Godverdomme! Over een verwende joodse Amerikaanse prinses gesproken! Me chanteren voor haar klotebaantje! Wat mankeert er aan werken bij het Pentagon? Daar had ze immers een mooie kans om de wereld rond te reizen, toch? Londen. Hongkong. Brussel. Nou ja, goed, misschien dat ze dat verrekte Brussel niet zo zag zitten...

En dan regel ik het zo dat ze naar de VN kan en in New York kan wonen en dan wil ze ineens niet meer. Ik heb het bijna rond en dan besluit ze, zij en haar moeder uit Beverly Hills, dat er te veel Arabieren in New York wonen! New York is de joodse hoofdstad van Amerika en zij vindt dat er te veel Arabíeren wonen! O ja? En wat dacht je van Beverly Hills? Dat hebben de Arabieren totaal in hun zak. Heeft ze daar geen last van ze?

Jezus, ik zou m'n kop moeten laten nakijken dat ik het zover heb laten komen. Ze keek me zo uitnodigend aan, die eerste keer. Trok het elastiek van haar onderbroek strak zodat ik haar kontspleet kon zien. Wat zei ik? Uitnodigend? – mama mia! Wat een geil wijf! Grote, sneeuwwitte tieten die uit haar jurk puilden. Schudde haar kont tegen me als ze voorbijkwam, alsof die zijn eigen lekkere leventje leidde. Oké, misschien was hij wat aan de dikke kant, ja, maar van een beetje dik heb ik nog nooit last gehad.

Wat moest ik doen? Wat moest ik verdomme doen? Ze hield hem onder mijn neus als haar eigen ovenwarme boterkoek, en ik had trek. Ik heb altijd trek. Had ik dan soms moeten weigeren en me zelfs deze kleine beloning moeten ontzeggen?

Ik werkte me te pletter aan deze baan, tot drie uur op, vier uur slaap, altijd in het vliegtuig, constant jetlag. Mijn voorhoofdsholten maakten me gek. Mijn rug deed zeer. Mijn knie was kaduuk. Een belóninkje, een kléín beloninkje. Een stukje boterkoek om mijn accu bij te laden. Ik vogelde haar niet eens. Zelfs dát niet.

Het enige dat ik eigenlijk deed, op een paar keer tegen het eind na, was me daar door haar laten kussen. Zij wilde meer. Ze wilde altijd meer. De eerste keer dat ik haar kuste kon ze meteen al niet van die stille Willard afblijven. Ze wist van wanten. Ze vertelde me meteen dat ze iets met die getrouwde vent gehad had. Wat dacht ze dan? Dat ik Hillary zou verlaten voor een stukje boterkoek?

Ik heb zo'n miskleun begaan! God nog aan toe, wat een miskleun! Ik wist meteen dat ik risico's liep. Ze móest wel een beetje lijp zijn om zo achter me aan te lopen, overal op te duiken waar ik ging of stond, zelfs op dat trottoir in New York toen ik in de auto zat. En dat gezwets, dat eindeloze, oeverloze gezwets! Wat een kletswijf. Kwebbel-kwebbel-kwebbel. Wauwel-wauwel-wauwel. Soms kuste ik haar meteen als ik haar zag, gewoon om haar die verrekte bek te snoeren. Om de rem erop te zetten voordat ze op gang kwam. Godverdomme, snapte ze het soms niet? Ze werd geacht me daar te kussen, niet tegen me te praten. Ze werd geacht haar bloes open te maken, niet haar ideeën over opvoeding te spuien. En zelfs als ze niets zei, die geluiden van haar! Als ik daar met mijn vingers zat en zij die dolfijngeluiden maakte! Kan ze niet eens zachter kreunen? Ik was bang dat de Geheime Dienst zou binnenstormen, denkend dat ik een infarct had gekregen. Ik moest mijn hand voor haar mond houden. Mijn hand werd kletsnat. Ze raasde over haar rails als die stoomtrein waar ik in Hot Springs zo vaak naar keek.

Toen begon ze haar kleine drama's in het spel te brengen; haar moeders debiele boek over Pavarotti, haar vader die haar moeder bedroog en met zijn verpleegster trouwde. Moest ik dat erg vinden? Waarom dacht ze dat ik dat erg zou vinden? Ik wist niet eens hoe ze heette, de eerste keer. Dat wist ze ook; ze maakte er zelfs een geintje over.

En nu begon ze over die schlemiel Andy, ergens in Oregon, die zijn vrouw bedroog. Ik ben de president van de Verenigde Staten en ik moet naar verhalen over *Andy* luisteren? Mijn hoofd loopt over van begrotingen en wetten en strijdplannen en ik moet aanhoren hoe gemeen Andy haar behandeld heeft?

Waar zag ze me voor aan? Haar vriend? Haar minnaar? Haar vader? Haar psychiater? Waarom dacht ze dat het mij ook maar ene reet zou kunnen schelen? Hoe is het mogelijk dat ze niet wist dat ze niet meer dan een lekker hapje was. Is ze zó stom? Het hele land – de hele wereld – weet hoe ik over lekkere hapjes denk! Daar zijn boeken over geschreven. Ze móest weten met wie ze te maken had. Dat moest de reden zijn waarom ze met haar onderbroek speelde.

Dus waarom begon ze nu te doen alsof ze een menselijk wezen voor me was? Wist ze niet dat ik het altijd druk had? Dat had ik haar duidelijk genoeg laten weten. Zelfs terwijl ze voor me neer knielde, was ik aan de telefoon om Amerika's zaken te behartigen. Pratend over Bosnië, of over de suikersubsidie. Ze had haar oren en haar mond wijd open. Is ze soms doof én stom?

Wat een theatraal mens! Al die krokodillentranen toen ze haar baantje in het Witte Huis kwijt was. Het was het jaar van de verkiezingen, God nog aan toe! Ik had geen plaats meer voor nog meer Genniferverhalen. Snapte ze dat niet? Er werd gepraat. Nancy en Marsha en Debbie en Cathy sloegen me met argusogen gade. Ze weten precies wanneer ik een nieuw lekker hapje heb. Ze kennen me te goed. Ze worden jaloers. Ze willen geen andere lekkere hapjes in de buurt. Ze pakken me mijn nieuwe lekkers af.

Mensen praten. De hofmeesters praten en de huishoudstaf praat en de agenten van de Geheime Dienst praten, en Hillary's verdomde spionnen zijn overal en luisteren naar alle praatjes. Zij raakte haar baantje kwijt om te zorgen dat ik president bleef. Zij raakte haar baantje kwijt om te zorgen dat Nancy en Marsha en Debbie en Cathy niet met haar hoefden te concurreren. Maar nee – dat snapte ze niet! Ze vond het niet eerlijk dat ze vanwege mij haar baantje kwijtraakte. Haar gedachten waren niet bij het presidentschap, bij Amerika – haar gedachten waren bij zichzelf, bij haar klotebaantje.

Het leek wel alsof ze zichzelf serieus nam toen ze tegen me zei dat ze de minister van Pijpzaken wilde zijn. Op de een of andere manier had ze haar luizige baantje in het Witte Huis tot kabinetsniveau opgekrikt. Ze verwachtte echt dat ik er iets aan zou doen, dat ik haar het Witte-Huisbaantje zou teruggeven. Was ze echt zo vol van zichzelf... dat ze dacht dat de president van de Verenigde Staten persoonlijk een bevel zou uitvaardigen om een drieëntwintigjarige gewezen stagiaire weer in mijn domein aan het werk te zetten? Nádat al die mensen al rondgebazuind hadden dat ze me in het Oval Office kwam opzoeken?

Ik zag het verhaal al losbarsten tijdens mijn campagne, met als gevolg dat het Witte Huis weer in de handen zou vallen van die godvergeten teringlijers die ik mijn hele leven lang bevochten heb om het ze te ontfutselen. Maar ze was blind voor dat soort overwegingen. Het enige waarover ze kon praten was haar klotebaantje terugkrijgen en hoe oneerlijk het was dat ze het vanwege mij was kwijtgeraakt. Probeerde die kleine trul míj een schuldgevoel aan te praten?

Zelfs als ik haar tijdens de campagne aan het eind van een lange dag opbelde... Willard in mijn ene hand, de telefoon in de andere. Ik wil gewoon een momentje rust. Beelden van haar tieten flitsen door mijn hoofd. En zelfs dán wil ze over haar baantje praten. Ik kon mijn oren goddomme niet geloven! Ze wist dat ik het lekker vond als ze geile taal tegen me uitsloeg... De hele dag ben ik in de weer, op het podium met Hillary, hapklare uitspraken en fotosessies... en dan kom ik terug in de beslotenheid van mijn hotel en bel haar op en dan begint ze me door te zagen over wat ik moet doen om haar dat Witte-Huisbaantje terug te geven.

Ik hou haar aan het lijntje. Ik stuur haar naar een paar stafmensen, waaronder Marsha, die haar ook aan het lijntje houdt. Maar dat leidt weer tot een heel ander drama. Nou is ze kwaad dat ik haar naar Marsha gestuurd heb. Ze weet dat Marsha en ik... En nou zegt ze dat Marsha haar nooit aan een baantje in het Witte Huis zal helpen omdat Marsha jaloers is. En dat het niet eerlijk is dat Nancy en Marsha en Debbie en Cathy mij wel kunnen zien en zij niet. Bekijk het nou – ik sta met Willard in mijn hand aan het eind van een beestachtige dag en nou moet ik dít aanhoren?

Ik begon hem ook een beetje voor haar te knijpen. Ik kon me niet veroorloven haar kwaad te maken. Ik kon me niet veroorloven dat ze op de een of andere manier doordraaide. Als ze uit de school klapte – een jonge Witte-Huisassistente en de stille Willard in het Oval Office – nou, je kon er vergif op innemen dat dat het einde van de wereld zo zijn. Ik voelde me in een hoek gedreven. Ik kon me niet veroorloven haar of op de kast of over de rooie te jagen, maar ook niet om haar in het Witte Huis weer binnen te halen.

Ik zat nog op een andere manier in de klem. Ik wilde haar niet zien – en de hele verkiezingscampagne lang zag ik haar ook niet. Maar ik wilde haar wel zien met haar mond daar en haar tieten uit haar bh, wit glanzend in die donkere gang. Ik was báng haar te zien omdat ik wist dat mijn honger me zou dwingen haar naar die gang of naar de toiletruimte te brengen.

In mijn meer paranoïde ogenblikken vroeg ik me wel eens af of het mogelijk was dat die kwebbelende idioot me erin geluisd had. Natúúrlijk was ze op de hoogte van mijn trek in lekkere hapjes. Dáárom speelde ze met haar onderbroek. Dáárom liep ze me overal achterna. Dáárom knielde ze voor me neer voordat ik verdomme wist hoe ze heette. Ze wílde me in een compromitterende situatie manoeuvreren. Ze wilde de president van de Verenigde Staten bij zijn pik hebben.

Ze huilde voortdurend aan de telefoon en vertelde me hoe ongelukkig ze was met haar Pentagonbaantje, hoe vreselijk ze me miste. 'Ik heb vanavond geen zin om over jouw baan te praten!' zei ik uiteindelijk een keer. 'Ik wil het over andere dingen hebben.' Ze wist wat dat betekende. Zij begon haar smerige taal uit te slaan en dat herinnerde haar er weer aan dat ze zo graag met me naar bed wou.

En dat leidde weer tot een nieuwe tranenwaterval, totdat ik haar vroeg of ze liever had dat ik haar niet meer belde. Ze zei nee. Ze begon weer op te duiken bij verkiezingsevenementen. Bij een van die gelegenheden reik ik over een touw om iemand een hand en een grijns te geven en plotseling graait ze naar Willard. God, dát was schrikken! Ik dacht dat ze doorgedraaid was. *En plein public naar Willard graaien*? Willard verschrompelde ervan!

Toen ik haar godvergeten Valentijnsadvertentie in de *Washington Post* zag, schrok ik nog meer. Waar was ik aan begonnen? Hoe had ik mezelf dit aan kunnen doen? Had ik mijn lot in de handen van een lekker hapje gelegd? Was dit *Fatal Attraction*? Ik kneep hem als een ouwe dief. Dus ik liet haar bij me komen. Ik had haar al tien maanden niet alleen gesproken. *Tien maanden*, en ze hing meteen om mijn nek.

Wat moest ik doen? Als ik haar de bons gaf, bestond de kans dat ze doordraaide en uit de school klapte. Ik hield haar aan het lijntje. Ik gaf haar een paar kerstcadeautjes en daarna nam ik haar mee naar de gang en stond haar voor de eerste keer toe Willard gelukkig te maken. Ik weet niet goed waarom ik dat deed. Vanwege mijn trek in lekkere hapjes of als onderdeel van mijn tactiek haar aan het lijntje houden om te voorkomen dat ze doordraaide of uit de school klapte. Of misschien was het een combinatie van beide. Of misschien was het gewoon die hardnekkige stille Willard.

Toen hoorde ik van Marsha dat die zottin haar moeder over onze 'vriend-schap' verteld had. Haar moeder vertelde het door aan Walter Kaye, die ouwe geldzak die me voortdurend overhemden stuurt, en die gaf het weer door aan Marsha. Dat was mijn ergste nachtmerrie. Aan wie had ze het nog meer verteld? Aan wie had die verrekte kletskous van een moeder het nog meer verteld? Aan wie had Walter de kontlikker het nog meer verteld? Ik vervloekte mezelf. Hoe had ik ooit kunnen denken dat Kletswijf haar mond zou houden? Ik wist dat ik dit moest afkappen, en wel stante pede, en zo voorzichtig en diplomatiek mogelijk om te voorkomen dat ze zich tegen me keerde en God weet wat ging doen. Ze had me verraden.

Ik vroeg haar naar het Oval Office te komen. Ik vertelde haar dat ik pro-beerde Hillary trouw te blijven. Maar ik zei ook dat ik me sterk tot háár aan-getrokken voelde. Ik zei dat ze een fantastische meid was. Ik vertelde haar hoe slank ze leek. Dat ik graag vrienden wilde blijven. Ik zei dat ik een he-leboel kon doen om haar te helpen. Ze begon te huilen. Ik omhelsde haar en gaf haar een afscheidszoen. Ik spande mijn kaakspieren een paar keer. Ik liet mijn ogen vochtig worden. Ik hoorde violen.

Ik hoopte bij God dat deze stommiteit waar ik me met dit zwetsende stuk boterkoek aan bezondigd had, niet in mijn gezicht zou exploderen. Een paar dagen later besliste het Hooggerechtshof dat de aanklacht van Paula Jones tegen mij over ongewenste intimiteiten doorgang kon vinden. *Ik bad God* dat de advocaten van Jones háár niet op het spoor zouden komen.

Ze bleef proberen me op te bellen. Ik gaf niet thuis. Ze probeerde nog steeds haar baantje in het Witte Huis terug te krijgen, via Marsha en Bob Nash. Ze verkeerde onder de indruk dat ik haar indirect probeerde te hel-pen haar baantje terug te krijgen. Ik wilde haar voor geen goud in het Witte Huis. Ik wilde haar niet zien. Ik wilde niet·van haar horen. Ze schreef me een brief, kwaad dat ik nooit aan de telefoon kwam. 'Doe me dit alsjeblieft niet aan,' schreef ze. 'Ik voel me overbodig, gebruikt en onbeduidend. Ik begrijp dat je handen gebonden zijn, maar ik wil met je praten en onze opties door-nemen.' Weinig kans! Ik negeerde haar brief en bleef weigeren aan de tele-foon te komen.

'Overbodig,' 'gebruikt' en 'onbeduidend.' Nou, eindelijk begon ze het licht te zien. Ze schreef me nog een brief. 'Geachte heer,' luidde de aanhef. Ze schreef dat ik mijn belofte een ander baantje voor haar te vinden gebro-ken had. Ze dreigde haar ouders op de hoogte te brengen van onze 'vriend-schap.' Ik wist dat ze het al tegen haar moeder gezegd had – nu dreigde ze haar vader in te lichten. Hiermee legde de trut de situatie open en bloot op tafel. Chantage! De president van de Verenigde Staten werd onder druk ge-zet om een lekker stuk een baan te bezorgen.

Ik was razend. Ik moest een manier vinden om dit de kop in te drukken. Ik moest haar kalmeren, zorgen dat ze het tegen niemand anders vertelde. Ik nodigde haar opnieuw uit in het Oval Office. Ik vertelde haar dat het tegen de wet was de president van de Verenigde Staten te bedreigen. Ze zei dat ik niets gedaan had om haar te helpen een baantje te vinden. Ze begon te huilen. Ik nam haar in mijn armen. Ik streelde haar arm. Ik speelde met haar haren. Ik kuste haar hals. Ik vertelde haar hoe intelligent en knap ze was. Ik vertelde haar hoe slank ze leek. Ik spande mijn kaakspieren een paar keer. Ik liet mijn ogen vochtig worden. *Ik lapte het hem.* Ze zou niets tegen haar vader zeggen en niets tegen andere mensen. Alles was kits. Toen de debiel vertrok, was ze ervan overtuigd dat ik verliefd op haar was.

Toen ze me opbelde om me te vertellen dat ze besloten had in New York te gaan werken, klonk me dat als muziek in de oren. New York zou Washington uit haar hoofd zetten. New York zou mij uit haar hoofd zetten. Ik zou haar een baantje bij de VN bezorgen via Bill Richardson. Bill is een toffe gast. Bill stelt geen vragen; Bill kent het klappen van de zweep. Het was geregeld. Ze praatte met Bill. Ze ging naar New York. En toen kwam die verwende, verpeste trut terug en zei dat ze niet bij de VN wilde werken. *Vanwege de Arabieren*! Ik kon mijn oren niet geloven! Ze wilde een baan *in de privé-sector*. Ze wou dat *ík* een betrekking in de privé-sector voor haar zocht!

Wel, heb je het ooit zo zout gevreten? Ik ben de president van de Verenigde Staten en nou werd ik voor het wagentje van een stuk boterkoek gespannen om een baan voor haar te vinden, geen overheidsbetrekking, maar het soort baan waarbij de een of andere verrekte werkgever de president van de Verenigde Staten *een plezier zou doen door haar in dienst te nemen*. Ze zei dat ik haar dit verschuldigd was. Omdat ze uit het Witte Huis overgeplaatst was ten gevolge van haar 'vriendschap' met mij. Omdat ik gezegd had dat ik haar zou helpen werk te vinden en nog steeds niets gevonden had. Omdat ze 'zonder ophef' uit het Witte Huis was vertrokken en niemand verteld had dat ze haar baantje was kwijtgeraakt vanwege mij.

Met andere woorden, het was allemaal mijn schuld en ik was het haar verschúldigd het weer goed te maken door een baan voor haar te vinden. Niet zo maar een baan, want de baan bij de VN was niet goed genoeg. Nee, een betrekking in de privé-sector die er in de ogen van juffrouw Snot de minister van Pijpzaken mee dóór kon. En dat betekende natuurlijk geld. Een salaris, waarschijnlijk van zes cijfers, dat de goedkeuring van haar mammie en haar nieuwe rijke pappa kon wegdragen. Ik... wou... dat... ze... de pestpleuris kreeg.

Ik zette er Vernon aan. Vernon was commissaris van zoveel bedrijven dat hij zeker iets zou vinden. Vernon was nog bezig een baantje voor haar op te snorren toen ze gedagvaard werd voor het Paula Jones-proces. Nu had ze me echt klem. Het loeder! Het zwetsende teringloeder! Als ze de waarheid vertelde, kon ik het helemaal schudden. Maar om me te redden zou ze onder ede moeten liegen en meineed moeten plegen. Ze zou de wet voor me moeten overtreden. Ik was driedubbel en overdwars genaaid.

Ik nodigde haar opnieuw uit in het Oval Office. Ik gaf haar wat rotzooi: een marmeren berenkop, een deken van de Rockettes, een Black Dog wattenbeest, een doosje bonbons, een komische zonnebril en een speldje met de skyline van New York. Ik liet haar met Buddy spelen. Ik gaf haar een lange, hartstochtelijke zoen. Ik vertelde haar hoe slank ze eruitzag. Ik spande mijn kaakspieren een paar keer. Ik liet mijn ogen vochtig worden. Ze viel voor me als de zak vol blubber die ze is.

Een week later ondertekende ze een valse verklaring waarin stond dat ze nooit 'seksuele betrekkingen' met mij onderhouden had. Twee dagen daarna vond Vernon een baantje voor haar bij Revlon in New York. Ze was tevreden. Haar verrekte moeder was tevreden. De verrekte rijke pappie was tevreden. Het was eindelijk voorbij. Ik was van haar af.

En toen... en toen... *Bandopnames*? Die klootzak van een Starr had – *bandopnames?* Het einde van de wereld was nabij! Mijn eerste gedachte was dat ze míj had opgenomen. Net als Gennifer – o lieve God! *De telefoonseks*! Ik hoorde mezelf al kreunen op het avondjournaal van de NBC. Brokaw met zijn rotkop en een nog kleiner mummelmondje dan normaal. Maar nee, het waren opnames van haar en die giftige vuilnisbelt die haar vriendin geworden was. En Kletswijf maar leuteren over van alles en nog wat.

De sigaar? Nee! Nee! O nee, nee! Alsjeblieft God, niet de sigaar! Die was haar idee. *Haar idee!* Zíj zei: 'En als je dat een keer wilt doen, da's ook prima,' terwijl ze als een stoephoer naar mijn sigaar keek en zei dat ik hem daar in moest steken. Me praktisch commandéérde. Mijn hand was louter het instrument van háár smerige fantasieën. Wat er gebeurde, vond plaats tussen haar geslachtsdelen en mijn sigaar. *Ik* stond er helemaal buiten.

Nu zat er niets anders meer op dan karaktermoord. Charlie Rangel was daar trouwens al mee bezig. Die zei: 'Dat arme kind heeft ernstige emotionele problemen.' Die zei: 'Ik heb niet gehoord dat die ze alle vijf op een rijtje heeft.' Die zei: 'Ze fantaseert er maar op los.' Zoveel scheelde het immers ook niet – gewoon nóg een keer door de mangel halen. Hé, dit was *Fatal Attraction*! Ze was een lel en een del! Ze was een stalker! Schorem uit de *trailer trash* van Beverly Hills! Jong of niet jong! Ze neukte immers met die getrouwde vent in Portland – maar wacht, wacht, wacht! Fluit Carville terug! Laat die lellen en dellen nog even zitten! Zeg tegen Begala en Blumenthal en Barneys zuster dat ze zich gedeisd houden! Stilzetten die mangel!

ABC zond een nieuwsbericht uit dat ze een marineblauwe jurk had met mijn... Toen volgde een bericht waarin dit ontkend werd. Maar zelfs als ze een jurk had, zou ze die dan aan die klootzak geven? En zoniet? Dan was het een kwestie van mijn woord tegen het hare. Geen bewijs. Shit, als ze die jurk had, was karaktermoord geen goed idee. Dan zou ze hem zeker afgeven. Nee, er zat niets anders op dan lief te zijn tegen de stomme, achterbakse, chanterende dikbiltrut. Met lief zijn had ik altijd succes gehad. Het stuk boterkoek was immers verliefd op me. Maar wat kon ik doen om lief tegen haar te zijn? Ik kon haar niet ontvangen of met haar praten. Ja! Já! Ik had het! Een briljante inval! Een fantastisch idee!

Zij zou me op de tv zien... en ik zou een van de stropdassen dragen die ik van haar gekregen had. Een geheim liefdesblijk... dat de hele wereld zou zien en niet zou snappen... behalve zij. Ze zou die klootzak de jurk nooit geven! Ze zou er net zo voor vallen als ze voor mij gevallen was. Hé, lekkere stukken vallen altijd voor mij. Ik ben de bink! Ik ben de boyo! Ik ben de klerelijer! Ik ben de bikker! Ik ben de kloot! Ik ben de president van de Verenigde Staten!

[13]

Bob Packwoods
gespleten tong

'Hij is een gluiperd,' zei Monica tegen Linda Tripp. 'Hij is een misselijke etterbak. Ik haat hem.'

Terwijl de Lewinsky-koppen een steeds pikantere seksuele bijsmaak begonnen te krijgen, gingen de gedachten van de perverse misbaksels die geïnteresseerd waren in recente smakeloze parallellen terug naar de door de mand gevallen en verbannen ex-senator van de joris-goedbloedstaat Oregon... ooit disgenoot van dat beroemde abortus prekende feministische idool Gloria Steinem... *ta-ráäh*... Vorktong, de Man met de Losse Handjes, Bob Packwood!

In 1992, toen Bill Clinton het Witte Huis betrok, was Bob Packwood, die in 1968 door het laatste golfje uit het kielzog van het Nachtschepsel de Senaat was ingespoeld, Amerika's machtigste feministische advocaat en meest prominente mannelijk feminist. Bob Packwood had in 1970 de eerste abortuswet in de Senaat ingediend en was altijd de belangrijkste Republikeinse pleitbezorger van Gelijke Rechten voor de Vrouw geweest. Bob Packwood had baanbrekende wetsvoorstellen ingediend op het gebied van zwangerschapsverlof, kinderopvang en hervorming van de verzekeringsbranche, om een eind te maken aan de discriminatie tegen vrouwen.

Jaren eerder, in 1962, had Bob Packwood tegen een campagnemedewerker gezegd dat 'vrouwelijke talent de grootste verspilde hulpbron in het land' was. Over zijn vriendin Gloria Steinem zei Bob Packwood: 'Op het gebied van vrouwenkwesties beschouwt ze me vrijwel als koosjer. Ze waardeert het feit dat de hoogste chefs in mijn kantoor voor het merendeel vrouwen zijn en ook naar verhouding betaald krijgen.' Het was waar dat vrijwel de voltallige staf van Bob Packwood vrouwelijk was, hoewel boze tongen beweerden dat Packwood bij voorkeur gescheiden of ongelukkig getrouwde vrouwen in dienst nam, vrouwen zonder een relatie die een concurrent van 'het werk' zou kunnen zijn. Het hoge personeelsverloop op zijn kantoor was altijd een probleem. Anderen wezen erop dat sommige van de vrouwen die voor Bob Packwood werkten, alhoewel zonder uitzondering aantrekkelijk, niet erg slim of politiek bewust of progressief waren, getuige een gesprek tussen Packwoods chef personeelszaken Mimi Weyforth en een ander staflid. Het staflid vroeg Weyforth waarom Packwood, die niet joods was, zulke militant pro-Israëlische standpunten innam.

'Weet je dan niet dat de senator rechten heeft gestudeerd aan de jodenfaculteit van New York?' vroeg Weyforth.

De medewerker vertelde Weyforth beledigd dat hijzelf joods was.

'Wil je zeggen dat ik zonder het te weten een jood in dienst heb genomen?' vroeg Weyforth.

Toen de medewerker gekwetst en geschokt wegliep, riep Weyforth hem na: 'Weyforth is een Duitse naam, zorg dat je dat nooit vergeet!'

De reactie van cynische ouwe rotten onder de politieke waarnemers in Oregon op Packwoods reputatie als de belangrijkste feminist in Amerika luidde dat Packwoods feminisme totaal geveinsd was – gewoon het zoveelste voorbeeld van het politieke opportunisme waarmee hij als hippie-hatende Nixon-aanhanger de Senaat had weten te halen. 'Als we over mensen met spandoeken praten,' had Packwood in de jaren '60 gezegd, 'figuren die op blote voeten lopen en kralen dragen, dan moet ik daar niks van hebben. Toen ik dat getikte joch [Mark Rudd] in de universiteit van Columbia met zijn voeten op het bureau en een sigaar in zijn mond in de stoel van de rector-magnificus zag zitten, werd ik woest.'

Toen Watergate losbarstte, liet Bob Packman het Nachtschepsel, door wiens daverende overwinning hij met een meerderheid van 0,3% zijn Senaatszetel had gewonnen, schielijk vallen. Packwood las Nixon de les met woorden die hem jaren later zouden opbreken. 'Sommige politici hebben een zwak voor alcohol. Bij anderen is het gokken. Bij anderen is het vrouwen. Uw zwak is geloofwaardigheid.' Packwood spoorde Nixon aan 'alle feiten op tafel te leggen.'

Het schokkendste voorbeeld van Bob Packwoods politieke opportunisme waarmee de politieke waarnemers in Oregon aankwamen, was zijn houding tegenover homoseksuelen. Tijdens een lezing voor een forum van gelijke rechten voor de vrouw vroeg iemand Packwood: 'Bent u het ermee eens dat er anti-discriminatiewetgeving voor homoseksuele mensen moet komen?' Packwood flapte eruit: 'Nee. Ik vind homoseksuelen walgelijk.' Toen de vrouwen, die de basis van zijn kiezersaanhang vormden, hem uitjouwden en afwezen, haastte Bob Packwood zich een federale wet voor de rechten van homoseksuelen te steunen.

Packwoods collega uit Oregon in de Senaat, de hoog aangeschreven Republikein Mark Hatfield, die Packwoods hoogleraar staatsrecht was geweest, verachtte hem. Hij weigerde Senaatszittingen bij te wonen als Packwood ook uitgenodigd was. 'Packwood is een gewetenloze klootzak,' zei de meestal zo correcte en gematigde Hatfield.

Aan de universiteit was Bob Packwood een sul met dikke brillenglazen die werktuigbouwkundige wilde worden. Hij won een prijs als 'de lelijkste vent' in zijn sociëteit, en zijn studievrienden grapten: 'Als hij een meisje mee uit vroeg, zei ze steevast dat ze haar haar moest doen.' Op zijn drieëndertigste trouwde Packwood met een twee jaar oudere gescheiden vrouw, Georgie Oberteuffer Crockett, dochter van de stichter van de National Camp Fire Girls, die jaren een vooraanstaande rol in de Amerikaanse padvindersbeweging had gespeeld.

Georgie hield van blauwe luchten en paarden en Bob Packwood hield van rokerige kamers en cocktailbars met leren banken. Kort na haar trouwen zei Georgie: 'Hij was de eerste man die ik ooit gekend heb die niet kon flirten en niet eens moeite deed.' Ze adopteerden twee kinderen en een jaar na hun trouwen schreef Packwoods Camp Fire Girl in haar dagboek: 'Bob bedronk zich en wilde scheiden. Nou ja, we hebben het bijna een jaar volgehouden.' Bob Packwood begon Georgie zijn 'albatros' te noemen, ging drie of vier keer per jaar aan de rol en zei tegen haar: 'Ik wil scheiden. We hadden nooit moeten trouwen. Ik wil vrijgezel zijn.' Maar ze bleven bij elkaar.

Verslaggevers die Packwoods verkiezingscampagnes volgden, hoorden geruchten. Een reporter die een politieke conferentie versloeg, zei: 'Soms kwam Bob 's morgens duidelijk onuitgeslapen aan en iedereen vermoedde dat hij met een lekkere Republikeinse meid naar bed was geweest. Hij nam grote risico's voor iemand die vrouwen aanzocht voor centrale posities in zijn campagne.' Packwood werd vaak gesignaleerd in een gelegenheid met de naam de Black Anvil Tavern in het Nationale Recreatiepark Hells Canyon dicht bij de grens van Idaho. 'Packwood leek altijd vijf of zes stúkken van wijven in zijn staf te hebben,' zei een drinkmaatje in de Black Anvil, 'en 's avonds koos hij er dan een uit voor 's nachts.'

Nieuwe coördinators van zijn verkiezingscampagnes moesten haastig ingelicht worden over welke stadjes en steden in Oregon de kandidaat diende te vermijden. 'Je had Susie in Salem, Judy in Eugene, Elizabeth in Coos Bay,' wat het er de coördinator niet makkelijker op maakte de hele staat te bestrijken. Georgie hoorde de geruchten ook, en ze vroeg Packwood waarom hij altijd met een aantrekkelijke vrouwelijke assistent reisde. 'Als ik een man meenam zouden ze me voor een homo verslijten,' zei Packwood.

Georgie wist wat er gaande was, zoals ze ook wist dat de Senaat vol vreemdgangers zat. Tijdens een lunch voor senatorenvrouwen keek ze de zaal rond en dacht: 'Een hele congregatie van deurmatten.' De Camp Fire Girl zag het gedrag van haar echtgenoot steeds bizarder worden. In een poging een door de Democraten ingediende wet ter besnoeiing van de uitgaven bij verkiezingscampagnes tegen te houden, weigerde hij de Senaatszitting bij te wonen, zodat het vereiste quorum niet bereikt werd. De leider van de Democratische meerderheid, Robert Byrd, stuurde de ordebewaker op hem af. Packwood deed zijn kantoor op slot en blokkeerde de binnendeur met zware meubelstukken. De bewakers forceerden de deur en Packwood verzette zich zo hevig dat hij een vinger brak. Packwood moest naar de Senaatskamer gedragen worden.

In 1989 raakte de Camp Fire Girl ervan overtuigd dat Packwood een verhouding had met zijn stafchef, een vrouw die vaak 'in vergadering' met de militant feministische senator gesignaleerd werd, gekleed in een bikini en gezellig samen in een bubbelbad. 'Senator Packwood houdt van bubbelbaden en doet er veel van zijn denkwerk,' verklaarde zijn bevallige stafchef. De Camp Fire Girl drukte de echtscheiding erdoor en uiteindelijk verzette Packwood zich niet. 'Ik wil geen vrouw. Ik wil geen huis. Ik wil alleen maar Senator zijn,' zei Packwood tegen Georgie en zijn twee inmiddels volwassen kinderen. 'Maar pap,' zei zijn zoon, 'op een kwaaie dag zul je de verkiezingen verliezen, en wij zijn de beste vrienden die je hebt.' Maar vrienden of niet, de echtscheiding werd verleend en Packwood was opnieuw de vrijgezel die hij altijd had willen zijn.

In 1990 was senator Bob Packwood, de lieveling van feministen alom, publiek symbool van de gevoelige, onzelfzuchtige, onbevooroordeelde man van de New-Age toekomst, de grote ster van een seminar in de Senaat over seksueel geweld. De zaal zat vol vrouwelijke stafleden die zich wilden leren verdedigen tegen seksueel geweld. Packwood stond op het podium, want de organisatoren hadden hem gevraagd de rol van agressieve versierder te spelen. Hij kneep vrouwen in hun billen, pakte hun borsten, tastte tussen hun benen. Hij kreeg daverend applaus.

Twee jaar later begonnen kranten in Washington en Oregon artikelen te publiceren over een gedragspatroon van Packwood dat al dertig jaar aan de gang bleek te zijn – een gedragspatroon dat weinig gemeen had met de alledaagse schuinsmarcheerderij van senatoren, maar meer weghad van ongewenste intimiteiten, dreigementen en vernedering.

Dit was niet het gedrag van Mick Jagger in de jaren '60, maar van een 'vieze oude man' uit de jaren '50: kussen en betasten in de geest van de Sinatra-songs die Packwood voor zijn assistentes zong, gedrag dat volledig strookte met de kaart die hij aan een van zijn misbruikte stafleden stuurde: 'Was jij het meisje dat ik in 1954 onder de klok bij de Biltmore ontmoette?' Uiteindelijk kwamen achtenveertig vrouwen voor de dag met hun verhaal, voor het merendeel voormalige stafleden of assistentes die zeiden dat de ongeschreven wet op het kantoor van de grote feminist luidde: 'Lief wezen of wegwezen.'

Zo was er de middelbare scholiere die in de zomervakantie stage liep en hem om een referentie voor de universiteit vroeg. Een paar dagen later stond Packwood voor haar deur. 'Hij leek een beetje verhit,' zei ze. 'Hij plantte een malse kus op mijn lippen. Ik voelde zijn tong.' ... Dan de vierenzestigjarige verslaggeefster die hem zojuist een interview had afgenomen. Packwood kwam achter zijn bureau vandaan en dwong haar zich op haar mond te laten kussen. ... Een vrouw reageerde op een brief van Gloria Steinem waarin ze vrijwilligers opriep hem te helpen. Packwood 'draaide zich om en trok me naar zich toe en kuste me op een sensuele en totaal ongepaste manier.' ... Een vrouw die had meegewerkt aan zijn herverkiezingscampagne van 1986: 'Packwood keek me geil aan, drukte zich tegen me aan, smakte suggestief met zijn lippen en vroeg wat mijn maten waren. Ik voelde me net een biefstuk.' ...

Een drieëntwintigjarige vrouw uit een prominente politieke familie in Oregon die samen met Packwood en haar familieleden iets ging drinken. Packwood, die naast haar zat, stak zijn hand onder haar rok. ... Een vrouw die mogelijk in dienst genomen zou worden: 'Hij vroeg me ten dans in een restaurant. Hij kuste mijn hals. Zijn handen dwaalden over mijn hele rug, mijn lendenen, mijn billen. Hij maakte suggestieve bewegingen.' ... De assistente van een andere senator die naar zijn kantoor ging om een pakje af te leveren. Georgie was er ook. Packwood stelde de assistente voor aan de Camp Fire Girl, die haar onmiddellijk vroeg of ze die avond op hun kinderen kon passen. De assistente, hoewel ietwat verbouwereerd, stemde toe. Toen Packwood de baby-sitter van zijn huis naar haar auto bracht, hield hij haar vast bij haar schouders en probeerde zijn tong tussen haar gesloten lippen te duwen, terwijl zijn handen aan haar benen voelden. ...

Een plaatselijke verkiezingsmedewerkster die Packwood en de stafchef met wie hij een verhouding had naar een hotel in Eugene bracht. Toen de stafchef uit de auto stapte, 'gaf Packwood me snel een tongzoen.' ... Een eenentwintig jaar oude receptioniste aan wie Packwood vroeg of ze even mee naar zijn privé-werkkamer wilde komen: 'Ik ging zitten, hij liep naar me toe en trok me uit mijn stoel, sloeg zijn armen om me heen en probeerde me te kussen. Hij stak zijn tong in mijn mond.' ... Een eenentwintig jaar oud postkamermeisje, dat eveneens naar Packwoods privé-werkkamer werd ontboden: 'Hij deed de deur op slot. Hij haalde zijn vingers door mijn haar en kuste me op de lippen. Ik kreeg gewoon kippenvel. Ik was verlamd en probeerde hem weg te duwen.' Ze nam ontslag bij Packwood en ging voor andere mensen op Capitol Hill werken. Zes jaar later liep ze Packwood weer tegen het lijf in de ondergrondse gang van Capitol Hill. Packwood vroeg waar ze tegenwoordig werkte: 'Hij bleef staan bij een kantoor en zei: "Kom even binnen, dan kunnen we ons gesprek afmaken."' Packwood pakte haar hand, zoende haar en begon de kussens van een sofa te duwen. 'Ik stribbelde tegen, maar hij had me stevig vast en ik duwde hem netzolang weg tot hij ophield. Ik zei de hele dag tegen mezelf: Hoe kón je zo stom zijn?' ...

Een achtentwintig jaar oude assistente die met haar man en Packwood dineerde. Toen haar man naar het toilet ging, kuste Packwood haar. De volgende dag op kantoor kwam Packwood achter haar staan en kuste haar hals. 'Dat mag nooit meer gebeuren!' zei ze tegen hem. Ze liep naar een ander vertrek en hij kwam haar achterna. Hij greep haar bij haar paardenstaart en ging op haar tenen staan. 'Hij stak een hand onder mijn rok om mijn slipje omlaag te trekken. Ik probeerde mijn voeten los te krijgen. Ik wist er één te bevrijden en schopte hem gevoelig tegen zijn schenen. Daardoor hield hij op.' Packwood zei tegen haar: 'Vandaag niet, maar een andere keer.' Een week later sprak ze Packwood erop aan en zei: 'En wat had de volgende stap moeten zijn? Zouden we gewoon op het vloerkleed zijn gaan liggen? Als beesten in de dierentuin?' Packwood antwoordde: 'Jij bent zeker het type dat naar een motel wil.'

Een zevenentwintig jaar oude liftbediende die door Packwood bij de schouders gepakt en op haar lippen gekust werd, zodra ze de liftdeuren dichtdeed. 'Wat wilt u van me?' vroeg ze geschrokken. Packwood zei: 'Twee dingen. Ten eerste, ik wil met je naar bed. Ten tweede, in jouw soort werk hoor je dingen en ik wil horen wat jij hoort.' ... Een dertienjarige hostess op een politieke bijeenkomst in Oregon. Packwood pakte haar bij haar billen. 'Ik ging nog niet eens met jongens uit,' zei ze. 'Ik was zo opgewonden dat ik dat baantje gekregen had. Ik mocht een zwarte jurk en een zwarte panty dragen. Het was de eerste keer van mijn leven dat ik een zwarte panty aan had.'

Amerika's meest vooraanstaande mannelijke feminist was politiek zo dood als een pier. De krantenberichten leidden tot een officieel onderzoek door de Senaat. Jay Leno nam hem op de korrel: 'President Clinton wil alle kinderen een inenting geven. Om niet achter te blijven beloofde senator Packwood alle vrouwen een gratis borstonderzoek.' En: 'Goh, weet je wat Packwood vandaag overkwam? Hij brak drie vingers toen hij probeerde een vrouw te knijpen die de trainingvideo *Billen van Staal* had gebruikt.' Gloria Steinem vertelde verslaggevers dat zij en Packwood inderdaad samen gegeten hadden en vervolgde: 'Schrijf alsjeblieft niet dat we alleen waren.'

Packwood zwoer dat hij de aantijgingen zou ontzenuwen. Hij liet nummerborden voor zijn auto maken met MASADA erop en legde uit dat hij die naam gekozen had ter ere van de groep heldhaftige joodse patriotten die liever zelfmoord pleegde dan zich over te geven. Maar het was allemaal voorbij toen hij gedwongen werd een achtduizend bladzijden tellend dagboek, waarin veel van zijn seksuele vergrijpen beschreven werden, aan de Senaat over te dragen. Packwoods dagboeken waren zijn Watergate-banden, zijn gevlekte blauwe jurk.

Op het laatst was het Nachtschepsel, uit wiens electorale lendenen Packwood was voortgekomen, een van de weinigen die hem bleven verdedigen. 'Packwood moet hem knijpen als een ouwe dief,' zei Richard Nixon, die Packwood ook beschreef als iemand die 'vals' kon zijn. 'Als ze Packwood dwingen af te treden, zouden ze Teddy Kennedy en alle anderen met een probleem ook tot afdwingen moeten dwingen, met als gevolg dat we vrijwel geen Senaat over zouden hebben! Ik ken die mensen! Hoeveel vrouwen heeft Teddy Kennedy om zijn bureaus nagezeten? En Clinton? God nog aan toe, meer dan jullie weten! En hoe zit het met de andere Democraten die dat soort dingen gedaan hebben? Er zitten er daar zoveel die zich daaraan bezondigen – al jaren lang – dat je het niet eens zou geloven!'

Bob Packwood probeerde de schuld op de alcohol te schuiven, maar dat hielp niet. Hij liet zich opnemen in de Hazeldenkliniek in Minnesota. Hij vertelde interviewers dat zijn vader een alcoholist was die tijdens de Drooglegging alcoholhoudend vanille-extract dronk. Welwillende journalisten – William Safire bijvoorbeeld, wiens zoon op Packwoods kantoor stage gelopen had – vertelde dat Packwood altijd twee borrels tegelijk bestelde: 'Ik drink gigantische hoeveelheden vloeistof,' zei Packwood. 'Het maakt niet uit wat het is. Soms drink ik wel drie liter melk bij het eten, of twee of drie karaffen water, en als ik alcohol drink, werk ik me in hetzelfde tempo door de wijn of het bier heen.' Boosaardige lieden vroegen zich af of hij aan het Minamata-syndroom leed, met symptomen als verlies van spiercontrole, onduidelijk spreken en hersenbeschadiging.

Packwood probeerde zijn verontschuldigingen aan te bieden, maar dat hielp evenmin. Hij noemde zijn handelingen ten opzichte van vrouwen 'ongewenst en ongevoelig.' Hij zei: 'Wat ik in het verleden gedaan heb was niet alleen ongepast. Wat ik deed was niet alleen stom of lomp. Het was doodgewoon verkeerd.' En ten slotte praatte hij, na zijn verbanning uit de Senaat, over het Boek Job. 'Hoewel ik geen bijzonder godsdienstig mens ben, schep ik van tijd tot tijd troost in het lezen van het Boek Job. Sommige mensen denken dat ze problemen hebben. Die arme drommel had pas écht problemen.'

Een paar jaar na Packwoods verbanning, toen Clinton nadacht over de uitgebreide en vernederende spijtbetuiging die de media van hem eisten, gaf het lot van Packwood hem stof tot nadenken. Packwood, de feministische Galahad, had lang en breed en onverkort zijn excuses gemaakt.

Packwood had zich niet vastgeklampt aan de rafelige reddingslijn van het woord *ongepast*. Packwood was zo dwaas geweest die te laten liggen en door te zwemmen naar van haaien vergeven wateren, waar de opiniehaaien en de feministen hem levend verslonden hadden.

En het enige wat Packwood gedaan had was uitgebreid billenknijpen en lullige kusjes stelen. Packwood had vrouwen niet aan de lopende band de vulgaire enormiteit of de enorme vulgariteit van zijn piemel onder de neus gehouden. Packwoods doodzonden leken op jeugdpuistjes en riekten naar stuntelige, onvolwassen puberaliteit. Packwoods excessen waren die van de sul met dikke brillenglazen die werktuigbouwkundige wilde worden.

Packwoods piemel mag dan op hol geweest zijn, maar zijn gespleten tong en zijn zachte witte handen deden het werk – in tegenstelling tot Bill Clinton, die altijd Willard het woord liet doen. Geen publieke pikkenlikkerij voor Packwood, geen sappige sigaar. En desondanks hadden de feministen en hun stoottroepen, de voetbalmoeders en de activististen van de oudercommissies, zich tegen hem gekeerd.

Terwijl Clinton nadacht over Packwood, wist hij dat hij een enorm en cruciaal voordeel had: Hillary. Hij had Hillary om hem te helpen, in tegenstelling tot de demente Packwood, die zich van zijn on-Hillary-achtige Camp Fire Girl had laten scheiden. Zouden de feministen werkelijk Bill Clintons bloed eisen, wetend dat ze daarmee hun eigen idool, die toevallig zijn vrouw was, schade zouden berokkenen? Ze hadden de jacht geopend op hun idool Packwood, maar Packwood was een man (min of meer). Zouden de vrouwen Sint Hillary, de eerste vrouwelijke co-president van de Verenigde Staten, echt naar de keel vliegen?

Bill Clinton dacht van niet. Hij glimlachte tegen zichzelf over de gerechtige en boosaardige ironieën van het leven. Bob Packwood, die de krantenkoppen over Lewinsky las en de nieuwe grapjes van Jay Leno hoorde, glimlachte ook. In Portland kondigde hij aan dat hij overwoog een nieuwe gooi naar een zetel in de Senaat te doen.

[14]

De Aaskever uit
Cyberspace

*'De laatste keer dat ik de Gluiperd zag,' zei Monica tegen Linda
Tripp, 'zei hij: "Afgezien van mijn werk is mijn leven leeg en mijn
werk is een godvergeten obsessie."'*

Terwijl Linda Tripp en Lucianne Goldberg hun complotten smeedden...
eerst rond Kathleen Willey en rond Monica... wisten ze dat ze het Beest
zo ver moesten zien te krijgen dat hij hun verhalen over de wereld uitba-
zuinde. Ze vertrouwden de hypocriete, zelfingenomen schijnheiligheid
van het Beest voor geen stuiver. Ze hoopten dat zijn hebzucht groot genoeg zou zijn om zijn progressieve neigingen en Tourettes-achtige aan-
vallen van schijnvroomheid opzij te laten zetten door een exclusief verhaal waar dik geld in zat.

Ze lokten *Newsweek*-verslaggever Michael Isikoff, die bekend stond
als een onverzettelijke speurjournalist, in hun web. Maar ze hadden
nog steeds het gevoel dat ze op dun ijs schaatsten. Stel dat Isikoff er niet
in slaagde het verhaal te laten plaatsen? Hoe konden de Verraadster en
de Voddenbaal de media dwingen de ingrediënten van hun heksenbrouwsel met grote koppen in de krant te zetten? En toen vonden ze
een nog behulpzamer bondgenoot dan Mark Fuhrman, eveneens een
Californiër, die kantoor hield in een smerig appartement boven het ver-
lopen winkelcentrum van Hollywood Boulevard... de Aaskever uit Cyberspace, Matt Drudge.

Het manipuleren van Monica was Linda Tripps verdorven karwei, en
het manipuleren van de media dat van Goldberg. Zij had vroeger in opdracht van het Nachtschepsel de media bespionneerd en Nixons lessen
goed geleerd. 'Van de media heeft 75% op McGovern gestemd,' had
Nixon gezegd. 'Ze beschermden Kennedy en speelden soms voor pooier.' En over de journalisten die over Clinton schreven: 'Je reinste dienst-
ontduikers, net als hij destijds. Even immoreel en even gespeend van
waarden als hij. Ze houden hun vriendjes de hand boven het hoofd.'
Goldberg hoefde niet overtuigd te worden. Ze was een goede vriendin geweest van Nixons infame, communistenhatende rioolrat Murray Choti-

ner, en ook van Victor Lasky, de rechtse patjepeeër en messentrekker die de vuile was van JFK in diverse schunnige boeken had uitgehangen.

Isikoff, dacht Lucianne Goldberg, was waarschijnlijk zo'n progressieve journalist van het soort waarover Nixon het gehad had. Dominee Pat Robertson noemde Isikoff 'een van de venijnigste anti-christelijke fanatici ter wereld. Hij is volkomen onevenwichtig en volgens mij is hij, eh, emotioneel, eh, eh, onvolgroeid.' Maar Isikoff was ook bikkelhard; hij had een redacteur van de *Washington Post* ooit een 'godvergeten zak' genoemd omdat die geweigerd had een lang en gedetailleerd verslag over de aantijgingen van Paula Jones te publiceren. De *Post* had hem geschorst en korte tijd later was hij bij *Newsweek* gaan werken.

Goldbergs ervaring als assistente van Nixon had haar uitstekend voorbereid op haar huidige werk met de Verraadster. 'Nixons mensen zochten naar echte smeerlapperij,' zei ze. 'Wie met wie naar bed ging, wat de agenten van de Geheime Dienst met de stewardessen deden, wie in het vliegtuig hasj rookte – dat soort dingen.' De Voddenbaal was een autoriteit op het gebied van 'smeerlapperij.' Een van haar boeken, *People Will Talk*, concentreerde zich op een roddelrubriekschrijfster die 'met haar tenen een gulp kon openmaken.' In een andere roman, *Purr, Baby, Purr*, suggereerde ze dat vrouwen zichzelf zouden moeten zien als 'een schakelbord met allerlei soorten heerlijke knopjes en aansluitingen om op te lichten en contacten te leggen.'

Toen ze als jonge vrouw naar Washington kwam, had ze contacten gelegd door met legio mannen naar bed te gaan. 'Lucy beweerde vaak dat haar hele uitgaansleven zich tussen maandag en vrijdag afspeelde, omdat ze alleen maar met getrouwde mannen uitging,' zei een vriendin. Een andere vriendin zei: 'Ze had van die strakke rokken en schreeuwerige bloezen en hoog opgestoken blond haar. En ze klikkakte door het vertrek op haar hoge hakken.' Goldberg leerde zichzelf een Engels accent aan, liet zich oppiepen in dure restaurants en verscheen op foto's met politici als Hubert Humphrey door voor te wenden dat ze 'een oude vriendin uit een ver verleden' was.

Door de jaren heen had ze nog andere leugens verteld. Op het omslag van een van haar boeken staat: 'Ze begon haar carrière bij de *Washington Post*' (als typiste). Op een ander omslag stond dat ze na de beëdiging van JFK 'werd aangesteld als staflid van het Witte Huis' (ze staat nergens vermeld op de loonlijsten van het Witte Huis onder de Kennedy's). Als literair agente was ze door auteur en cliënte Kitty Kelley voor de rechter gesleept op beschuldiging van diefstal van haar buitenlandse royalties en moest ze Kelley zestigduizend dollar betalen.

Nu, op haar tweeënzestigste, terwijl ze een nieuwe sigaret in haar gouden Dunhill sigarettenpijpje stak en nog een slokje wodka nam, wist de Voddenbaal dat haar laag-bij-de-grondse ervaring in Washington haar uitstekend van pas zou komen bij haar pogingen dit laag-bij-de-grondse verhaal gepubliceerd te krijgen.

Ze moest erom lachen. Monica had Linda verteld dat ze altijd een pepermuntje at voordat ze Bill Clinton pijpte, en een van Lucianne Goldberg romans – *Madame Cleo's Girls* – bevatte uitgerekend net zo'n scène, alleen met een ander merk pepermuntjes. De Voddenbaal wist waar ze het over had en, nog belangrijker, met wie ze te maken had.

Op een dag kreeg Michael Isikoff een tip van een van Paula Jones' advocaten, die het zelf weer van Linda Tripp had gehoord, over het treffen in het Oval Office tussen Kathleen Willey en Bill Clinton. Isikoff spoorde Willey op en zij vertelde hem in vertrouwen wat er gebeurd was. Ze haalde Linda Tripp aan als getuige – de eerste persoon met wie Willey gesproken had toen ze uit het Oval Office kwam. Isikoff spoorde de Verraadster op en vertelde haar dat hij het verhaal aan het natrekken was. Tripp bevestigde dat er iets was voorgevallen, maar zei dat Willey er niet erg onder geleden scheen te hebben. Isikoff kon zijn artikel pas publiceren als Willey haar verhaal officieel bevestigde en als hij de tegenstrijdigheden in het verslag van Willey en dat van Tripp had opgelost. Maar nu wisten Tripp en Goldberg dat *Newsweek* het wist en dat, toen de weken verstreken, *Newsweek* het niet wilde publiceren.

Op dit moment komt uit cyberspace plotseling de Aaskever opduiken, Matt Drudge, die door Lucianne Goldberg 'een gelijkgestemde geest' genoemd zou worden. Drudge was de eenendertigjarige auteur van het *Drudge Report*, een roddelrubriek op het Internet die hij in 1994 had opgezet en die zich aanvankelijk hoofdzakelijk op Hollywood concentreerde. Hij had naar waarheid bericht dat Jerry Seinfeld een miljoen dollar per episode eiste en dat er tijdens de opnamen voor *Titanic* geldverslindende problemen waren gerezen. Zijn grootste politieke primeur was dat Jack Kemp door Bob Dole als zijn toekomstige vice-president was gekozen. Toen hij roddelpraatjes over de Clintons begon te verspreiden, ridderde Rush Limbaugh hem tot 'de Rush Limbaugh van het Internet'.

Lucianne Goldberg was onder de indruk van deze reactie van Rush en maalde er niet om dat sommige mensen Drudge als een 'lasteraar' en de 'koning van de rioolpers' beschouwden. De manier waarop Drudge zichzelf zag, beviel haar ook. 'Alle waarheden beginnen als geruchten... Ik ben geen journalist, ik ben een kangoeroe... Ik heb een tikkertjesblad in een stad waar niemand tikkertje speelt... Ik ga waar het stinkt.' Het mooiste vond ze: 'Er zijn geen filters en redacties tussen mij en de media.' Dat hield in dat als Drudge een verhaal op zijn Website wilde zetten, niemand hem tegen kon houden, en dat honderdduizenden, zo niet miljoenen mensen het onder ogen zouden krijgen, ongeacht of het waar was of niet. Drudge had geen assistenten, geen researchers, geen achterdochtige, progressief ingestelde redacteuren. Drudge had niet één van de nadelen van Isikoff.

Hoewel Drudge geen *Newsweek* achter zich had om hem geloofwaardigheid te geven, wist de Voddenbaal dat de Aaskever het verhaal wereldkundig kon maken. Ze wist ook dat Drudge niet alleen haar politieke visie deelde, maar ook gretig was. Zijn berichten over Seinfeld en Kemp hadden hem een klein voorproefje van mini-faam gegeven, maar hij zat op zwart zaad, omdat America Online hem amper iets opleverde. Zijn Website was smakeloos en was onder andere uitgerust met een rode politiesirene die loeide als zijn 'muis-aan-muis'-informanten en 'E-mail tipgevers' hem een primeur toespeelden.

Dat de Aaskever een rare snuiter was, kon niemand ontkennen. Hij reed in een gehavend Toyota-tje en woonde met zijn poes op de negende verdieping van een flat in Hollywood in de buurt van Musso and Frank's, ooit een van de chicste showbusinesskroegen van Los Angeles, maar nu meer bezocht door hoeren en knapenminnaars dan agenten of schrijvers.

Drudge was opgegroeid als de zoon van 'progressieve hippie-ouders' in Takoma Park, een buitenwijk van Washington D.C., Zijn moeder was behandeld voor schizofrenie. Zijn ouders waren inmiddels gescheiden – zijn vader was sociaal werker, zijn moeder advocate. Op de lagere school, waar hij spijbelde, stiekem musea bezocht en zijn medeleerlingen met stenen bekogelde, werd vastgesteld dat Drudge concentratieproblemen had. Op de middelbare school was hij een slechte leerling (een 4 voor maatschappijleer) die uren achter elkaar op zijn kamer naar praatprogramma's op de radio luisterde en vervolgens met behulp van een bandrecorder speelde dat hij zijn eigen programma had. Op school reciteerde hij elke morgen de Eed van Trouw door de luidsprekers. Na zijn eindexamen – 'Ik haalde amper de middelbare school'– liet hij een 'Testament en Laatste Wilsbeschikking' voor zijn klasgenoten achter. 'Aan mijn enige ware vriendin Ms. Ding, Vicky B., laat ik na: een nacht in Parijs, een fles Kloofjes eau de cologne en de hoop dat je een school met originele mensen zult vinden. En aan iedereen die me geholpen of gehindert [sic] heeft, of het nu leraren of leerlingen waren, laat ik een cent na voor elke dagen [sic] dat ik hier gezeten en gehuild heb. Een cent die rijk is in waardeloze herinneringen, aangezien waardeloze herinneringen is wat ik doorstaan heb.'

Na zijn eindexamen ging Drudge een maand naar Europa. Daarna werkte hij een jaar lang als kruideniersbediende in New York en vervolgens keerde hij terug naar Takoma Park. Hij werd nachtmanager voor de 7-Eleven keten in andere buitenwijken van Washington. Hij verhuisde naar L.A. en vond werk als manusje-van-alles in de cadeauwinkel van CBS in Studio City. Hij vouwde T-shirts, maakte schappen schoon en stapelde dozen. Dit deed hij *zeven jaar lang*. Ook roddelde hij met de technici die in hetzelfde complex tv-opnamen maakten. De praatjes van de technici zette hij op een homepage die hij gemaakt had met de computer die hij van zijn vader gekregen had. De roddeltjes die hij in de cadeauwinkel hoorde, e-mailde hij naar vrienden, die ze weer aan anderen doorgaven. Hij begon door het afval van de studiobazen bij CBS en andere bedrijven te snuffelen en wat hij in de vuilnisbakken vond, zette hij eveneens op zijn Website. Het nieuws verspreidde zich. De Aaskever had zijn eerste wankelende pasjes op weg naar het cybersterrendom gezet.

Lucianne Goldberg ziedde van ongeduld terwijl ze wachtte tot Isikoffs redactie het verhaal over Bill Clinton en Kathleen Willey afdrukte. Waarom deed *Newsweek* er zo lang over? Zou het verhaal door de progressieve media van Washinton in de doofpot gestopt worden, net als alle JFK-verhalen waar haar vriend Victor Lasky haar over verteld had? Zou *Newsweek*, eigendom van de progressieve *Washington Post*, dit verhaal werkelijk publiceren? Ze wist dat Vernon Jordan, Bill Clintons boezemvriend, een veelgeziene gast was in het huis van de grande dame van de *Post*, Katharine Graham. Ze wist dat Ben Bradlee, de voormalige hoofdredacteur van de *Post*, een van de journalisten was geweest die met JFK de bloemetjes buiten had gezet in plaats van hem aan de kaak te stellen. En ze wist hoe moeilijk Isikoff het had gehad bij zijn pogingen het verhaal over Paula Jones bij de *Post* gepubliceerd te krijgen. Ze had haar buik vol van wachten! Het werd tijd dat de Voddenbaal het heft in eigen handen nam. Ze belde Matt Drudge.

De Aaskever publiceerde het hele verhaal. Zijn kop luidde: WILLEYS BESLUIT: WITTE-HUISEMPLOYEE VERTELT JOURNALIST DAT PRESIDENT SEKSUELE AVANCES MAAKTE. WERELDPRIMEUR! Drudges verhaal eindigde als volgt: 'Isikoff hield dit exclusieve verhaal achter omdat de vrouw weigerde haar aantijging officieel te maken. Niettemin zijn de gebeurtenissen rond Willey hét onderwerp van gesprek in de Washingtonse underground geworden en dreigen ze president Clintons verdediging in het nog steeds lopende proces wegens ongewenste intimiteiten tegen Paula Jones te ondermijnen.' Isikoff was razend, maar de Voddenbaal wist dat ze door naar de Aaskever te gaan twee vliegen in één klap had gevangen. Want *Newsweek* besloot, *na het verschijnen van het artikel van Drudge*, dat nu het verhaal toch gemeengoed geworden was, het tijdschrift net zo goed met zijn eigen versie kon komen. Het was net alsof Drudge *Newsweek* bevrijd had. Met de geloofwaardigheid van *Newsweek* achter zich, was het hek helemaal van de dam. Drudge was ook opgetogen. De Aaskever had *Newsweek* de loef afgestoken. En het verhaal van *Newsweek* versterkte de geloofwaardigheid van de Aaskever. Het aantal bezoekjes aan Drudges Website schoot omhoog als een oudejaarsraket.

Tijdens Isikoffs eerste gesprek met Linda Tripp over Kathleen Willey had Tripp hem verteld dat Bill Clinton een verhouding had met een stagiaire in het Witte Huis die ze niet nader wilde noemen. Nu Isikoffs verhaal over Willey dankzij Drudge het licht had gezien, nodigde Tripp Isikoff uit voor een gesprek over de jonge stagiaire.

Toen Isikoff kwam, was Lucianne Goldberg er ook, samen met haar zoon, die voor een videoproduktiebedrijf werkte. Wat Isikoff niet wist, was dat de Voddenbaal en de Verraadster besloten hadden hem er opnieuw in te luizen. De eerste keer was dat van een leien dakje gegaan – het Willey-verhaal was wereldkundig gemaakt – dus waarom zou het niet opnieuw lukken? Met een veel groter verhaal.

Ze vertelden Isikoff wie de stagiaire was en dat Linda de telefoongesprekken met haar heimelijk had opgenomen. Isikoff schreef alle bijzonderheden op en ging naar de redactie van *Newsweek*. De redactie besloot dat het tijdschrift zo'n sensatie-artikel over het privé-leven van de president niet wilde publiceren. Korte tijd later kreeg Isikoff een tip – waarvan hij de bron nooit onthuld heeft – dat Linda Tripp naar Kenneth W. Starr gegaan was en dat Starr een onderzoek instelde naar de relatie tussen Monica en Bill Clinton. Isikoff ging opnieuw naar de redactie. Hij vond dit een enorme primeur. De bijzondere aanklager stelde een onderzoek in naar het privé-seksleven van de president. Na een heleboel handenwringen besloot de redactie van *Newsweek* opnieuw het verhaal niet af te drukken. 'Er zijn momenten waarop het gewoon niet de moeite waard is om de eerste te zijn,' zei een redacteur tegen Isikoff. 'Soms is dat gewoon niet de juiste beslissing.'

Lucianne Goldberg dreigde inmiddels letterlijk te barsten van het nieuws van Bill Clinton en Monica. Haar vriend dunne Dominick Dunne, de romancier, had al maanden moeten luisteren naar haar verhalen, waarbij ze Linda Tripp betitelde als 'de vrouw die Vince Foster zijn laatste hamburger opdiende.' Dominick Dunne wist alles voordat Kenneth W. Starr op de hoogte werd gebracht. Hij wist zelfs dat Tripp haar gesprekken met Monica opnam. 'Ik stond geen moment stil bij de ernst van wat ik hoorde,' zei Dunne later. Hij kwam Vernon Jordan, een oude vriend, zelfs in een restaurant tegen en overwoog hem te waarschuwen. 'Ik ken Vernon al een hele poos en ik mag hem heel graag,' zei Dunne. 'Toen ik wegging, kwam hij naar mijn tafeltje om gedag te zeggen. Ik wilde tegen hem zeggen: er is een meid in het Oval Office van wie gesprekken worden opgenomen. Ik wist overal van – de jurk met de vlekken, de orale seks. Dat wilde ik tegen hem zeggen, maar het kwam me zo absurd voor, zo bedacht. Dus zei ik alleen maar: "Doe de groeten aan de president." Ik had mijn kans verknoeid.'

Toen Isikoff de Voddenbaal vertelde dat *Newsweek* het verhaal niet wilde publiceren, belde ze Matt Drudge op. De sirene op zijn Website begon te loeien: *newsweek* stopt bericht over stagiaire in het Witte Huis in de doofpot – sensatie: 23-jarige voormalige stagiaire in het Witte Huis, seksrelatie met president – 'wereldprimeur' – gebracht door het *Drudge Report*. Zijn verhaal luidde: 'Op de valreep, op zaterdagavond om zes uur, besloot *Newsweek* een verhaal achter te houden dat officieel Washington op zijn grondvesten zou hebben doen schudden: een stagiaire in het Witte Huis onderhield een seksuele relatie met de president van de Verenigde Staten. Het *Drudge Report* heeft vernomen dat verslaggever Michael Isikoff het verhaal van zijn leven schreef... alleen maar om het slechts uren voor publicatie door zijn hoogste chefs onder de tafel geveegd te zien worden. Een jonge vrouw, 23 jaar oud, die sinds haar komst als 21-jarige stagiaire in een seksuele verhouding gewikkeld is met de liefde van haar leven, de president van de Verenigde Staten. Ze was een veel geziene bezoekster aan een klein kantoor naast het Oval Office, waar ze volgens eigen zeggen de speciale seksuele wensen van de president vervulde. Het nieuws van de relatie verspreidde zich door het Witte Huis, met als gevolg dat ze naar het Pentagon werd overgeplaatst, waar ze tot vorige maand gewerkt heeft... Het *Drudge Report* heeft vernomen dat er bandopnames van intieme telefoongesprekken bestaan... *Newsweek* en Isikoff waren van plan de naam van de vrouw bekend te maken...' Binnen enkele dagen publiceerde de *Washington Post* een eigen voorpaginaverslag onder schreeuwende koppen. En binnen enkele dagen liet *Newsweek* Isikoffs artikel verschijnen – niet in het blad maar op Drudges territorium, het Internet.

De truc van Lucianne Goldberg was opnieuw perfect geslaagd en op precies dezelfde manier. Isikoff was wederom het haasje. Ze hadden het nieuws op hem losgelaten, *Newsweek* had geweigerd zijn verhaal te publiceren en Drudge had aan die weigering van *Newsweek* een artikel gewijd. Daarna reageerde *Newsweek* met zijn eigen verslag... dat Drudge in eerste instantie gejat had. Het was een verhaal dat de wereld en het presidentschap aan het wankelen bracht, en de Aaskever had dankzij de Voddenbaal en de Verraadster de primeur ervan gekregen.

Eerst Willey en toen Lewinksy, en terwijl de weken elkaar koortsachtig opvolgden, publiceerde Drudge exclusief nieuwe bijzonderheden, details die alleen Linda Tripp en Kenneth W. Starr bekend waren. Drudges sirene loeide over het pijpen, de met zaad bevlekte jurk en de sigaar. Heel Amerika stortte zich nu op het *Drudge Report*. Een miljoen klikken per dag – evenveel beeldschermlezers als de *New York Times* lezers had.

Dankzij Drudge hadden Goldberg en Tripp de media niet alleen gedwóngen hun giftige brouwsel te publiceren... maar hadden ze de media in hun macht gekregen. De media vólgden hun hongerige Aaskever, schréven over hem. Matt Drudge was een gebeurtenis. Goldberg en Tripp plukten zelfs vruchten waar ze niet op gerekend hadden. Jay Leno en Don Imus concentreerden zich op Drudges schunnigste berichten... en maakten dagelijks grapjes over het pijpen, de sigaar en de blauwe jurk. Goldberg en Tripp bereikten niet alleen een miljoen Internetbezoekers maar ook tientallen miljoenen tv-kijkers. Ze deden wat Victor Lasky tevergeefs met JFK geprobeerd had: Bill Clinton recht naar de keel vliegen.

De Aaskever, ooit afgedaan als een viespeuk, werd verwelkomd als 'de stadsomroeper voor een nieuw tijdperk.' Hij gaf een interview in *Play-*

boy. Hij werd een vaste gast op *Politically Incorrect*. *Time* koos hem als een van de meest intrigerende mensen van 1998. Drudge stond op tijdschriftomslagen. Drudge was een zeer gewild spreker. Drudge deed een radioprogramma op WABC in New York. Drudge kreeg een gratis suite aangeboden door hotel Mayflower in Washington. En in een ontwikkeling die uiterst pijnlijk moet zijn geweest voor Michael Isikoff, werd Drudge door *Newsweek* – *Newsweek!* – uitgeroepen tot een van de 'nieuwe mediasterren' van het blad.

Intussen werden de primeurs die hij op zijn loeiende Website bleef publiceren een voor een ontmaskerd als leugens. Drudge zei dat Hillary op het punt stond officieel aangeklaagd te worden. Drudge zei dat Paula Jones een tatoeage van een Amerikaanse adelaar op Willard gezien had. Drudge zei dat Kenneth Starr vijfenzeventig compromiterende foto's van Bill en Monica had. Drudge publiceerde drie valse berichten achter elkaar over de politieke verslaggever van NBC, Tim Russert. Drudge zei dat Clintons assistent Sidney Blumenthal zijn vrouw sloeg. Daarna nam Drudge het bericht terug. Daarna bood Drudge zijn excuses aan. Blumenthal liep evengoed naar de rechter en eiste 30 miljoen dollar schadevergoeding.

Zijn grootste uitglijder – de steen op de speelplaats die terugkaatste en in zijn gezicht vloog – was ironisch genoeg ook een tip van de Voddenbaal. Een van Lucianne Goldbergs weinige bewonderaars was de politieke poepschep van het roddelblad de *Star*, Richard Gooding, die Lucianne een 'verrukkelijk persoontje' vond. Toen de *Star* geld op tafel legde voor een DNA-jacht, onder aanvoering van Gooding, in een poging te bewijzen dat Bill Clintons DNA overeenkwam met dat van een zwarte teenager, ene Danny Williams, van wie beweerd werd dat hij Clintons buitenechtelijke zoon was, kon Drudge zijn geluk niet op. WITTE HUIS IN DE BAN VAN DNA-ANGST, VADERSCHAP CLINTON ONDERZOCHT BIJ TIENER.

Op een bijeenkomst van Conservatieven in Arizona, waar hij op het laatste moment Henry Hydes plaats innam, zei Drudge: 'Dit is een vérstrekkend verhaal als het bewezen wordt. Een verhaal van wereldwijde betekenis. Mensen zijn vandaag naar onderduikadressen gebracht in afwachting van de medische resultaten. Blijf afstemmen op het *Drudge Report*.' Rupert Murdochs Amerikaanse en buitenlandse kranten smeerden het verhaal uit over hun voorpagina's, onder aanhaling van Drudge, die vervolgens hun berichten over hem aanhaalde in zijn vervolgcommentaar op het Internet. Toen de steen in zijn gezicht kaatste – toen het DNA niet overeenkwam – zei de Aaskever alleen maar dat de moeder van de jongen hem 'een wrede poets' gebakken had.

Maar toen begonnen zelfs journalisten van de sensatiepers hem al af te doen als 'een informatiezuiger op het lichaam van de journalistiek,' en beweerden ze ook dat Drudge op de een of andere manier de hand had gelegd op wachtwoorden die hem toegang gaven tot computerbestanden waarin hij aasde op verhalen die nog niet af waren. Steve Coz, de hoofdredacteur van de *National Enquirer*, zei: 'Hij jat onze voorpublicaties! Hij is zo snel dat hij dingen binnen vijf minuten op zijn site kan hebben.' Volgens veel journalisten was hij een ordinaire dief die koppen maakte van dingen die zij nog aan het schrijven of onderzoeken waren... die hun werk jatte op de manier waarop de Voddenbaal Kitty Kelleys buitenlandse voorschotten achterover had gedrukt.

Op de een of andere manier leek het allemaal niets uit te maken. Drudge was een beroemdheid in Washington, waar hij beschreven werd als 'de man met de naam die uit een boek van Dickens had kunnen komen.' Er gingen geruchten dat hij zijn eigen T-shirtcollectie ging lanceren, dat investeerders in Wall Street gezegd hadden dat een door Drudge geleid Internetbedrijf een getaxeerde waarde van 4,5 miljard dollar zou hebben. Dustin Hoffman, beroepsprogressieveling, liep tijdens een feestje naar hem toe en zei dat hij hem graag zou spelen in een film. Drudge escorteerde Paula Jones naar een etentje voor Witte-Huiscorrespondenten. Hij werd gesignaleerd met de chique conservatieve schrijfster Ann Coulter, die hem beschreef als 'meer dan levensgroot en enigszins kinderlijk. Het valt niet mee iemand te vinden die de hele Matt kent – als die al bestaat.' Volgens Coulter reed Drudge rond in zijn gehavend Toyota-tje, inmiddels omgedoopt tot 'Drudgemobiel,' terwijl hij schaterend van het lachen naar bandjes van zijn eigen radioprogramma luisterde. Hij verdiende intussen 400.000 dollar per jaar, gaf Coulter briefjes van honderd dollar 'voor de taxi' en zei dat ze het wisselgeld kon houden.

De Aaskever was een tv-beroemdheid, 'de nieuwe ridder der riooljournalistiek, de journalist van het volk,' die sprak met een Joe Fridaystemmetje, gleufhoed op zijn hoofd, de grootste trekpleister van het zaterdagavondprogramma van Fox Television wiens optredens meer dan 250.000 huishoudens bereikten. Rond dezelfde tijd werd hij in een steegje in de buurt van zijn appartement in Hollywood gefotografeerd in een boxershort, met zijn broek om zijn enkels en een draagbare computer in zijn handen. Er werden uitspraken aan hem toegeschreven als 'Die Verheven Journalistiek-types schijnen te vinden dat nieuws strontvervelend moet zijn. Ik niet.' En: 'Ik heb een videotape waarop de president van de Verenigde Staten ten overstaan van de Grand Jury zegt dat ik hem ongerust maak. Ik! Vijf keer!'

Een veel geziene gaste in zijn nieuwe tv-programma was Lucianne Goldberg, die rookte, kakelde en wodka dronk. Ze noemde zich nu een 'katalysator' in het onderzoek. 'Ik wilde het Beest in leven houden,' zei ze. Ze was er niet blij mee dat de Verraadster met haar bandjes naar Kenneth W. Starr gelopen was. '"Dit is wat je kunt krijgen," zei ik tegen haar. Er waren me bedragen van zestig miljoen dollar – meer! – voor die tapes geboden. Maar Linda zou drie maanden gevangenis hebben gekregen voor het maken en verkopen van illegale bandopnames.' 'Oké,' zei ik tegen haar. 'Zestig miljoen dollar voor drie maanden! Gewoon doen!' Het zou best meevallen. Met zoveel geld zou ze elke lesbiënne die avances maakte kunnen afkopen en eten uit de beste restaurants in de stad kunnen laten bezorgen. Wat is daar mis mee? Maar ze had er het lef niet toe.' Volgens Goldberg hadden mensen in de Upper West Side van Manhattan op straat naar haar gespuugd, haar uitgescholden en geduwd. 'Wat er gebeurde,' zei ze, 'was dat ik twee keer een duw van een homo kreeg, maar ik smeet ze op de grond en liet ze voor pampus liggen.' Ze stiet haar kakellachje uit terwijl ze dit zei. Dit vond ze komisch.

Terwijl Lucianne Goldberg kakelde en haar eigen praatprogramma voor de radio uitbroedde, schreef Michael Isikoff een boek waarin hij beschreef hoe hij zich voelde. 'In het algemeen onderwerpen we onze bronnen niet aan een morele lakmoesproef – en dat is ook niet onze taak. Soms komt de beste informatie van de onaangenaamste mensen.'

De Aaskever genoot van de toegenomen publiciteit die zijn nieuwe tv-programma hem bracht. Zijn chef was Roger Ailes, hoofd van Fox News, ooit het brein achter de verkiezingscampagnes van Richard Nixon. En toen een cameraploeg vanaf de overkant van de straat het appartement van Drudge probeerde te filmen, zette Matt Drudge een... Nixon-masker op.

(15)

Hillary houdt van Eleanor

Waarom kon die zak van een echtgenoot van haar niet vaker op die manier aandacht aan haar besteden – vaker dan twee keer per jaar?

Zelfs de Trumans, Ma en Pa Kettle in het Witte Huis, hadden de latten van hun Witte-Huisbed gebroken. Zelfs JFK, die zoveel vrouwen onder handen had, waaronder zijn nymfomane secretaresses Fiddie en Faddie, bracht Jackie elke middag een bezoekje in haar boudoir als de kinderen hun middagdutje deden. Jackie had zelfs luipaardvachten in haar slaapkamer gehad, in de geest van Gennifers sprei van zebrahuid, maar Hillary wist dat dit niet háár stijl was. Haar stijl was samen met Bill gebraden kip eten op de achterbank van de limousine toen hij gouverneur was en de afgeknaagde botjes op de vloer van de auto laten liggen.

Het enige dat ze kon doen was tegen hem schreeuwen als ze hoorde dat er weer iemand anders was. 'Kom terug, klootzak!' schreeuwde, zo hard dat de Geheime Dienst haar hoorde. 'Wat denk je godverdomme wel?'

Hillary wist dat zijn gedrag niet uitzonderlijk was voor een president in het Witte Huis. Ze wist dat Franklin en Eleanor of Nixon en Pat of LBJ en Lady Bird geen intieme relatie hadden gehad... Ze wist dat Nixon een keer samen met Pipse Pat en zijn dochters een hele golfbaan rondgegaan was zonder een woord met hen te wisselen, wist dat LBJ zich aan boord van *Air Force One* met een vrijwel analfabete secretaresse in zijn privé-vertrek opsloot terwijl Lady Bird buiten zat. Maar dat maakte het voor Hillary niet makkelijker te verteren. Ze werd zo kwaad op haar zak van een echtgenoot dat ze hem een instructieboek naar het hoofd gooide – geen lamp, zoals de pers berichtte – een instructieboek, het wapen van de politieke druiloor. Haar oude vriendin Brooke Shearer, die privé-detective was geweest voordat ze voor Hillary ging werken, vertelde haar wat Hillary van tijd tot tijd ontging.

En Hillary ontging vrijwel niets. Ze wist dat haar man zijn eigen Witte-Huispersoneel had voor zijn eigen intieme gebruik, nog afgezien van beroemde gasten als Markie Post, van wie foto's bestaan waarop ze op het bed van Lincoln op en neer springt, Eleanor Mondale, zó'n goede en loyale Democrate, of Barbra, met haar libidineuze sociale geweten, zo vastbesloten, met haar honderden miljoenen, om met Bill plannen door te nemen voor het verbeteren van het leven van arme mensen.

Hillary was de First Lady van de Verenigde Staten, maar zo zag ze zichzelf helemaal niet. Wat Hillary deed, wat ze altijd gedaan had... was het leven van haar man organiseren... en als hij toevallig president van de Verenigde Staten was en als zei hém vertelde wat hij moest doen, dan hield dat in dat Hillary... 'Stem op één en je krijgt er twee,' had hij in New Hampshire gezegd, maar Hillary vroeg zich wel eens af waar hij dat 'twee' vandaan had. Glimlachen kón hij – dat moest ze hem nageven. Hij was fantastisch op geldinzamelingsacties.

Ze haatte het, opgesloten zitten in dit huis dat Truman een 'gevangenis' en FDR 'een van vergrootglas gemaakte goudviskom' genoemd had. Eleanor Roosevelt had het Witte Huis 'een schitterend huis van bewaring' genoemd en haar eigen zak van een echtgenoot had gezegd dat het 'het kroonjuweel van het federale gevangenisstelsel' was. De enige keren dat ze zich echt vermaakt had, dacht Hillary wel eens, was op zaterdagen, als ze tot twaalf uur in bed bleef met Earth, Wind and Fire keihard op de stereo.

Voor haar gevoel werd er op het intiemste niveau inbreuk gemaakt op haar privé-sfeer: een van de dienstmeisjes vertelde haar dat de butlers en stafleden als zij en haar man weg waren hun vriendinnetjes de privé-vertrekken binnen smokkelden en seksten op de vloeren en in hun bedden, en dat ze vervolgens beneden in de eetzaal champagne zopen en kaviaar naar binnen schrokten.

Nu begreep ze ook wat Eleanor Roosevelt bedoelde toen ze zei dat de Geheime Dienst naar haar keek alsof ze 'op het punt stond anarchisten te baren.' Ze haatten haar, dacht Hillary, omdat ze een intelligente en onafhankelijke vrouw was, in tegenstelling tot de presidentsvrouwen aan wie ze gewend waren.

Wat verwáchtte de staf van haar? Dat ze hen voorstelde aan staatshoofden, zoals Bess Truman destijds deed? Dat ze jade voor hen meebracht uit China zoals Pipse Pat? Zij was anders, anders dan de andere presidentsvrouwen... niet zoals Ida McKinley, wier echtgenoot tijdens staatsdiners een zakdoek over haar gezicht legde, omdat ze ingedut was en luid snurkte. En ook niet zoals Nancy Reagan die winkelde in Rodeo Drive en overnachtte in de Steve McQueen-suite in de Beverly Wilshire. En evenmin als Margaret Taylor, de vrouw van Zachary, die zelden van de eerste verdieping afkwam en een pijp rookte. En evenmin als Barbara Bush, die haar eigen spaghetti kookte en op papieren borden opdiende.

Hillary wist dat sommige stafleden haar vergeleken met Nancy, die een keer tegen een deurwachter gezegd had: 'Zorg dat je nooit ook maar één vinger uitsteekt naar die hond!' nadat de hond hem gebeten had. Maar ze hadden het mis, net als dat sarcastische schorem dat erop wees dat Martha Washington graag 'presidente' of 'mevrouw de president' werd genoemd. Hillary was ook geen Jackie Kennedy, hoewel ze het grootste respect voor haar had en hoewel hun echtgenoten een aantal in het oog springende dingen gemeen hadden. Het enige dat Jackie gedaan had was het Witte Huis opnieuw inrichten en schilderen – de functie van een vrouw, van een vróuwtje – maar Hillary was het eens met Jackies uitspraak: 'Het enige wat ik niet genoemd wil worden is First Lady. Da's net de naam van een rijpaard.'

De presidentsvrouw wier voorbeeld Hillary verafschuwde, die ze belachelijk maakte als ze bij haar vriendinnen was, was Mamie Eisenhower, die weinig anders deed dan in bed liggen roken en op haar orgel duetten spelen met haar moeder, die op de mondharmonica speelde. Mamie kleedde zich in het roze en maakte het Witte Huis zo roze als ze maar kon – roze hoofdeinden en roze gordijnen en een buitenmaats roze beddensprei en gestoffeerde roze stoelen. Ze bracht het grootste deel van haar dag door met roken en op een roze bank gezeten naar *As The World Turns* en andere tv-series kijken. Ze pochte dat de enige lichaamsbeweging die ze nodig had haar dagelijkse massage was en ze droeg altijd een rinkelende gouden bedelarmband met 'Ike-bedeltjes' eraan – een tank, vijf sterren, een kaart van Afrika en een helm.

Hillary's grote voorbeeld was Eleanor Roosevelt, een First Lady die op vele gebieden de eerste was geweest – de eerste met een eigen auto, de eerste die in een vliegtuig stapte, de eerste die alleen officiële staatsreizen maakte, de eerste die persconferenties gaf. Eleanor was een verlegen kind geweest, 'altijd ergens bang voor... een lelijk eendje,' wier moeder tegen haar zei: 'Het ontbreekt je aan schoonheid, dus zorg dat het je niet ontbreekt aan manieren.' Als volwassen vrouw was Eleanor lang, slungelig en atletisch. Martha Gelhorn, zelf een sterke, onafhankelijke vrouw die zo verstandig was geweest om Hemingway de bons te geven, zei: 'Eleanor straalde licht uit, beter kan ik het niet beschrijven.'

Eleanor Roosevelt was een bron van inspiratie voor Hillary Rodham Clinton, die vond dat ze veel dingen gemeen hadden. Evenals Hillary was Eleanor radicaal en uitgesproken in haar pogingen het lot van de armen, de sociaal zwakken en de zwarte bevolking te verbeteren. Evenals Eleanor schrok Hillary er niet voor terug controversiële dingen te doen. Toen het leger tijdens de oorlog het Witte Huis zwart wilde verven, stak Eleanor daar een stokje voor. Toen Winston Churchill naakt door het Witte Huis paradeerde, zei Eleanor dat hij iets aan moest trekken.

Evenals Hillary was Eleanor een onvermoeibare campagnevoerster – zoals Will Rogers het beschreef: 'naar buiten bij elke stopplaats, uren achtereen voor fotografen poseren, interviews geven, praatjes voor de radio, geen slaap. En toch zag niemand tekenen van zwakte of enigerlei irritatie.' Evenals Hillary schreef Eleanor een krantenrubriek. Evenals Hillary had Eleanor een zwarte boezemvriendin en leermeesteres, Mary McLeod Bethune. Evenals Hillary had Eleanor een hekel aan de Geheime Dienst en weigerde ze soms bescherming. Evenals Hillary trok Eleanor er soms op uit zonder de Geheime Dienst iets te vertellen.

En het belangrijkst van alles was wellicht dat Hillary evenals Eleanor een huwelijk had dat niet het gebruikelijke huwelijk was. 'We zagen Eleanor en Franklin Roosevelt nooit met hun tweeën alleen in dezelfde kamer,' schreef veiligheidschef J.B. West in *Upstairs at the White House.* 'Ze hadden de meest aparte relatie die ik ooit tussen man en vrouw gezien heb, en ook de meest gelijkwaardige.' Evenals Hillary was Eleanor getrouwd met een charismatische, innemende man die haar bedroog. Evenals Hillary's echtgenoot bezocht Eleanors echtgenoot zijn maîtresses als zij niet thuis was. Evenals Hillary had Eleanor haar eigen Vince Foster: Joe Lash, een toekomstig historicus, die een kamer vlakbij de hare in het Witte Huis bewoonde. Evenals Hillary onderhield Eleanor intieme vriendschappen met andere vrouwen... zoals de waaierdanseres Mayris Chaney, een veelgeziene bezoekster in het Witte Huis... en Lorena Hickok, de voormalige journaliste, haar mannelijk aandoende minnares.

Hillary begreep Eleanors eenzaamheid en verdriet. Franklin was ergens heen met Lucy Mercer, ooit *Eleanors* secretaresse, en met zijn eigen secretaresse, Missy LeHand, en vóór de tijd dat Eleanor haar beminde Hick vond, wierp ze zichzelf volledig op haar publieke activiteiten en het opvoeden van haar kinderen. Hillary benijdde Eleanor de vreugde die ze gevoeld moet hebben toen ze eindelijk haar Hick vond, met Hick door het platteland van New England reed, Hick die ze haar kanten ondergoed gaf, Hick die haar liefdesbrieven schreef: 'Ik hou innig veel van je. Mijn armen lijken zo leeg. Ik hou meer van je dan woorden kunnen zeggen en verlang naar je... Het was een heerlijk weekeinde, ik zal er nog lange, lange tijd aan moeten denken. Elke gelegenheid die we op die manier samen hebben – brengt ons dichter tot elkaar, denk je ook niet?' Hick was bedachtzaam, explosief, een grote speelse poes – 'Ik vraag me af wat er vanavond met me aan de hand is. Ik ben rusteloos, niet in staat me ergens op te concentreren.' Eleanor aan Hick: 'O, wat zou ik graag in werkelijkheid mijn armen om je heen slaan in plaats van in de geest. In plaats daarvan stond ik op en kuste je foto, en er stonden tranen in mijn ogen... Liefste, ik ben zielsgelukkig omdat iedere dag jou dichterbij brengt.' Hick schreef aan Eleanor: 'Ik heb vandaag geprobeerd je gezicht voor de geest te halen – me precies te herinneren hoe je er werkelijk uitziet. Gek dat zelfs het liefste gezicht in de loop der tijd vervaagt. Het best herinner ik me je ogen, met een soort plagerig glimlachje erin, en het gevoel van dat zachte plekje ten noordoosten van je mondhoek tegen mijn lippen... Ik wil mijn armen om je heenslaan en je op je mondhoek kussen. En over iets meer dan een week zal ik dat ook doen.'

En terwijl Hillary Rodham Clinton nadacht over de trieste manier waarop het verhaal van Franklin en Eleanor afliep – hij stierf met Lucy Mercer aan zijn bed, die geroepen was door Eleanors dochter Anna – wist ze hoeveel ze van Eleanor Roosevelt was gaan houden – haar stem hoog en schel, haar haren in een knotje samengebonden... Eleanor in rijbroek en laarzen en met een rijzweepje... Eleanor vochtig, bezweet, ruikend naar paard.

Sommige mensen dachten dat Hillary's liefde voor Eleanor verband hield met haar liefde voor Chelsea – lang en slungelig zoals Eleanor, een kind dat door wrede klasgenootjes geplaagd werd om haar gebrek aan schoonheid. Hillary was trots op Chelsea. Ze wist dat zijzelf misschien te vaak weg was geweest – en dat er wellicht betere manieren waren om een kind met haar huiswerk te helpen dan per fax, zoals zij dat meermalen met Chelsea had gedaan. En ze wist dat haar man soms niet zo goed op Chelsea lette, als zijzelf er niet was. Ze had Gennifers verhaal gehoord over hoe Bill hun telefoonseks had moeten onderbreken omdat Chelsea uit haar bed was gevallen.
Hillary was trots op Chelsea. Chelsea was geen deugniet zoals Amy Carter, die op *Air Force One* crackers in stukjes brak om te zien hoe de hulp ze opraapte. Ze rookte geen hasj met de mariniers in Camp David zoals Chip Carter destijds. Geen enkele agent van de Geheime Dienst had haar beschuldigd, zoals Michael Reagan, van winkeldiefstal. Chelsea maakte niet de bars van Georgetown onveilig met een vervalst identiteitsbewijs en sloop niet met agenten van de Geheime Dienst over het parkeerterrein, zoals Susan Ford.
Toen ze het Witte Huis betrokken, wist Hillary wat de bedoeling was. Haar echtgenoot had hen hierheen gevoerd met zijn blitse, gladde, verleidelijke, fotogenieke talenten. Nu was het tijd om het serieuze regeringswerk aan te pakken. *Stem op één, krijg er twee!* Het zou precies hetzelfde zijn als toen in Arkansas. Zoals John Robert Starr, de hoofdredacteur van de *Arkansas Gazette* het uitdrukte: 'Het heeft er alles van weg dat zij gedurende heel Bill Clintons ambtsperiode als gouverneur zijn voornaamste adviseur is geweest. Hij zei voortdurend: "Tja, Hillary vindt..."'
De eerste daad van haar echtgenoot was het telefoonsysteem van het Witte Huis veranderen, zodat hij de telefoniste kon omzeilen als hij een persoonlijk (topgeheim) gesprek wilde voeren. Hillary's eerste daad was de Amerikanen een fatsoenlijke gezondheidszorg geven. Tegen een verslaggever zei ze: 'Waarschijnlijk had ik ook thuis kunnen blijven, koekjes kunnen bakken en theepartijtjes kunnen geven, maar ik besloot mijn vak uit te oefenen, dat ik al gekozen had voordat mijn man een openbare functie bekleedde.'
Alle werknemers in het Witte Huis moesten de goedkeuring van Hillary hebben. Ze wilde dat alle inkomende en uitgaande post van het kan-

toor van zijn stafchef via háár kantoor ging. *Zij* hield een oogje op zijn agenda. *Zij* koos persoonlijk Zoe Baird, Kimba Wood en uiteindelijk Janet Reno – die gespecialiseerd was in kindermishandeling – als minister van Justitie. *Zij* riep de diensten van Donna Shalala in als minister van Gezondheid. *Zij* nam haar gewezen chef in Watergate, Bernie Nussbaum, in dienst als raadsman van het Witte Huis. *Zij* nam de oudere vennoot in haar advocatenkantoor Rose, Vince Foster, in dienst als plaatsvervangend raadsman van het Witte Huis. *Zij* maakte haar persoonlijke assistente in Little Rock, Carol Rasco, topadviseur binnenlandse politiek. *Zij* maakte haar stafchef, Maggie Williams, tevens bijzondere assistente van de president – een aanstelling die ervoor zorgde dat Williams (net als Rasco) bij alle belangrijke vergaderingen aanwezig was en de voornaamste memo's onder ogen kreeg.

Zij woonde de stafvergaderingen van het Witte Huis bij en verzorgde zelf de taakbeschrijvingen van alle posities. *Zij* zei dat haar Speciale Eenheid voor de Gezondheidszorg 100.000 dollar zou kosten – en uiteindelijk kostte die 13,4 miljoen. *Zij* had een plan van positieve actie dat voorzag in het in dienst nemen van zoveel mogelijk lesbische vrouwen en homoscksuele mannen en mensen die behoorden tot etnische minderheden. *Zij* zorgde ervoor dat háár portret in het hele Witte Huis hing, niet dat van Al Gore.

De mensen die met haar hadden samengewerkt in Arkansas of tijdens de verkiezingscampagne verbaasden zich niet over de manier waarop de presidentsvrouw de touwtjes in handen nam. *Zij* had altijd de gezinsfinanciën verzorgd. *Zij* had zich tijdens een problematische situatie met een blondje tot George Stephanopoulos gewend en gezegd: 'We moeten haar vernietigen.' Haar echtgenoot had het telefoonsysteem intussen laten aanpassen en telefoneerde er lustig op los zonder bang te hoeven zijn dat een telefoniste misschien iets van zijn telefoonscks zou opvangen. (Het was de grootste telefooncrisis in het Witte Huis sinds Caroline Kennedy rechtstreeks met de Kerstman wilde praten.)

In het crisisjaar van Bill Clintons impeachmentcrisis waren veel Amerikanen – vooral vrouwen – tot de conclusie gekomen dat Hillary buikspreker Edgar Bergen was en haar zak van een echtgenoot de glimlachende houten pop Charlie McCarthy... dezelfde houten pop die Jean Houstons leven veranderd had.

Sommige mannen zetten in hun machteloze frustratie een Website op met foto's van de incidentele schrammen en blauwe plekken op Bill Clintons knappe gezicht. Haar zak van een echtgenoot, beweerden deze mannen, was Hillary's mishandelde echtgenote.

[16]

De tovenares uit de hel

*'Dat je een rooie trui draagt wil nog niet zeggen dat je rooie lip-
stick op hoeft te doen,' zei Linda Tripp.
'Dat begrijp ik,' zei Monica. 'Ik zou nooit rooie lipstick opdoen
als ik naar hem toeging.'*

*Ze had een cynische afspraak gemaakt met een seksueel getrou-
bleerde man, zeiden de mensen die haar verafschuwden. Ze wist
wat voor een huwelijk ze zouden hebben maar toch trouwde ze
met hem. Haar ware belangstelling gold macht, niet seks. Ze
was intelligent, welbespraakt en politiek geëngageerd, al een ster
tijdens haar studie, een felle debatteerster, een intellectueel. Ze
bezat diepte en verheven spirituele neigingen en doorstond zelfs
de kritiek van de media toen onthuld werd dat ze een New Age-
goeroe was toegedaan.
Ze was taai en veerkrachtig en verstond de kunst de keiharde po-
litica te spelen. Ook op het persoonlijke vlak kon ze keihard zijn.
Toen ze eindelijk tot het besluit kwamen te gaan scheiden... zei ze
tegen de mensen die haar echtgenoot na stonden... dat hij... homoseksueel... was.*

Toen ik Arianne Huffington Bill Clinton tijdens diens impeachmentcrisis door de modder zag sleuren, was ik ervan overtuigd dat ze het ongewenste resultaat was van een vluggertje van Joe McCarthy en Zsa Zsa
Gabor. Overal, in de krant en in de ether, reet ze hem aan flarden met
haar nasale mediterrane stemgeluid, dolk in de hand, elegant uitgedost
in haar Caroline Herrera pakjes en vlammend kastanjebruin haar. Ze
was 'duizelig en misselijk,' zei ze, van wat Bill Clinton gedaan had. 'Zijn
DNA is op meer plaatsen vergoten dan Starbucks koffie... Hij moet het
Witte Huis uit – de nachtmerrie van de natie nog langer rekken is het
ergste wat dit land kan overkomen... Clinton begon met het vulgariseren
van politiek leiderschap en maakte die vulgarisatie vervolgens respecta-
bel... Hij ontdeed de Amerikaanse politiek van alle principes en met behulp van zijn vrouw en zijn hielenlikkers verhief hij het zoeken van zon-
debokken tot de hoogste kunst... Als een drenkeling die zich vastklampt

aan zijn redder is de president bereid het hele land met zich mee naar de bodem te sleuren. Dat mogen we niet toestaan... Er is niets mis met deze arme ziel [Clinton] dat niet genezen kan worden door hem op zijn kop te houden en voorzichtig met hem te schudden tot alles wat in zijn hoofd zit – alle bloedeloze, berekenende, waarheidverdraaiende uitvluchten die hem in het verleden geholpen hebben – eruitvallen.'

Ze zette een Website op met de naam Resignation.com en zei: 'Aanvaard de verantwoordelijkheid voor wat je je partij, je ambt en je land hebt aangedaan.' Arianne maakte ook grapjes: 'Als Hillary ook aangeklaagd wordt, kan Al Gore dan First Lady worden?' en 'Taft hield koeien op het gazon van het Witte Huis. Clinton overwoog er ook koeien op te zetten, maar Hillary wilde er niets van weten. Ze was bang dat Bill te veel van ze zou houden.' Arianne stelde het verlanglijstje voor Kerstmis van het presidentiële gezin op: voor Bill kunstgras voor 'de stoeikamer' in de bibliotheek; voor Hillary een CD van Deana Carter – 'Did I Shave My Legs for This?'; voor Chelsea 'Haar eerstejaarsagenda van haar vader, die hem al sinds het Ouderweekend in Stanford in zijn bezit heeft.'

Arianne Huffington? dacht ik bij mezelf. Waren deze morele verontwaardiging en vernietigende uitspraken afkomstig van *Arianne Huffington*? Van dezelfde Arianne Huffington die privé-detectives ingehuurd had om de doopceel te lichten van Maureen Orth, die op het punt stond een artikel over haar te schrijven? Dezélfde Arianne Huffington die campagneleider Ed Rollins had aangeboden 'gezelschap' voor hem te zoeken als het niet goed ging tussen hem en zijn vrouw?

Dit was dezelfde Arianne Huffington die door de jaren heen omschreven was als 'abject en meer dan verachtelijk,' 'een gevaarlijke Griekse Raspoetin die vastbesloten is de rijkdom van haar man koste wat kost uit te buiten om de hoogste politieke eer in de wacht te slepen,' 'een van de meest gewetenloze politieke creaturen die ik ooit ontmoet heb,' 'een onvoorstelbaar toegewijde en schaamteloze maatschappelijke klimster,' 'achterbaks, onvermoeibaar meedogenloos,' 'de Griek met de grootste opwaartse mobiliteit sinds Icarus,' 'de Sir Edmund Hillary der maatschappelijke klimmers.' Ed Rollins, de geduchte Republikeinse campagneleider zei: 'Ze was de meest meedogenloze, gewetenloze en ambitieuze persoon die ik in dertig jaar nationale politiek ben tegengekomen – en dan heb ik het er nog niet over dat ze soms overkwam als een regelrecht pathologisch geval. Haar allure en stijl waren enkel een vernisje. Ze verborgen de ziel van een sluwe tovenares.'

De Tovenares werd in 1950 in de Griekse hoofdstad Athene geboren als Arianne Stassinopoulos, dochter van de uitgever van een financieel dagblad. Haar ouders beleden de Grieks-Orthodoxe godsdienst en al op haar derde jaar bad ze tot de Heilige Maagd Maria. Haar ouders gingen uit elkaar. Op haar zestiende ging ze naar de Shantaniketah universiteit bij Calcutta om vergelijkende godsdienstwetenschap te studeren. Op haar zeventiende verhuisde ze samen met haar moeder naar Engeland om zich op de Engelse toelatingsexamens voor te bereiden. Ze hadden weinig geld. Ze kon aan Cambridge gaan studeren en deed al spoedig van zich spreken. Ze werd voorzitster van de Cambridge Union, de debating club van de universiteit. Ze was de eerste buitenlandse en de derde vrouw die de internationaal bekende debating club van Cambridge aanvoerde. Ze was briljant en beeldschoon – ze had een fraai gebeeldhouwd lichaam en vlammend rood haar. In haar afscheidsdebat viel ze de feministen van de jaren '70 aan, omdat die geen oog hadden voor 'de speciale behoeften van vrouwen aan kinderen en een gezin.' Het debat werd op de tv uitgezonden en Ariannes gevatheid en sexy uiterlijk maakten haar beroemd in heel Engeland. George Weidenfeld, haar nieuwe uitgever, gaf haar een paar goede adviezen: 'Negeer de mannen. Je zou toch alleen maar de vrouwen jaloers maken. Concentreer je op de belangrijkste vrouwen en als je het goed aanpakt, zul je zeker succes hebben.' Haar nieuwe vriend Erhard, de oprichter van EST, gaf haar ook goede raad: 'Als je het zegt, bén je het ook.'

Arianne schreef haar eerste boek, *The Female Woman*, als antwoord op *The Female Eunuch* van Germaine Greer, en ging op haar eerste boektoernee. 'Op een dag in Amerika liep alles scheef. Ik was alleen. Ik kwam het hotel binnen en een rij van honderd soldaten stond voor de balie, dus ik moest wachten. Toen ik eindelijk naar mijn kamer kon, bleek het 't kleinst mogelijke hok te zijn, een naar sigarettenrook stinkende postzegel. Ik had die avond niets te doen en ik moest om vijf uur 's morgens uit bed omdat ik op een vroeg praatprogramma zou verschijnen.' De Tovenares was niet graag alleen. De Tovenares hield er niet van in een rij te staan om op de sleutel van haar hotelkamer te wachten. De Tovenares hield niet van kleine kamertjes of sigarettenrook. Ze hield er niet van 's avonds niets te doen te hebben of om vijf uur 's morgens op te staan. De Tovenares was 'in de put en wanhopig,' en dus ging ze terug naar Engeland en begon een vastenkuur waarin ze alleen maar water dronk. 'Ik wilde in aanraking komen met de geest, erdoor vervuld worden, zodat alles wat geen geest of niet van de geest was een obstakel werd.' Toen ze eindelijk ophield met vasten 'wist ik na één slokje welk van de diverse merken gebotteld water in mijn appartement ik te pakken had,' zei ze.

Handelend naar Weidenfelds advies zocht ze het gezelschap van maatschappelijk hooggeplaatste Engelse vrouwen en kwam ze bekend te staan als iemand die na de eerste ontmoeting altijd bloemen stuurde. Ze knoopte een relatie aan met een wat oudere columnist van de *Times*. Ze gingen vaak naar de opera. Ze had een praatshow op de BBC-tv, *Saturday Night at the Mill*, die al spoedig flopte. Ze verklaarde de flop als volgt: 'Groot-Brittanië let te veel op accenten.' Intussen was ze bezig aan een tweede boek – ditmaal over de Griekse operadiva Maria Callas.

Toen ze naar New York ging om haar boek over Callas aan de man te brengen, voelde de Tovenares zich 'meteen thuis.' Het boek leverde weinig op – Ari Onassis, schreef ze, vond Jackie 'kil en oppervlakkig' en stond op het punt om zich van haar te laten scheiden toen hij stierf – maar ze werd aangeklaagd wegens plagiaat en haar uitgever moest een bedrag van vijf cijfers betalen om de zaak te sussen. Ze raakte bevriend met society-figuren als Barbara Walters en Lucky Roosevelt, Reagans ceremoniemeester. Via Weidenfeld maakte ze kennis met de society-koningin van San Francisco, Ann Getty. Ze ging uit met onroerend-goed-baron Mort Zuckerman. Ze was de Tovenares – charmant, slim, gevat, knap en sexy. 'Ze is een fantastische, fantastische mooipraatster, en we vallen allemaal voor haar,' schreef Bob Colocello in *Vanity Fair*. Hij zei ook dat ze 'niet van ophouden wist... en de discipline bezat van een godsdienstfanaat.' Ze maakte kennis met Kathleen Brown, de zuster van de gouverneur van Californië, en gaf een poosje lezingen met haar. Ze schreef een artikel over Jerry Brown voor het tijdschrift *People* en werd vervolgens zijn vriendin. De Tovenares zonder geld was een society-prinses geworden. 'Ze noemden me een society-prinses en dat had ik verdiend,' zei ze later.

Arianne was inmiddels ook voorgangster bij MSIA, een sekte die aan de Westkust, waar de meeste volgelingen woonden, 'de Cadillac onder de sekten' werd genoemd. Ze had John-Roger, de Christusfiguur van de sekte, in 1973 in Londen ontmoet. John-Roger, die ooit als nachthulp in een psychiatrisch ziekenhuis in Salt Lake City had gewerkt, werd tijdens een coma na een niersteenoperatie in 1963 in bezit genomen door een geest met de naam John the Beloved. Volgens John-Roger had John the Beloved hem verteld dat hij 'het Mystieke Reizigerbewustzijn' was dat slechts eenmaal per 25.000 jaar op aarde verscheen. De Tovenares vond John-Roger sympathiek en geloofde in het Mystieke Reizigerbewustzijn. 'Wat hij deed, was het enige waar ik in geïnteresseerd was,' schreef ze in *Interview*. 'Mensen helpen zichzelf bewust te maken van de geest in zichzelf, van hun natuurlijke kennis en innerlijke wijsheid. Ik kocht zijn boeken. Ik abonneerde me op zijn maandelijkse verhandelingen. Ik ging naar meditatie-retraites.' Ze probeerde ook John-Roger te helpen nieuwe discipelen onder haar beroemde vrienden en vriendinnen te ronselen. 'Ze drong me hem gewoon op,' zei columniste Liz Smith. 'Hij was een echte griezel. Hij wilde me zijn handen opleggen omdat ik hoofdpijn had en ik vond het bijzonder angstaanjagend en gênant. En volgens mij was hij ook een charlatan.'

Deels om dichterbij John-Roger en deels om dichterbij Ann Getty te zijn verhuisde de Tovenares in 1984 naar Beverly Hills. Ze had inmiddels ook plannen voor een nieuw boek, over Pablo Picasso en de vrouw die jarenlang zijn maîtresse was geweest, Françoise Gilot, nu getrouwd met Jonas Salk, die een deel van het jaar in Zuid-Californië woonde. Haar vriendin Ann Getty wilde in de tussentijd een man voor haar vinden. Ze stelde zelfs een lijstje van mogelijke kandidaten op. Tijdens een vergadering van het Aspen Institute, een onpartijdige denktank, in Tokio ontmoette Ann Getty een man die tegen haar zei: 'U bent zo fantastisch, hebt u geen dochters?' En Ann antwoordde: 'Ik heb geen dochters, maar wel een geweldige vriendin.'

Ann belde de Tovenares vanuit Tokio op en zei dat ze de perfecte echtgenoot voor haar gevonden had. Zijn naam was Michael Huffington en hij was de zoon van een van de rijkste mannen van Amerika. De Tovenares glimlachte.

Big Roy Huffington was Michaels vader, oliebaron, speculant, stevige drinker, stevige bon-vivant, meer dan levensgroot, een Texaan uit het boekje, lang, macho en vloeken als de beste. John Wayne in het groot! En Michael was zijn enige zoon, met een oog dat zo zwak was dat hij er als kind een lapje voor had moeten dragen, schriel, met niets van het vlees waar Big Roy zo ruim in verpakt zat. Toen Michael zeven was en door Big Roy op het spelen met lucifers betrapt werd, moest hij mee naar het achtererf en lucifers aanstrijken tot allebei zijn handen verbrand waren. Big Roy deed hetzelfde met sigaretten en alcohol. Wil je een sigaret roken? Alsjeblieft, partner... Tot Michael groen was... tot Michael alle drank die hij gedronken had weer uitbraakte. Tegen de tijd dat hij veertien was, deed hij weinig meer dan de hele dag tv kijken met zijn moeder, Phyllis, eens een schoonheidskoningin, nu bijna levend op nicotine. Phyllis was zo'n fanatieke Republikeinse dat ze raasde en tierde tegen het toestel als zo'n godvergeten idioot van een linkse hufter uit het oosten iets tendentieus en kritisch zei.

Datzelfde jaar stuurde Big Roy Michael naar de Culver Militaire Academie in Indiana, en hij was verguld toen Michael bijna de beste van zijn klas werd: scherpschutter, eervolle vermeldingen in roeien en zwemmen. De andere kadetten haatten hem. Hij had opdracht ze boetes op te leggen voor het lezen van *Playboy* en te laat op hun kamer zijn. 'Ik rapporteerde zelfs mijn kamergenoot toen hij vijf minuten te laat terugkwam. Twee dagen later verhuisde hij naar een andere kamer. Maar waar het op aankwam is dat ik de regels toepaste.'

Na zijn afstuderen ging Michael naar Stanford. Hij werd lid van de Young Americans for Freedom en verdedigde het regeringsgebouw tegen anti-Vietnam demonstranten. Big Roy was trots op hem. In de zomer van 1968 werd hij opgeroepen maar afgekeurd – in de zin van de wet was hij blind. Terwijl de meeste mensen van Michaels generatie hasj rookten en high werden, regelde Big Roy een baantje voor hem als loopjongen in het kantoor van Congreslid George Bush. Michael had zijn eigen appartement en versierde het met verkiezingsposters met de slogan NIXON'S THE ONE. Hij droeg een Spiro Agnew horloge; op de wijzerplaat stond Agnew die met beide handen het vredesteken gaf. Op een dag, tijdens een wandeling met George Bush, legde het Congreslid nonchalant zijn arm om de schouders van deze aardige, verzorgd uitziende jongeman... en dat automatische, loze gebaar ontroerde Michael Huffington zoals hij nog nooit geroerd was geweest. Zijn ouders hadden hem zelden omhelsd.

Hij ging studeren aan het Harvard Business Institute. In Stanford was hij naar bed geweest met een vrouw en in zijn laatste jaar sloot hij vriendschap met een man die hem vertelde dat hij homoseksueel was. Een jaar later, toen hij in Chicago in het bankwezen werkte, ging Michael Huffington voor het eerst met een man naar bed. Hij keerde terug naar het huis van zijn ouders in Houston en richtte een beleggingsmaatschappij op. Zijn moeder vroeg hem in het oliebedrijf van de familie, Huffco, te komen werken. Michael kon zijn moeder niets weigeren, hoewel hij haar maar één keer per maand zag, tijdens een officieel gepland diner.

Hij werd onderdirecteur van Huffco. Een concurrerende oliebaron zei: 'Hij was het typische rijke ventje dat met het geld van zijn vader speelde. Vrijwel alles wat hij aanpakte, mislukte. Hij had een raffinaderij en een boorbedrijf en ze gingen allebei op de fles. De banken vroegen hun geld terug. Hij had de banken gouden bergen beloofd en zijn reputatie lag aan flarden.' Michael streek een heleboel werknemers tegen de haren in door koffie op kantoor te verbieden, omdat hij dat ongezond vond. Een handelsbankier zei: 'Er zijn een heleboel mensen die het tijdens de onderhandelingen met hem aan de stok gekregen hebben. Sommige mensen hebben de diplomatieke aanpak en anderen hebben de voorhamer. Hij had de voorhamer.'

Hij verliet de presbyteriaanse Kerk en werd anglicaan. Volgens een vriend zaagde Michael hem uren achter elkaar door over het bestaan van God. Toen zijn vriend golf wilde gaan spelen, stond Michael erop dat ze over God bleven praten. In dezelfde periode nam hij cliënten mee uit eten in een topless bar, waar ze de vrouwen met hun vingers opverfden. Ook had hij seks met mannen, doorgaans vluchtige ontmoetingen, maar hij had één serieuze relatie met een man wiens foto hij op een geheime plek in zijn appartement bewaarde. Hij bad tot God hem van zijn verlangen naar mannen te verlossen. Toen hij een een tv-programma zag waarop een homoseksuele man beweerde dat hij homoseksuele seks had afgezworen, barstte Michael in snikken uit. Hij beloofde God nooit meer seks met een man te bedrijven.

Op een avond zat hij in Ann Getty's schitterende herenhuis toen Arianne Stassinopoulos de salon binnenkwam. Ze werden aan elkaar voorgesteld en Michael Huffington vroeg haar wat het belangrijkste in haar leven was. 'God,' zei de Tovenares.

Hij ging naar een nieuwjaarsdiner in Ariannes huis in Beverly Hills. Shirley MacLaine en Ariannes moeder waren er ook, samen met een groepje andere gasten. De Tovenares stuurde een kristallen toverstok de tafel rond. Iedereen moest een wens doen. De Tovenares zei dat ze binnen een jaar in verwachting wilde zijn. Michael Huffington wenste dat haar wens vervuld zou worden. Toen ze alleen waren, vertelde hij haar dat hij met mannen naar bed was geweest. De Tovenares zei dat dit haar liefde voor hem alleen maar vergrootte.

Ze trouwden in New York. 'We hadden je bijna afgeschreven, Michael!' toastte Big Roy op zijn zoon. Haar bruidsmeisjes waren Barbara Walters en Lucky Roosevelt. Alles werd betaald door Ann Getty, ook Ariannes trouwjapon van achttienduizend dollar. Onder de genodigden bevonden zich Henry Kissinger, Norman Mailer, Helen Curley Brown en Shirley MacLaine. Kissinger zei dat de bruiloft 'alles had behalve een Azteekse vuur- en offerdans.' Ze bracht haar bruidsnacht niet door met haar echtgenoot maar met John-Roger en gaf een ontroerende toespraak op een geldinzamelingsactie voor MSIA. In een interview kort na de bruiloft zei Arianne: 'Ik heb altijd geweten dat er voor me gezorgd zou worden. Ik had altijd het gevoel dat ik me geen zorgen hoefde te maken over geld.'

Ze gingen op huwelijksreis in het Caribische-Zeegebied en in Europa. Michael voelde zich gekwetst toen Arianne zelfs tijdens hun huwelijksreis aan haar boek over Picasso bleef werken. Ze verhuisden naar Washington, waar Michael op voorspraak van Big Roy door George Bush werd benoemd tot plaatsvervangend staatssecretaris van Defensie, belast met het onderhandelingsbeleid. Zijn directe meerdere in het Pentagon, Frank J. Gaffney, zei later: 'Dit was een vriendendienst van George Bush aan de Huffingtons, maar voor ons team was het dat allerminst. De organisatie zwoegde gewoon verder onder hem en soms ondanks hem. Het maakte niets uit wie hij was of wat hij deed, zo lang hij maar geen brokken maakte. Zijn vaste agendapunt was lunch – en daar hield het zo'n beetje mee op.' Michael hield het een jaar vol in het Pentagon. Arianne werkte aan haar Picasso-boek. Michael ging vaak alleen naar de bioscoop.

Hun zoon werd dood geboren en Michael vertrok voor drie dagen maar een anglicaans klooster met een mannelijke boezemvriend. Toen hij weer thuiskwam, zei hij tegen Arianne dat hij naar Californië wilde verhuizen. Hij kocht een huis van 4,3 miljoen dollar in Santa Barbara, maar bracht daar maar een paar weekends per jaar samen met haar door. Hij werkte weer voor Big Roy bij Huffco. Arianne werd opnieuw zwanger nadat ze samen naar *Wings of Desire* waren geweest. Ze schonk het leven aan een dochter, Christina. 'Ze legden haar in een wieg naast mijn bed,' zou Arianne later schrijven. 'Enkele ogenblikken later, toen iedereen vertrokken was, begon ik krampachtig te beven... en toen hield het even plotseling weer op. Ik was buiten mijn lichaam getreden. Ik keek neer op mezelf, op Christina, op de kokerrozen op het nachtkastje. Ik was volstrekt niet bang... Ik wist dat ik terug zou keren, en ik werd omspoeld door een gevoel van enorm welbehagen en enorme kracht. Het was net alsof het gordijn van de hemel opengetrokken werd om me een blik op de heelheid te gunnen: geboorte, leven en dood – en omdat ik het allemaal tegelijk kon zien, kon ik het allemaal aanvaarden.'

Ze publiceerde haar Picasso-boek. Ze werd opnieuw van plagiaat beschuldigd; *Time* magazine noemde het boek 'je reinste bladvulling... voornamelijk geschikt voor presentatoren van praatshows en schrijvers van roddelrubrieken.' Picasso's dochter Paloma zei: 'Ze hanteert goedkope psychologie. Op feestjes kijkt ze je recht in de ogen, vraagt je naar je privé-leven en zegt dan dat het zo interessant is dat je een boek zou moeten schrijven. En de volgende dag stuurt ze je een klein presentje om zeker te weten dat je haar niet vergeet.'

In 1990 verkocht Big Roy Huffington zijn bedrijf voor 500 miljoen dollar. Michaels aandeel was 80 miljoen. In 1991 schonk Arianne het leven aan een tweede dochter, Isabella. Ze was zwanger geworden nadat ze samen naar *Jezus of Montreal* waren geweest. In Santa Barbara zetten ze hun eerste stappen in de politiek van Californië. Ze gaven feestjes voor Pete Wilson en Bill Bennett. Zes maanden na zijn verhuizing naar Californië kondigde Michael aan dat hij zich kandidaat wilde stellen voor het Congres. Als openbaar spreker was hij een ramp. Hij beefde en transpireerde. Maar hij gooide er 5,6 miljoen dollar van zijn eigen geld tegenaan en versloeg een kandidaat die het district al achttien jaar vertegenwoordigd had.

Ze kochten een nieuw huis in Washington voor 4 miljoen dollar. Op de muur van zijn kantoor in het Congres hing Michael een foto van Jimmy Stewart. Hij vertelde verslaggevers dat hij gehuild had bij het zien van *Mr. Smith Goes to Washington*. 'Een heleboel van wat die film liet zien geldt ook voor mij,' zei hij. Maar hij vond het leven als Congreslid vreselijk. 'Het enige wat je doet is met kiezers praten,' zei hij. Volksvertegenwoordiger Barney Frank zei over Micheals werk als Congreslid: 'Zelfs als hij aanwezig is, is hij nog niet aanwezig.' En Michael was niet echt vaak aanwezig. Als zijn agenda een bezoek aan een ambassadefeestje of banket aangaf, ging hij er stiekem alleen vandoor om naar de bioscoop te gaan. Hij begon zijn mannelijke assistenten zo vaak te omhelzen dat een van hen ontslag nam. Hij noemde Washington een 'zwart gat.'

Maar met de Tovenares ging het steeds beter. Met 130.000 dollar van zijn geld kocht ze een praatprogramma voor zichzelf op een conservatief tv-netwerk. Ze organiseerde 'Kritieke Massa'-diners voor beroemdheden. Elk diner had een thema waarover elke gast iets moest zeggen. 'Kritieke Massa' betekende, volgens Arianne, 'een kritieke massa van naar het spirituele neigende burgers die zouden slagen waar de regering faalde en die *en masse* tijd en geld zouden bijdragen om voor vermoeide en arme mensen te zorgen.'

Schatrijk maar met zijn buik vol van het Congres ging Michael samen met Arianne en de meisjes op vakantie in Griekenland. Zij werkte aan een nieuw boek en hij beklom een berg naar een Grieks-Orthodox klooster op Athos. Hij bleef er drie dagen en bracht zijn tijd door met 'bidden en gewoon over de zee uitkijken en genieten van de monniken.' Toen hij van de berg kwam, vertelde hij Arianne dat hij zich kandidaat ging stellen voor de Senaat, hoewel hij pas halverwege zijn ambtsperiode in het Congres was. 'Ik geloof dat dit het moment was waarop hij zich diep bewust werd van de crisis waarmee we als natie geconfronteerd worden,' zei Arianne. 'We zouden ook kunnen zeggen – wacht! – maar dit zijn geen normale tijden.'

'Ik had haar tegen de grond moeten slaan,' zei de leider van Michael Huffingtons verkiezingscampagne later tegen Diane Feinstein. 'En als ze een man was geweest, zou ik dat misschien nog gedaan hebben ook.' Het motto van de Tovenares, vertelde ze Ed Rollins, die zíj had aangetrokken, was 'Sla als eerste toe! Sla snel toe! Sla hard toe!' Haar campagne zou Michael Huffinton 28 miljoen dollar kosten, meer dan twee keer zoveel als het hoogste bedrag dat tot dan toe aan een Senaatszetel was uitgegeven (10 miljoen door senator Jay Rockefeller uit West Virginia).

Politieke insiders (en een heleboel outsiders) kregen al spoedig door wie de échte kandidaat was. Zíj debatteerde zes keer met Micheals voornaamste opponent; Michael niet één keer. Na twee verkiezingsoptredens ging Michael twee weken op vakantie in Hawaï, terwijl zíj de campagne voortzette. 'Ik vecht tegen een vermist persoon,' zei zijn voornaamste tegenstander. 'Zijn vrouw is de persoon met de ambitie de Senaatszetel te kopen op weg naar het Witte Huis. Hillary wil in het Witte Huis zijn om beleid te voeren voor het land. Arianne wil in het Witte Huis zijn om een society-leven te leiden.' Toen het tijd werd voor een fotosessie bij een bosbrand, vloog Arianne erheen met flessen mineraalwater. Barney Klueger, een prominente Republikein uit Santa Barbara, zei: 'Zijn vrouw is de kandidaat, niet hij. Als je zijn kantoor belt met wat voor verzoek dan ook, moet je eerst via zijn vrouw.' Een columnist van de *San Francisco Examiner* schreef: 'Het debat tussen Michael Huffington en Diane Feinstein op de Larry King show interesseert me niet – ik wacht op Arianne versus Diane. Laat de stroman maar vallen.' Een vriend van de Huffingtons zei: 'Ik moet denken aan dat ding in John Hurt in *Alien*. Alleen met mooier haar. Ze heeft in Michael een gastheer gevonden.' Rollins, de campagneleider, concludeerde: 'De campagne waarvoor ik was aangetrokken was de obsessie van zijn opwaarts mobiele vrouw, niet van hem... Als ze niet probeerde mij te verleiden, gaf ze hem bevelen. Hij zat er meestal maar wat sullig bij.'

De media noemden gaven Michael de bijnaam 'Perot West' toen ze ontdekten hoeveel van zijn eigen geld hij aan zijn campagne besteedde, hoewel Rollins zei: 'Vergeleken bij Arianne en Michael is Perot St. Franciscus van Assisi.' Rollins kwam tot de conclusie dat Michael 'zich niet kon verplaatsen in de positie van gewone mensen en hun problemen. Hij is stuntelig, verlegen, een slecht causeur en pijnlijk slecht in spreken in het openbaar. Hij is net zo'n vreemde eend in de bijt van de rijken als in politieke wateren.' Pete Wilsons perssecretaris zei: 'Mensen hadden het idee dat Michael niet in staat was een speech te geven als Arianne een glas water dronk.' Een andere waarnemer van de campagne zei: 'Als je in zíjn ogen kijkt, zie je háár achterhoofd.' Een van de krantenkoppen luidde: HAAR HERSENEN, ZIJN GELD. Michael werd beschreven als 'een complete nul die lege pakken een slechte naam geeft... Een tabula rasa, een man die staat voor niets... een virtuele kandidaat.' Rollins schreef later dat hij al spoedig besefte dat 'deze arme drommel ongeveer net zo graag Senator wil worden als ik paus van Rome. Ik dacht bij mezelf – hij heeft de pest aan dit hele gedoe, hij heeft de pest aan geld inzamelen, aan toespraken houden, aan campagnes, aan praten met het kiezersvolk, en als hij gekozen wordt zal hij de pest hebben aan het Senatorschap.'

Toen Michael weigerde zijn belastingzaken of zijn persoonlijke financiën bekend te maken, begonnen de media hem aan te vallen. Rollins zei tegen hem dat hij de gegevens moest publiceren. 'Onmogelijk,' zei Huffington. Rollins drong aan, maar Michael wist van geen wijken. 'Als Arianne erachter komt hoeveel geld ik heb, geeft ze het allemaal uit,' zei Huffington. De gegevens werden nooit vrijgegeven.

Er gingen voortdurend geruchten dat Michael homoseksueel was en journalisten beschreven hem als 'een binnenvetter, raar, ongrijpbaar, gekweld.' Ed Rollins kreeg een doos condooms van een vriend met een briefje waarop stond: 'Denk erom, wie met Mike omgaat weet nooit wat hij aan zijn kont heeft hangen.' Toen Rollins hem vroeg of hij homoseksueel was, ontkende Michael dat niet. 'Ik ben niet van plan dat soort vragen van jou of wie dan ook te beantwoorden,' zei hij. Zijn antwoord aan *Vanity Fair* luidde: 'Het spijt me, geen commentaar.' Maar Arianne ontkende het in alle toonaarden en zei: 'Je kunt net zo goed zeggen dat Micheal Chinees is.' Toen de *Los Angeles Times* hem vroeg hoe het zat met al die stafleden van het Congres die hij omhelsd had, zei Michael: 'Ik omhels nu eenmaal graag, net als Bill Clinton.' Intussen was hij razend op Arianne en John-Roger. Hij was ervan overtuigd dat Arianne aan John-Roger verteld had dat hij met mannen naar bed was geweest, en hij beschouwde John-Roger, zoals David Brock later in *Esquire* zou schrijven, als 'een enge man die zijn vrouw geheel in zijn greep had.'

John-Roger zorgde voor de eerste ernstige hobbel in de campagne. De media onthulden niet alleen Ariannes bijzondere verhouding met de messias van MSIA, maar vonden ook mannelijke ex-gelovigen die zeiden dat John-Roger 'spirituele dreigementen en beloften' gebruikte om hun seksuele gunsten te winnen. Andere ex-gelovigen zeiden dat mensen die op J-R's seksuele avances ingingen tot gezagdragende functies werden gepromoveerd en geprezen werden om hun spiritualiteit. Twee gewezen sekteleden beweerden dat ze hadden blootgestaan aan scheldbrieven, vandalisme en doodsbedreigingen. De Tovenares zei dat ze daar niets van geloofde, noemde John-Roger 'een goede oude vriend,' en liet haar positie als geestelijke binnen MSIA in het midden.

Verbazend genoeg had de op Ariannes wilskracht en Michaels 28 miljoen dollar gevoerde verkiezingscampagne, zelfs nadat John-Roger zich een ernstig bezoedelde messias had getoond, toch nog bijna succes, voornamelijk dankzij een vloedgolf van negatieve tv-reclames die ontworpen waren door de man die de racistische Willie Horton-advertenties voor George Bush had gecreëerd. Dat Arianne en Michael de verkiezingen uiteindelijk met 2% verloren, lag ironisch genoeg aan Arianne zelf. Arianne had aan het eind van de jaren '80 tegen Michaels zin een kindermeisje in dienst genomen dat illegaal in het land verbleef. Toen de *Los Angeles Times* het nieuws publiceerde, daalde Michael meteen 6% in de opiniepeilingen.

Ed Rollins zei: 'Arianne was hysterisch. Ze begon te wauwelen over de noodzaak een tegenaanval te organiseren.' Toen Rollins ontdekte wat ze met een tegenaanval bedoelde, nam hij bijna ontslag. Ze vergaarde een team van twaalf privé-detectives en stuurde ze op zoek naar illegale immigranten die mogelijk ooit voor Feinstein gewerkt hadden. Rollins wist inmiddels ook dat ze een privé-detective in de arm had genomen om te wroeten in het privé-leven van Orth, de journaliste van *Vanity Fair*, en van Peter McWilliams, gewezen sektelid van MSIA die bezig was een onthullend boek te schrijven. 'Arianne was volledig door het dolle heen,' zou Rollins later schrijven, 'niet in staat naar mij of wie dan ook te luisteren.'

De Tovenares verspeelde haar Senaatszetel. Michael Huffington zei jaren later tegen David Brock dat hij gehoopt had dat hij zou verliezen.

Weer terug in Washington vroeg Arianne aan Michael of hij gedurende twee jaar haar maandelijkse toelage kon verdubbelen om haar te helpen een carrière als politiek commentatrice op te bouwen. Daar stemde hij in toe. Ze begon in de krant, op de radio en op de tv te verschijnen. Ze werd directrice van de Progress and Freedom Foundation, een conservatieve denktank die nauwe banden met Newt Gingrich onderhield. Ze bezocht geldinzamelingsacties in het gezelschap van Gingrich en spoorde hem in haar artikelen aan een gooi naar het presidentschap te doen. 'Arianne wil beroemd worden,' zei een Republikein uit Californië. 'Haar eerste plan was haar man gekozen te laten worden. Dat mislukte. En dus probeert ze het nu met de mensen rondom Gingrich. Ze loopt met iedereen mee die haar aan publiciteit helpt.' Newt Gingrich had intussen een exemplaar van Ariannes nieuwste boek – The Fourth Instinct – op een plank in zijn kantoor staan, naast zijn exemplaar van If I Ran the Circus van Dr. Seuss.

De Tovenares begon naam te maken in Washington als een overdadig gulle gastvrouw, 'de would-be Imelda Marcos van de Nieuw-Republikeinse plutocraten.' Michael verscheen eveneens op de feestjes, die híj betaalde, om de lichten aan en uit te knippen als hij wilde dat de gasten ophoepelden. Ook ontmoette hij er homoseksuele mannen die hij mee uitnam op privé-etentjes. Toen de twee jaar van zijn regeling met Arian ne erop zaten, zei hij tegen haar dat hij weer naar Californië wilde verhuizen.

Maar de Tovenares wilde nergens heen. Ze zei dat ze wilde scheiden. Ze belde Michaels moeder, zijn zuster en enkele van zijn vrienden en vertelde hun dat Michael homoseksueel was en dat ze van hem af wilde. Michael keerde terug naar Californië, werd filmproducer en sliep met homoseksuele mannen. Hij had veel minder geld, maar hij was van Arianne verlost en Big Roy was dood.

Terwijl Arianne op meer en meer praatshows verscheen en Bill Clinton door het slijk haalde, huurde ze de spraaktrainer van *Forrest Gump* in om te proberen haar accent kwijt te raken. Ze was inmiddels Tovenares van heel Washington en imposant rijk en organiseerde nog steeds overdadige feestjes voor haar betoverde conservatieve volgelingen. Haar research-assistent was Matt Drudges beste vriend. Ze gaf zelfs een enorme fuif met Drudge als eregast. Toen Drudge samen met Lucianne Goldberg binnenkwam, begonnen alle gasten te applaudisseren. De Aaskever, de Voddenbaal en de Tovenares hadden een duivels gezellig avondje!

[Derde akte]
Argwanende geesten

To taste the savage taste of blood – to be so devilish!
To gloat so over the wounds and deaths of the enemy...

To make the people rage, weep, hate, desire, with yourself,
To lead America – to quell America with a great tongue.

WALT WHITMAN, *Leaves of Grass*

[1]

De president is zwart

'Hij moet het gevoel hebben dat iedereen zich potentieel tegen hem
kan keren,' zei Linda Tripp. 'Snap je wat ik bedoel?'
'Maar dat is zijn eigen schuld.'
'Waarom?'
'Omdat als je mensen belazert,' zei Monica, 'zij jou op een gege-
ven moment ook te grazen nemen.'

Terwijl de Republikeinen in het Congres een posse vormden en in volle galop naar een lynchpartij reden, ontpopten degenen die het meeste ervaring met lynchpartijen hadden zich als Bill Clintons trouwste verdedigers: de zwarte Amerikanen. De Republikeinen keken wel uit om in het openbaar op hén af te geven. De media van de jaren '90 beschouwden racisme als een halszaak. En de zwarte mensen die in het geweer kwamen om Bill Clinton te beschermen wisten precies hoe ze de kaart van het racisme moesten uitspelen om hun tegenstanders het hardst te treffen.

Omdat de Republikeinen toch al kwetsbaar waren voor aantijgingen van racisme, werden ze in de luren gelegd, overschreeuwd en uiteindelijk, in de novemberverkiezingen waarvan ze zonodig een referendum over Bill Clinton moesten maken, weggestemd. Toen hun moment van de waarheid aanbrak – toen ze moesten beslissen of ze de toegewijde zwarte secretaresse van de president, Betty Currie, de vrouw in het epicentrum van alle analyses en tegenstrijdigheden, als getuige zouden oproepen – gaven ze niet thuis omdat ze bang waren dat ze door haar aan de tand te voelen publiekelijk in de racistische rol zouden vervallen die ze privé zo uitstekend speelden. De ironie was gigantisch. Als Betty Currie en, in iets mindere mate, Vernon Jordan blank waren geweest, was Bill Clinton zeer wellicht veroordeeld en van zijn ambt ontheven.

Bill Clinton, zoals Toni Morrison het zo mooi uitdrukte, was 'de eerste zwarte president van de Verenigde Staten' – een van de redenen waarom de Republikeinse posse hem zo haatte. Maar zwarte mensen voelden aan hun water wat deze posse beoogde. De spirituele voorouder ervan was J. Edgar Hoover, het FBI-idool dat zo graag rode jurken en veren stola's droeg, dat zich door één jongetje uit de bijbel liet voorlezen, terwijl een ander hem met een rubberen handschoen aan aftrok. De oude nicht met de druipogen had geprobeerd met Martin Luther King Jr. te doen wat de posse die zich nu vormde met Bill Clinton van plan was.

Hoover, die er volgens de beschrijvingen uitzag als 'een opmerkelijk lelijke vrouw' als hij zich uitdoste in zijn korte, met stroken afgezette zwarte jurk, kanten nylonkousen, hoge hakken, zwarte krullenpruik, dikke laag make-up en valse wimpers, stond aan het eind van zijn regiem op de rand van de waanzin. Hij haatte mensen met vochtige handpalmen of puistjes of een kaal hoofd of flaporen. Hij haatte bacillen en vliegen, en hij had een zwarte bediende wiens enige taak het was ze dood te slaan.

Maar het meest van alles en iedereen haatte hij Martin Luther King Jr., vooral nadat Dr. King in 1964 de Nobelprijs won. Terwijl de liefhebber van kinderporno in Dr. Kings privé-leven wroette, gaf hij zijn agenten opdracht bandopnamen te maken van Dr. King in flagrante delicto met een vrouw die niet zijn echtgenote was. Hoover stuurde de banden in een doos zonder afzender naar Coretta King, met een anoniem briefje dat Dr. King ertoe aanzette 'de eerzame oplossing' te kiezen door zelfmoord te plegen. Terwijl Dr. King zijn huwelijk probeerde te redden wist hij niet dat hij nog stééds werd afgeluisterd – dat Hoover elke avond giechelend naar Dr. Kings moeizame discussies met zijn vrouw luisterde. Maar Dr. King liet zich door die banden niet afbrengen van de kruistocht die zulke diepgaande veranderingen in Amerika teweeg zou brengen. Toen hij enkele jaren later vermoord werd, schreeuwde een FBI-agent in Atlanta: 'Eindelijk hebben we hem te pakken, de klerelijer!'

Terwijl de posse voor het lynchen van Bill Clinton zich verzamelde, gaven zwarte Amerikanen duidelijk te kennen dat ze niet werkeloos zouden toezien hoe 'de eerste zwarte president van de Verenigde Staten' politiek vermoord werd. 'Laten we heel duidelijk zijn,' zei de zoon van Jesse Jackson, Jesse Jackson Jr., 'wat de Republikeinen aanklagen is de Social Security, wat ze aanklagen is positieve actie, wat ze aanklagen is het recht van vrouwen om zelf te kiezen, wat ze aanklagen is Medicare, Medicaid, rechters in het Hooggerechtshof die geloven in gelijke rechtsbescherming voor alle Amerikanen. Er is iets dieper historisch aan de gang dan seks, liegen over seks en meineed.' Volksvertegenwoordiger Maxine Waters, Democratisch Congreslid uit Californië, zei: 'Dit is niets meer of minder dan een Republikeinse staatsgreep en zoals altijd drukken de Republikeinen hun extremistisch-radicale anarchie uit in vrome frasen die de Grondwet en de wet vertekenen. Bill en Hillary Clinton zijn de ware doelwitten, en de Republikeinen zijn het werktuig waarmee de rechtse extremisten van de Christelijke Coalitie proberen onze cultuur naar hun hand te zetten en te beheersen.' John Conyers, een Democraat uit Michigan en voorzitter van de Black Caucus in het Congres, zei: 'Het proces van impeachment is ontworpen om dit land te bevrijden van tirannen en verraders, niet van pogingen een buitenechtelijke verhouding te verdoezelen.' John Lewis, de eerbiedwaardige veteraan van zoveel op straat uitgevochten veldslagen ter verdediging van de burgerrechten, drukte het misschien nog het krachtigst uit: 'Amerika is ziek. Haar gemoed is bezwaard. Haar hart doet pijn. Wie van ons is zonder zonden?'

Zwarte mensen luisterden naar de Republikeinse retoriek over het hijsen van de vlag op Iwo Jima en de Grondleggers van de Staat en het onophoudelijke gezwaai met de Grondwet (die sommige Republikeinen altijd op zak hadden), en wisten donders goed wat ze hoorden: dezelfde drek waarmee het zuidelijke blanke canaille altijd gesmeten had. Het was versierd met roodwitblauwe glitters, maar het stonk nog even huizenhoog. Sterker nog, het was dezelfde *Republikeinse* drek van het zuidelijke blanke canaille... de partij van Lincoln die gaandeweg veranderd was in de geselpartij, de lynchpartij. Earl Butz was een Republikein, of niet soms? Hij had gezegd: 'Het enige wat een zwarte man nodig heeft is een nieuwe Cadillac, een strak poesje en een warme plek om te schijten.' En James Watt was eveneens een Republikein, Reagans minister van Binnenlandse Zaken. En die had gezegd, na het samenstellen van een of andere commissie: 'We hebben alles aan boord wat je maar kunt bedenken. Ik heb een zwarte. Ik heb een vrouw, twee joden en een kreupele.' En George Bush was een Republikein die alle blanke mensen de schrik op het lijf joeg met die advertentie over die gevaarlijke Willie Horton, die heel toevallig zwart was, en het spookbeeld opriep van zwarte mensen die rovend, plunderend en verkrachtend door het land trokken. George Bush nam niet eens de moeite om naar L.A. te gaan na de uitbarsting over Rodney King. En Nixon of Reagan – hoeveel zwarte gezichten had je in hun omgeving gezien? Eartha Kitt? Sammy Davis Jr. met zijn Nehroe-jasje, vredeskralen en kilometerlange sigaar? En James 'Doe het Groen' Brown? En als je nu om je heen keek – welke zwarte gezichten zag je dan onder de Republikeinen? J.C. 'De Bus naar de NFL Gemist' Watt? Of Clarence 'Long Dong Silver' Thomas, die zo graag uit vissen ging met dat seksueel opdringerige blanke tuig uit Texas, Dick Armey? Zwarte mensen hoorden de weinig subtiele waarheid in de woorden van Linda Tripp, die al heel haar leven Republikeins stemde, maar al te duidelijk. De Verraadster zei dat ze haar haren niet wilde laten doen tijdens de Million Man March omdat ze 'niet al die – al die lijven' wilde zien. (Chris Rock zei hetzelfde omgekeerd op de Nationale Republikeinse Conventie: 'Ik voel me net alsof ik meeloop in de Million White Boy March.')

Zelfs bij de Democraten hadden zwarte mensen nooit het idee gehad dat hún mensen vertegenwoordigd waren. Iedereen wist dat LBJ blank zuidelijk canaille was, met zijn cowboyhoeden en zijn 'nikker' hier en 'nikker' daar als hij onder zijn gabbers was... JFK geloofde erin, hij wist het prima te zeggen, maar was hij ooit met een zwárte vrouw de bosjes in gedoken? Hadden hij en Jackie ooit gebraden ribbetjes gegeten?... McGovern had ongeveer evenveel soul als de voorzitter van een Kiwanis

Club in een met kranten dichtgeplakte negorij... Jimmah kon ermee door, maar die was als jongeman al een verdomde ouwe lul... Dukakis of Du-wie? Of Du-weetikveel, ach man, wie wás die sukkel? Iemand gaat z'n vrouw pakken en de sukkel zegt dat ie... ách mán!

Maar Bill – president Bill Clinton – dat was andere koek. Geen wonder dat hij zijn hele leven 'Nikkerkop' en 'Nikkerlippen' werd genoemd. Geen bezem in zíjn blanke reet. Niks van die lulkoek van 'ik begrijp uw problemen,' een slap handje en tot de volgende verkiezingen. Bill Clinton stelde zich open. Op allerlei manieren. Met de sax. Met de ribbetjes. Met zijn zonnebril. Met de wijven. Open, mán, menselijk. Je zag het in zijn ogen en aan de manier waarop hij je omhelsde als je zwart was. Hij meende het. Hij voegde de daad bij het woord, op állerlei manieren. En Hillary. Die was misschien niet zo zwart als hij, maar ze deed in ieder geval haar best. Voor een blank wijf uit de lelieblanke buitenwijken deed ze écht haar best. Zei ze niet altijd dat haar ontmoeting met Martin Luther King Jr. het belangrijkste moment van haar leven was geweest? Probeerde ze, toen ze op haar sjieke, dure Yankee-school zat, niet te voorkomen dat de politie zwarte broeders in mekaar tremde? Had ze zelfs niet een zomer voor een advocaat van de Zwarte Panters gewerkt? Was ze als kind niet in het *getto* geweest, al wás het maar op een schoolreisje naar de dierentuin? Niet gek. Helemaal niet gek voor iemand uit Park Ridge, Illinois, dezelfde stad als waar dat witharige blanke tuig met de zere kont vandaan kwam... Hyde, Mr. Henry... *gaat die gek opnieuw de vlag op Iwo Jima hijsen?*... Mr. Henry Hyde.

Bill Clinton kende en waardeerde zwarte mensen evenveel als zijn mede-blanken, zag niet het geringste verschil tussen hen. Zelfs niet in het begin, in de zwarte en blanke kruidenierswinkel van zijn grootpapa. Hij speelde met zwarte kinderen, omhelsde ze, vloekte tegen ze, vocht met ze, ging met ze uit, verleidde ze, maakte wetten voor ze, probeerde ze te helpen... en zwarte mensen zagen dat hij, vergeleken met alle andere blanke politici, iets bijzonders had. Hillary miste zijn *relaxtheid*, en sommige mensen zeiden dat Hillary als studente de enige zwarte man in de Senaat bot behandeld had. Maar zelfs dat gaf niets, aangezien een heleboel mensen Edward Brooke als meer blank dan zwart beschouwden, en hij was nog een Republikein ook. Maar Bill Clinton was *relaxt, koel*, Clinton had *soul*, en toen hij zijn gooi naar het presidentschap deed, kreeg hij de zwarte stemmers in beweging. En hij hield zijn beloften, net als in Arkansas, waar hij een ongekend aantal zwarte mensen in bestuurslichamen en staatscommissies had benoemd. Hij benoemde Ron Brown tot minister van Handel. Mike Epsy tot minister van Landbouw, Hazel O'Leary tot minister van Energie, Jesse Brown tot minister van Veteranenzaken, Clifton Wharton Jr. tot staatssecretaris van Buitenlandse Zaken en Dr. Jocelyn Elders tot directeur-generaal van de Gezondheidszorg. En hij behoedde positieve actie en sociale voorzieningen voor de geplande kruisenverbranding door Newt Gingrich en zijn 'Contract met Amerika'-Republikeinen.

Er was nog een andere, betrekkelijk verborgen factor die wees op het absolute ontbreken in Bill Clinton van zelfs het kleinste greintje racisme. Hij was onmiskenbaar een man die van intieme contacten met vrouwen genoot, en hij genoot ook intieme contacten met zwárte vrouwen. Hij was niet voor niets William *Jefferson* Clinton gedoopt. Hij mag dan een seksueel roofdier geweest zijn, hij mag een sater geweest zijn, maar wel zonder te discrimineren. Zijn piemel was een vrouwenverslinder die in gelijke kansen geloofde. Waar het op aankwam was dat hij hield van contact met zwart vlees. Van geen enkele president sinds Thomas Jefferson is bekend dat hij daarvan genoot. JFK en LBJ hadden contacten met duizenden vrouwen genoten, maar niemand die ooit heeft gesuggereerd dat er ook maar één zwarte vrouw bij was. Bill Clintons naam werd intussen in verband gebracht met een zwarte nieuwslezeres uit Little Rock, met een zwarte voormalige Miss Amerika, met de dochter van de vroegere minister van Handel Ron Brown, met een zwarte prostituee die beweerde zijn kind gebaard te hebben. In het fictieve *Primary Colors* van Joe Klein werd zelfs gesuggereerd dat hij een zwarte tiener zwanger had gemaakt. De president van de Verenigde Staten sliep met zwarte vrouwen in een Amerika dat gebukt ging onder veertig jaar rassenstrijd. Hij was misschien niet de Grote Emancipator, maar de Grote Masturbator was wel de Grote Integrator. Geen wonder dat zwarte mensen van hem hielden en blanke racisten hem haatten: Bill Clinton begreep zwarte mensen van binnen uit.

Dit dreef de racisten tot hun gebruikelijke excessen. Sommigen beweerden dat Bill Clinton alleen maar van zwarte vrouwen hield en dat hij zelf ook zwart was. Ze wezen op zijn volle onderlip, de behaagzieke aard van zijn moeder en de dood van zijn natuurlijke vader terwijl hijzelf nog in de moederschoot zat. Maar als de racisten dachten dat ze hem schade berokkenden met hun aantijgingen op het Internet en via de fax, dan hadden ze het mis. Het maakte Bill Clintons toch al enorme populariteit onder de zwarte bevolking alleen maar groter. Misschien was hij wérkelijk de eerste zwarte president van de Verenigde Staten. Prima! Te gek! En onderhand tijd ook!

Toen duidelijk werd hoe onverzettelijk en onvermurwbaar de zwarte steun voor de president was, kwam ook de bekende oude polarisatie weer naar voren, dezelfde gapende electorale kloof tussen de Zwijgende Meerderheid en de rest van het land die we kenden van het regime van het Nachtschepsel. De Zwijgende Meerderheid bestond toen zowel als nu uit conservatieve Christenen, Republikeinen, strikte aanhangers van de Grondwet en absolute moralisten die krijsten dat Bill Clinton gelyncht moest worden. En zoals altijd hoorden er ook de mensen bij die gewoon niets van 'nikkers' moesten hebben.

Maar er was een verschil deze keer, zoals de novemberverkiezingen duidelijk maakten. Wij waren met meer mensen dan zij. Ze waren geen meerderheid meer. Mensen die in de jaren '60 waren opgegroeid respecteerden zwarte mensen, sommigen vereerden ze zelfs. Hun onwrikbare steun aan Bill Clinton beïnvloedde de voetbalmoeders en honkbalvaders die misschien niet zo zeker meer waren van hun steun voor de president die zijn natte, afgesabbelde sigaar op hun eettafel had gekwakt. We werden getroffen door het *staal* in de zwarte reactie op de aantijgingen. Terwijl we langzaam op ons pensioen afstevenden, werden we eraan herinnerd dat de strijd voor gelijkheid van blank en zwart van de jaren '60 door sommige mensen nog steeds gestreden werd. We zagen dat de gummistokken nu gehanteerd werden door Gingrich en DeLay en Armey en Hyde en de rest. We beseften dat het zwarte volksdeel het gevoel had dat als Bill Clinton van zijn ambt ontheven werd, zij weer terug bij af zouden zijn... omdat hij *een van de hunnen was.* Zouden wij, de blanke generatie die zij aan zij met onze zwarte broeders voor gelijke burgerrechten gevochten hadden, mensen als John Lewis, onze held in de jaren '60, in hun hemd laten staan?

Wij waren inmiddels ook een jaartje ouder en bovendien bevatte de woede van het zwarte volksdeel een element dat ons vreselijk dwars zat. We herkenden die woede uit de jaren '60 en wisten dat die nog niet zo heel lang geleden een laatste uitbarsting had gekend in de reactie op de rechterlijke uitspraak in de Rodney King-zaak. De onlusten en rassenrellen in Watts en Detroit en Cleveland en Newark en zoveel andere steden stonden ons nog glashelder bij. We wisten nog dat onze steden in brand stonden en onder de knoet van de Nationale Garde zuchtten. We herinnerden ons de uitbarsting van zwarte razernij na de moord op Martin Luther King Jr., evenals de recentere beelden van sluipschutters op de daken van Sunset Boulevard. Maar de misdaadcijfers waren gedaald.

Dankzij zijn speciale verstandhouding met zwarte mensen had Bill Clinton de eerste voorzichtige stappen naar rassenvrede in Amerika gezet. De situatie was misschien nog niet koel te noemen, maar ontvlambaar was ze zeker ook niet meer. We hoefden niet meer bang te zijn om na een bepaald tijdstip door bepaalde straten te rijden. We konden een groep zwarte mensen op een straathoek voorbijlopen zonder nagejouwd te worden. Daar had Bill Clinton, de eerste zwarte president van de Verenigde Staten, voor gezorgd.

Zouden we ons welkome en betrekkelijke gevoel van vrede op het spel zetten door toe te staan dat ze hem van zijn ambt ontheven? Zouden we het risico lopen van een nieuwe uitbarsting van zwarte razernij? Ross Perot praatte wel over karavanen van vrachtwagens die van alle kanten petities aanvoerden van mensen die Bill Clinton kwijt wilden, maar wij maakten ons meer zorgen over de halfrupsvoertuigen van de Nationale Garde die weer van alle kanten onze steden binnen zouden rollen. Als we al dachten dat er rellen in L.A. zouden losbarsten als O.J. Simpson veroordeel was, wat dachten we dan niet dat er in heel Amerika zou gaan gebeuren als Bill Clinton van zijn ambt werd ontheven? Dit was Bill Clintons rassenkaart en de gewiekste pokeraar die Slick Willy was, speelde hem op briljante manier uit. Elke gelegenheid die hij kreeg, greep hij aan om samen met zwarte leiders op de foto te gaan. Dominee Jesse Jackson leek als een jojo op en neer te pendelen tussen optredens op *Larry King Live* en counseling-sessies met het presidentiële gezin in het Witte Huis. Toen de president na zijn bekentenis dat hij 'het Amerikaanse volk misleid had' in Martha's Vineyard aankwam, werd hij begroet met een warme omhelzing door Vernon Jordan, een van de prominentste zwarte mannen in Amerika, voormalig leider van de NAACP, zijn oude vriend en baantjesjager voor Monica. De eerste uitgebreid door de tv uitgezonden halte tijdens zijn 'Ik Vraag Uw Vergiffenis' toernee was in een klein zwart doopsgezind kerkje.

Het Witte Huis zond een onderbewuste boodschap uit die niemand ooit onder woorden zou brengen. Dit is mijn beminde en mij toegedane kiezersvolk, hield Bill Clinton Amerika voor. Mensen die voor mij tot het uiterste zullen gaan. Ze zullen zich extreem ongelukkig voelen als ik van mijn ambt ontheven word. Wil je écht dat ze zich extreem ongelukkig voelen? Wil je dat écht, nu de economie zo'n hoge vlucht neemt en je eigenlijk zo weinig zorgen in je leven hebt? Wil je echt dat je dáár weer over in moet zitten?

Net op het moment dat de rassenkaart uitgespeeld werd, viel er een joker op tafel in de vorm van Danny Williams, Bill Clintons vermeende zwarte kind. Het was een oud verhaal dat al sinds halverwege de jaren '80 de ronde deed, maar in de verhitte sfeer van het impeachment nieuw leven kreeg ingeblazen. De terugkeer van Danny Williams was explosief. Drudge had onthuld dat de *Star* een DNA-onderzoek financierde dat moest uitwijzen of Danny's bloedgroep overeenkwam met de in het *Starr-rapport* gepubliceerde analyse van het DNA van Bill Clinton. Drudges verhaal werd geflankeerd door een foto van een besproete, mollige zwarte teenager met een lichtbruine huid die in de ogen van veel Amerikanen sprekend op de jonge Bill Clinton leek. Ik zat in een vergadering in Paramount Studio's toen het *Drudge Report* uitkwam, en niemand in de vergadering had tijd voor het scenario dat we geacht werden te bespreken. Danny Williams hing in de lucht. 'Nou is het verkeken,' zei Sherry Lansing, de directeur van de studio. 'Als het DNA klopt, kan Clinton het schudden.'

De bijzonderheden waren zeer zeker Clintonesk. In 1983 was hij buiten de gouverneurswoning aan het joggen, zei een zwarte prostituee met de naam Bobbie Ann. Hij trok haar achter een heg en vroeg of ze hem wilde pijpen. Hij bleef aan één stuk door praten. Hij trok zijn broek omhoog en jogde verder. Twee weken later kwam hij terug in een witte Lincoln met een politieman achter het stuur. Hij nam Bobbie Ann en twee bevriende prostituees mee in de auto. Ze reden naar een huis in Hot

Springs dat het eigendom was van zijn moeder. Hij dook met alle drie tegelijk het bed in. De volgende keer dat Bobbie Ann, nog steeds in het leven, hem op straat tegenkwam, vertelde ze hem dat ze vier maanden zwanger was. 'Hij lachte,' zei Bobbie Ann. 'Hij wreef over mijn dikke buik en zei: "Kom meid, dat kan mijn baby niet zijn."'

Kort na Danny's geboorte ging Bobbie Ann de gevangenis in wegens prostitutie en bezit van verdovende middelen. Lucille Bolton, de zuster van Bobbie Ann, werd Danny's wettelijke voogdes. 'Hij begon meer en meer op de gouverneur te lijken,' zei Lucille. Lucille ging naar de ambtswoning van de gouverneur en probeerde alimentatie voor Danny te krijgen. Ze kwam nergens. Bill Clinton weigerde een bloedmonster te geven.

Het verhaal van Danny Williams werd onthuld in de plaatselijke zwarte sensatiepers. Bobbie Ann en Lucille ondergingen allebei een proef met de leugendetector, die ze met glans doorstonden. Don Williams, de echtgenoot van Bobbie Ann, ging naast de gouverneur rijden toen die op een mooie zonnige ochtend aan het joggen was en sprak hem aan over Danny. De gouverneur bleef joggen, maar gooide al het geld dat hij in zijn zakken had de auto in. De geruchten over Danny gingen de staat door en bereikten zelfs een gouverneursconferentie in Chicago. 'Luister, ik heb geen zwart kind!' zei Bill Clinton tegen een aantal collega-zwaargewichten in de Democratische partij.

Toen Drudge halverwege de dreigende impeachmentcrisis zijn verhaal over de analyse van het DNA in het *Starr-rapport* publiceerde, deed Danny Williams Amerika op zijn grondvesten schudden. Zijn foto verscheen op de voorpagina van de *New York Post*, een voorbeeld dat door maar weinig andere kranten werd gevolgd. Danny Williams was net zo'n ontvlambaar ondergronds verhaal geweest als dat van de sigaar voor de publicatie van het *Starr-rapport*. Mensen in Hollywood en in vrijwel het hele land praatten vrijwel nergens anders over.

Sommige mensen vonden het verdacht dat aanhangers van Clinton nog maar enkele weken daarvoor een DNA-studie hadden gepubliceerd waarin bewezen werd dat Thomas Jefferson een zwart kind had verwekt bij Sally Hemmings. Verwachtten de Clinton-aanhangers dat het DNA van Danny Williams overeen zou komen? Werd Thomas Jefferson aangevoerd als alibi voor Bill Clinton? Met andere woorden: als Jefferson het gedaan had, had William *Jefferson* Clinton dan ook maar íets laakbaars op zijn geweten?

Dagen later, toen Drudge meldde dat het DNA niet overeenkwam, dat het evenbeeld van de jonge Billy Clinton niet de zoon van Bill Clinton was, meende ik DeLay en Armey en Barr en Henry Hyde en Rogan en de hele rest helemaal tot in Malibu te horen kreunen. Ik hoorde ze sputteren. Je kunt geen DNA vergelijken zonder echt DNA te hebben! Je kunt DNA niet vergelijken op basis van 'informatie' in een rapport! Maar volgens de deskundigen hadden ze het mis: de sproetige, mollige Danny had nog steeds geen papa.

Toen brak het uur van de waarheid aan voor de Republikeinse posse die zich verzameld had voor de lynchpartij. Ze waren weggevaagd in de novemberverkiezingen. Woedende zwarten dromden samen op de trappen van het Capitool. Het DNA was naar de kloten. Vernon Jordan was te gewiekst en kon voor zichzelf zorgen, maar Betty Currie was een andere zaak. Die had zichzelf in haar eerdere getuigenverklaring tegengesproken. Ze had zich op de vlakte gehouden. Was zichtbaar van streek geweest. En ze wist álles! Maar zoals de Verraadster gezegd had, ze 'leed aan die idote heldenverering' voor Bill Clinton. Als zwarte vrouw had Betty Currie bewondering voor hem en ze bleef hem door dik en dun trouw.

Ze zouden de waarheid met vleierij, dreigementen of dwang aan Betty Currie moeten ontworstelen. Ze zouden haar in het openbaar moeten geselen. Voor de ogen van miljoenen woedende zwarte mensen. Miljoenen woedende zwarte mensen die toekeken hoe een groep blanke mannen, onder wie een groot aantal met een zuidelijk accent, een hardwerkende, verantwoordelijke, diep godsdienstige zwarte vrouw molesteerden.

Als Betty Currie niet als getuige werd opgeroepen, kon de posse naar een lynchpartij fluiten. Maar Betty Currie oproepen zou tot gevolg kunnen hebben dat het hele verdomde gerechtsgebouw in de hens werd gezet.

Ze besloten de vlag op Iwo Jima niet opnieuw te hijsen. Ze reden de stad weer uit, onder het gemompel van 'O, Danny Boy.' De rassenkaart lag op de vloer van de geheiligde Senaat... Bill Clintons fortuinlijke, maar welverdiende *schoppenaas*.

[2]

Al Gore en ik willen zwart zijn

'Hunky' en 'Groentje' en 'D.P.' waren de bijnamen die veel blanke Amerikanen me gaven toen ik als slungelige, besproete Hongaarse vluchteling in de West Side van Cleveland opgroeide. Het waren namen die me leerden een ander woord te begrijpen dat andere mensen, en later ook mij, verwondde: *nikker*.

Veel zwarte kinderen woonden er niet in mijn buurt, maar ze waren er wel, en vanaf het moment dat ik de Engelse taal machtig begon te worden zocht ik ze op om met ze te spelen. Ik wist destijds niet waarom, begreep niet dat ik me instinctief aangetrokken voelde tot andere vluchtelingen, mensen die het Amerikaanse zuiden ontvlucht waren, buitenstaanders zoals ik, die net als ik in het diepst van hun hart wisten dat veel blanke Amerikanen ons als uitschot beschouwden. Net als ik droegen die zwarte kinderen kleren die hun moeder had opgescharreld bij het Leger des Heils. Net als mijn moeder stonden ook die van hen 's morgens vroeg op de markt om voor een prik groenten en fruit te krijgen dat bijna maar nog net niet helemaal rot was. Toch waren er duidelijk grenzen aan onze saamhorigheid. We basketbalden of honkbalden met onze tot op de draad versleten ballen, maar we zagen nooit de binnenkant van elkaars huis. Na zo'n wedstrijd was het altijd: 'Tot later,' nooit: 'Hé, heb je zin om bij ons thuis naar *American Bandstand* te komen kijken?'

Ik keerde terug naar de bovenverdieping van mijn gebroken Engels sprekende ouders, zette mijn gehavende groene draagbare radio aan en luisterde non-stop naar wat mijn vader, die zelfs binnenshuis een baret droeg, 'junglemuziek' noemde. Het was muziek die me pakte zoals ik nog nooit door iets gepakt was, muziek die mijn diepste wezen leek binnen te dringen en mijn hart en ziel op hun kop zette. Mijn ouders waren godsdienstig en vertelden me verhalen over Jezus. Maar Jezus kon me gestolen worden. Ik wilde horen wat Chuck Berry me over 'Sweet Little Sixteen' en 'Johnny B. Goode' en 'Maybellene' vertelde. Ik wilde Little Richard horen krijsen over 'Good Golly, Miss Molly' en 'Tutti Frutti'. Ik wilde Jackie Wilson horen, en Fats Domino en Sam Cooke en de Drifters, de Platters en de Flamingos. Voor mijn gevoel had de zwarte muziek waar ik zo dol op was een rauwheid, een *scherpte*, waar Elvis en Jerry Lee en Bill Haley en Carl Perkins en de andere blanke rockers niet aan konden tippen. Ik voelde een innerlijke beroering die alleen door deze muziek tot rust gebracht kon worden. Mijn groene radiootje was een wijkplaats voor de jeugdige kruimelmisdaad waaraan ik me 's avonds in de steegjes bezondigde, waar jongens zelfgemaakte, met elastiek aan hun polsen gebonden pistolen en messen droegen, waar andere jongens katten met aanstekerbenzine besproeiden, zwervers bestalen, kruidenierswinkels beroofden en spelletjes deden met buurtmeisjes die daar niet noodzakelijkerwijs zin in hadden.

Sport was een andere wijkplaats. Ik was een fan van Larry Doby en Al Smith en Luke Easter en Minnie Minoso van de Indians, en Marian Motley en Bobby Mitchell en, later, Jim Brown, die in *Time* 'Supernikker' van de Browns genoemd werd. Ik bad dat ouwe taaie Archie Moore Yvon Durelle eindelijk de doodsklap zou geven en huilde toen ik op mijn radio hoorde dat Ingo's daverende rechtervuist Floyd Patterson in slaap had gewiegd.

Ik ging naar de middelbare school in de vrijwel zwarte East Side van Cleveland, en hoewel ik een gloeiende hekel had aan mijn sjieke, bijna lelieblanke katholieke school (de enige die me een beurs wilde geven), was ik dol op de buurt waarin hij stond. Ik schuimde de koffiebars rondom 105th Street en Euclid Street af en draaide 'Fingertips' van Stevie Wonder en 'Topsy II' van Cozy Cole en 'Quarter to Three' van Gary U.S. Bonds en Ray Charles en de Marvelettes en Ben E. King op de jukeboxen. Toen ik op een middag op weg was naar de bus die me terug zou brengen naar de West Side, hoorde ik muziek uit een bar komen die me ter plekke aan de grond nagelde. De deur stond open en ik zag een jonge zwarte vrouw op het podium repeteren met haar band. Haar stem ademde zowel de geest van de blues als van de opera. Een bordje op de deur kondigde aan: VANAVOND! ARETHA FRANKLIN.

Als eerstejaars aan de universiteit van Ohio besefte ik dat ik eindelijk op een school vol zwarte mensen zat. Ze brachten het grootste deel van hun tijd door in de Student Union in het Baker Center – en daar zat ik meestal ook. Dáár hoorde ik voor het eerst 'Do You Love Me' van de Contours... en dáár leerde ik Delia kennen. Delia kwam ook uit Cleveland, was ook eerstejaars, studeerde ook Engels en was ook gek op Gary U.S. Bonds. Zij was zwart en ik was blank, zij kwam uit de East Side en ik uit de West Side, haar familie kwam uit Mississippi en ik kwam uit Hongarije.

Het was 1962 in het zuiden van Ohio en relaties tussen mensen van verschillende rassen waren taboe, zelfs aan de universiteit. Delia en ik zagen de blikken van de barkeepers als we de biertjes kochten waar we onze stuivers voor opzij hadden gelegd. We zagen de grijnslachjes en scheve blikken van de chic geklede corpsstudenten als we hand in hand over straat liepen. Het kon ons niet bommen. Wij vermaakten ons. Ze woonde in een studentenflat en moest 's avonds om elf uur binnen zijn, en als ik haar voor de deur van de flat kuste, deden we net alsof die starende blanke gezichten om ons heen niet bestonden.

We praatten aan één stuk door. Ik vertelde haar over Atilla de Hun en over de oorlogen tussen de Magyaren en de Turken, en zij vertelde me over haar overgrootvader, die een slaaf was geweest en over haar oom die ze de ogen uit het hoofd geslagen hadden omdat een blanke vrouw beweerde dat hij 'op een smerige manier' naar haar gekeken had. Ze bracht me in aanraking met Ellison en Richard Wright en Chester Himes en W.E.B. Du Bois. We waren allebei gek op Faulkner, hoewel Delia zei dat hij haar soms nerveus maakte: 'Hij slaat de spijker iets te vaak op zijn kop.'

Onze eerste seksuele intimiteiten waren meer komisch dan hartstochtelijk – we waren allebei nerveuze kinderen – maar we hielden erg veel van elkaar en de natuur nam haar loop. We gingen samen terug naar Cleveland. Ik ging naar haar huis in Glenville en zij kwam naar het mijne in het Hongaarse 'Strudel Ghetto' achter Buckeye Road, waar mijn ouders nu woonden. Haar ouders keken naar me alsof ik een marsmannetje was. Maar ze bleven beleefd. Mijn ouders keken vol verbazing naar deze beeldschone, levendige jonge zwarte vrouw. Maar ze bleven beleefd. We bezochten zwarte clubs in de East Side voor concerten van Roland Kirk en Cannonball Adderley, en ook van een pas opgerichte blanke bluesband met een wilde keyboard-speler die Al Kooper heette. Delia was dol op bluesmuziek en vaak zaten we er uren naar te luisteren.

Maar onze relatie kwam onder toenemende spanning te staan. Haar ouders snapten niet wat Delia met die blanke jongen wilde, en haar oudere broer, vertelde ze me, had tegen haar gezegd dat deze 'honky' geen plaats in haar leven had. (Ik moest lachen toen ik dat hoorde. Als kind werd ik 'hunky' genoemd; dit was hetzelfde woord, alleen anders geschreven.) Toen haar ouders tegen haar zeiden dat ze geen geld meer hadden om haar nog langer aan de universiteit van Ohio te laten studeren, dat ze een universiteit in de buurt van Cleveland zou moeten zoeken, huilden we allebei. We wisten wat dit betekende. We waren jong en avontuurlijk en onze ontluikende relatie zou de afstand niet overleven.

Dat bleek ook zo. We begonnen met andere mensen uit te gaan, zagen elkaar incidenteel, maar verloren elkaar uiteindelijk toch uit het oog. Jaren later, toen ik alleen van Athene naar Columbus reed om op een filmscherm naar de bokswedstrijd tussen Muhammed Ali en Sonny Liston te gaan kijken, bedacht ik hoe gek Delia op Ali geweest zou zijn, hoe we ons allebei gekoesterd zouden hebben in de grootsheid van Ali's overwinning. Plotseling miste ik haar vreselijk, en na de wedstrijd belde ik haar ouders. Haar moeder vertelde me dat Delia getrouwd was en in Buffalo woonde en een zoontje had. Ze was getrouwd met een vriend van haar broer.

Mijn eerste baantje als journalist was in Dayton, Ohio, waar de vuilnisbakken de slogan DE SCHOONSTE STAD IN AMERIKA droegen. Het was ook een racistische stad (hoewel er een kroegbaas woonde, ene Larry Flynt, die wat leven in de brouwerij zou brengen).

Op een dag vroeg mijn stadsredacteur me een artikel te schrijven over een zwarte man met de naam 'Hospital' Stewart, die pas overleden was. De invalshoek was dat Stewart zijn bijnaam te danken had aan het feit dat hij in vrijwel alle ziekenhuizen in Dayton een goede bekende was. Ze kenden hem omdat zijn penis kennelijk zo enorm was dat hij vaak vast bleef zitten, zodat hij en zijn partner naar het ziekenhuis moesten om hem er voorzichtig uit te laten halen.

Een andere keer schreef ik een stukje over een zwart jongetje dat een blikseminslag overleefd had. Het was een intelligent, welbespraakt jongetje en het verhaal was het soort hartverwarmende niemendalletje dat vaak een speciaal plekje op de voorpagina krijgt. Tot mijn verbazing zag ik mijn verhaal over Casey Popo Jones Jr. zwaar ingekort tussen de overlijdensadvertenties staan. Ik vroeg mijn redacteur waarom hij dat gedaan had. 'Als je op de voorpagina wilt komen,' zei hij, 'zul je een blank jongetje moeten vinden dat door de bliksem getroffen is.'

Toen Stokey Carmichael naar Dayton kwam, was ik het enige blanke gezicht tussen zijn toehoorders in de zwarte doopsgezinde kerk waar hij sprak. 'Black Power' was de kreet die door het land schalde, en tijdens een interview met Carmichael werd ik getroffen door zijn charisma en gedrevenheid. Ik schreef een verhaal over hem dat wederom op de achterpagina begraven werd. Hetzelfde gebeurde toen ik een van mijn vroegste rock 'n roll-helden, Fats Domino, interviewde.

Niet lang na de eerste rassenonlusten in Cleveland – die later bekend zouden worden als de 'Hough-rellen' – verhuisde ik naar de *Cleveland Plain Dealer*. Toen ik daar aankwam, was de spanning in de East Side, die bestond uit blanke etnische 'eilanden' te midden van grotendeels arme zwarte wijken, te snijden. Ik werd ingedeeld in de late ploeg in het politiebureau, wat inhield dat je op een piepklein kantoortje op de eerste verdieping van het hoofdbureau van politie zat en wachtte tot er iets vreselijks gebeurde.

In slappe tijden waren er altijd wel interessante mensen om een verboden *sixpack* bier mee te delen. Een van mijn beste makkers was een grote, vlezige, vriendelijke agent, Elmer Joseph genaamd, die altijd even kwam aanwippen. Hij was ook van Hongaarse afkomst, en we kletsten over de Cleveland Indians of de kwaliteit van de kippaprika's in Elizabeth's restaurant in Buckeye Road of over een van mijn sentimentele verhalen waar Elmer de spot mee dreef. Een andere favoriet was Ahmed Evans, een dashiki-dragende zwarte nationalist die het bevel voerde over een huis vol militante zwarte jongeren in Glenville, niet ver van waar Delia gewoond had. Ahmed kwam meestal 's avonds laat opdagen en dan stak hij hele verhalen af over, onder andere, UFO's van Mars, moordzuchtig blank politietuig en de geschiedenis van de slavernij in Amerika. Hij citeerde uit Marcus Garvey en Malcolm X, en ook uit Edgar Cayce en Nostradamus. Hij begon steevast met mijn bier te weigeren, maar dronk vervolgens vrijwel het hele sixpack op. Op een avond vroeg ik of ik zijn dashiki een keer mocht passen, en toen ik hem over mijn hoofd trok, moest Ahmed zo hard lachen dat ik bang was dat hij erin zou blijven.

Op een zomeravond – ik was net terug van verlof – kreeg ik een telefoontje van mijn stadsredacteur, die me opdroeg naar Glenville te gaan, waar 'ongeregeldheden' waren uitgebroken. Ik stapte meteen in mijn roestbak van een auto, en toen ik in de buurt van Glenville kwam, zag ik dat het oorlog was. Overal hing rook. Huizen stonden in brand. Politieauto's en brandweerwagens raasden me met gillende banden en loeiende sirenes voorbij. Ik zette mijn auto weg en zigzagde zwaaiend met mijn perskaart om politieauto's heen en tussen honderden politiemannen met getrokken wapens door. Het was je reinste chaos. Nu hoorde ik ook hevig geweervuur, en toen ik die kant uit rende en op de grond hurkte, schreeuwden politieagenten me toe dat ik op de grond moest gaan liggen. Een van hen gooide me bijna omver toen hij me met mijn rug tegen een autoband duwde.

Terwijl ik dekking zocht, hoorde ik het ratelen van automatisch geweervuur. Kogels ketsten van de auto waarachter ik dekking had gezocht of gingen er dwars doorheen. Ik hoorde gekreun en geschreeuw: 'Help me!' Ik beefde zo hard dat mijn perskaart uit mijn vingers viel. Ik voelde mijn broek nat worden tussen mijn benen. Hoewel er nog steeds geschoten werd, gluurde ik om het wiel heen en zag een politieman op straat liggen, hoogstens twintig meter van me vandaan. Ik herkende hem. Het was mijn vriend Elmer Joseph van het politiebureau. Hij lag in een poel van bloed en schreeuwde om hulp. Hij lag in het kruisvuur. Niemand kon naar hem toe.

Het automatisch geweervuur kwam uit een gebouw aan de overkant. In het gebouw zaten mijn vriend Ahmed Evans en zijn huis vol militante zwarte jongeren. Ik zat meer dan een uur lang vast achter dat wiel. Toen alles voorbij was, waren er een heleboel mensen dood, onder wie Elmer Joseph. Ahmed Evans zou levenslang krijgen. Glenville bleef drie dagen branden. De volgende dag zag ik dat het huis van Delia's vader gespaard was gebleven.

Het bloedbad in Glenville leidde – eindelijk – tot een grondig intern onderzoek onder de politie van Cleveland. De agenten hadden té vaak beweerd een 'blinkend voorwerp' te hebben gezien alvorens het vuur op een jonge zwarte man te openen. De politici hadden de woede van arme mensen té vaak toegeschreven aan 'agitatie van buitenaf'. Martin Luther King Jr., een vredestichter van buitenaf, kwam naar de stad, en terwijl ik hem volgde, voelde ik de kalmte, de innerlijke rust die hij uitstraalde toen hij met alle betrokken partijen praatte om een nieuwe uitbarsting van rassenonlusten te voorkomen.

Mijn krant, de *Plain Dealer*, deed zijn best een verantwoordelijke en progressieve spreekbuis van de gemeenschap te zijn. In deze krant verschenen mijn verhalen over zwarte mensen op de voorpagina. Ik schreef een voorpagina-artikel waarin ik statistisch bewees dat zwarte mensen de grootste slachtoffers van misdaad waren. Ik reisde naar Mississippi voor een vervolgartikel over de moord op burgerrechtactivisten Goodman, Chaney en Schwemer en kreeg een geweer in mijn buik gestoken door hulpsheriff Cecil Price, een van de mensen die van de moorden beschuldigd waren. Zijn assistenten escorteerden me naar de grens van Neshoba County.

Niet dat de krant zelf helemaal vrij was van racisme. Een oudere journaliste kwam voortdurend met anonieme FBI-rapporten aandragen om de redactie zover te krijgen dat ze in het privé-leven gingen wroeten van de eerste zwarte burgemeester van Cleveland (en van het hele land), Carl Stokes. Eerst beweerde ze dat Carl smeergeld van drankhandelaars had aangenomen. Dat bleek gelogen. Vervolgens beweerde ze dat Carl een buitenechtelijk kind in Tennessee had. Dat bleek gelogen. Toen beweerde ze dat Carl, die een zwarte vrouw had, verhoudingen met blanke vrouwen had. (Kenneth W. Starr in de bocht... dat bleek niet gelogen en kostte hem uiteindelijk zijn herverkiezing.)

De *Plain Dealer* gaf me de vrijheid verslag te doen van burgerrechtsbetogingen, racistische en corrupte politievakbonden en zelfs van een Hongaarse burgerwacht die in de etnische wijk van Buckeye Road, waar mijn ouders woonden, 'patrouilleerde'. Een Hongaarse burgerwacht die gewapend met knuppels en pistolen door de straat liep of reed en zwarte mensen naar goed Europees nazi-gebruik te lijf ging of lastig viel. De slagers waren de enige mensen die de toevloed van zwarten in deze oude Hongaarse buurt toejuichten. Ze constateerden met plezier dat zwarte mensen dol waren op gerookt en in paprika gemarineerd spek en pikante salami en hoofdkaas en schreven met grote letters op hun etalageruiten dat ze SOUL FOOD verkochten. Mijn artikelen maakte een eind aan de activiteiten van de Hongaarse burgerwacht. Veel Hongaren in Buckeye Road hadden de pest aan me. Mij konden die bleke, racistische, antisemitische, anti-Amerikaanse, anti-junglemuziek, ouderwetse Hongaren gestolen worden.

Ik nam mijn nieuwe vriend Jimi Hendrix mee naar een Hongaars restaurant in Buckeye Road om leverballensoep te eten en glimlachte om de grote ogen die de Hongaarse eigenaar en zijn personeel opzetten bij het zien van deze astrale cowboy met zijn afrokapsel, zijn kralen en zijn blinkende zilveren sieraden. Ik nam Otis Redding een paar uur voordat zijn vliegtuig neerstortte zijn laatste interview af. Ik trok na afloop van een optreden van James Brown achter de coulissen zijn cape aan (hij paste). Ik zag Chuck Berry voor een concert zijn geld opeisen in een bruine papieren zak voordat hij het podium op wilde gaan.

Toen ik bij *Rolling Stone* ging werken, ontdekte ik dat een heleboel jonge blanke mensen even intense gevoelens over zwarte mensen en de zwarte cultuur koesterden als ik. Bij vrijwel iedereen was dit begonnen met de muziek. We waren opgegroeid met Chuck en Little Richard en Jackie, net als de Stones en de Beatles en de Doors en Jefferson Airplane. Die muziek, door mijn vader afgedaan als 'junglemuziek', had ons veranderd. We wilden zwart zijn. Alleen luisterden we in de jaren '60 en '70 ironisch genoeg veel meer naar de blanke versies van die zwarte sound – Janis en Mick en de Beatles – dan naar Muddy zelf of Chuck zelf.

We wilden dolgraag zwart zijn, maar echt lukken deed het niet. Onze kinderen – en zo hoort het ook – kwamen er veel dichterbij. Bij het aanbreken van de jaren '90 begon de rock 'n roll oud te worden, net als wij zelf, en onze kinderen gingen overstag voor het scheurende, hypnotische ritme van hiphop en rap en voor zulke keiharde teksten dat veel rock 'n roll-ouders vergaten hoezeer we zelf genoten hadden van songs als 'Starfucker' van de Stones en veel van het werk van Prince, en eisten dat de platenmaatschappijen hun CD's van waarschuwende stickers voorzagen. Onze kinderen waren niet echt geïnteresseerd in blanke artiesten die het echte werk imiteerden – zij hadden geen Mick nodig om Muddy te interpreteren – zij luisterden naar de echte, niet-witgekalkte, ebbenhouten zwarte sound zelf: naar Tupac en Snoop en Dr. Dre en Wyclef Jean. Mijn eigen zoon, grootgebracht met Dylan en de Stones, werd rond zijn twintigste hiphop-DJ en noemde zich D.J. Rogue. Hij luisterde uitsluitend naar zwarte muziek, omringde zich met zwarte vrienden en was een even soepele plaatjesdraaier als sommige zwarte DJ's. Hij haalde zelfs zijn neus op voor de Beasty Boys.

Toen ik naar Hollywood ging, viel het me makkelijk te schrijven over rassengelijkheid en de krachten van het blanke racisme, en ik schreef twee films uit twee verschillende gezichtshoeken – *Big Shots*, over de vriendschap tussen een zwarte en een blanke jongen, en *Betrayed*, over 'zwartenjagende' neo-nazi's.

Ik ontdekte ook dat Hollywood bang was voor bepaalde aspecten van de betrekkingen tussen zwart en blank. Hollywood had nog nooit een film gemaakt over de rassenrellen van de jaren '60, een ideaal en historisch belangrijk dramatisch onderwerp. Liefdesgeschiedenissen tussen zwart en blank, vooral films waarin zwarte mannen en blanke vrouwen seksueel intiem werden, waren nog steeds taboe. (Hoewel de seksscènes tussen Richard Pryor en Margot Kidder in *Some Kind of Hero*, die op de vloer van de montagekamer belandden, inmiddels verzamelobjecten waren.) Ik ontdekte dat sommige producers het vooral op Spike Lee gemunt hadden. Spike wilde een van mijn scenario's, getiteld *Reliable Sources*, regisseren, maar hij kreeg geen enkele kans. Een manager bij Paramount stuurde andere managers een fotokopie van een artikel waarin Spike antisemitische opmerkingen aangewreven werden. Toen

Spike zich door zijn Nation of Islam-chauffeur voor overleg naar de studio liet brengen, glimlachten de studiobonzen, hielden hem een poosje aan de praat en boden hem vervolgens zo weinig geld dat ze zeker wisten dat hij hun aanbod wel móest afslaan.

Maanden na Bill Clintons politieke perikelen verscheen Al Gore in een zwarte doopsgezinde kerk en probeerde zijn toehoorders zijn zielsverwantschap met hen duidelijk te maken door te zeggen dat ook hij aan den lijve vooroordelen had ervaren. Na zijn terugkeer uit Vietnam, zei hij, lachten en spotten alle langharigen om zijn stekelhaar en zijn uniform. 'Op dat moment voelde ik me één met Ralph Ellison,' zei de vice-president tegen zijn zwarte publiek. *Ach... waarom ook niet?* Die goeie ouwe, burgerlijke, reactionaire Al Gore. Zelfs hij! Privé-scholen, Harvard, het zoontje van een senator. *De zoveelste blanke jongen die zwart wilde zijn.*

[3]

James Carville slaat erop

'Oké, hij heeft een probleem,' zei Monica tegen Linda Tripp.
'En wij, het Amerikaanse volk, hebben hem gekozen. Dus laat
hem gewoon zijn stomme werk doen.'

Het was een broodje-aapverhaal van het soort dat John Denver onze beste sluipschutter in Vietnam was geweest omdat hij altijd wachtte tot zijn doelwit door de zon verblind werd alvorens de trekker over te halen. Maar dit 'broodje aap', verzekerden mijn onkreukbare bronnen in Washington me, was absoluut waar – 'hand op de bijbel en mijn kop eraf' – en was alleen buiten de pers gehouden omdat het een pijnlijke familie-kwestie was in een tijdperk waarin de familie hoog in het Amerikaanse vaandel stond. Ik had het voor het eerst gehoord in 1992 en nu, terwijl Kenneth W. Starr en zijn bondgenoten in het Congres hun lange messen trokken om Bill Clinton de keel door te snijden, hoorde ik het opnieuw.
James Carville was het bastaardbroertje van Hunter S. Thompson.
Ze hadden elkaar gevonden tijdens de campagne van 1992 en waren tot de conclusie gekomen dat ze aan dezelfde erfelijke aandoening leden. Die aandoening bracht hen tot zelfmisbruik (nee, niet op die manier!) en tot schuimbekken, mummelen, ketteren, stotteren en stuiptrekken. Terwijl ik de scherp geslepen lange messen zag naderen, bedacht ik dat twee Carvilles, twee Thompsons, twéé getikte mensen op een kritiek moment als dit beter waren dan één.
Ik hoopte van harte dat Hunter in Woody Creek op zijn berg in Colorado, een krankzinnige derwisj die vierentwintig uur per dag naar CNN keek, zijn bastaardbroertje opnieuw van advies zou dienen... net als hij in 1992 gedaan had met een reeks strategische memo's die Clinton in het Witte Huis geholpen hadden en zijn broertje beroemd hadden gemaakt. Over de strategie van het Bush-kamp: 'Ze [Bush en James Baker III] martelden de koningin van Engeland drie dagen en drie nachten lang om haar te laten verklaren dat Bill Clinton haar tijdens zijn studie in Oxford herhaaldelijk verkracht had en dat ze legio maniakale liefdesbrieven heeft om dat te bewijzen.' Over een verrassing in oktober: 'Ze zouden Bills dochter kunnen inhuren om haar te laten zeggen dat hij haar misbruikt heeft. Net als Woody Allen.' Over Clintons strategie:

'Ontken niets, vooral niet als ze je ervan beschuldigen dat je varkens neukt. Ga gewoon voor de microfoon staan en glimlach als een kampioen.' Over Clintons kwetsbaarheid: 'Trouwens, waar was Clinton op de avond dat James Dean stierf? Naakt en dronken op een tienergolfbaan in Arkansas? Bezig van geilheid gezwollen bandafdrukken in de achttiende green te trekken? Bezig een naakt jong meisje het bos in te jagen?' Over Ross Perot: 'Hoe kwam je op het idee om dit godvergeten wezeltje in het debat toe te laten? Laat hem doodvallen! Perot is een valse, gevaarlijke lijmpop en een willig werktuig van James Baker III, die ons allemaal wil begraven. Vooral jou en mij, James.' Over het karakter van de vijand: 'Geloof me gerust, James, die gewetenloze schuinsmarcherende zwijnen zullen zich nergens door laten remmen. Hoeveel punten denk je dat James Baker III het waard zou vinden als hij op 15 oktober het zuidelijke gazon van het Witte Huis op kon marcheren met het bloedende hoofd van Saddam Hoessein in zijn handen...? Pas op, James, pas op. Baker III is zo'n smeerlap dat jij vergeleken bij hem maar een ringslang bent. Hij zou het hoofd van Barbara Bush op een schotel opdienen als hij dacht dat hij daarmee de verkiezingen zou winnen.' Een goede raad van grote broer: 'Je hebt mazzel dat ik niet je tegenstander ben. Ik zou die dégeneré [Clinton] voor zijn eigen bestwil laten opsluiten.'

Dít was de instelling die we op dat moment nodig hadden, dacht ik – nee, niet de president opsluiten als dégeneré, maar de oude strijdlust van de jaren '60 en Notre Dame. Koudmaken dat politietuig! Scoor een punt voor Abbie Hoffman! LSD in hun waterleiding! Traangasmaskers en verbrijzeld glas en *the time to set the night on F-I-R-E!* De dingen waar Hunter van doordrenkt was en waarnaar hij stonk als een politieke alcoholist uit de jaren '60 in zijn bergfort in Woody Creek, waar hij zijn telefoon en zijn fax, zijn woede en zijn gevatheid nog steeds als lasergestuurde projectielen op Amerika afvuurde, aangedreven door nicotine, alcohol, diverse medicijnen en een onverzettelijke en niet te ontmoedigen hoop op een beter Amerika. Ik wist dat zijn kleine bastaardbroertje precies op hem leek, minus de nicotine en de medicijnen, en ik wist dat James verbaal zijn mannetje stond, zelfs tegen Hunter, die hij goedmoedig aansprak als 'Doc': 'De bijbel zegt dat iedereen voor zijn dood een pond vuil moet vreten,' zei James tegen Hunter. En: 'Verkiezingen betekent je vijanden verneuken, winnen betekent je vrienden verneuken.' En: 'Denk je dat God een rotzak is? Shit, je zou míjn scorelijst eens moeten zien! Zelfs Richard Nixon kwam niet op het idee om zo'n lange lijst van vijanden bij te houden als ik.' Mooie woorden. Fraaie, vechtlustige uitspraken. Perfect voor de tijd waarin de lange messen blikkerden in verduisterde Congreskantoren waar alleen een bloedrode maan naar binnen scheen. Maar... nog steeds alleen maar *woorden*. Ik vond dat James zijn broer naast zich moest hebben.

Ik wist dat die twee een gemene familieruzie hadden gehad, door Hunter beschreven in *Better Than Sex*:

Plotseling stond ik op en gaf hem met mijn vlakke hand een lel tegen zijn hoofd, recht op zijn oor. Hij had niets zien aankomen. Hij wankelde en viel op zijn knieën, terwijl de omstanders haastig uiteenstoven om uit de buurt van het geweld te komen en hysterisch snaterden terwijl James zich opgerold als een slang grauwend en sissend naar me omdraaide. Ik week achteruit, maar ik was te laat. Als een ontzinde sumo-worstelaar wierp hij zich op mijn knieën. Als er niet zoveel mensen om me heen gestaan hadden, zou ik tegen de grond zijn gegaan. Ik probeerde hem een oplawaai te geven, maar hij liet zich van me af glijden en spoog verwensingen. Terwijl de mensen schreeuwden, probeerde ik hem opnieuw een stomp te geven. Ik voelde handen en toen werd ik van achteren in een houdgreep genomen en omver getrokken. Ik maaide als een bezetene om me heen en raakte iemand, net op het moment dat James weer op me afsprong.

Maar toen herlas ik Hunters beschrijving en kwam tot andere gedachten. ... James opgerold als een slang op de grond, 'grauwend en sissend'. ... James als een 'ontzinde sumo-worstelaar'. ... James die zich vloekend weg laat glijden. ... James die op hem afspringt. Misschien, dacht ik, zou kleine broer toch voor zichzelf kunnen zorgen. Opgerold als een slang, grauwend, sissend, glibberend, vloekend, als een sumo-worstelaar vechtend tegen de mannen in de donkere pakken met de lange messen, de christelijke burgerwacht die high was van hun eigen waarden. Wie weet zou hij het karwei ook zonder Docs hulp klaren. Wie weet was James Carville zo mogelijk nog geschifter dan Hunter Thompson. James die zijn eigen evangelische vuur spuugde ter verdediging van zijn geliefde Amerikanen, de jongens in de patatzaak, de vrouwen in de K-Markt. Ik hoopte dat 'Slangenkop,' zoals zijn vrouw hem noemde, Hunter de waarheid had verteld. Het halfwijze broertje zou een grotere rotzak moeten zijn dan God... een grotere rotzak dan Nixon... een grotere rotzak dan Hunter... een grotere rotzak dan al die mensen bij elkaar... om de eerste rock 'n roll-president van de Verenigde Staten uit de stront te trekken.

'Valser dan een straathond!' zei een assistent van een door James Carville verslagen kandidaat over hem. En de *Washington Post* had zelfs een spotprent van hem als Doberman afgedrukt. James werd beschreven als 'een kwaadaardige John Malkovich onder de invloed van speed' en als 'Anthony Perkins die een trippende Fidel Castro speelt.' Ze noemden hem Atilla de Hun en Raspoetin, maar hij tekende bezwaar aan tegen Raspoetin omdat die, zei hij, op het laatst verkracht, gecastreerd en in een rivier gesmeten werd. Zijn vijanden zeiden dat hij even subtiel was als een gebalde vuist en beschuldigden hem ervan zijn opponenten lam te slaan. Dat ontkende James niet. Hij noemde zichzelf 'Sergeant Stootbal' en zei: 'Het valt mensen niet mee je te een klap te geven als je een vuist in hun gezicht hebt... als ik een verkiezingscampagne doe, zeg ik altijd dat ik de mensen tegen wie ik het opneem de sjanker en een vroege dood toewens.'

Hij was drieënvijftig in het jaar dat de lange messen voor Bill Clinton getrokken werden. Hij was lang en gespierd en droeg het liefst spijkerbroeken, hoge schoenen en T-shirts. Hij grinnikte, giechelde, kakelde. 'Mijn moeder,' zei James, 'zei altijd dat ik net een broodrooster was. Ik sprong voortdurend omhoog.' Hij sprak een vreemd, mummelend wauweltaaltje en had een accent om te snijden. Cal Ripken vroeg zich af wat voor taal James sprak. Zijn vrouw noemde hem 'de koning van Bazel' en zei dat een derde van wat James sprak *Ebonics* was.

Het vreemde taaltje was zonder twijfel de uiterlijke manifestatie van een erfelijke innerlijke dementie. James plaste soms bloed tijdens zijn campagnes. Gedurende de laatste weken van een campagne weigerde hij zijn ondergoed te verschonen om zijn kandidaat toch vooral niet op de een of andere manier in zijn eindsprint te belemmeren. De dag van de verkiezingen bracht James opgerold als een feut in een donkere kamer door. Hij stapte elke dag aan de andere kant zijn bed uit, omdat hij meende dat dit geluk bracht. Hij droeg zwarte wanten voor nog meer geluk. James had om de een of andere duistere reden elf flessen Chef Dan's barbecuesaus op zijn bureau staan. Hij keek de hele dag naar het weerbericht. Hij keek zo vaak als hij kon naar herhalingen van *The Andy Griffith Show*. Hij verloste zichzelf van zijn nerveuze hoofdpijn door rauwe eieren op de hoofden van zijn assistenten te klutsen. James dacht dat Marcella Hazan, een prinses van de gastronomische wereld, de Wederkomst des Heren was. James praatte iedere dag met zijn moeder. Hij had een kantoor in het souterrain van een rijtjeshuis in Capitol Hill dat hij 'de Vleermuisgrot' noemde, in een onmiskenbare hommage aan Hunters Uilenboerderij. James verscheen op de tv met een glas Wild Turkey in zijn hand. James schoot op bierflesjes en colablikjes in zijn achtertuin.

James was in staat tot lange, opgefokte, primitieve tirades die gevaarlijk waren voor de gevoelens en bloeddruk van miljoenen ongelukkigen die een maïskolf in hun reet hadden. Razend, tierend, mummelend, stuiptrekkend, snaterend, mekkerend, biologerend, scheurend, intimiderend, vernederend... *echt angstaanjagend.* 'Ik ben een soort politieke bullebak,' bazelde de koning van Bazel. 'Ik ben een beetje als de pianist in een hoerenkast. Iemand hoort iets. Ik probeer het na te doen... Ik ben raar. Ik ben onaangepast. En toch hangt mijn hele vermogen om een boterham te verdienen af van mijn vermogen om aansluiting te vinden bij het alledaagse leven van de mensen... Ik hou en geniet van politiek strijd voeren. Dit tijdperk waarin iedereen broederlijk rondom de gemeenschapstafel zit is niet mijn moment in de geschiedenis... Als ik een kandidaat kies, moet ik een jaar lang in zijn vossenhol wonen. Je moet een hele tijd hun adem ruiken... Ik ga liever dood dan dat ik zo'n Gucci-jongen met een stropdas word die voor een of andere Congrescommissie staat te getuigen... Ik heb een schurk nodig. Ik blijf de hele campagne pisnijdig. Ik ben net als uranium 235, niet helemaal stabiel... Als jouw man problemen heeft, moet je met water gooien. Als je tegenstander problemen heeft, gooi je met benzine... Als je de slang opraapt word je gebeten... Vechten is vechten...'

Mensen die zowel Thompson als Carville kenden, verbaasden zich erover hoezeer James beïnvloed was door de rioolpolitieke doctrines die Dr. Thompson geformuleerd had, maar die James pas recentelijk onder ogen had gekregen. 'Ik moet mezelf tegenhouden om niet in schuttingtaal en gevloek te vervallen... Ik heb een zwak voor bourbon, Schotse whisky, gin, rooie wijn en bier... Denk je dat ik nooit een ongedekte cheque heb uitgeschreven of een grote mond tegen een ondergeschikte heb opgezet? Of geïnhaleerd heb? ... Wat we in deze campagne nodig hebben is meer McDonald-denken,' zei James. 'Wat de rauwe praktijk van de kunst van de politiek betrof, was George Wallace het bestuderen waard... Het enige wat zo'n V-chip doet is ouders toestaan hun tv zo te programmeren dat hun kinderen niet naar bepaalde programma's kunnen luisteren. Shit, misschien wil ik wel niet dat mijn kind naar Jerry Falwell op de tv kijkt. Nou, dan V-chip ik hem er zó uit... Als je de ergste ruggengraatloze joris-goedbloeden van jankers en klagers wilt zien moet je naar de progressieven kijken. Mijn boodschap is: Hou op met klagen, kom van je reet en organiseer jezelf. Trek je chequeboek. Schrijf ingezonden brieven. Doe wat de Republikeinen doen... De Republikeinen zijn de partij van het grote geld en seksgeruchten, da's het enige waar ze goed in zijn... Ik vraag me af of er eigenlijk wel één Republikein in de Verenigde Staten is die de Grondwet werkelijk gelezen heeft.' James' definitie van 'de vijand' klonk als een opsomming van de politieke doelwitten waar zijn grote broer het al een heel leven op gemunt had: Republikeinen, de media, de intellectuelen, de citaathoeren [onafhankelijke analysten], de eendagshelden [experts].'

Wat triest, dacht ik. James en Hunter leken meer dan broers; ze leken een lichamelijke en ideologische tweeling. En nu de lange messen naderden, stonden ze niet zij aan zij, waar ze hoorden te staan. De een zat op zijn Uilenboerderij, de ander in zijn Vleermuizengrot. Ze konden hun Wild Turkey niet delen; ze hingen op verschillende plaatsen aan hun drieliterfles, knalden erop los in verschillende achtertuintjes. En allemaal vanwege een familieruzie in een luizentent in Little Rock. Twee harde jongens die op het moment van hun triomf – de verkiezing van Bill Clinton – niet konden ophouden met ruziën en hun levenslange razernij op elkaar afreageerden.

Hunter was de ideoloog die zijn gefaxte verhandelingen van zijn berg liet stromen; James was de zware jongen die probeerde ogen uit te krabben. 'Ik vertegenwoordig alleen maar Democraten, geen oplichters, geen racisten,' zei James. Dat was de gemummelde *Ebonic* Cajun-rationalisatie voor ogen uitkrabben, knieschijven verbrijzelen, kelen doorsnijden... maar enkel voor de goeien: Democraten, niet voor oplichters, niet voor racisten.

Zie hoe James een enquêteur te woord staat: 'Hij keek me kwaad en gemelijk aan,' zei de enquêteur. 'Hij staat op en loopt om het meubilair heen en dan begint hij óver het meubilair te lopen en te krijsen en ik denk – O mijn God, ik heb met een krankzinnige te doen! Die man moet onmiddellijk opgenomen worden.'

Zie hoe James een mogelijke kandidaat/cliënt te woord staat. De kandidaat vraagt hem naar zijn staf. James zegt: 'Er was eens een sheriff in een klein stadje in Texas waar een opstootje uitbrak, dus de sheriff roept de Texas Rangers te hulp. En de trein rijdt het station binnen, waar de sheriff angstig staat te wachten. En uit de trein stapt één Texas Ranger met zijn paard aan de teugel. En de sheriff zegt: "Hé, we hebben hier een opstootje van jewelste! Waar zijn de anderen?" En de Texas Ranger zegt: "Hoor es, sheriff. Eén opstootje, één Texas Ranger."' En James zegt tegen de kandidaat/cliënt: 'Ik héb helemaal geen staf.'

Zie wat James doet in 1983, tijdens de campagne van Gary Hart. Hart moest zich terugtrekken vanwege Donna Rice. 'Ik was op de terugweg naar mijn motel in Maryland. Ik stond midden in een onweersbui op het trottoir in Massachusetts Avenue. Mijn tas viel open en al mijn bezittingen rolden over de straat. Ik had zes dollar in mijn portefeuille. Dat was alles wat ik in deze wereld bezat. Ik voelde me een stomme schlemiel. Ik ging op de trottoirband zitten en jankte.'

Zie wat James doet in 1984, tijdens de campagne van Lloyd Dogett voor de Senaat in Texas. James woont in zijn auto. Dogett verliest niet alleen, hij lijdt de grootste nederlaag die een Democraat ooit in Texas is toegebracht. James sluit zich op in een rotkamertje in Austin. 'Ik huilde veel. Ik was bang dat ik een mislukking was. Ik was veertig. Ik had geen geld. Ik had geen ziektenkostenverzekering. De afkoopsom van mijn levensverzekering was 2500 dollar en ik moest ergens geld vandaan zien te halen om te voorkomen dat de lui van Visa me kwamen lynchen. Heb je ooit naar een telefoon gekeken in de hoop dat hij zou rinkelen? Geloof me, ik heb weken, maanden naar een telefoon zitten kijken, gewoon ernaar zitten staren. Ik dacht: ik moet wég uit deze branche. Ik kan niet winnen.'

In datzelfde rotkamertje in Austin besloot hij dat hij te veel van zijn werk hield. Hij besloot nooit meer te verliezen. Het was alles of niets. Nooit meer snikkend op trottoirbanden zitten. Nooit meer in auto's wonen. Nooit meer wachten tot de telefoon rinkelde. Nooit meer mooi weer spelen. Vlieg ze recht naar de keel! Zoek de schandalen! Stuur negatieve advertenties rond! Haal ze door de gehaktmolen! Hak ze aan mootjes!

Tijdens zijn campagne tegen Bill Scranton II in Pennsylvania beeldt hij Scranton af in een Nehroe-jasje, pratend over transcendentale meditatie. Hoewel James zelf soms graag een lekkere dikke joint draait, speelde hij de bijzonderheden van Scrantons hasjgebruik aan de pers door. Scranton verloor. Carville won. Tijdens zijn campagne tegen gewezen Rhodesstudent en winnaar van de Heismantrofee Pete Dawkins in New Jersey: 'Ik moest Dawkins op kniehoogte afzagen. Als hij erin slaagde een geloofwaardig imago op te bouwen, zou hij een harde noot zijn om te kraken.' James maakte advertenties waarin Dawkins werd afgeschilderd als politieke opportunist en die eindigden met de regel: 'Kom op, Pete, geef maar toe.' Dawkins verloor, Carville won. Tijdens zijn campagne tegen Reagans voormalige minister van Justitie Dick Thornburg in Pennsylvania, viel hij Thornburg persoonlijk aan: 'Het idee dat Thornburg terugkomt naar Pennsylvania en zegt: 'Stuur me naar de politieke wandelgangen want ik ken Washington' is net zoiets als het tegen Jezus opnemen met een pro-melaatsheidprogramma.' Thornburg verloor, Carville won.

Inmiddels had James ook de gewoonte aangenomen de kandidaten van de oppositie met zijn fysieke aanwezigheid de stuipen op het lijf te jagen door op hun persconferenties te verschijnen en hun vanuit de achterste gelederen boosaardig toe te grijnzen. 'We hebben veel te veel tijd verknoeid met op James Carville letten en hem proberen te ontwijken,' zei een assistent van Thornburg. Thornburgs campagneleider zei: 'Carvilles sterkste punt is níets doen maar de indruk wekken dat hij wel iets gaat doen. Het zijn psycho-trucjes. We verloren een heleboel tijd doordat we probeerden te anticiperen op dingen die uiteindelijk helemaal niet gebeurden.'

James was intussen op weg een beroemdheid te worden, hoewel hij ook een reputatie begon te krijgen als de Democratische Lee Atwater, de poppenspeler achter Reagan en George Bush die de grondlegger was van de negatieve, persoonlijke, destructieve strategie van de verschroeide aarde. Een nationale politiek analist zei: 'Carville is precies wat de Democraten zochten. Iemand die niet alleen vuur met vuur beantwoordt, maar er niet voor terugschrikt om een vlammenwerper te gebruiken.' Soms werkte de vlammenwerper niet. In de Democratische voorverkiezingen tegen gouverneur Ann Richards van Texas liet James, die zelf vaak inhaleerde, advertenties verschijnen waarin hij haar van drugmisbruik beschuldigde. Richards won, Carville verloor.

Geen nood. Toen de verkiezingen van 1992 naderden, wilden Bob Kerrey, Tom Harkin en Bill Clinton hem allemaal hun campagne laten voeren. Hij was inmiddels een winnaar, een wonderkind, een killer, een ster. 'Dit is een van de weinige beroepen waarin het zo zwaar in je voordeel werkt dat mensen je voor niet helemaal normaal verslijten,' zei

James. 'Soms zowel cliënten als tegenstanders.' Zijn nieuwe jonge partner Paul Begala zei tegen potentiële gegadigen: 'Iedereen weet dat James een paar draadjes los heeft zitten, maar ik ben de enige die weet welke.' Hij koos Bill Clinton omdat hij hem persoonlijk mocht, zijn ideeën mocht, Hillary mocht en omdat hij dacht dat hij hem president zou kunnen maken. 'Weet je,' zei James tegen Bill Clinton, 'je betaalt voor mijn hoofd, maar je krijgt er mijn hart gratis bij.' Hij deed het tegenstanderonderzoek waar hij zo in geloofde, niet alleen bij George Bush, maar ook bij Bill Clinton, om in staat te zijn hem te verdedigen. Hij vaardigde bevelen uit dat hij zo weinig mogelijk op schrift wilde hebben. Hij werkte vierentwintig uur per dag, een demonische figuur in spijkerbroek en T-shirt die zijn medewerkers voortdurend toeriep: 'Rennen! Niet slenteren!'

Op de morgen dat Bill en Hillary hun interview over Gennifer Flowers op *60 Minutes* gaven, werd James bij het eerste licht 'doodmoe en drijfnat' en snikkend wakker. Na het interview omhelsde hij Bill Clinton en huilde opnieuw. Mensen die getuige waren van de buitengewone band tussen de twee mannen wezen op wat ze James' 'K-Mart-leven' noemden. Sommige mensen hadden het idee dat James Carville in een K-Mart van zijn jeugd woonde. En zoals Jack Kennedy de kandidaat van Camelot was geweest, zo was Bill Clinton de kandidaat van K-Mart.

Op de dag van de verkiezingen huilde James opnieuw... en daarna stortte hij zich in het venijnige kroeggevecht met Hunter, die uit Woody Creek was afgedaald om zijn broertje te bezoeken. En de twee kameraden en broeders krabbelden overeind van de smerige, met bier bevlekte zaagselvloer en gingen huns weegs. (Och, verrek, elke revolutie heeft haar eigen kinderen verslonden.)

James werd geen minister of woordvoerder. 'Ik zou niet in een regering willen zitten die mij wil hebben,' zei hij. Hij leidde nieuwe campagnes, maar bleef hecht bevriend met Bill Clinton. 'Ik kan niemand bedenken die me beter behandeld heeft, aardiger tegen me geweest is of me meer kans gegeven heeft het hoogste geluk te bereiken dan president Clinton, en ik hoop dat ik hem niet teleur zal stellen,' zei James.

Hij leek weinig te veranderen op het moment van zijn grootste triomf. 'Ik ging niet in het lobby-wezen,' zei hij. 'Ik ging niet naar de diners in Georgetown. Ik schafte me geen nieuwe vriendenkring aan.' Soms leek zijn roem hem te veel te worden. 'Ik zat op dat podium in New York. Ik weet niet of iedereen die meetelde in New York er was, maar in ieder geval wel iedereen waar ík van gehoord had. Drie kwartier lang zit ik voor al die mensen en het enige wat ik kan denken is – Heb ik mijn gulp dicht?' Hij droeg nog steeds de spijkerbroeken die de mensen van hem verwachtten. 'Toen ik met verkiezingscampagnes begon,' zei hij, 'had ik altijd een spijkerbroek en een T-shirt aan. Toen kocht ik een pak om uit te gaan en lezingen in te houden. En de mensen kwamen naar me toe en zeiden: "Nou, moet je zien! Je laat iemand tot president kiezen en nou draag je een chic, duur pak. Je bent veranderd!" Ik krijg verzoeken – "Zeg tegen hem dat hij zijn spijkerbroek aantrekt!" In Georgia ging ik uit in een khakibroek. De mensen waren diep teleurgesteld. Ze zeiden: "Waar is je spijkerbroek, man?'"

Hij verwachtte half en half dat hij snel vergeten zou zijn. 'Het is de péts-ceremonie,' zei hij. 'Ze hijsen je aan de vlaggenmast en dan val je – péts – omlaag en iedereen zegt: "Och, wat jammer!" Het schijnt een soort cyclus te zijn. Eerst trekken ze je omhoog en dan val je te pletter.' James had geen grote ambities. Hij wilde blijven doen wat hij leuk vond. 'Van Ted Williams zeiden ze altijd dat hij zich alleen maar verheugde op zijn volgende slagbeurt. Ik verheug me alleen maar op de volgende verkiezingscampagne. Ik ben een campagnebeest. Ik hou van de lucht in een hoofdkartier.'

Hij kocht een hut in het Blue Ridge-gebergte. James zat in zijn ondergoed op de veranda en schoot op konijnen. Zijn vriend Burt Reynolds kwam hem opzoeken, net zoals Johnny Depp en John Cusack zijn grote broer in zíjn bergen kwamen opzoeken, en zei: 'Mán, ik voel me plotseling weer terug in *Deliverance*.' James toonde alleen maar zijn angstwekkende glimlach, krabde aan de ballen waar hij al zo vaak aan gekrabd had en bleef erop los knallen.

Dat de dodelijkste verdediger van dienstplichtontduiker Bill Clinton in Fort Benning geboren was en twee jaar in het Corps Mariniers doorbracht, was een van de levensgrote ironieën waar James zo dol op was.

James groeide op in Carville, 1020 zielen, diep weggestopt in het ingeteelde Louisiana, waar wezens die op hem leken horizontaal door het slijm glibberden, waar de stopborden op Zwitserse kazen leken vanwege de jachtgeweren. Zijn vader en grootmoeder waren allebei postdirecteur en dus werd de stad naar hen vernoemd. 'Ik was een moederskindje,' zei James. Zijn moeder, die hij 'Miss Nippy' noemde, betekende alles voor hem. 'Ik heb een heel gelukkige jeugd gehad,' zei hij. 'Ik ging er gewoon vanuit dat dat voor iedereen gold. Ik kan me niet één ongelukkig moment als kind herinneren. Ik had op mijn zesde al een paard. Mijn grootouders woonden een stukje van ons vandaan. Als ik wilde kon ik bij hen gaan logeren. Iedereen hield van me en ik had nooit ergens gebrek aan. Toen mijn vader me vertelde dat de kerstman niet bestond, was de schok niets vergeleken bij mijn lol dat ik iets wist wat mijn jongere broers en zusjes niet wisten. Bovendien mocht ik mijn vader helpen de pakjes onder de boom te leggen.'

Zijn meest louterende moment als kind vond plaats toen zijn moeder hem leerde wat politiek was en toen Harper Lee hem leerde wat racisme was. Zijn moeder leerde hem politiek bedrijven door hem mee te nemen als ze de *World Book Encyclopedia* ging verkopen. James was zes. 'Ze kon fantastisch verkopen, het best van iedereen. We zochten naar een erf waar fietsen stonden. Dat was de hoofdverdachte. Een erf met fietsen en een boot was nog beter. Dan ging ze naar binnen en probeerde de mensen onderwijsmateriaal voor de kinderen aan te smeren. En je kon er donder op zeggen dat de man des huizes dan zei: "Dat kan ik me niet veroorloven." En dan zei ze dat hij zich kennelijk wel een boot voor zichzelf kon veroorloven en hoe vreemd ze het vond dat hij geen geld had voor onderwijsmiddelen voor zijn kinderen. Ze werkte zuiver op zijn schuldgevoelens. De verkoop was dan al zo goed als gesloten.'

Hij was zestien toen hij *To Kill A Mockingbird* las. 'Ik had eigenlijk nog nooit nagedacht over dingen als ras. Ik bedoel, je had blanke lui en je had zwarte lui. En blanke lui hadden dingen en zwarte lui niet. Zo was het, zo is het en zo zal het blijven. En ik had me nooit afgevraagd waarom – ik woonde in een vriendelijk wereldje. Ik had er geen oog voor dat sommige mensen van hun waardigheid beroofd worden. Maar toen las ik *Mockingbird* en wat Tom Robinson overkwam en ik wist instinctief – A. Dat dit een heleboel andere mensen overkwam, en B. Dat dit waarschijnlijk op ditzelfde moment mensen in mijn buurt overkwam. En dat het opnieuw zou gebeuren. En daardoor begon ik vraagtekens te zetten bij dingen die ik altijd klakkeloos aanvaard had. Het zette een proces op gang dat mijn beeld van de wereld veranderde.'

James speelde *football*, deed aan hardlopen en reed paard. Hij ging studeren aan de universiteit van Louisiana. 'Ik dronk, maakte een heleboel jacht op studentes en was betrokken bij een heleboel vechtpartijen. Vergeleken met mij was John Belushi een blokker.' Hij werd verwijderd en bracht twee jaar in het Corps Mariniers door als korporaal-intendant. Hij ging terug naar de universiteit, studeerde rechten, haalde zijn graad en hing zijn bordje aan de deur. 'Hij was de slechtste advocaat ter wereld,' zei zijn moeder.

Een autohandelaar in de buurt probeerde volksvertegenwoordiger te worden en vroeg James hem te helpen. De autohandelaar voerde campagne door zijn armen uit te spreiden en Elvis na te doen: 'I want you, I need you, I love you!' De autohandelaar verloor, Elvis verloor, James Carville verloor.

Het was zijn eerste verkiezingsnederlaag, hoewel hij al vele jaren eerder zijn eerste stappen in de politieke arena had gezet. Op zijn zeventiende, toen hij nog op de middelbare school zat, was James de hele stad rondgegaan om de verkiezingsbiljetten te verwijderen van een plaatselijke politicus die hij niet mocht.

Als James de Lijpe Cajun was, dan was zijn vrouw de Krankzinnige Kroatische, een vrouw die in een staalfabriek en een schoonheidssalon gewerkt had alvorens de politiek in te gaan, een opvallende verschijning die op Debra Winger leek en zichzelf een 'grict' noemde, die net zo hard vloekte als James en net als James een spijkerbroek droeg, maar ook haar nagels lakte in een bloedrode kleur waarmee James niet in het openbaar durfde te verschijnen.

Ze had een zware, raspende stem die ze gebruikte om Bill Clinton te omschrijven als een 'schuinsmarcherende, hasj-rokende dienstplichtontduiker' die last had van wat ze noemde, en het was háár term, 'mokkeluitslag.' Toen ze elkaar leerde kennen was Mary Matalin – ongelooflijk, in vergelijking met James – niet alleen Republikeinse maar zelfs voorzitster van het Republikeinse Nationale Comité. Ze leidde de verkiezingscampagne van George Bush, terwijl hij die van Bill Clinton leidde. Hun huwelijk was de paring van Marilyn Chambers met Pat Robertson, Warren Beatty met Phyliss Schafly, Barney Frank met Pat Buchanan.

En het was een ook een hoogst onwaarschijnlijke paring, aangezien James dezelfde problemen met zijn piemel had als Bill Clinton. Maar weinig mensen die hem kenden dachten dat hij in staat zou zijn Mary trouw te blijven, hoewel hij altijd zei dat Mary 'razend knap' en 'heel pikant' was. En toen hij haar een keer op een podium zag staan zei hij: 'God, schat, wat heb je toch een fantastisch figuur!' James was de man die zei: 'Hóó jongens! Denken jullie dat Gary Hart een probleem had?' ... Die toegaf: 'Ik meet met twee maten, ik handel met twee maten, ik lééf met twee maten.' Een vriend zei: 'James liet overal in het Amerikaanse landschap gebroken harten achter,' en 'Ik heb James met vijftien Mary's gezien voordat ik James met Mary zag.' En James ontkende dat hij tijdens de campagne van 1992 zijn piemel aan een vrouwelijke medewerkster had laten zien met de woorden: 'Hé, moeje híer kijken!' Waarop zij zei: 'Jeetje, ik heb nog nooit zo'n ouwe gezien.' James zei dat hij zijn gulp open had gemaakt, ja, oké, waarom niet, maar het enige wat eruitstak, was *de slip van zijn overhemd.*

Het kon James niet schelen wat mensen over zijn piemel zeiden; hij wist dat hij Mary aanbad en slaagde er zelfs in haar vriendinnen te overtuigen. Een van hen zei: 'Als Marilyn Monroe terugkwam en naakt door de kamer liep, zou hij haar niet eens zien.' Mary zei alleen maar: 'Hij windt me uitermate op – niet alleen zijn hersenen maar ook zijn andere delen,' hoewel hij haar plaagde door te zeggen: 'Met een Republikeinse trouwen betekent meestal leren wennen aan het celibaat.'

Maar Mary kende haar man. 'Voor mijn part draag je hem in je neus,' zei ze, 'maar ik wil dat je een trouwring draagt.' Als de ultieme politieke junks die ze waren, beschouwden ze de politiek zelf ook als seks. Zoals James het omschreef: 'Een politieke campagne zwelt aan, explodeert en houdt op. Dat is het opwindende aspect ervan.'

James wist hoe scherpzinnig ze was, en hoewel hij zei: 'Het enige wat ik met Republikeinen doe is ze verslaan en met ze vrijen,' had ze hem voor zich gewonnen met haar hersenen, haar lef en haar gebrek aan eerbied.

In bepaalde opzichten was Mary Matalin James een normaal mens in plaats van een glibberend bayou-wezen. Ze was intelligent genoeg om lid te zijn geweest van het team (aangevoerd door de inslechte Lee Atwater, haar mentor) dat George Bush getransformeerd had van een kakker van de oostkust tot een van muziek genietende, varkenszwoerd-etende Texaan die naar het warenhuis ging om een paar sokken te kopen. Dát, wist James beter dan de rest van de wereld, was geen kleinigheid. Mary was oneerbiedig genoeg om te vertellen dat toen Bush in Ohio vanuit een trein campagne voerde, een heel gezin zich vooroverboog en hem hun blote billen liet zien. Ze noemde George W. Bush 'Dzjoeoeoenior,' zei dat de stafchef van het Witte Huis onder Bush, John Sununu, 'het politieke inzicht van een deurknop' had en gaf toe dat Pat Buchanan een mug was – 'Laten we nou gewoon de vliegenmepper pakken en hem doodslaan.'

Mary had het lef James in zijn gezicht en in het openbaar te vertellen wat ze van hem vond. 'Hij is leergestoord en zijn geest werkt als een pingpongbal... Hij beschouwt het als een eer dat iedereen denkt dat hij mesjogge is... Die man is kierewiet. James zou door kunnen gaan en Ross Perot verslaan... Is James een gevoelige man? Hij is gevoelig voor pijn... Hij ziet eruit als de nakomeling van een seksscène in *Deliverance*.'

Ze mocht hem meteen. 'Hij is eenvoudigweg, zonder enige twijfel, de briljantste politieke strateeg, de briljantste man die er is, punt uit. Hij maakt me bang... We waren het vrijwel nergens over eens, maar we amuseerden ons kostelijk met tegen elkaar blaffen. We hadden binnen de kortste keren ruzie. We kenden elkaar pas een half uur en we stonden al en plein public tegen elkaar te schreeuwen... Toen ik hem leerde kennen, bezat hij één ding – een racefiets. En niet eens met tien versnellingen. En toen iemand inbrak in zijn appartement namen ze alleen maar een fles Wild Turkey mee, omdat verder niets de moeite van het stelen waard was... Het eerste wat ik in hem waardeerde is het feit dat hij van zijn moeder houdt. Hij aanbidt zijn moeder.'

Zíj deed de aanzoek voor hem. 'We waren bij een stockcar-race en zaten op de motorkap van een open bestelwagen,' zei ze. 'En hij biechtte op dat hij niet wist hoe hij een aanzoek moest doen. Dus ik zei: "Zeg maar na dan." En ik deed de aanzoek en toen zei ik ja.' Ze trouwden in New Orleans en hun bruiloft werd bijgewoond door zijn vrienden, mensen als Al Hirt en Timothy Hutton, en haar vrienden, mensen als Sonny Bono en Rush Limbaugh. 'Het begon met een cocktailparty,' zei James. 'En toen het tijd werd om te gaan trouwen deden we gewoon de deuren open en iedereen nam zijn glas mee naar waar de plechtigheid was. Na de bruiloft hadden we een optocht – we hadden een blazerskapel en iedereen marcheerde min of meer door Bourbon Street. De mensen gooiden met dingen en er werd jazz gespeeld.' Na de bruiloft zei James: 'Het was mijn noodlot een pantoffelheld te worden. De drie belangrijkste vrouwen in mijn leven zijn Mary, Hillary Clinton en Miss Nippy.'

Terwijl de lange messen naar Bill op zoek gingen, kregen James en Mary Matalin twee schatten van meisjes en brachten een groot deel van hun tijd op het platteland door, waar ze wat James noemde 'luchtgolf' speelden: met een luchtbuks op frisdrankflesjes schieten. Ze waren gelukkig. Mary overwoog in de toekomst een familierestaurant te openen. 'Ik zou het I-55 noemen, naar de hoofdweg die door Illinois loopt. Hij zou in de keuken staan en ik achter de bar.' James' idee van de toekomst was minder rozig: 'Als deze periode van ons leven voorbij is en we zijn totaal berooid, zullen we op een straathoek staan met een bordje waarop staat – "Bereid om te Kibbelen voor Eten".'

Ze kibbelden al over de lange messen. Mary zei dat James 'dwangvoorstellingen' had over Kenneth W. Starr en dat zijn kritiek op Starr 'projectie' was. Mary zei: 'Het is niet politiek. Ken Starr is geen politiek iemand. Hij wil Bill Clinton helemaal niet uit het Witte Huis jagen. Je ziet de wereld in zo'n grimmig licht, James.'

'In zo'n grimmig licht.' ... inderdaad, James zag de grimmige, smerige wanstaltigheid ervan... van alles, ook van wat Mary's collega-Republikeinen achter hun rug tegen elkaar fluisterden, de manier waarop ze hun liefde voor elkaar door de modder sleurden. James dacht aan zijn broer hoog in de bergen in Woody Creek, die met felle haviksogen naar de wereld op zijn grootbeeldtelevisie keek. Hunter zou de grimmige verdorvenheid hiervan wel inzien. En híj zou wel weten hoe hij die aan moest pakken.

Volgens de Republikeinen hield Mary Matalin alleen maar van James Carville omdat hij haar aan Lee Atwater deed denken, haar enige, goede, ware en overleden liefde.

Dat Mary Matalin haar politieke mentor Lee Atwater, die in 1991 op veertigjarige leeftijd aan een hersentumor overleed, intens toegewijd was geweest, was een vaststaand feit. Ze had een blues-CD aan de muur hangen die Lee, een geweldige bluesgitarist, samen met Isaac Hayes gemaakt had. Er stond een opdracht op: 'Lieve Mary, je hebt me door menige storm geloodst. Ik hou intens veel van je.' Het was eveneens een vaststaand feit dat Mary op dezelfde manier over Lees politieke flair sprak als over dat van James Carville. 'Lee was een genie. Hij wist precies hoe mensen in elkaar zaten en had oog voor culturele trends.'

En er waren duidelijke overeenkomsten tussen de twee mannen. Ze keken allebei graag naar herhalingen van *The Andy Griffith Show*. Ze hielden allebei van hun berghutje. Lee kwam eveneens uit het zuiden, uit South Carolina, en had dezelfde onbedwingbare, geprikkelde, nerveuze energie als James, dezelfde agressieve politieke instelling. 'Republikeinen in het zuiden konden geen verkiezingen winnen door over echte kwesties te praten,' had Lee gezegd. 'Je moest het erop gooien dat de andere vent, de andere kandidaat, een kwaaie pier was.' Zelfs in zijn retoriek klonk Lee hetzelfde als James. Tijdens zijn campagne tegen Dukakis had Lee gezegd: 'Ik ga die kleine klootzak zijn bast afstropen... Ik ga Willie Horton zijn vice-president maken,' en hij had een venijnige advertentie bedacht waardoor Dukakis in de ogen van de blanke kiezers voor eeuwig met zwarte misdaad geassocieerd werd.

Net als James kon ook Lee met dodelijke precisie dingen laten uitlekken. Toen zwarte geestelijken geld aan hem kwamen vragen om kiezers te laten registreren om op Ronald Reagan te stemmen, zei Lee dat de Reagan-campagne blut was en ried hun aan naar John Conally, Reagans tegenstander, te gaan. Daarna gaf hij aan de Bush-campagne – eveneens tegenstanders van Reagan – door dat 'Connally zwarte kiezers kocht.' Daarop viel Bush Connally aan en Connally sloeg terug. Met als gevolg dat de twee opponenten elkaar zware schade toebrachten – terwijl Lees Reagan-campagne soepel verder rolde. Dit was het soort sluwheid dat Mary in Lee bewonderd had en het soort sluwheid dat ze in James bewonderde, en dit leidde haar tot de conclusie dat 'ze dol op elkaar geweest zouden zijn. Lee zou dol op James geweest zijn.'

Maar de fluisteraars fluisterden nog veel meer. Lee, die getrouwd was en twee kinderen had, stond bekend als een onverbeterlijke rokkenjager en Mary had erg nauw met hem samengewerkt, zodat de fluisteraars aannamen dat ze minnaars waren geweest. En toen had Ed Rollins, het Republikeinse verkiezingsgenie dat met kandidate Christine Todd Whitman de kandidaat van James Carville, James Florio, verslagen had, de kwestie open en bloot op tafel gelegd: 'Ik heb altijd gedacht dat Mary's belangstelling voor Carville iets met Lee te maken had. In het laatste jaar van zijn leven had zij bij zijn ontstentenis de leiding over het Republikeinse Nationale Comité, zag ze hem elke dag en regelde ze vrijwel zijn hele medische verzorging. In veel opzichten was ze *op het laatst evenveel een echtgenote voor hem* als Sally. Ik was niet haar enige vriend die geloofde dat James alleen maar een surrogaat voor Lee was.' Hield ze van James en sliep ze met hem omdat een dode niet beschikbaar was?

Het ergste en wreedste aspect hiervan was dat Lee zich in zijn laatste levensjaar hoogst bizar had gedragen... maar hij had dan ook een tumor ter grootte van een kippenei in zijn hersenen. Een groot deel van dat jaar had Lee inderdaad een andere vrouw in huis gehad – Mary's vriendin Brooke Vosburgh – samen met zijn zwangere vrouw Sally en hun kinderen, en Brooke lag bij Lee in bed en hield zijn hand vast. Lee nam niet alleen geleidelijk afscheid van zijn leven maar ook van zijn verstand. Brooke was in huis met toestemming van Sally en beide vrouwen probeerden soelaas te bieden aan een man die vreselijk pijn leed, die visioenen kreeg, die zichzelf en Brooke in zijn fantasie voor Napoleon en Josephine aanzag, die Jezus vond, die erop stond al zijn buitenechtelijke verhoudingen aan Sally op te biechten in een poging haar vergiffenis te vragen, die zo paranoïde werd dat hij al zijn bezoekers liet fouilleren en al zijn eten liet voorproeven uit angst voor vergiftiging, die op het laatst zelfmoordneigingen kreeg en zijn moeder smeekte hem te doden.

Lee 'trouwde' met Brooke in een quasi-plechtigheid met paperclips als trouwringen. Lee experimenteerde met massage en Tibetaanse en holistische genezers. Hij probeerde met de hand uitgeperst watermeloensap.

En uiteindelijk kwam Lee tot de conclusie dat hij het niet van zijn nachtmerrieachtige ziekte kon winnen. 'Kanker is geen Democraat,' zei Lee. Hij stierf terwijl Sally zijn hand vasthield.

Mary wist dat Ed Rollins' woorden en het gefluister van de anderen bedoeld waren om James te kwetsen, hem te vernederen, hem af te schilderen als een echtgenoot die niet alleen bedrogen werd door een dode, maar door de dode koning der moderne politieke campagnevoerders. Atwater die Carville zelfs vanuit het graf versloeg in de oorlog van de grote zwaaiende piemels, met Mary als de prijs. Een krachtmeting op het meest macho en meest politieke niveau. En Mary wist ook dat zij zelf vernederd en gekleineerd werd als een groupie wier liefde voor Elvis haar ertoe gebracht had een Elvis-imitator tot man te nemen. Maar wat ze het ergst vond aan wat Rollins hardop zei en de zaalmuizen fluisterden, was de obscene manier waarop ze Sally Altwater hiermee vernederden. Haar man was dood en Sally moest van zijn eigen Republikeinse collega's de mogelijkheid van nóg een geval van ontrouw vernemen.

James zei niet veel in reactie op Ed Rollins of de fluistercampagne. Hij wist dat zijn griet van hem hield. Hij zat op de veranda en kneep zijn reptielenogen tot spleetjes tegen de zon. Mary Matalin kende haar man door en door. De lange messen konden erop rekenen dat hun het gevecht van hun leven te wachten stond.

Hij viel ze aan, Kenneth W. Starr en Newt Gingrich en Henry Hyde en Tom DeLay en Dick Armey en Bob Barr en Ed Rollins en al die andere schijtlaarzen van verwaande, benepen, laatdunkende, Republikeinse varkenspensen... op dezelfde manier als waarop die andere boerenkinkel Ned Beatty in *Deliverance* ten aanval ging. Zo hard als hij kon 'Sooey! Sooey!' krijsend dreef James zijn verwende, bepoederde, pokdalige tegenstanders hun eigen excrement in. Het was alsof hij een privé-piratenoorlog in de ether had ontketend. Hij schreeuwde harder, keek woester en wees meer met zijn vinger dan de hoofdartikelschrijvers en commentatoren die riepen om Bill Clintons aftreden of inbeschuldigingstelling. Hij leek een bezetene die een obsceniteit van bijbelse proporties had zien plaatsvinden en bezield door de Heilige Geest gezworen had deze met wortel en tak uit te roeien.

'Kenneth W. Starr,' grauwde James, 'is geobsedeerd met zijn pogingen de president te pakken. Dit is een stuitend, smerig onderzoek. Deze man jaagt niet op de waarheid, hij jaagt op Bill Clinton... Ik ga oorlog voeren tegen Ken Starr. Zadel de paarden! We gaan erop los! Zet 'm op, jongens! ... Die vent dient een andere meesteres dan de waarheid... Hij kan veel beter gewoon terugkruipen onder de steen – de steen van het grote tabaksgeld – waar hij onderuit gekomen is. Laat hem in de vergetelheid verdwijnen als een van de waarlijk zielige, tragische, verachtelijke figuren van de laatste twintig jaar van de 20e eeuw. En laat de arme vent Godzijdank terugkeren naar zijn ouwe stiel van tabaksbedrijven vertegenwoordigen of gastanks laten ontploffen of wat ie vroeger ook voor de kost deed... Ik móet Ken Starr niet. Ik moet níks van wat met de klootzak te maken heeft. Niet zijn politiek, niet zijn schijnheiligheid, niet zijn zelfbeklag. Ik moet het volk niet waar hij mee omgaat. Ik moet zijn wereldbeeld van lik omhoog en spuug omlaag niet, zijn gefleem bij de machthebbers en zijn geweld tegen het gewone volk... Ik ben de clown. Als je naar de rodeo en het stierenrijden kijkt en iemand wordt van de stier gesmeten, dan moet de clown tussen de stier en de cowboy in gaan staan. Starr is de stier en de president is de cowboy... Ken Starr mag voor mijn part in een meer springen. Hij is een staatsburger van de Verenigde Staten en even vatbaar voor kritiek als ieder ander. Als hij steun zoekt om zich boven de grondwet te verheffen dan hoeft hij bij mij niet aan te komen. Hij is een overheidsdienaar, de mensen die voor hem werken zijn overheidsdienaren... Ik verdom het om mijn mond te houden, meneer Starr, je kunt je zware jongens daar vertellen dat ik het verdom om mijn mond te houden. Zelfs als de Heilige Stoel en de Verenigde Naties het me kwamen vragen zou ik nóg mijn mond niet houden!'

Grauwend... sissend... kruipend... knieschijven verbrijzelend... verpletterend... mangelend... springend... sumo-worstelend... à la *Deliverance*... op alle praatshows, ochtend, middag en avond, op de tv-shows die hij 'het klets-circuit' noemde, schuimbekkend, ogen uitkrabbend, bloed vergietend, naar de keel vliegend, zeggend: 'Ik zou liever een geconstipeerde, schurftige, van vlooien vergeven, tegen de maan jankende hond zijn dan Bill Clinton laten vallen,' dreigend anti-Starr advertenties op de tv te brengen, zijn hulp aanbiedend als geldinzamelaar voor anti-Gingrich advertenties.

Starr was slechts één van de fronten waarop James zijn jihad uit de bayou voerde. 'Stootbal Carville trekt ten strijde tegen Newt Gingrich,' kondigde hij aan, 'omdat deze hele toestand op touw is gezet en geleid en gedirigeerd wordt door Newt Gingrich.' Hij trof meteen doel door 'iedereen eraan te herinneren' dat Gingrich zijn eerste vrouw en twee tieners verlaten had, dat zijn eerste vrouw hem voor de rechter had moeten slepen omdat hij weigerde voldoende alimentatie te betalen, dat Gingrich' kerk een collecte had moeten houden om zijn kinderen te helpen, dat Gingrich geprobeerd had in de ziekenhuiskamer van zijn vrouw een echtscheidingsregeling te treffen, terwijl zij tegen kanker vocht. Hij herinnerde de mensen eraan dat het Congres Gingrich een boete van 300.000 dollar had opgelegd voor het overtreden van zijn ethische richtlijnen en dat Bob Dole, Nixons zielsverwant, hem het geld had geleend.

'Newt Gingrich neemt elke beslissing die met dit onderzoek te maken heeft,' zei James. 'Ik heb geprobeerd normale menselijke gevoelens voor hem op te wekken. Ik heb echt mijn best gedaan. En toen herinnerde ik me zijn uitspraak dat ik – en mensen die denken zoals ik – de veroordeelde moordenares Susan Smith ertoe gebracht hadden met haar kinderen een meer in te rijden, terwijl ze in werkelijkheid samenleefde met een Republikeinse ambtenaar die lid was van de Christelijke Coalitie en die haar mishandelde. En alsof dat nog niet genoeg was, zei Gingrich vervolgens dat dat afschuwelijke voorval in Chicago waarbij iemand een ongeboren kind uit het lichaam van een vrouw rukte, te wijten was aan mensen als ik en mijn vrienden en de mensen voor wie ik werk... En dan praat hij over verantwoordelijkheid voor het gezin – God nog aan toe, zijn eigen kerk moest een collecte houden voor zijn kinderen! Geen enkele Democraat heeft ooit een Republikein de schuld gegeven als iemand met haar kinderen een meer in reed of een feut uit iemands lichaam rukte. Ik bedoel maar, het was een Republikein die een pop van de First Lady ophing tijdens een demonstratie in Kentucky. Het was een Republikein die zei dat de president voor zijn eigen veiligheid beter een lijfwacht mee kon brengen als hij naar North Carolina kwam – senator Jesse Helms... De Republikeinse partij is dood. De Republikeinse fractie in het Congres is dood. Die jokers weten niet eens of ze hun oren moeten opwinden of aan hun horloge moeten krabben... Het zijn speelplaatsbullebakken. Dat zijn ze, de Republikeinse fractieleden in het Congres. Ze koeioneren iedereen. Ze koeioneren wie ze kunnen en als iemand terugvecht en ze één klap geeft, nemen ze de benen. Jankend. En op dit moment zitten ze allemaal onder moeders rokken. Dit is een op schoolmaaltijden beknibbelende, regeren onmogelijk makende, van seks bezeten, president hatende rechtse-rakkerpartij.'

De kruistocht van Stootbal Carville trof de roos. De populariteit van Kenneth W. Starr kelderde. Republikeinse opinieonderzoekers waarschuwden hun kandidaten voor de op handen zijnde novemberverkiezingen. Het was net alsof James, die eng uitziende, onfotogenieke zonderling toegang tot het centrale zenuwstelsel van het Amerikaanse publiek gevonden had en het vol verontwaardiging pompte. Conservatieve mensen als Bill Bennett vroegen: 'Waar is de verontwaardiging?' En het antwoord lag recht onder hun opgetrokken neuzen. Recht eronder. En gerichte tegen hén!

Voornamelijk dankzij sergeant Stootbal wisten de lange messen dat ze in moeilijkheden waren. Congreslid Bob Barr stelde voor James te dagvaarden om verantwoording af te leggen voor de Huiscommissie van Justitie. Sam Dash, ethisch adviseur van het Starr-onderzoek zei dat James 'vast van plan schijnt te zijn potentiële getuigen en juryleden in nog af te handelen zaken te beïnvloeden' en 'erom vraagt aangeklaagd te worden wegens belemmering van de rechtsgang.' James reageerde door te zeggen dat hij aan 'dagvaardingsnijd' leed en zwoer: 'Ik verdom het om mijn mond te houden! Zelfs als het Vaticaan en het Internationale Hof van Justitie het me vroegen, zou ik nog mijn mond niet houden!' Commentator Chris Matthews betitelde de activiteiten van James als 'meer verkeersagressie dan politiek.' De ontslagen Clinton-adviseur Dick Morris zei dat James 'een demente randfiguur aan het worden was, een ridicule zonderling.'

Wat de mensen zeiden liet hem Siberisch. James hield zijn mond niet. Hij draaide de volumeknop nog verder open. 'Henry Hyde,' zei hij, is een gevangene van de rechtervleugel en heeft besloten zich aan de wil van Jerry Fallwell te onderwerpen.' James herinnerde de mensen aan nog meer dingen: dat senator Phil Gramm ooit geld in een pornofilm gestoken had, dat de rechtse miljardair Richard Mellon Scaife een leerstoel voor Starr aan Pepperdine University zou gaan financieren. Een belangrijk lid van de Republikeinse minderheid in het Congres, Tom DeLay, noemde James 'een idioot. Deze vent heeft ze van de ene ramp naar de andere gebracht. Hij heeft te veel van zijn haarlak gesnoven. Hij heeft gewoon te veel haarlak ingeademd.' Volksvertegenwoordiger Dan Burton, zei James, was 'gestoord. Laten we er nou geen doekjes om winden. Hij is totaal geschift. Mij heb je geen watermeloen aan flarden zien schieten in mijn achtertuin. Dat was Dan Burton.'

Een maand na sergeant Stootbals oorlogsverklaring vond nog maar 34% van de Amerikaanse bevolking Starr onpartijdig. Terwijl James doorging, daalde de steun voor Starr tot 11% en werden de Republikeinen gedecimeerd in de novemberverkiezingen. James verwelkomde zijn schijnbare overwinning op karakteristieke wijze: 'De echte Nixon-figuur in deze affaire – en de mensen hebben dat door – is Ken Starr. En tussen haakjes, Ken Starr is tegenwoordig minder populair bij de Amerikaanse bevolking dan Richard Nixon toen hij ontslag nam als president.'

Toen pakten ze hem terug. Het hele Internet stond er vol mee en via de e-mails ging het 't hele land door. James Carville had zijn vrouw Mary Matalin op beestachtige wijze mishandeld in Rockville, Virginia, aldus inspecteur van politie Bobby Masters. De eerste krant die het incident wereldkundig maakte, was de *Montgomery County Ledger*.

Het was een verzinsel. Het hele verhaal was verzonnen. Karaktermoord die bedoeld was om het heiligste wat James Carville in dit leven bezat te bezoedelen: zijn relatie met Mary. Het was gelogen. Er was helemaal geen politieman met de naam Bobby Masters in Rockville. De *Montgomery County Ledger* bestond helemaal niet. Maar de American Family Radio, die het eigendom was van het Amerikaanse Genootschap voor het Gezin onder leiding van dominee Donald Wildmon, de christelijke pornobestrijder en goede vriend van dominee Jerry Falwell, zond het verzinsel in vijfentwintig staten uit.

James besloot dat het tijd werd om naar Woody Creek te gaan om met zijn grote bastaardbroer te praten. Hij had hulp nodig. Het lot van de republiek stond op het spel. Hij realiseerde zich dat hij nog niets gewonnen had. Die slijmballen zouden pas opgeven als ze tot moes waren vermalen. Ze waren net de Terminator. Een miljoenkoppig gepeupel van bijbelspuiende robots.

Hunter was een oude, verschrompelde krijger die daar zijn hele leven tegen had gestreden. Hunter wist wat James tegenover zich had. Daarom had hij zijn huis omringd met valkuilen. Daarom had hij zoveel geweren. Daarom had hij zoveel munitie in huis. Doc was niet bang om de grimmige realiteit onder ogen te zien... of om *grimmig* te handelen. De bastaard en zijn getikte grote broer wisten dat ze een apocalyptisch soort vuurkracht nodig hadden. Iets van megatongehalte om de slijmerige maden en met stront besmeurde knaagdieren naar de andere wereld te helpen waar het ongedierte de Heer voortdurend om smeekte. Wat de twee kale krijgers op dit hoogst noodlottige moment nodig hadden, was hun eigen versie van Nixons 'loodgieters,' hun eigen Bebe Rebozo met de poen om het soort brandbom te kopen waar ze zo om zaten te springen.

Maar wie had geld genoeg om een atoombom te kopen? Om een explosie te kopen die daverend genoeg was om de maden en knaagdieren in spetters en stukjes vacht... hemelwaarts te stuwen?

Tja, Hunter had een vriend, Jim Mitchell van de snode Mitchell Brothers, die miljoenen dollars verdiend hadden... aan porno.

Porno? Gingen die twee wauwelende renegaten pornogeld gebruiken om de republiek te redden? Pornogeld om de atmosfeer te reinigen van de kleverige geur van orale sodomie, masturbatie en onhygiënische, tanden aantastende anilingus? O, wat een heerlijk zoete jaren-'60-wraak!

Maar wacht, James had óók een vriend, die hij had leren kennen op een filmset. Zijn vriend had nog meer geld dan Jim Mitchell. Zíjn vriend was niet zo maar een pornobaron, geen Mike Todd of Joel Silver van het pornogebeuren. Zíjn vriend was de vermoorde Abe Lincoln van de pornowereld!

De maden en knaagdieren waren gedoemd. De Dag des Oordeels die dominee Pat Robertson voortdurend over hen afriep was eindelijk aangebroken. Opgeblazen! Uitgeroeid! Naar de andere wereld geholpen! Door de Abe Lincoln van de pornowereld.

[4]

Larry Flynt redt

'Ik ben altijd in voor een lul,' zei Monica tegen Linda Tripp. 'Ik ben beregeil voor de Grote Griezel'

Zwarten waren onvermurwbaar, vrouwen waren kwaad, maar ontzetting uit het ambt van president was nog steeds een mogelijkheid totdat Larry Flynt zijn rolstoel naast die van Charles Ruff, de raadsman voor het Witte Huis, rolde om Bill Clinton te verdedigen. Ruff was welsprekend. Flynt was obsceen. Ruff was inspirerend. Flynt was demotiverend. Ruff was logisch. Flynt was irrationeel. Maar tenslotte was het Larry Flynt en niet Charles Ruff die de Republikeinen met een knuppel sloeg zodat ze het ten slotte... ten slotte opgaven.

De pornograaf redde de president door te dreigen andere pornografische daden te onthullen die waren uitgevoerd door – dit keer Republikeinse – politici. Larry Flynt was een held, een zelfbenoemde, door zichzelf gefinancierde Kenneth W. Starr. Het was Flynns moment van openbaring: wraak op de krachten die hem hadden getreiterd, hem in de gevangenis hadden gestopt en hem vervolgens hadden neergeschoten. Ze hadden hem gedwongen een pomp in zijn *willard* te stoppen en hij was teruggekomen om hen hun ballen af te snijden.

Zijn wapen was een advertentie in de *Washington Post* waarin hij 1 miljoen dollar bood voor informatie, foto's en video's die de seksuele escapades bevatten van Republikeinse Congresleden en senatoren. Het leek op het gooien van een aangestoken lucifer in de tank van een olietruck. De ontploffing werd gehoord in elke slaapkamer, elk bureau, kleedkamer en restaurant op de ringweg. Schreeuwen van woede en alarm werden gehoord in de talk-shows op de zondagmorgen.

Het tijdschrift *Salon* had al de buitenechtelijke affaire van Henry Hyde onthuld. Een aangekondigd stuk in *Vanity Fair* maakte wereldkundig dat Dan Burton een buitenechtelijke zoon had. Een krant in Idaho had als kop de zes jaar durende buitenechtelijke affaire van de de milities-verdedigende Helen Chcncoweth. De bijbelbeukers gingen al op hun bek. En nu was er Flynt, die een fortuin bood voor vuil over mensen waarvan de aanhangers van de Christelijke Coalitie niet veel konden... niet veel wilden tolereren. Flynt liet de Christelijke fundamentalisen in hun eigen zwaarden lopen. De pornograaf zou het vuil vinden, maar het zouden de fundamentalisten zijn die niet in staat waren een man te tolereren, laat staan te steunen, die zijn vrouw bedroog of het centrum van een triootje vormde.

Wat Republikeinen in Washington het meest beangstigde was Flynt zelf, het beest uit de vallei van de Ohio-rivier, een boerenpummel die alles wist over iemand bewusteloos slaan met een sok vol stuivers of de kolf van een geweer, een man die zijn hele zondige, verdorven leven Republikeinen had bevochten, een man die kwaad, rijk en geslepen was.

Hij werd geboren in een gat in Licksville, Kentucky, in Magoffin County, altijd al een van de armste streken in Amerika. Het was een gebied dat zo landelijk was dat toen een van de inwoners het eerste vliegtuig zag, zij zei: 'O, God, ik wist dat je kwam, maar ik wist niet dat het al zo snel zou gebeuren.' Toen hij zeven was zei de kleine Larry Flynt tegen zijn vader: 'Ik wed dat je niet kunt raden wat ik net gedaan heb. Ik heb net Imogen geneukt!' – een van zijn eerste vriendinnetjes. Toen hij negen was, had hij seks met een kip, vertelde aan zijn vrienden dat 'de eimuts net zo heet is als de kut van een vrouw' en dat 'kippen meer rondwiegen'.

Als tiener werd hij aangerand door een politieagent die tevens pedofiel was. Toen hij vijftien was, ging hij bij het leger. Zijn dienst zat erop toen hij zeventien was, daarna ging hij bij de marine. Hij smokkelde whisky en verkocht bijbels buiten zijn diensturen. Als opvarende van het vliegdekschip Enterprise stond hij erbij toen JFK daar op bezoek was. Dus, om zijn aandacht te trekken, in een metaforisch moment dat zijn gehele leven zou naklinken, ging Larry Flynt op de tenen van JFK staan.

Hij begon zelfhulpboeken van Napoleon Hill te lezen, zoals *Think and Grow Rich*. In een Frans bordeel nam hij alle twintig meiden, liet ze zich poedelnaakt uitkleden en tot hun enkels vooroverbuigen... en gaf hen flink van katoen totdat zijn rug spasmes begon te krijgen. Hij begon handenvol amfetamines te nemen en liters whisky te drinken. Hij trouwde een jonge vrouw en toen hij ontdekte dat ze hem ontrouw was, schoot hij op haar. Hij scheidde van haar. Hij werd naar een psychiatrisch ziekenhuis gestuurd. Hij kreeg uitgebreide elektroshock-therapie. Hij was achttien jaar.

Hij ging de bar-business in Dayton, Ohio in en kocht een oude kroeg die de Kiwi heette. Hij veranderde de naam in Hillbilly Haven, deed Hank Williams en Johnny Cash in de juke-box en legde in de achtertuin een plek aan waar men hoefijzers kon werpen. Het was het soort gelegenheid waar de vloer op het eind van de avond vol bier en bloed zat.

Het ging hem voor de wind en hij kocht andere bars rond Dayton. Hij vermoordde een man bijna toen hij hem met de kolf van zijn geweer tussen zijn ogen sloeg en het geweer afging. Hij vermoordde bijna iemand anders toen hij hem telkens weer in zijn kruis, zijn ribben, zijn maag en gezicht schopte. Hij sloeg op een keer iemand zo hard dat de trekkerbeugel van zijn geweer verboog en zijn vinger verbrijzelde en daarbij een stuk vlees afrukte.

Hij begon in Dayton een bar die de Hustler Club heette, waar topless gogo-danseressen optraden. 'Ik verkoop kut per glas en mijn klanten maakt de prijs van hun borrels niets uit,' stelde hij. Hij verdiende veel geld en begon andere Hustler clubs rond Ohio. Hij gebruikte zoveel speed dat hij vier dagen zonder slaap doorging. Soms neukte hij om de vier, vijf uur een andere vrouw. 'Heb ik haar al geneukt?' vroeg hij zijn broer eens over een vrouw die hem bekend voorkwam. Zijn secretaresse hield één week de stand bij en vertelde hem dat hij achttien vrouwen had geneukt. Als Larry Flynt zich moe of gespannen voelde, zei hij: 'Ik moet iemand neuken.'

Toen hij genoeg had van bars ging hij in de tijdschriftbusiness. Zijn idee was: 'Wanneer je modellen zo ver kunt krijgen dat ze hun benen wat meer spreiden, verkoop je meer tijdschriften.' Hij noemde zijn nieuwe tijdschrift *Hustler*. 'Iedereen kan playboy zijn en een penthouse bezitten, maar alleen een echte man kan een *hustler* zijn.' Hij veroorzaakte wat opschudding toen hij een model in zijn nieuwe tijdschrift zette met rood-wit-en-blauw schaamhaar. Maar nog meer opschudding veroorzaakte de foto van de eerste '*pink shot*' in het tijdschrift. 'Haar vagina was open als een bloeiende roos, fragiel en rose.' Hij schokte het gehele land op 1 augustus 1975, toen hij kwaliteitsfoto's publiceerde van een naakte Jackie Onassis. Zelfs de gouverneur van Ohio werd betrapt op het kopen van een exemplaar.

Hij werd verliefd op een jonge vrouw, Althea Leasure, een danseres in een van zijn clubs. Haar vader had haar gehele familie uitgemoord. Ze groeide op in weeshuizen, 'waar de nonnen mijn gezicht in hun kruis drukten'. Toen ze zeventien was, gebruikte Althea al heroïne. Larry Flynt trouwde haar. Hun afspraak was dat hij met elke andere vrouw kon neuken, maar dat hij geen andere vrouw mocht kussen. Althea mocht met elke vrouw de liefde bedrijven – ze gaf de voorkeur aan vrouwen – maar niet met andere mannen. 'We waren erg gelukkig,' zei hij, 'ik sliep met veel vrouwen. Zij sliep met veel vrouwen.' Althea hield zo veel van hem dat ze hem beloofde dat, als het eens allemaal fout zou gaan, ze de straat op zou gaan en de hoer voor hem zou spelen. Larry Flynt hield zo veel van haar dat hij haar de nummer twee van het tijdschrift maakte.

Ze verhuisden naar Columbus, de hoofdstad van Ohio en gingen in een herenhuis wonen dat eens bezit van de vroegere gouverneur was geweest. Ze zorgden voor kogelvrij glas voor alle ramen. In de kelder stond een replica van de kip waar Larry ooit seks mee gehad had. In juli 1976 werd hij in Cincinatti beschuldigd van 'pooierschap, obsceniteit en georganiseerde misdaad' – dat alles voor het publiceren van *Hustler*. 'Voor zo ver ik weet,' zei Flynt over de aanklager, 'wist hij een clitoris niet te onderscheiden van een koolraap.' Hij noemde Ohio 'de plaats waar stomme idioten komen om te sterven'. Een vriend, de romanschrijver

Harold Robbins, zei dat de aanklager 'me herinnert aan een drilsergeant uit de marine, maar hij herinnert me aan die soort die, nadat hij een jonge recruut verrot gescholden heeft, hem probeert te neuken om het goed te maken.'

De aanklager droeg *inderdaad* marinelaarzen als hij naar het Hof ging. Hij beschuldigde Flynt van 'het afbeelden van de kerstman op een obscene en beschamende wijze' in een tekening die hem weergaf met een monsterlijke erectie. (Het bijschrift luidde: 'Ho! Ho! Ho!') De aanklager stelde dat *Hustler* 'de nachtmerrie van een gedegeneerde' was. Flynt werd veroordeeld tot vijf-en-twintig jaar gevangenisstraf (later herroepen door een hogere rechtbank). 'Leven we werkelijk in een vrij land?' vroeg Larry Flynt toen hulpsheriffs hem naar de gevangenis sleepten.

De evangelistische zuster van Jimmy Carter, Ruth Carter Stapleton, belde Larry Flynt om met hem over Jezus te praten. Ze vertelde hem dat ze zelfs fantasieën had over neuken met Jezus. Hij en Althea zochten haar op in hun nieuwe 'kut-rose' vliegtuig. Ze mochten elkaar. Op een andere vlucht in het rose vliegtuig – met Ruth maar zonder Althea – zag Larry Flynt God. God droeg een witte jurk en sandalen en de apostel Paulus was bij hem. Een kleine jongen met een baard, Lenny Bruce, stond ook bij God. Larry zag iemand in een rolstoel zitten en realiseerde zich dat hij zichzelf in een visioen zag. Hij ging compleet over de rooie. Ruth bleef die nacht bij hem en hield zijn hand vast, maar Larry liet haar zich niet uitkleden en zei haar ook niet dat ze zich tot haar enkels voorover moest buigen. Hij vertelde Althea over zijn visioen van God en Althea zei daarop: 'De Heer is mogelijk je leven binnengekomen, maar twintig miljoen dollar per jaar wandelde zojuist de deur uit. Betekent dit dat je voortaan dildo's *en* kruisbeelden gaat verkopen?'

In maart 1978 moest Larry naar een klein plaatsje in Georgia, Lawrenceville, waar nog een aanklacht wegen obsceniteit tegen *Hustler* was ingediend. Hij wandelde naar het gerechtsgebouw met zijn advocaten toen hij schoten hoorde. Hij had het gevoel alsof er een 'hete pook was gestoken' door zijn maag. Toen werd hij door een tweede kogel in zijn rug getroffen. Elf operaties moesten worden uitgevoerd om het bloeden te stoppen. Maar hij kon zijn benen niet meer bewegen. Er was een kogel door de zenuwbaan aan de basis van zijn ruggengraat geschoten.

De rest van zijn leven zou hij doorbrengen in de rolstoel die hij ook al in zijn visioen had gezien. Hij leed ondraaglijke pijnen. 'Niemand zou een erectie kunnen krijgen als hij opgehangen was in een vat kokend water.' Hij ging van het ene ziekenhuis naar het andere en probeerde zijn pijn te verlichten. 'Mijn ingewanden zijn eruit gehaald en ik ben aan een vleeshaak gehangen in het rookhuis van mijn opa. Ik huilde, schreeuwde en smeekte om verlichting.'

Hij en Althea verhuisden naar Los Angeles en kochten een huis in Bel Air dat eerder toebehoord had aan Errol Flynn, vervolgens aan Robert Stack, vervolgens aan Tony Curtis en vervolgens aan Sonny en Cher. Althea runde het tijdschrift. Larry at Dilaudid, Valium, Librium, Demerol, morfine en dronk de cocktail van morfine en cocaïne die bedoeld was voor stervenden, de cocktail van Brompton. Regelmatig nam hij een overdosis. Zes keer werd hij met spoed door de ambulance naar de eerstehulp gebracht. Tweemaal stopte zijn hart.

Hij werd vervolgd door Bob Guccione, uitgever van *Penthouse* en zijn vriendin Kathy Keeton. Larry had een tekening laten plaatsen van Guccione die suggereerde dat hij homo was. In een andere tekening, dit keer van Keeton, werd er gesuggereerd dat ze syphilis van Guccione had opgelopen. Noch Guccione, noch Keeton vonden het een goede grap. De zaak van Keeton speelde tot aan het Hooggerechtshof. Hij zat te midden van het publiek en schreeuwde: 'Jullie zijn niets anders dan acht klootzakken en een geneukte kut!' Rechter Warren Burger wees naar hem en zei: 'Arresteer die man!' Ze arresteerden hem. Larry Flynt trok zijn op maat gemaakte overhemd uit daaronder werd een T-shirt zichtbaar met daarop: FUCK THIS COURT! Hij had buiten een limousine staan met Amerikaanse vlaggen over alle spatborden gedrapeerd.

Een andere keer droeg hij een Amerikaanse vlag als een luier. Hij zat natuurlijk bijna altijd vol drugs in zijn rolstoel. Hij werd gearresteerd voor het bespotten van de vlag. Tijdens deze zitting spuwde hij de rechter in het gezicht. De rechter liet hem muilbanden. Toen Larry beloofde zich te gedragen, haalde een gerechtsdienaar de mondprop weg.

Zodra hij vrij was, beet Larry de rechter toe: 'Naai jezelf, man.' De rechter schreeuwde: 'Ik veroordeel je tot zes maanden in een psychiatrische rijksgevangenis.' Larry schreeuwde: 'Meer, klootzak! Is dat nou alles?' De rechter schreeuwde: 'Twaalf maanden.' Larry schreeuwde: 'Meer, klootzak! Is dat alles waartoe je me kunt veroordelen, ouwe rukker?' De rechter schreeuwde: 'Vijftien maanden.' Larry schreeuwde: 'Geef me levenslang zonder voorwaardelijke vrijlating! Stomme klootzak! Ik zou graag eens met je van bil gaan.'

Larry Flynt ging naar federale medische gevangenissen in Missouri en North Carolina. Hij gooide zijn eigen poep in het gezicht van een gevangenispsychiater en schreeuwde: 'Klootzak, je hebt me alles afgenomen, maar mijn hart kun je me niet afnemen.' Hij kondigde uit de psychiatrische gevangenis aan dat hij een gooi zou doen naar het presidentschap en toen hij Ronald Reagan beschreef, schreef hij: 'Nooit heeft deze planeet een stommere, meer fascistische, bekrompener wereldleider gehad.' Toen hij vrijgelaten werd, kondigde hij aan dat alle leden van het Congres, senatoren en rechters van het Hooggerechtshof gratis exemplaren van *Hustler* zouden ontvangen.

In november 1983 publiceerde hij een satire op de 'First Time'-advertentiecampagne van Campari. Achter een foto van dominee Jerry Falwell stond een fles Campari en een glas met Campari en ijsklontjes. De kop luidde: JERRY FALWELL OVER DE EERSTE KEER. De tekst was een gefingeerd interview met Falwell.

'Falwell: Mijn eerste keer was in een privaat buiten Lynchburg, Virginia. Interviewer: was het niet een beetje nauw. Falwell: Niet nadat ik de geit er uit gebonjourd had. Interviewer: O. Vertel eens verder. Falwell: Ik had *werkelijk* nooit gedacht dat ik het ooit met mijn moeder zou doen, maar nadat ze alle andere mannen in de stad zo'n schitterende ervaring had gegeven, dacht ik: "Wat dan nog!" Interviewer: Maar je moeder? Is dat niet een beetje vreemd? Falwell: In het geheel niet. Uiterlijk is voor mij niet belangrijk bij een vrouw. Interviewer: ga verder. Falwell: Tja, we waren van kop tot kont totaal zat van de Campari, bier en soda – dat wordt een Fire & Brimstone genoemd – op dat moment. En ma zag er beter uit dan een Baptistische hoer met een fooi van honderd dollar. Interviewer: Campari op de kakdoos met ma... wat interessant. Wel, en hoe was het? Falwell: De Campari was geweldig, maar ma viel flauw voordat ik klaarkwam. Interviewer: heb je het ooit opnieuw geprobeerd? Falwell: Natuurlijk, vele keren. Maar niet in het privaat. Tussen ma en de stront waren de vliegen stomvervelend. Interviewer: Ik bedoelde de Campari. Falwell: natuurlijk. Ik word altijd zat voordat ik naar de preekstoel ga. Denk je werkelijk dat ik al die stront nuchter zou kunnen produceren?'

Falwell deed hem een proces aan voor 45 miljoen schadevergoeding en werd in de rechtszaak bizar genoeg vertegenwoordigd door de advocaat van *Penthouse*, een man die eens naar de dominee verwezen had als 'Foulwell'. De zaak ging recht door naar het Hooggerechtshof en de rechters stemden schokkend genoeg met acht tegen nul ten gunste van Larry Flynt. Het had het meest schitterende moment van zijn leven moeten zijn, maar het was bijna een anti-climax. Althea stierf op 27 juni 1987 aan aids, opgedaan door een heroïnenaald of door een bloedtransfusie. Ze stierf op het toilet naast Larry's slaapkamer. Hij had de verpleegsters er op attent gemaakt dat ze er te lang op zat. Hij kon niets doen om haar te helpen. Zijn rolstoel stond niet naast zijn bed.

Dit was Larry Flynt, de man die nu, in het jaar van Clintons impeachment, aankondigde een beloning van 1 miljoen dollar te betalen voor informatie over de seksuele escapades van de Republikeinen. Conservatieve Republikeinen wisten wat Larry Flynt voelde voor conservatieve Republikeinen, of soms zelfs voor gewone Republikeinen. Ze herinnerden zich de tekening in *Hustler* met Gerry Ford en Nelson Rockefeller en Henry Kissinger die groepsseks bedreven met het vrijheidsbeeld. Ze herinnerden zich de advertentie in *Hustler* voor telefoonseks met Jesse Helms – 'Jesse Helms – Telefoonseks – Bij voorkeur zwarten' – waarin het telefoonnummer van kantoor en thuis van senator Helms stond. Ze herinnerden zich de andere tekeningen van Jerry Falwell. Op de ene stond een oud dametje dat in een bouwval woonde, omringd door ratten, een blik hondenvoer naast haar, die een brief schreef: 'Beste Jerry Falwell, ik wil je danken voor de inspiratie en de troost die je televisieuitzendingen me geven. Bij deze brief vind je de rest van mijn uitkering om te zorgen dat je door kunt gaan met je goede werk. Ik weet dat je het nodig hebt.' De andere tekening toonde Satan, zittend in een luxe kantoor, die in een luidspreker blaft: 'Stuur Falwell binnen. Ik wil het gezicht van die klootzak wel eens zien.' Ze wisten dat Larry Flynn wist – eindelijk, na zoveel jaren – dat de man die hem neergeschoten had een blanke racist was, die zich gruwelijk geërgerd had aan een grote foto over een dubbele pagina met mensen van verschillende rassen.

De mensen in het Congres wisten hoe kwetsbaar ze konden zijn wanneer iemand daarbuiten een miljoen dollar gaf voor het soort informatie waar Flynt naar op zoek was. Het Congres was in feite, om het met de woorden van Bob Dole te zeggen, een 'beestenstal'. Rita Jenrette had zelfs beschreven hoe ze de liefde bedreef met haar echtgenoot op de trap van het Capitool. Er waren honderden verborgen kantoren in het Capitol Building met kristallen kroonluchters en comfortabele sofa's en spiegels, haarden en versierde plafonds, ruimten die gewoon ideaal waren voor een intiem, praktische gesprek met een jong staflid.

En de *Speaker* in het Huis van Afgevaardigden, Newt Gingrich, God zegene hem, had een oud, verboden gebruik in ere hersteld. Opnieuw konden Congresleden 's nachts op hun kantoor slapen, vrij om welk diepte-onderzoek dan ook te doen naar welk onderwerp dan ook. Het waren politici, in hemelsnaam, geen heiligen. Wie zou waar dan ook weerstand kunnen bieden aan een miljoen dollar voor dit soort nauwkeurig onderzoek?

Niet Newt in ieder geval, die ooit in zijn blote kont was aangetroffen bovenop zijn bureau, van gedachten wisselend met een assistente... die, dat werd zelfs nu gezegd, op te vriendschappelijk voet verkeerde met een jonge juridische assistente, Callista Bisek, en naar men zei ook met Arianna Huffington. Niet Dick Armey, die driemaal beschuldigd was van seksuele intimidatie toen hij leraar economie op de middelbare school was. Niet Tom DeLay, die voor 5300 dollar ongedekte cheques had ingediend bij de bank van het Huis.

En er was ook een omvangrijke *geschiedenis van menselijk* gedrag in het Congres. Afgevaardigde Dan Crane die betrapt werd op een verhouding met een piccolo van de Senaat... Afgevaardigde Gerry Studds werd betrapt toen hij piccolo's probeerde te dwingen om seks met hem te hebben... Afgevaardigde Ken Calvert, een favoriet van de Christelijke Coalitie, werd half-naakt in zijn auto betrapt toen hij zich liet afzuigen door een heroïnehoertje... Afgevaardigde Martin Hoke werd op televisie betrapt toen hij zei: 'Ze heeft *grote* tieten!' over een televisieproducente... Afgevaardigde J. C. Watts, het zwarte kind op de poster van de Republikeinen, werd ontmaskerd als vader van twee buitenechtelijke kinderen.

Flynt, zo ervaarden zij die zich kwetsbaar voelden al snel, liet er geen gras over groeien. Hij was geen speurder als de voor Nixon werkende, varkensachtige zwerver, privé detective Tony Ulasciewicz, die met zijn raspende stem zovaak vanuit telefooncellen belde, dat hij een riem vol kwartjes droeg, zoals buschauffeurs die ook hebben. Geen telefooncellen voor Larry Flynt! Larry King was zijn Ma Bell. 'Ik heb acht onderzoeken op stapel staan,' vertelde Flynt King. 'Krijgen die vaste vorm, dan wordt het een puinhoop bij de Republikeinen.'

Hij trok een formidabele onderzoeksjournalist aan, Dan Moldea, die openbaar had gemaakt dat Ronald Reagan verdacht nauwe banden had met Hollywood-mandarijn Lew Wasserman, en geld kreeg van de vakbonden om zijn miljoenen dollars verslindende project uit te voeren. En als raadgever voor Flynt was er tevens Rudy Maxa, een vroegere roddeljournalist van de *Washington Post*, die jarenlang alle roddelpraat had gehoord. Er waren tevens geruchten, die door Flynt ontkend werden, dat hij hulp kreeg bij het opgraven van Republikeins vuil van Terry Lenzner en Jack Palladino, privé-detectives die voor Clintons campagne in dienst waren genomen om 'research naar de tegenpartij' uit te voeren.

De gek Flynt was hierover politiek gezien ook sluw. Hij zei dat hij zijn aandacht richtte op met name de Republikeinen die riepen om Clinton uit zijn presidentschap te ontzetten, maar seksuele skeletten in hun eigen kast hadden. Trek je terug, zei Larry Flynt. Als je zelf vunzig bent en je roept dat je Clinton wilt afzetten, dan krijg ik je nog wel. Het ging hier om afpersing. Wat het zo beangstigend maakte, was dat niemand wist welk materiaal Flynn in handen had, waarmee hij voor de dag zou komen en wat er voor een miljoen dollar te koop was. Het is zoals bij de betere thrillers, waarbij de angst voortkomt uit je eigen verbeelding en niet door wat je op het scherm ziet.

De eerste ontwikkeling die mensen vreemd vonden was het aftreden van Newt Gingrich. Was de oorzaak daarvan werkelijk dat de Republikeinen de tussentijdse verkiezingen verloren? Of wilde Newt zich uit de vuurlijn van Flynts raketten terugtrekken? (Zijn scheiding, maanden later, en verwijzingen naar zijn verhouding met Callista Bisek zouden opnieuw speculaties doen opvlammen dat het Larry Flynt was geweest die Newt Gingrich ten val bracht.)

De volgende ontwikkeling was een donderslag bij helder hemel. En dit keer was er geen twijfel over mogelijk. De aankomende *Speaker*, Bob Livingston, die ervan hield Cajun-messen naar Congresvergaderingen mee te nemen, trad af omdat hij ervan op de hoogte was gesteld dat Larry Flynt informatie over hem had, die hij ging publiceren. Livingston gaf toe dat hij buitenechtelijke verhoudingen had gehad, maar hij wilde niet direct antwoorden op berichten in Los Angeles dat Flynt video's van hem had terwijl hij deelnam aan een triootje. Livingstons vrouw, Bonnie, belde Flynt op en smeekte hem de details van rokkenjagerij van haar man niet openbaar te maken. Flynt stemde daarmee in. 'Hij is afgetreden, nietwaar?' zei hij. 'Het heeft dus geen zin meer.'

Bob Barr was de volgende. Deze zelfvoldane, zelfingenomen 'aanklager uit de hel', een volgende lieveling van de Christelijk Coalitie, ontkende dat hij zijn ex-vrouw een abortus van hun kind had aangepraat en ervoor betaald had. Maar Larry Flynt bezat verklaringen van de ex-vrouw van Barr die dit onder ede zwoer. Een van de onwankelbare vijanden van abortus in Amerika... betrapt op het laten aborteren van zijn eigen kind.

Terwijl de impeachmentprocedure van het Huis naar de Senaat ging en terwijl Flynt en zijn team bleven graven, was er een merkbare verandering bij sommige senatoren en andere Republikeinen, die plotseling Bill Clinton wilden berispen maar niet verwijderen. Commentatoren stelden dat de tussentijdse verkiezingen de veranderingen hadden veroorzaakt of het gezamenlijke opiniestuk van Gerald Ford en Jimmy Carter in de *New York Times*, maar wie cynischer was aangelegd, vroeg zich af welk effect Larry Flynt op het proces in de Senaat had.

Waarom draaide Pat Robertson plotseling honderdtachtig graden en sprak hij zich uit voor een berisping in plaats van voor verwijdering? Waarom begon Trent Lott plotseling samen te werken met Tom Dashle om de inspanningen van de aanklagers van het Huis te verminderen? Waarom begon een senator als Richard Shelby uit Alabama, die Bill Clinton haatte, plotseling de rol van gematigde te vervullen, wat hij totaal niet was? Wellicht was de meest reële vraag: wat wist Larry Flynt en wat zou hij ermee gaan doen?

Het was vrijwel onnodig om iemand te laten wijzen op het feit dat senatoren nogal geneigd waren gedrag te vertonen dat senatoren onwaardig was. Je had senator John Tower die zijn assistentes dronken najoeg rond zijn bureau, met zijn gulp open... Senator Joseph Montoya, die er een speciale secretaresse op na hield, wier enige taak het was hem elk middag af te zuigen... Senator Orrin Hatch, die een vroegere pornoster Missy Manners in zijn staf had... Senator Chuck Robb, die coke gebruikte en op de Pierre de eenentwintige jarige schoonheidskoningin Tai Collins neukte (nou ja, hij was *getrouwd* met Linda Bird Johnson)... Senator Strom Thurmond die, op zijn zesennegentigste, in kringen rond de Senaat nog steeds bekend stond als de 'sperminator'... Senator Daniel Inouye, officieel berispt door de Senaat vanwege ongewenste seksuele avances naar assistentes...

Toen alles voorbij was en Bill Clinton aan de macht bleef, bedankte niemand Larry Flynt, de boerenpummel uit Licksville, Kentucky, voor het redden van het presidentschap van de boerenpummel uit Hope, Arkansas. Groepen zoals de National Organization for Women, die zo wanhopig wilden dat Bill Clinton aan de macht bleef, bedankten de man niet, die door sommige feministen beschreven wordt als 'op alle fronten even gevaarlijk als Hitler'. De media klopten leden van de Senaat op de schouder om hun zelfbeheersing en gematigdheid.

Slechts één persoon erkende de prestatie van Larry Flynt en hij uitte dit door een daad, niet door zijn woorden. John F. Kennedy Junior nodigde hem uit als gast voor het zeer publieke National Correspondents

Association-diner in Washington. De zoon van de vrouw die Larry Flynt naakt in *Hustler* had afgebeeld, zat naast de man in de rolstoel, die zijn rijk mede op het naakte vlees van Jacky had gebouwd. JFK Junior moet zich moreel gezien bijzonder verplicht hebben gevoeld, om naast de immorele pornograaf van Amerika te gaan zitten.

[5]

Schoppenaas

'Ik geloof dat ik smoor ben op Vernon Jordan,' zei Monica.
'O, dat verbaast me niets,' zei Linda Tripp.'Daar is hij de man
voor.'
'Ik ga het de Grote Griezel vertellen,' zei Monica.'Daar wordt hij
vast jaloers van.'

Een centimeter verder en Vernon Jordan zou zijn eigen rolstoel naast die van Larry Flynt en Charles Ruff hebben moeten zetten om Bill Clinton te verdedigen. Net zoals Larry Flynt kreeg ook Vernon Jordan een 0.30-06 kogel in zijn lichaam en om dezelfde reden als Flynt: racistische vooroordelen.

Maar dat was lange tijd geleden en het *had niets te maken* met wat Kenneth W. Start nu met Vernon Jordan deed tijdens zijn onderzoek. Dacht Starr in zijn mafste buien dat Vernon Jordan de president van de Verenigde Staten zou compromitteren of beschuldigen? *Dacht hij dat echt?* Schoot Starr op dezelfde manier op Vernon Jordan als dat Klan-lid, van de Amerikaanse nazi-partij, die hem in 1980 had neergeschoten in Fort Wayne, Indiana?

Starr had geen enkele kans. Zelfs wanneer hij gelijk had, zelfs al hadden Vernon Jordan en Bill Clinton samengezworen om de justitie te dwarsbomen, om Monica te laten liegen in de zaak Paula Jones, dan was er geen schijn van kans dat Vernon Jordan dit zou bekennen. Hij was een man die *neergeschoten* was voor iets waar hij in geloofde, en hij en Bill Clinton geloofden in dezelfde dingen. Hij was een man die zelfs het duisterste steegje in zou lopen om een goede vriend te helpen en *zou doen* wat er gedaan moest worden. Hij was een man die zich niet alleen op straat en in de vergaderzaal en in de kleedkamer en aan de eettafel wist te gedragen, hij was ook een man die alles in handen nam, die, alleen door de kracht van zijn aanwezigheid, *overwon*. 'We zijn gewoon makkers,' stelde hij over zijn vriend Bill Clinton. 'Ik eet in zijn keuken en hij in de mijne. Als Hilary in de stad is, komt ze 's avonds eten. Als hij in de stad is, komt hij op het ontbijt.' En Bill Clinton stelde over zijn vriend Vernon Jordan: 'Het laatste dat hij ooit zou doen, is een vriendschap verraden. Het is goed om zo'n vriend te hebben.' Vernon Jordan stelde: 'Ik heb altijd al geweten dat hij eens president zou worden.' En Bill Clinton zei: 'Wat me in Vernon aantrok, was dat hij als mens groot was, groter dan levensecht.'

En dat was hij ook. Als je hem zag staan, één meter vijfennegentig lang in zijn Brooks Brother-pakken, Turnbull & Asser-overhemden, à la Churchill met een Davidoff-sigaar in zijn hand, was Vernon Jordan een charismatische zwarte man wiens oratorische vermogens even machtig waren als die van Martin Luther King Jr. Hij was in staat een macho te zijn in het gezelschap van andere macho's en hij kon verbijsterend, moeiteloos verleidelijk zijn in het gezelschap van vrouwen. Hij kon de bijbel citeren, iemand op de rug kloppen of een kwinkslag maken. Hij kon ook zijn armen voor zijn borst vouwen en met een stalen blik in zijn ogen naar iemand staren en zeggen: 'Je weet *verdomme* totaal niet waar je het over hebt.' Hij kon glimlachen en zorgeloos zijn, *losjes*, en vervolgens de zaal bevriezen met zijn stuurse blik. Hij bestudeerde mensen en wist hoe hij mensen warm moest krijgen. Hij was een man met wie je geen ruzie moest krijgen en een man die nooit iets vergat. Hij was een mengsel van Sidney Poitier en Richard Burton. Hij was de persoon die Denzel Washington had willen zijn. Hij *was* werkelijk wat zijn blanke vrienden in de vergaderzaal hem noemden. Vernon Jordan was Schoppenaas!

In 1997 was de tweeënzestigjarige Vernon Jordan (of zijn tweede vrouw, Ann, voormalig assistent-hoogleraar aan de Chicago School of Social Work) lid van de raad van bestuur van American Express, Xerox, JCPenney, Dow Jones, Sara Lee, Revlon, Bankers Trust, RJR Nabisco, Union Carbide en Ryder. Hij was een van de directeuren van de Ford Foundation en het Brookings Institution. Hij had een aanstelling gekregen aan het Harvard Institute of Politics en een eredoctoraat van Brandeis. Hij was een van de drie partners in het machtigste advocatenkantoor in Washington, een firma die de Volksrepubliek China, de Chileense Vereniging van Exporteurs, de regering van Colombia, de Koreaanse Vereniging voor Buitenlandse Handel en verschillende Japanse multinationals tot zijn cliënten kon rekenen.

Tot zijn vrienden rekende hij de vroegere president George Bush en de vroegere ministers Cyrus Vance en James Baker. 'Vernon kent meer zakenleiders, meer vakbondsleiders, meer staatshoofden dan wie ook die ik ken,' stelde William T. Coleman, staatssecretaris voor Transport onder Gerald Ford. Zijn vergaderontbijten in Washington waren legendarisch, evenals het feit dat Vernon Jordan net zo veel keuvelde met de kelners als met zijn machtige gasten. Hij en Ann werden door het tijdschrift *Forbes* gekozen als één van Amerika's meest invloedrijke echtparen. De meeste mensen in Washington, waaronder Linda Tripp, hadden het gevoel dat hij de machtigste advocaat in de stad was; hij verdiende ruim een miljoen dollar per jaar. Niettemin wandelde hij nooit de rechtszaal binnen en had nog nooit een juridische brief geschreven. Hij was een makelaar in macht, een probleemoplosser, een man die dingen regelde.

Hoewel hij zelden voor het voetlicht kwam, was de Schoppenaas altijd aan het observeren... aan het fluisteren... achter de coulissen. Hij hield niet zo van het helle voetlicht, wees het aanbod van Bill Clinton af om de eerste zwarte minister van Justitie van de Verenigde Staten te worden, wees een zetel in de Foreign Intelligence Committee af, wees een directoraat van de National Football League van de hand. Toen IBM een nieuwe directeur nodig had, gingen ze naar Vernon Jordan – om hem te vragen wie ze moesten benoemen.

Hij was op zijn gemak achter de schermen in de tempels van de macht en de rijkdom, zoals de Century Club in New York of de Bohemian Grove in Noord-Californie, hoewel hij een kwaadaardig gevoel voor humor bezat, dat hij met name liet zien in deze *blanke* plaatsen van het grote geld. De eerste keer dat hij in de Century Club at, waar kleurlingen lange tijd niet welkom waren, bestelde hij watermeloen. Toen men hem vroeg om de belangrijkste Lakeside-redevoering in de Bohemian Grove te houden, gaf hij zijn toespraak de titel 'De op handen zijnde revolutie': 'Ik dacht daarmee mensen te interesseren of genoeg angst aan te jagen om hun aandacht te trekken. Er bestond altijd de mogelijkheid dat sommige mensen dachten dat ik zou opdagen met patroongordels en handgranaten. Maar ik was lid van de Urban League, niet van de Zwarte Panters.' Hij was Schoppenaas, op vriendschappelijke voet met de machtigen en de bevoorrechten, maar liet hen weten dat hij zich bewust van het feit dat hij met *blanke* kerels te maken had.

Met als mogelijke uitzondering de Witte Huis-raadsman Bruce Lindsey, was Vernon Jordan de beste vriend van Bill Clinton. Zoals de vroegere Witte Huis-raadsman Lloyd Cutler eens stelde: 'Presidenten hebben iemand nodig bij wie ze zich kunnen ontspannen. Dat is een goede, trouwe vriend.' William Coleman stelde: 'Hij staat dichter bij de president dan wie ik ook gekend heb sinds Bobby Kennedy en zijn broer.'

Hun vriendschap ging helemaal terug naar de jaren '70, toen Vernon Jordan in Arkansas rondreisde als hoofd van de National Urban League en Bill Clinton als fondsenverwerver ontmoette. Na zijn verkiezing vond Bill Clintons eerste diner plaats in het huis van Vernon Jordan. De Clintons en de Jordans ontmoetten elkaar daar elk jaar voor het kerstdiner. De Schoppenaas en de president golfden continu samen en praatten tweemaal per dag met elkaar. Vernon en Ann en Hillary en Bill gingen zelfs samen op vakantie. Vernon leidde het overgangsteam van Bill in 1992 en Ann was co-voorzitter van de inauguratie van Bill in 1996.

De president richtte zich tot de Schoppenaas toen hij wilde weten of Colin Powell geïnteresseerd was om minister van Buitenlandse Zaken te worden... toen hij een afgevaardigde nodig had om de inauguratie van de eerste democratische president van Taiwan bij te wonen.. toen de weg geëffend moest worden voor het aftreden van Les Aspen als minister van Defensie... toen Lloyd Cutler benaderd moest worden om Bernie

Nussbaum als raadsman van het Witte Huis te vervangen... toen Web Hubbell, die op het punt af te treden als onderminister van Justitie om zich voor de rechter te verantwoorden, een baan zocht. Toen Vince Foster zelfmoord pleegde en Bill Clinton naar het huis van zijn weduwe ging, ging Vernon Jordan met hem mee en bleef hij tot twee uur 's nachts bij hem in het Witte Huis.

Zelfs stafmedewerkers van het Witte Huis wisten hoeveel politieke invloed de Schoppenaas had. Toen George Stephanopoulos een kantoor dichter bij de president in het Witte Huis wilde, direct binnen het Oval Office, vroeg hij dat niet aan Bill Clinton, maar aan Vernon Jordan en die regelde het kantoor voor hem. (Stephanopoulos noemde hem 'onze wijze'.) Wellicht werd de verwantschap tussen Vernon Jordan en Bill Clinton – de *broederschap* tussen de twee mannen – het best getoond op de foto van hun tweeën die Vernon Jordan vaak aan vrienden liet zien. Ze stonden schouder-aan-schouder en zongen 'Lift Every Voice and Sing', vaak 'het zwarte volkslied' genoemd, en Bill Clinton had erop geschreven: 'Cadeau van de enige WASP [White Anglo-Saxon Protestant] die de tekst kent.'

Vernon Jordan en Bill Clinton waren ook op het mannelijk vlak de beste vrienden. 'We lullen meestal over vrouwen,' was het antwoord van Vernon Jordan aan een journalist die hem vroeg waarover hij en de president op de golfbaan praatten. Hij was als man even seksueel als Bill Clinton en staat sinds lange tijd bekend als een 'lady-killer', die men soms op banketten geveinsd fluisterend hoorde praten over de fijnere punten van een bepaalde jonge vrouw. Soms hoorde men hem op diezelfde diners luid grinniken over prikkelende roddels of verhief hij zijn stem bij het vertellen van een schuin verhaal.

Hij leek zich geen zorgen te maken over zijn reputatie: 'Ik mag mensen. Ik heb mensen altijd gemogen. Ik mag alle soorten mensen en ik stop niet met het mogen van mensen. De interpretatie die de mensen daarover hebben heeft niets te maken met mijn professionele verantwoordelijkheden.' Met de armen gevouwen en gefronst voorhoofd gaf hij ook een ander antwoord: 'Ik weet wie ik ben. Ik ben de hoeder van mijn moraal en ethiek. Wat dat betreft, moet ik aan mezelf verantwoording afleggen.' Ook zijn vrouw leek zich niet te storen aan zijn reputatie: 'Ik ben er zeker van dat vrouwen hem aantrekkelijk vinden. In ieder geval *ik* wel.'

Soms lachte Vernon Jordan gewoon om zijn reputatie en zei hij: 'Er niet mis met wat kleedkamerpraat.' Onderdeel van zijn reputatie was dat hij graag werk zocht voor jonge mensen, met name jonge vrouwen. 'Er wordt veel geëist van mensen aan wie veel is gegeven,' zei Vernon Jordan over zijn inspanningen om mensen in banen te plaatsen.

Een jonge vrouw voor wie hij een baan had geregeld, zei: 'Wanneer je een vrouw bent, een aantrekkelijk vrouw en Vernon doet iets voor je, bestaat altijd de verwachting dat er wat buitenschoolse activiteiten zullen zijn.' Een andere jonge vrouw zei: 'Hij flirt graag. Dat is gewoon zijn stijl. Ik herinner me niet dat ik ooit iemand vijandig heb horen zeggen: "Vernon is me te na gekomen." Ik kan niet indenken dat mensen er ooit boos over waren. Mensen rollen dan met hun ogen rollen en zeggen: "O, zo is Vernon."' Zelfs Monica voelde zijn seksuele kracht. 'Omhels hem van me,' zei ze tegen Jordan toen ze over de president sprak. 'Ik omhels geen mannen,' antwoordde Vernon Jordan.

Voor insiders in Washington was er één publiek moment dat alles onthulde over de intimiteit van de relatie tussen de president van de Verenigde Staten en de Schoppenaas. Het vond plaats op een staatsdiner in 1995. De president zat naast een opwindende jonge blondine en aan de andere kant van haar zat Vernon Jordan. De president constateerde dat Schoppenaas flirtte en zei: 'Ik zag haar het eerst, Vernon.' En Vernon Jordan en Bill Clinton lagen onder de tafel van het lachen.

'Vernon weet veel over de president en zijn persoonlijk leven,' zei de voormalige perschef van het Witte Huis Dee Dee Myers. 'Maar hij zal er nooit in handelen. Vernon begrijpt beter dan wie ik ook hoe de macht werkt. Hij praat met de president over alles, meen ik, maar het zou zijn macht verminderen als hij daarover praatte. Hij beschermt de president, zijn vriend.' May Frances Berry van de Amerikaanse Commissie over Burgerrechten stelde: 'Vernon is een oude rot. Hij kent zijn zaakjes. Hij kent de politieke problemen. Hij weet waar de lijken zijn begraven.'

Dit was de buitengewone man... Bill Clintons briljante, door de wol geverfde, gerenommeerde, nuchtere, seksuele, liefhebbende zwarte broeder... op wie Kenneth W. Starr rekende om de president van de Verenigde Staten te beschuldigen van het belemmeren van de rechtsgang.

Hij werd vernoemd naar George Washingtons buitenverblijf Mount Vernon... gelukkig was hij niet zoals een van zijn broers, vernoemd naar Warren Harding. Hij groeide op temidden van de rassenscheiding in de huurkazernes van Atlanta – zijn vader was een postklerk in het leger. Zijn moeder runde Mary Jordan's Catering Service voor de rijke blanken van Atlanta. Hij was de zoon van zijn moeder. 'Als je wat geld hebt,' vertelde ze hem, 'kun je bijna alles doen wat je wilt... Vergeet je achtergrond nooit, vergeet nooit waar je vandaan kwam. Maar zelfs al ben je geboren in de huurkazernes, blijf altijd glimlachen en met die glimlach kun je het ver brengen.' Als Vernon Jordan ergens van terugkwam, vroeg zijn moeder hem: 'Wat heb je gezien? Wat heb je gehoord? Wat heb je geleerd?'

Als kleine jongen bleef hij altijd dichtbij hun eigen wijk. 'Je wist dat er gekleurd water en blank water was,' zou hij later zeggen. 'Je wist dat je bovenin het theater zat en dat het een manier van leven was. Je begreep het. Maar dat betekende nooit dat je het aanvaardde.' Toen hij tien was, zag hij de blanke wereld. Vernon Jordan ging mee met zijn moeder naar de huizen van de belangrijke rijken, waar ze voor het voedsel zorgde bij feesten. Hij stond achter de bar of hielp in de keuken. Hij sloop soms de keuken uit om de rijke blanken te bekijken. Een groep juristen in de blanke Lawyers' Club in Atlanta maakte een levenslange indruk op hem. 'Ik vond de manier waarop zij zich kleedden mooi. Ik vond hun manieren mooi. Ik bewonderde hun optreden, de manier waarop zij verschillende zaken verwoordden, en natuurlijk hun hoge posities.'

Op de scholen die hij bezocht, was er evenzeer sprake van rassenscheiding als in de toiletten, de trams en de lunchrooms. Vernon Jordan studeerde hard, haalde schitterende diploma's en speelde basketbal. Hij werd aangenomen op de DePauw universiteit in Greencastle, Indiana. Hij was de enige zwarte in zijn klas en één van de vijf op de hele school. Hij speelde in het schooltoneel en schreef zelfs een toneelstuk over blank racisme. Hij ging door met basketbal spelen. Zijn hoofdvak was politieke wetenschappen met als bijvakken geschiedenis en spreekvaardigheid. Wij won de eerste prijs voor publiek spreken in een staatswedstrijd. Hij studeerde cum laude af. Hij wilde naar de juridische school, maar had daar geen geld voor. Hij ging naar Chicago en werd buschauffeur, werkte zestien uur per dag en werd aangenomen op de Howard universiteit.

Nadat hij cum laude afgestudeerd was op Howard, kreeg hij aanbiedingen van veel blanke advocatenkantoren aan de oostkust. Hij wees ze alle af. Hij ging terug naar Atlanta. Hij stak zijn formidabele intelligentie en energie in werk voor de burgerrechtenbeweging voor zwarten. Hij werd klerk op het advocatenkantoor van de vermaarde burgerrechtenadvocaat Donald Hollowell. Zijn persoonlijke held was een andere burgerrechtenadvocaat in Atlanta, A. T. Walden, die jarenlang verloren zaken had verdedigd tegenover blanke racistische rechters. 'Ik kan me herinneren dat hij in zijn volle lengte rechtop stond. Hem zien betekende op dezelfde manier als hij lopen en op dezelfde manier spreken.'

Als vierentwintigjarige klerk op een advocatenkantoor begeleidde hij Charlayne Hunter, de eerste zwarte die tot de universiteit van Georgia toegelaten werd, naar de collegebanken. Het nieuws liet een lange, Hollywood-knappe, jonge, zwarte man zien die zijn lichaam als schild en wig gebruikte om de angstige Hunter door een rij te leiden van gek geworden, spuwende witte gezichten die '*Die, nigger, die*' riepen.

Op dit punt in de geschiedenis, toen rassengeweld Amerika dreigde te overspoelen, vormde Vernon Jordan zijn eigen filosofie. Hij wees de Panters en Rap Browns en Stokeley Carmichaels van de hand, die er op aandrongen het geweer op te pakken en schreeuwden: '*Burn, baby, burn.*' Vernon Jordan geloofde in politieke macht als weg naar gelijkheid, geloofde in kiezersregistratie en in de economische boycot. Hij geloofde in het hoofd en niet in de molotov-cocktail. Hij geloofde in het idee van een zwarte intellectuele elite van sociale activisten die met het woord zouden vechten in de gerechtshoven en vergaderzalen om de problemen van de minder geschoolde mensen te verlichten. Hij geloofde in de stembus, niet in de zeepkist. 'Je moet een intellectuele, werkende zwarte elite krijgen,' stelde hij, 'en die kun je niet krijgen door op de hoek te blijven staan.'

Hij werd lid van de NAACP en reisde door het gehele zuiden en riep op tot economische boycots van bedrijven en industrieën die geen zwarten aannamen en coördineerde stemregistratie-acties. Hij werd directeur van het stemopvoedingsproject van de Zuidelijke regionale raad. Hij werkte zonder ophouden, reed zelf overal naartoe, sliep in kerkportalen, *dwong* zwarten puur op wilskracht zich als stemgerechtigde te laten registreren. In 1968 had het zuiden bijna 2 miljoen nieuwe zwarte stemgerechtigden, was het aantal van gekozen zwarte ambtenaren tien keer zo hoog als eerder en was Vernon Jordan een nationaal bekende leider van de burgerrechtenbeweging.

De schrijver Taylor Branch herinnerde zich hem: 'Het was alsof hij licht en schittering uitstraalde, terwijl hij toezicht hield op de mensen die stemgerechtigden registreerden, vijf jaar nadat dat uit de mode was geraakt.' Dominee Ralph Abernathy noemde hem 'een van de meest vaardige en meest uitgesproken stemmen in de beweging voor burgerrechten en mensenrechten'. Vernon Jordan was zo gerespecteerd in de beweging, zelfs onder zwarte nationalisten, dat hij op hoog niveau binnen de beweging een bemiddelaar werd.

Toen hij in 1970 op het punt stond voor een plaats in het Congres te kiezen, werd hem gevraagd hoofd te worden van het United Negro College Fund. Hij gaf zijn eigen politieke ambities op om de zaak van scholing voor zwarten te stimuleren – omdat hij het gevoel had dat daarin wellicht het grootste probleem van de zwarte bevolking lag. Een jaar later, toen Whitney Young, de directeur van de National Urban League, verdronk, werd hij gevraagd om Young te vervangen. Hij nam het voorstel aan.

Vernon Jordan geloofde dat de strijd zich verplaatste van het Zuiden naar de getto's van de Amerikaanse steden en dat de Urban League iets kon doen om daarbij te helpen. Hij geloofde dat de Urban League voor blank zakelijk Amerika een veel makkelijker alternatief was dan zaken te moeten doen met de meer opruiende schreeuwers om zwarte macht. Vernon Jordan drong bij de blanke bedrijven aan op functietraining en onderwijsprogramma's voor jongeren. Hij vatte de Urban League op als brug tussen blanke leidinggevenden en de stedelijke armen.

Zoals Drew S. Days, voormalig hoofd van de afdeling Civil Rights op het ministerie van Justitie zei: 'Hij was in staat een belangrijke link te leggen tussen de burgerrechtenbeweging en de zakelijke wereld. Hij toonde zakelijke leiders nuchter aan waarom het vaak ook in hun eigen belang was om de beweging te steunen.' Een leider in het zakenleven die in die tijd met hem samenwerkte stelde: 'Je kunt Vernon niet manipuleren. Hij is een lastige klant. Je kunt Vernon nooit zo ver krijgen om hem iets te laten doen, puur omdat je dat wilt. Hij weet hoe hij nee moet zeggen.'

Vernon Jordan had spoedig een budget van honderd miljoen dollar om mee te werken, een kapitaal dat hem verschaft werd door het Amerikaanse bedrijfsleven en de federale regering. 'Wanneer ik mijn werk goed uitvoer,' zei hij, 'zullen niet alleen de zwarten hiervan profiteren, maar tevens het gehele land. Het land heeft er groot belang bij dat het goed gaat met zwarten.' Als hij zich niet in de vergaderzaal bevond, druk uitoefenend op zakelijk leidinggevenden, hield hij toespraken in het hele land, waarbij hij er bij de Amerikanen op aandrong om iets te doen aan de nachtmerrie van het bestaan in de binnensteden.

Een van die toespraken vond plaats op 29 mei 1980 in de Marriott Inn in Fort Wayne (Indiana), waar de afdeling Fort Wayne van de Urban League het diner gebruikte. In zijn toespraak veroordeelde hij 'het blinde enthousiasme van de ruk naar rechts van het land, met name wanneer dat inhoudt dat het bereiken van een evenwicht op de betalingsbalans ten koste gaat van sociale maatregelen.' Bij het diner daarna ontmoette hij de zesendertigjarige Martha C. Coleman, een lid van Fort Waynes raad van directeuren van de Urban League, secretaris van International Harvester, een blanke gescheiden vrouw die met een zwarte getrouwd was geweest. Na het diner ging Vernon Jordan naar het huis van Coleman, waar ze, zoals zij zei, koffie dronken en naar wat platen luisterden.

Om twee uur 's morgens reed ze hem terug naar zijn kamer in het Marriott. Op weg daarnaartoe stopten ze bij een stoplicht drie kilometer van het hotel en een auto vol met blanke tieners kwam naast ze rijden. Ze begonnen obscene dingen en racistische scheldwoorden naar het gemengde paar te schreeuwen en reden weg. Coleman reed hem naar het hotel en toen Vernon Jordan uit de wagen stapte, trof een 0.30-06 kogel (gebruikt om op beren en herten te jagen) hem linksonder in de rug, net links van de wervelkolom.

'Op het moment dat het projectiel het lichaam binnendrong, was er een explosie-effect zoals ik nog nooit gezien heb,' stelde een dokter bij de eerste hulp. 'Het leek gewoon een wonder dat de wervelkolom niet geraakt was. Als de kogel een miljoenste van een seconde later was ontploft, was er absoluut geen kans geweest dat hij het had overleefd.' Het schot sloeg een gat ter grootte van een vuist in de rug van Vernon Jordan. Hij onderging vijf operaties.

De politie van Fort Wayne, die zag dat hij zich in het gezelschap van een blanke vrouw bevond en wist dat ze getrouwd was geweest met een zwarte, noemde het 'een incident in de relationele sfeer'. Ze hechtten zwaar aan het feit dat hij uren alleen met Coleman thuis naar 'platen had zitten luisteren'. John E. Jacob, vice-voorzitter van de Urban League, hield een persconferentie en zei dat de organisatie 'in toenemende mate ongerust was over het feit dat de publieke aandacht werd afgeleid van de afgrijselijke aard van de misdaad naar zaken die hun oorsprong vonden in speculatie, insinuaties en roddel'.

Kenmerkend voor hem zei Vernon Jordan in één van zijn eerste publieke verklaringen na de schietpartij: 'Het is belangrijk op te merken dat, hoewel jarenlang vele zwarten op een snelweg stierven omdat geen enkel ziekenhuis hen wou opnemen omdat ze zwart waren, ik hier in 1980 in een klein stadje als Fort Wayne neergeschoten werd en met spoed naar een ziekenhuis werd gebracht waar de internist in de operatiekamer zwart was, de anesthesist zwart was, evenals de chirurg. Dat duidt toch aan dat er enige vooruitgang is geweest.'

De man die twee uur op een grasheuvel wachtte om Vernon Jordan neer te schieten, was een dertigjarige zwerver uit Mobile, Alabama, die zichzelf de naam Joseph Paul Franklin had gegeven – als eerbetoon aan Benjamin Franklin en Paul Joseph Goebbels, de propagandaminister van Hitler. Hij was een tijd lid van de Amerikaanse nazi-partij en de Ku Klux Klan. Hij had de man met de zeis en de Amerikaanse adelaars op zijn voorarmen getatoeëerd.

Hij had een dreigbrief naar president Carter gestuurd en had Chicago bezocht, jagend op Jesse Jackson. Hij zou vele jaren later zeggen dat hij 'bij toeval in Fort Wayne was,' toen hij hoorde dat Vernon Jordan daar zou spreken. Hij had de bedoeling een rassenoorlog in Amerika te beginnen en was zo kwaad dat de politie van Fort Wayne het neerschieten van Jordan een misdaad een 'incident in de relationele sfeer' had genoemd dat hij snel naar Cincinatti reed en twee zwarte tieners neerschoot.

Geboren als James Clayton Vaughn was hij vanaf zijn geboorte blind aan zijn rechter oog. Allebei zijn ouders waren alcoholist. Hij ging zelden naar school. 'Ik kreeg altijd superslechte cijfers. De enige keer dat ik een 10 kreeg was voor gedrag. Ik was één van die heel stille kinderen.' Op zijn elfde, toen hij bij zijn oom in Georgia woonde, droeg hij al een geladen geweer bij zich als hij door de bossen struinde. 'Ik deed gewoon alsof ik ermee schoot, maar in werkelijkheid schoot ik er niet mee.' Op zijn twaalfde schoot hij voor het eerst een pistool af. Op zijn zestiende gaf zijn broer hem een 16 kaliber geweer, nam hem mee de bossen in en leerde hem schieten.

De rest van zijn leven 'had hij altijd een geweer'. Hij bekeek honderden westerns op de televisie en deed alsof hij een cowboy was. Hij mocht de sheriff nooit: hij voelde zich altijd de misdadiger. Hij hield ervan zich te verkleden als cowboy, maar droeg altijd zwart – een zwarte cowboyhoed, zwarte laarzen, een zwarte spijkerbroek. Toen hij halverwege zijn tienerjaren was, begon hij nazi-literatuur te lezen. 'Wanneer je bewust dat soort geschriften herleest en herleest, dringt het tot je bewustzijn door en begin je te denken dat zwarten en joden in het geheel geen mensen zijn.'

Tegen de tijd dat hij op zijn zeventiende Mobile verliet, had hij een diepe haat tegen zwarten ontwikkeld, met name als ze uitgingen met blanken. Hij trouwde tweemaal. Beide huwelijken duurden een jaar. Beide vrouwen vertelden dat ze door hem geslagen werden.

Op 21 september 1976 verscheen hij in een voorstad van Washington. Hij zag een zwarte man en een blanke vrouw die op straat lopen en bespoot ze met traangas. Hij verbeurde zijn borgtocht en stond nooit terecht.

In het begin van 1977 plaatste hij een bom die de Beth Shalom synagoge in Chattanooga (Tennessee) verwoestte. Hij had ook te maken met de bom die een maand later werd geplaatst in het huis in Washington van een lobbyïst voor Israël.

Hij begon banken te beroven zoals de misdadigers in zijn westerns, om zichzelf te onderhouden. Voordat hij gepakt werd, had hij zestien banken beroofd.

Later in 1977 reed hij zijn Capri uit 1972 door Madison (Wisconsin). Hij kwam in het verkeer vast te zitten. De auto voor hem werd bestuurd door een zwarte. Er zat een blanke vrouw naast de man. Op een gegeven moment konden ze doorrijden, maar dezelfde auto was nog steeds voor hem en reed langzaam. Hij bleef toeteren om ze tot sneller rijden te manen. De man reed naar de kant van de weg en kwam op de auto van Joseph Paul Franklin toe. Franklin had net een bank beroofd. Hij had een gestolen pistool bij zich. 'Het was een volledig spontaan idee. Het was niet gepland. Ik trok mijn pistool en schoot hem ter plekke neer.' Ook de vrouw schoot hij neer, waarna hij wegreed. 'Het waren toevallig twee mensen die ik totaal haatte. Als blanken beginnen aan seks met zwarten, dan zijn ze zelfs geen mensen meer.'

Nog altijd in 1977 schoot hij een joodse man dood buiten een synagoge in Missouri.

In februari 1978 schoot hij een gemengd paar dood, dat door een wijk in Atlanta liep.

In juli 1978 schoot hij op een zwarte man in Chattanooga, toen die buiten een pizzeria met zijn vriendin stond te praten.

'Het was mijn missie. Ik had gewoon het gevoel dat ik op voet van oorlog leefde met de wereld. Mijn missie was om zo veel mogelijk boosdoeners kwijt te raken. Als ik dat niet zou doen, zou ik gestraft worden. Ik voelde dat God me instructies gaf om mensen te vermoorden.'

In 1979 schoot hij een zwarte taxichauffeur neer die in het Piedmont Park in Atlanta met een blanke vrouw sprak.

Op 29 mei 1980 hoorde hij dat Vernon Jordan in Fort Wayne was en parkeerde hij zijn auto aan de kant van de Interstate 69, deed de motorkap open alsof hij motorpech had en wandelde de heuvel op naar de grasheuvel die voor de Marriott Inn lag.

In juni 1980 schoot hij twee zwarte tieners neer in Cincinatti (Ohio). In juli 1980 vermoordde hij twee zwarte lifters in West Virginia. In augustus 1980 vermoordde hij twee zwarte mannen en twee blanke vrouwen die samen in Salt Lake City (Utah) aan het joggen waren.

Op 18 oktober 1980 werd hij eindelijk gevangen in Lakeland (Florida), nadat hij zijn bloed voor vijf dollar aan de bloedbank had verkocht.

De poster met zijn foto was aan alle bloedcentra verstuurd. President Carter, die eerder per post was bedreigd, werd een paar uur na zijn arrestatie in Lakeland verwacht voor een pauze in zijn campagne. Politie-agenten zeiden dat zij 'de mogelijkheid niet konden uitsluiten' dat de aanwezigheid van Franklin in Lakeland op datzelfde moment 'meer dan toeval' was.

Om kort te gaan: hij werd beschuldigd van twintig moorden.

In 1997 zat hij in de dodencel in Missouri en wachtte nog steeds op zijn terechtstelling. Wetsdienaren uit het gehele land kwamen om met hem te praten en probeerden hem in verband te brengen met andere moorden. Hij leek van die aandacht te genieten. 'Zwarten zijn nog steeds mijn favoriete mensen niet,' zei hij. Aanklagers noemden hem een 'beest', maar hij glimlachte en zei: 'Ik ben Jesse James of Billy the Kid. Ik beschouw mezelf als een *outlaw* van het Wilde Westen. Ze vermoordden geen onschuldige vrouwen. Dat zou ik ook nooit doen.'

Soms leek het alsof Joseph Paul Franklin hof hield. Hij zei tegen rechercheurs uit Atlanta die hem wilden bezoeken dat hij alleen met hen wilde praten als ze een 'mooie vrouw' meebrachten, naar wie hij tijdens het gesprek kon kijken. Ze namen een vrouwelijke hulpsheriff mee en Franklin staarde twee uur lang naar haar borsten en loerde en likte zijn lippen af.

Toen de maffe waanzin van Kenneth W. Starr eindelijk tot bloei kwam... toen de zoon van de predikant de Schoppenaas voor zijn Republikeinse Congres-scherpschutters kreeg, was wat er gebeurde dat Vernon Jordan *hen aandeed* wat Joseph Paul Franklin hem had geprobeerd aan te doen. Hij blies ze totaal weg. Hij blies ze in stukken. Hij miste de ruggengraat niet.

VRAAG: Was uw hulp aan mevrouw Lewinsky, die u hebt beschreven, op welke manier dan ook afhankelijk van wat zij dan ook gedaan mag hebben in de zaak van Paula Jones?

ANTWOORD: Nee.

VRAAG: En dat is precies het punt nu, dat u naar een baan voor mevrouw Lewinsky zocht als een opdracht en meer dan gewoon iets waarvoor u een referentie zou geven.

ANTWOORD: Ik weet niet alsof ik het als een opdracht zag. Banen voor mensen vinden is niet ongewoon voor me, dus ik zie het niet als een opdracht. Ik zie het gewoon als iets dat onderdeel uitmaakt van wat ik doe.

VRAAG: Wat vond u tijdens het verloop van de ontmoeting met mevrouw Lewinsky van haar?

ANTWOORD: Enthousiast, ik was onder de indruk van haar en haar ervaring. Bruisend, levendig, levenslustig, vol zelfvertrouwen. In feite had ik ongeveer dezelfde indruk van haar als jullie Huis-managers van haar hadden toen jullie haar ontmoetten. Jullie kwamen naar buiten en zeiden dat ze veel indruk had gemaakt en dus kwamen we ongeveer hetzelfde naar buiten.

VRAAG: En vertelde ze u dat ze dat ze het leuk vond stagiaire te zijn in het Witte Huis, zodat ze in de nabijheid van de president was?

ANTWOORD: Ik heb nog nooit iemand gezien die stage liep in het Witte Huis en dat niet leuk vond. Haar enthousiasme om als stagiaire in het Witte Huis te werken was ongeveer net zoals het enthousiasme van anderen – ze vonden het wel fraai.

VRAAG: Maakte ze toespelingen op het feit dat iemand in het Witte Huis zich er niet goed over voelde dat ze stagiaire was en geloofde ze dat mensen haar niet wilden?

ANTWOORD: Ze voelde zich ongewenst – dat staat als een paal boven water. Wat betreft wie haar niet zag zitten en waarom, dat waren mijn zaken niet.

VRAAG: En had u enige tijd na uw ontmoeting met mevrouw Lewinsky op 11 december een volgend gesprek met de president?

ANTWOORD: U begrijpt natuurlijk *wel* dat een gesprek tussen mij en de president niet ongewoon was.

VRAAG: Ja natuurlijk.

ANTWOORD: Oké.

VRAAG: Laat me specifieker zijn. Gaf hij [Clinton] er blijk van dat hij wist dat ze haar baan kwijt was in het Witte Huis en dat ze in baan in New York wilde?

ANTWOORD: Hij was zich er duidelijk van bewust dat ze haar baan in het Witte Huis kwijt was, omdat ze op het Pentagon werkte. Hij was er zich tevens van bewust dat ze in New York wilde werken, in de private sector en hij begreep dat dat de reden was dat ze met mij praatte. Daar is geen twijfel over mogelijk.

VRAAG: En hij bedankte u dat u haar hielp.

ANTWOORD: Ook daarover is geen twijfel mogelijk.

VRAAG: En vertelde de president u tijdens één van de twee gesprekken waarnaar ik verwezen heb dat mevrouw Monica Lewinsky op de getuigenlijst stond in de zaak Paula Jones?

ANTWOORD: Geenszins.

VRAAG: En beschouwde u deze informatie als belangrijk voor uw inspanningen om mevrouw Lewinsky te helpen?

ANTWOORD: Daar heb ik nooit aan gedacht.

Bang! Eén kogel afgevuurd vanaf een grasheuvel! Vernon Jordan had een purperen hart gewonnen in wat hij beschouwde als zijn oorlog voor sociale vooruitgang. Hij was gedecoreerd met een lintje door zwarten, vele blanken, door presidenten, door bedrijven. En Kenneth W. Starr en zijn wittebrood-Congresleden dachten dat ze hem klein konden krijgen?

In oktober 1998 zei Joseph Paul Franklin tegen in rechter in Ohio: 'U bent slechts een vertegenwoordiger van een duivels systeem en u zult door Jezus Christus geoordeeld worden.'

'Ik zal geen twintig kerven op mijn geweer hebben wanneer dat gebeurt,' antwoordde de rechter.

Joseph Paul Franklin had toen nog één schietpartij bekend: hij had in maart 1978 Larry Flynt, de uitgever van *Hustler*, verwond in Lawrenceville (Georgia). Hij had een pornografische, interraciale foto over twee pagina's in *Hustler* gezien, vertelde Franklin en hij 'was toevallig' in Lawrenceville toen het proces tegen Flynn begon. *Op het juiste moment op de juiste plaats...* Hij stoorde zich niet aan de porno. Het ging hem om het interraciale stel.

Binnen de context van Bill Clintons impeachment was het een adembenemend toeval. Bill Clinton werd voor een belangrijk deel van de verwijdering uit zijn ambt gered door de inspanningen van twee mensen – de Schoppenaas, die hem bleef steunen, en de pornograaf, die heel Washington van angst in de gordijnen kreeg. *En dezelfde man had allebei neergeschoten!* Stel dat hij een betere schutter was geweest? Wat zou er dan met Bill Clinton gebeurd zijn? Stel dat Jesse Jackson in Chicago geweest was, toen Franklin naar hem op zoek was? Stel dat Franklin niet gearresteerd was tegen de tijd dat president Carter Lakeland aandeed?

Joseph Paul Franklin stond voor alles wat mijn generatie haatte en had geprobeerd te veranderen in de Amerikaanse maatschappij: racisme, antisemitisme, de cowboy-mythe, de liefde voor vuurwapens, het seksisme, huiselijk geweld tegen vrouwen. Hij was een verwrongen, demonische voetsoldaat die even veel van zwarten en gemengde koppels hield als het Nachtschepsel, de Verraadster, de Voddenbaal of Führer Man.

Hilary sprak van een 'enorme rechtse samenzwering' en velen onder ons waren er zeker van dat ze deze frase opportunistisch, pragmatisch, dreigend gebruikte om haar man en hun presidentschap te redden. Maar wordt van ons werkelijk verwacht dat de man die zichzelf naar Goebbels vernoemde 'gewoon toevallig' in Fort Wayne (Indiana) en Lawrenceville (Georgia) was toen Vernon Jordan en Larry Flynt daar ook waren? Er was geen feiten verdraaiende Oliver Stone die een samenzwering had beraamd om ons dat te doen geloven. Of een stuk verhitte journalistiek die Hunter Thompson uit zijn koortsige hersens had uitgezonden. *Dit was echt.*

En indien dit alles onderdeel uitmaakte van de grote, ongeziene en voortgaande schaduwoorlog om het hart en de ziel van Amerika, wat commentatoren eufemistisch betitelden als 'de cultuuroorlog', waar zou dit dan eindigen? JFK werd neergeschoten, evenals Bobby en Martin en Medgar, en hetzelfde lot trof Vernon Jordan en Larry Flynt. En Bill Clinton ging bijna net zo zeker naar de bliksem, maar op een andere manier, gered door mannen die de kogels al hadden gevoeld. Van de ene grasheuvel naar de andere... waar zou de volgende grasheuvel staan?

(6)

Al Gorf houdt van
Tipper Galore

De dag dat het *Starr-rapport* werd gepubliceerd was een van de droefste en gelukkigste dagen van mijn leven.

Ik wist dat er voor de president die ik had gediend en bewonderd alleen nog de rock 'n roll-teksten zouden overblijven die Tipper buiten zichzelf hadden gebracht. En ik wist, ten slotte en voor altijd, dat ik mezelf kon bevrijden van die afgrijselijke paranoïde idee dat Bill in 1993 Tipper tot slachtoffer had gemaakt op de dezelfde manier als waarop hij Monica Lewinsky had misbruikt.

Ik wist dat, als er iets zou zijn voorgevallen tussen hen, Ken Starr en zijn overijverige leger onderzoekers dat beslist hadden ontdekt. Hij zou dan zowel Bill *als* mij hebben kunnen vernietigen met één rapport over een vicepresident die door zijn opperbevelhebber was bedrogen. Hij zou een liefdesverhaal hebben vernietigd dat zelfs schitterender was dan het verhaal dat Erich Segal over ons schreef.

De Rots van Gibraltar van mijn leven is de liefde voor de vrouw met wie ik nu bijna 33 jaar getrouwd ben, de moeder van mijn vier kinderen, de vrouw die ik voor het eerst Tipper Galore noemde toen we samen een film van James Bond zagen, toen we op de universiteit zaten

Mijn moeder mocht haar in het begin niet. 'Ze heeft geen diploma's. Wat zie je in haar?' zei ma en ze wilde dat ik met wat meer *sophisticated* vrouwen uit de omgeving van Boston zou uitgaan. Maar ze mocht Bill ook niet. 'Bill Clinton is geen aardige kerel. Word niet te dik met hem,' zei zij. 'Hij is in een zeer *provinciale* atmosfeer opgegroeid.'

Ik houd zielsveel van mijn lieve oude moeder, maar ze is een professionele snob en ze is vaak – wel, ik zal dit omschrijven in de karakteristieke termen van een alfaman, die mijn media-adviseur, Naomi Wolf, mij wil laten gebruiken.

Ma lult vaak maar wat.

Voor de huishoudelijke hulp was moeder 'mevrouw de senator' en mijn vader 'meneer de senator', toen ik opgroeide op de achtste verdieping van het Fairfax hotel in Washington DC. Mijn vader was Albert Gore, de gerenommeerde, progressieve, populistische senator uit Tenessee, en mijn moeder, Pauline, was zijn slimste campagne-adviseur.

Pa, die een keer met de familie Carter op de radio viool speelde, doste zich uit in Engelse tweed-kleding en blauwe seminariepakken. Moeder, die serveerster was toen ze elkaar ontmoetten, was nu de voorzitter van het forum voor vrouwen van Congresleden en voorzitter van het bureau van vrouwelijke sprekers van het Democratisch Nationaal Comité.

Ze waren veel weg en ik zat meestal alleen in de appartement met mijn zwarte kinderjuffrouw, Ocie Bell, die het eten voor me op tafel zette en het er 'aantrekkelijk' voor me liet uitzien. Wanneer ze in de stad waren, gingen we tegen zonsondergang wandelen, paradeerden we op en neer vóór de ambassades op Embassy Row of zat ik met hen op de daktuin van de Fairfax en dronk ik melk, terwijl zij longdrinks hadden.

Mijn vader noemde me 'liefje' en nam me mee naar commissievergaderingen van de Senaat. Hij liet me met mijn speelgoedonderzeeër spelen in de Senaatvijver. Hij stelde me voor aan vice-president Nixon en de vice-president wiegde me op zijn knie. Hij nam me mee naar danslessen op zaterdagmiddag en toonde me hoe ik de wals moest dansen. Hij bracht me ook naar vioollessen, maar moeder verbood hem dat. 'Toekomstige wereldleiders spelen geen viool,' zei moeder.

Soms, als ik me verveelde en ze de stad uit waren, glipte ik naar de daktuin en gooide waterballonbommen op de limousines die bij het trottoir stonden. Ik onmoette president Kennedy – eerst op een party in ons appartement en toen aan de telefoon. Mijn vader liet me meeluisteren als de president sommige mensen 'klootzakken' noemde. Mijn vader smokkelde me zelfs in de privé-werkkamer van president Kennedy toen die de stad uit was. Ik zat in zijn schommelstoel.

Toen ik in de vierde klas zat, lieten mijn ouders me inschrijven op Saint Albans, een particuliere school vlakbij ons appartement, waar veel Kennedy's en Roosevelts op hadden gezeten. Saint Albans was, om een woord van Naomi Wolf te gebruiken, shit. De ander kinderen noemden me 'Al Gorf'.

Maar ik was een goed kind, net zoals ik een goed jongetje was geweest. Ik had een leraar die mij vele jaren later vertelde: 'Je was zo gerijpt en voorlijk, ik moest je altijd goed aankijken om te zien of je een kind of een man was.' Als kind verveelde ik me dood.

Het enige goede nieuws was dat de Jockey club, het fraaiste restaurant van de stad, op de eerste verdieping van het Fairfax hotel zat en dat ik op elk moment de keuken in kon paraderen en kon eten wat ik wilde. Vader stuurde mij 's zomers naar een stadje in Tenessee dat Carthage heette, waar hij vandaan kwam en waar we een boerderij hadden. Ik moest elke dag boerderijwerk doen met een aantal kennissen van pa. De hele zomer varkensstallen schoonmaken, dan terug naar de Jockey club en Saint Albans.

Zo ging het vele jaren lang – Saint Albans, mijn ouders weg en de boerderij in de zomer, waar mijn ouders zelden waren. Ik had geen goede vrienden.

Ik speelde *football* en basketbal en ik luisterde continu naar de radio: Jackie Wilson, Sam Cooke, Chuck Berry. Een zwarte portier van het hotel mocht me en nam me soms mee in het straatje achter de Jockey club, waar we een *football* heen en weer schopten.

Op school leerde Al Gorf hoe hij een half uur een bezem op zijn neus kon laten balanceren. En in Carhage zag Al Gorf een meisje in de auto zitten die naar Ray Charles luisterde en hij ging naar haar toe.

Ik was dertien en zij was zestien – Donna Armistead – het lied van Ritchie Valence was toen ongeveer net uit en ik vond het prachtig – en ik vroeg Donna of ze met me uit wilde. We gingen met een paar vrienden van haar naar de drive-in bioscoop en de volgende dag vroeg ik haar om vaste verkering. Ze stemde ermee in.

En dat noemen ze kalverliefde, maar ik had nu een vriendinnetje als ik terugging naar Saint Albans. Ik schreef haar tweemaal per dag en ik belde haar elke zaterdagavond om 7:30 uur. In mijn eerste jaar op Saint Albans waren pa en ma zo vaak weg dat ik naar een studentenflat verhuisde. Ik sliep elke morgen voor de mis zo lang mogelijk, gebruikte een das met een klem en haalde de achterkant van mijn overhemden zodat ik ze onder mijn jasje precies zo kon aandoen als een T-shirt. Of ik werd soms om drie uur 's morgen wakker, kleedde me vast aan voor de volgende dag en ging terug naar bed.

In Carthage kusten Donna en ik elkaar vaak; we vrijden en zoenden, maar deden niet alles. We waren de Ken en Barbie van de heuvels van Tenessee. Op een dag waren Donna en ik in de kelder van het huis van mijn ouders in Carthage, moeder was de stad geweest en kwam de trap afrennen. We lagen op de bank en wreven stevig tegen elkaar en moeder haalde ons uit elkaar en zei dat ik een koude douche moest nemen. En dat deed ik ook. Een andere keer parkeerden Donna en ik in een laantje voor geliefden en waren er plotseling koplampen achter ons. Ik sprong zo snel de auto uit, dat ik haar schoenen aan had. Mijn vader stond daar. Hij zei: 'En waar denk je dat je mee bezig bent? Vind je niet dat het tijd wordt dat we naar huis gingen?' En naar huis gingen we.

In mijn laatste jaar op Saint Albans zat ik in de studentenploegen voor *football* en basketbal. Het was een grote sof. We wonnen één wedstrijd en verloren er zeven met *football*. Wij wonnen er twee en verloren er veertien met basketbal. Toen het jaarboek van de school uitkwam, stond daar, onder mijn foto: 'Mensen die geen zwakheden hebben zijn verschrikkelijk.'

Ik ging naar een paar schoolfuiven, waar Al Gorf ronddanste op Johnny Mathis, maar ik schreef Donna nog steeds tweemaal per dag. Ik ging met drie klasgenoten naar de Beatles in Washington Stadium. Alledrie waren ze weg van John. Mijn favoriet was Paul. Ik vierde mijn afstuderen door de stad rond te rijden in de Chrysler Imperial van mijn vader, alleen, zevenklappers uit het raam gooiend. Een van deze sprong terug op mijn schoot en beëindigde bijna het seksleven van Al Gorf, dat nog nauwelijks begonnen was.

Vermoedelijk had ik meer contact met Powell, de portier van het hotel, dan met één van mijn klasgenoten. Powell en ik hadden Jackie Wilson gemeen en ik wist zo veel over muziek dat we altijd wel iets hadden om over te praten. Ik wist dat Lefty Frizzell in Roswell (New Mexico) gevangen zat, in de nacht dat de vliegende schotels landden... dat Jerry Lee Lewis op een tour in Australië bijna Paul Anka vermoord had... dat Ray Charles een grotere dekhengst was dan Elvis... dat Brenda Lee een dertienjarige dwerg was.

Ik vroeg Powell me mee te nemen naar Howard Theater, een beroemde R&B-locatie, om James Brown te zien optreden en dat deed hij. Ik was verrukt van James Brown en ik zweer dat ik bijna klaar kwam toen ik de dingen zag die hij op het einde van de show met zijn cape deed.

Ik ontmoette haar op het afstudeerbal. Ze was er met iemand anders. Ik zag haar aan de andere kant van de zaal, een visioen van spichtige blondheid, lange haren, engelachtig gezicht, spiegelheldere blauwe ogen. Marianne Faithfull met een verblindende filmische glimlach. O, pretty woman!

We praatten wat. Haar naam was Tipper Aitcheson. Haar moeder had haar naar de big-band hit 'Tipi Tipi Tin' uit de jaren '30 genoemd. Ik kon mijn ogen niet van haar afhouden. Een geval, zo zei Tipper later, van puur dierlijke aantrekkingskracht.

Ik belde haar de volgende dag op en vroeg haar mee uit naar een ander afstudeerbal diezelfde avond. We dansten en dansten. Alles en iedereen smolt. Het was de eerste keer dat ik Johnny Mathis goed vond klinken.

Ze mocht me. Ik kon niet geloven dat ik in gezelschap van het mooiste meisje dat ik ooit had gezien was en dat zij Al Gorf mocht. Ze zei dat ze me grappig en leuk vond. Zij was zestien, derdejaars op Saint Agnes, een anglicaanse meisjesschool in Arlington, Virginia.

Tipper was gek op de Stones, met name op Mick. Ze drumde in een meidenband die de Wildcats heette. Ze was dol op de ondeugendheid van 'I can get no girlie action' in 'Satisfaction'. Ze reed in een ijsblauwe Mustang. Ze was uitgegaan met een van mijn klasgenoten, een van de snelle en coole jongens en ze had hem een 45-toeren plaat gegeven van 'Get Off My Cloud', en schreef op de plaat in het Frans 'Rolling Stones Voor Eeuwig'. Ze was ook met een andere klasgenoot uit geweest, ook een snelle en coole jongen en had in zijn jaarboek gezet: 'Maak zo veel plezier als je maar wilt, maar op een dag trouw ik je!'

Ze woonde in het huis van haar grootouders in Arlington, waar ze was opgegroeid. Haar ouders waren gescheiden toen ze nog een kind was. Haar vader sloeg haar moeder, die tweemaal in een ziekenhuis was opgenomen voor depressies. Ze was door de andere kinderen op school geplaagd omdat 'ze geen vader had'.

Ze had een dubbelzinnig, soms schuin gevoel voor humor. Duidelijk niet Paul McCartney. Ik nam haar continu mee uit, maar dat waren duidelijk geen afspraakjes à la de Stones. Ik trok mijn pak aan, deed een das om en we gingen naar schitterende restaurants en vervolgens naar het theater. We aten veel chateaubriand, zelfs beneden, op de Jockey club, waar ik haar voorstelde aan mijn vriend Powell, de portier.

Ik was hopeloos, wanhopig, waanzinnig, glorieus verliefd op haar. Maar het was niet alleen liefde. Ik realiseerde me al snel dat zij mijn vriend was, de beste vriend die ik ooit had gehad. Ik belde Donna in Carthage en vertelde haar de waarheid. Donna verbrandde alle liefdesbrieven die ik haar gestuurd had.

Ik voelde me knap beroerd. Al die jaren met Donna en ik had haar nooit gevraagd naar Washington te komen. Ze maakte onderdeel uit van mijn zomerervaringen, samen met het schoonmaken van varkenshokken. Een boerenmeid in de heuvels die door de zoon van een senator gebruikt wordt totdat hij zijn eerste liefde ontmoet. Is dat wat Donna echt was? Is dat in wezen wat ik had gedaan? Ik hoopte van niet. Ik hoopte het werkelijk niet, en was vol wroeging.

Het eerste jaar op Harvard had ik continu een foto van Tipper op mijn bureau. Ze zat in het laatste jaar op Saint Agnes. De hele nacht lag ik te woelen. Ik leed als zij er niet was. Ik ging terug om haar op te zoeken, wanneer ik maar kon.

Ik kocht een motor en er was geen beter gevoel op de hele wereld dan Tipper die dicht tegen me aan zat, haar armen om me heen geslagen en dat geluid tussen mijn benen. Ik reed de motor van en naar Harvard.

Ik werd verkozen tot voorzitter van de raad van eerstejaars. Onze belangrijkste kwesties waren schone kamers, de Princeton-mixer en de kwaliteit van de kalkoensalade en het gehaktbrood. Ik won een paar bierdrinkwedstrijden, omdat ik in staat was om een enorme bokaal in drie seconden naar binnen te gieten. Ik reed eenzame middernachtelijke ritjes op mijn motor rond Memorial Drive. Zelfs deed ik op een bepaalde manier mee aan de jaarlijkse lenterel: honderden jongens die Memorial Drive blokkeerden door op handen en voeten net te doen alsof ze hun contactlenzen zochten. Ik kwam in het basketbalteam voor eerstejaars, maar bracht de meeste tijd op de bank door.

Tipper was de hele tijd in mijn gedachten. Ik nam haar mee om mijn ouders te ontmoeten. Moeder deed koel, maar vader mocht haar wel. Hij zei me dat ze 'schitterende, mooie, glinsterende ogen' had. Hij zei dat ze 'aantrekkelijk' was en 'een mooi figuurtje' had, ongeveer het meest gewaagde dat mijn vader op dat gebied te berde kon brengen. Hij was zelfs nog meer onder de indruk van haar toen ze voor het onbijt beneden kwam de volgende morgen. 'Ze had elke ooghaar op zijn plaats zitten! Ze was gekleed alsof ze naar een bal toe moest!'

Ik vroeg Tipper wat ze van mijn vader vond en ze zei: 'Herinner je je Oedipus?' God, ik lag onder de tafel! Tipper kwam naar Boston voor het lenteweekend, waarbij haar grootmoeder fungeerde als chaperone. We gingen naar de Temptations. Kom naar Boston, smeekte ik haar en ze zei ja, ze zou naar Garland Junior College gaan, een kort ritje met de metro van Harvard vandaan.

De wereld veranderde aan het begin van mijn tweede jaar. Bier laden was er niet meer bij. Het roken van verdovende middelen was nu modieus. En Tipper was er ook. Ik woonde in Dunster House en viel op veel sofa's flauw. Of Tipper was in mijn kamer. Het was alsof ik binnenin haar leefde, stoned of nuchter.

We lazen elkaar Wallace Stevens voor. We gingen samen naar Doc Watson. We hielden ervan elkaar aan te raken. Elkaars hand vasthouden, met een arm om elkaar heen te zitten. Ze zei tegen Al Gorf: 'Je hebt hemelse benen.' Ze maakte wat zeer speciale koekjes voor ons.

We praatten over leven onder de zee. Zij zou gaan schilderen en ik zou gaan schrijven. We hadden het erover naar Tennesse te verhuizen en in de heuvels te gaan leven, in een commune groenten te gaan verbouwen. Soms hingen we wat rond op het gras, beiden in overall, lachend om mijn nieuwe Texaanse vriend, Tommy Lee Jones, die ijsbeerde op het pad bij de Charles. Hij was in het blauwpaars – jasje en broek – hield een roos in de hand en citeerde regels uit Shakespeare; stoned, op een nasale, landerige toon.

We lachten toen Tommy – die diep in zijn existentialistische fase zat, compleet met zwarte coltrui – plotseling zonder enige aanleiding zei: 'Ik heb me net gerealiseerd dat ik zal sterven.' Ik liet mijn haar groeien (mijn vader was kwaad) en raakte door het dolle heen van *Star Trek* en *2001: A Space Odyssey*.

Tipper en ik haatten de oorlog in Vietnam. We deden mee met protesten, maar ik moest voorzichtig zijn. Ik wilde niets doen dat zijn weerslag kon hebben op mijn mijn vader, wiens steeds sterker wordende progressiviteit een aantal stemgerechtigden in Tennessee steeds kwader maakte.

Hij vroeg me om met hem mee te gaan naar de Democratische Nationale Conventie in 1968 en zelfs al wilde ik veel liever bij Tipper te zijn, ik ging mee. Ik stond in de conventiezaal, hielp hem bij het schrijven van een toespraak, terwijl de hele wereld keek wat er buiten gebeurde. Op de avond van de echte verkiezingen baden Tipper en ik voor Hubert Humphrey. In plaats daarvan werd de man die door mijn vader 'de smerigste man' genoemd werd president.

Gisteren leek er geen vuiltje aan de lucht. Nu moest ik onder ogen zien dat ik in militaire dienst moest. Ik vond de oorlog immoreel. Ik was stapelverliefd. En ik was de zoon van de senator in een landelijke staat, die over twee jaar weer herkozen moest worden.

Mijn vader zei dat ik mijn eigen beslissing moest nemen en dat hij me, wat die beslissing ook was, zou steunen. Als niets anders mogelijk was, wilde Tipper naar Canada uitwijken. Maar moeder verklaarde stellig: als ik mijn dienstplicht niet vervulde, zou ik de politieke carrière van mijn vader vernietigen.

Ik ging vrijwillig in dienst. Tipper en ik huilden en omarmden elkaar. Het was niet eerlijk, maar ik had het gevoel dat ik geen andere keus had. Ik kon het leven van mijn vader niet vernietigen. Ik gaf me zelfs vrijwillig op voor Vietnam. Ik wist dat mijn vader hierdoor een goede indruk zou maken – een zoon in de oorlog te hebben tijdens zijn verkiezingscampagne.

Ik werd ondergebracht in Fort Rucker, 'Mother Rucker', noemden we het. Ik keek naar mezelf in de spiegel en herkende de infanterist met zijn stekeltjeskop die ik zag in het geheel niet. Ik belde Tipper, nu in haar laatste jaar, elke dag. Ik hing rond met soldaten die de oorlog net zo sterk haatten als ik.

In de weekends huurden sommige jongens en ik een motelkamer en werden stoned, luisterden naar Cream en Hendrix en Zeppelin. Ik zag *Easy Rider* en vond het schitterend, net als *M*A*S*H* en *The Strawberry Statement*. Ik las *Dune, The Beastly Beatitudes of Balthazar B* en *One Flew Over the Cuckoo's Nest*. In de tussentijd won ik drie keer de 'Superreserve van de wacht' omdat ik het netste uniform en de meest glanzende laarzen had.

Een keer raakte ik bijna in moeilijkheden – ik werd opgepikt door politiemannen in een veld vlakbij een snelweg, zoekend naar het volmaakte klavertje vier dat ik aan een makker wilde meegeven die naar Vietnam ging. Ik legde aan de politie uit wat ik aan het doen was en waarom en, Goddank, ze lieten me gaan.

Ons huwelijk vond plaats in de National Cathedral, pal naast Saint Albans. De grote liefde van mijn leven droeg een sleep van witte kant en droeg een boeket met orchideeën en witte anjers. Ik was in het legerblauw. De organist speelde de Beatles. She loved me! Yeah yeah yeah!

We verhuisden naar Rucker, woonden in een caravan die wemelde van de kakkerlakken en reden in een VW-camper. We bleven meestal gewoon in bed. Ik voelde me weer leven. Zij was daar, hield mijn hand vast, raakte me aan, maakte me aan het lachten. Ik dankte God dag en nacht voor Zijn zegen.

Vader was in moeilijkheden. 'De smerigste man' had hem tot doelwit gemaakt. Om zijn vriendschap met de Kennedy's werd hij aangevallen als 'de derde senator uit Massachusetts'. Haldeman, Nixons stafhoofd, schreef een memo waarin hij aan een assistent vertelde dat 'de cocktail-party progressiviteit van Gore een kans biedt om zijn overdreven populaire image te vernietigen' en gaf de assistent de opdracht om lijst met diners te vervaardigen waar pa en ma geweest waren, waaronder de menu's – 'hoe Franser hoe beter'.

De door Nixon uitgekozen Republikeinse tegenstander van mijn vader zei: 'De campussen van onze universiteiten zijn geïnfecteerd met drugshandelaars, onze gerechtshoven zijn ontwricht, onze gebouwen worden gebombardeerd en onze scholen worden bedreigd. Onze advocaten worden bedreigd, geslagen en vermoord. Pornografie vervuilt onze postvakken. Criminele organisaties infiltreren legale bedrijven. Verkrachters, rovers en inbrekers maken onze straten en huizen onveilig.' Pa en progressieven als hij waren daar in dit smerige wereldbeeld natuurlijk verantwoordelijk voor.

Ik probeerde pa zo veel als ik kon te helpen. We deden samen een tv-reclame, waarbij ik in uniform was en pa zei: 'Blijf altijd van je land houden, jong.' Pa pakte zelfs na al die jaren zijn viool en speelde 'Turkey in the Straw', maar dat hielp niet erg. Zijn advertenties toonden hem paardrijdend of dammend met de oudjes op het gras van het gerechtsgebouw. De mensen van Nixon portretteerden hem als een man die totaal geen contact met zijn kiezers had, een rijke snob met een Tiroler hoed op en een rood vest, een man die voor de kleine man vocht, maar diens aanwezigheid niet kon uitstaan, de zuidelijke regionale voorzitter van het oostelijke liberale establishment.

Ironisch genoeg bleek zelfs mijn poging om hem te helpen door vrijwillig naar Vietnam te gaan nutteloos. Ik ging naar Vietnam, zo werd mij gezegd, met de eerste lichting *na* de verkiezing.

'Een fiasco!' noemde mijn vader het, toen hij op de verkiezingsavond verloor. 'De zaken waar we voor gevochten hebben zijn niet dood,' zei hij, 'de waarheid zal het hoofd weer opsteken.'

Ik huilde, zowel voor vader als voor mezelf. Ik had vrijwillig dienst genomen in een oorlog die ik haatte, om hem te helpen. En nu had hij toch verloren. En nadat hij verloren had, zou ik naar Vietnam gaan en mijn leven voor niets riskeren, de vrouw die mijn leven alleen achterlatend.

Verneukt. Ik had mezelf verneukt.

Hoe klinkt dat als een Naomi Wolf-woord?

Ik was zes maanden in Vietnam. Ik was militair journalist. Ik praat zo veel over Tipper dat een makker, Mike O'Hara, het gevoel had dat hij haar kende.

Ik rookte veel dope. Ik bietste veel sigaretten. Ik luisterde veel naar muziek. Ik bodysurfte en trok O'Hara uit een getijstroom en redde zijn leven. De jongens noemden me 'Brother Buck', niet Al Gorf, en zeiden me dat ik 'mijn zaakjes voor elkaar had'.

Ik hoorde dat Tipper continu gedeprimeerd was en huilde. Ik was gedeprimeerd en huilde als niemand me hoorde.

Ik deed regelmatig mijn ronde aan de omtrek van die kleine bases in de jungle. Bewoog daar iemand? We schoten eerst en stelden daarna de vragen wel.

Ik zag mensen, mannen en vrouwen die door zwaarbewapende Huey-helicopters gehalveerd werden.

Ik maakte het niet mee dat ik werd geconfronteerd met iemand die ik zelf moest doden om niet gedood te worden.

Ik beloofde God dat, als ik het overleefde, ik zou boeten voor mijn zonden en ik mezelf zou zuiveren.

Ik draaide Dylan en droomde van Tipper.

Onze compagnie had een slang als huisdier, een mammoetpython die we 'Manenstraal' noemden. Hij at de hamsterratten, die overal rond ons liepen, maar vond kippen het lekkerst.

We gingen de dorpen in en kochten vette kippen en voerden die aan Manenstraal, die ze in één slikbeweging opvrat.

Ik observeerde hoe de python slokte, zijn ogen dicht, wreed en gevoelloos. Toen ik op een avond stoned was en keek hoe men hem voerde, dacht ik: die slang is Vietnam en verslindt Amerika.

TipperGore! Tipper Galore! Hier ben ik! Ik ben terug! Ik heb het gehaald! Ik heb het overleefd! God wat heb ik je gemist! God ik hou van je! O mijn God, ik hou zo veel van je, zo veel, zo veel, zo veel.

Tipi Tipi Tin, Tipi Tipi Tan, Tipi Tan Tipi Tan – de hele dag, de hele nacht, Tipi Tan Tipi Tan, de hele dag de hele nacht in het zand...

Ik was kwaad en bitter. Ze troostte me. Ik kreeg dromen over bloedbaden en bloedvergieten. Ze genas me. Ik ging naar de theologische hogeschool en deed boete. Ze hielp me. Ik zuiverde mezelf. Ze hield me in haar armen. Ik werd journalist op een plaats die de zoon van Bobby Kennedy, de zoon van Arthur Schlesinger en de dochter van Hank Aaron al aangenomen had. Tipper nam foto's.

We maakten een baby. Toen maakten we nog een baby.

Ik was geen goede journalist. We moesten iets met onze levens doen. Maar wat? In een commune wonen en groenten verbouwen? Wonen bij de zee en schilderen en schrijven?

We hadden nu kinderen. We waren ouders.

Wat moet ik doen, Tipper Gore, Tipper Galore, Tipi Tipi Tin, Tipi Tipi Tan? Zou ik me verkiesbaar stellen voor het Congres?

Ja.

Ja?

Ja!

Ze kuste me.

Ik maakte de publieke aankondiging en net daarvoor gaf ik over.

Toen ik gekozen was, gingen we terug naar Washington en woonden in hetzelfde huis in Arlington waar zij ook was opgegroeid. De meisjes gingen naar dezelfde openbare lagere school waar zij naartoe was gegaan. De klaar-over van de school was dezelfde die haar de straat had helpen oversteken.

Moeder probeerde 'echte Washington-kleren' voor Tipper te kopen, totdat ik daar een eind aan maakte. Mijn vrouw was mooier, met meer rondingen dan ooit. Ze bouwde een donkere kamer in het huis en bracht als free-lancer wat foto's aan de man. Ze werkte als vrijwilliger in opvanghuizen voor thuislozen. Ze droeg een spijkerbroek en liep thuis meestal op blote voeten.

Ik was lid van het Congres. Ik droeg elke dag een blauw pak, een rode das en versleten schoenen. Aan de ene kant van mijn kantoor had ik een computer en aan de andere een kaartenbak. Ik verzon mijn eerste goede regel die door het hele land geciteerd werd: 'Het belastingsstelsel is een nationale grap die pijn doet als je lacht.' Ik bestudeerde elke kwestie waar ik in geïnteresseerd was zelf. Ik wilde niet dat mensen van mijn staf beslissingen voor me namen. Ik onderzocht onveilige oplosflesvoeding. Ik vond een samenzwering van te hoge prijzen voor contactlenzen. Ik hield hoorzittingen om de waarschuwingen op pakjes sigaretten te verzwaren. Ik hield hoorzittingen over orgaandonaties. Ik leerde dat wanneer je de aandacht van je collega's in het Congres wilt trekken, de beste manier is je te laten zien op tv of in de krant.

Ik speelde basketbal in de gymzaal van het Huis. Al Gorf was een meester In listige schoten. Al Gorf kon de bal tegen de achtermuur van de gymzaal laten kaatsen en zo in de basket doen belanden. Al Gorf kon op zijn rug In het midden van de zaal liggen en scoren door de bal over zijn hoofd te gooien.

De mooie mevrouw Tipper Gore en ik woonden formele staatdiners bij, waarbij zij aan mijn oor knabbelde.

We hadden drie dochters. We wilden een jongen. We lazen een boek en brachten dat in de praktijk.

Tipi Tipi Tin, Tipi Tipi Tan... maar ze was niet... bruin. Ze was toen sneeuwwit. Geen strak ondergoed voor mij, veel koffie, diep, diep penetreren en niet de missionarishouding.

Diep, diep penetreren, steeds maar weer opnieuw, op het teken en de roep van haar thermometer, in die duizelingwekkende bergen wonderbaarlijke sneeuw.

We kregen onze jongen.

Ze was kwaad. De babysitter had een CD van Prince meegebracht en de laatste song daarop, 'Darling Nikki', had de regel: 'I met her in a hotel lobby masturbating with a magazine.'

Er waren video's op MTV waarover mijn dochters spraken. Van Halens 'Hot for Teacher' – waarin de lerares zich uitkleedde – en Mötley Crües 'Looks can Kill' – waarin vrouwen in kooien opgesloten werden door mannen in leren pakken.

Tipper zette met andere vrouwen van Congresleden een groep op die Parents' Music Resource Center werd genoemd. Ze voerde publieke campagnes. En daar zat mijn mooie vrouw op het avondnieuws van CBS en praatte over 'bondage en orale seks terwijl men onder schot gehouden wordt'. En daar was ze thuis en vertelde me dat Prince zijn publiek met water natspoot om de lichaamsvloeistoffen van een vrouw na te bootsen, dat Wendy Willams deed alsof ze op het podium masturbeerde met een drilboor.

De muziekindustrie pakte haar terug. Frank Zappa, die een van onze favorieten was geweest toen we nog op Harvard zaten, noemde haar een nazi. Wendy Williams zei dat Tipper gewoon bang was dat een van onze eigen dochters zou masturberen.

Ik was trots op de sterkte van haar overtuiging, maar ik vroeg me ook af: 'Worden we oud?' Wat te denken van 'Starfucker' van de Stones de 'Louie Louie' van de Kingsmen en al die andere uitdagende rock-songs waarom we op school lachten? Tipper hield altijd van de ranzigheid van rock 'n roll-songs en ik was fan van McCartney. Ze leek bijna geobsedeerd door Prince en hoe hij op het toneel naakt in een purperen badkuip optrad. Maar was dat niet gewoon de act van rock 'n roll-sterren, niet bijzonder ver verwijderd van de cape van James Brown?

Ze lachte toen ze het antwoord van Ice-T op haar hoorde, maar ik kon er niet bepaald om lachen.

'Denk je dat ik één moer geef om een stomme trut, om Gore, geef? Yo, PMRC, vooruit, rauw, Tip, wat is er? Krijg je geen goeie lul? Je doet moeilijk over rock 'n roll, dat is censuur, stomme trut.'

Ik durfde het niet aan om over de cassette te vertellen die naar elk Congreslid was gestuurd, de cassette waar alle stafmedewerkers naar luisterden en om giechelden:

She got pouty lips
She got juicy tits
She got hungry hips
She got funky pits

Ride, Tipper, ride
Your lips so wide
Ride, Tipper, ride
You're burnin up inside

She got big blue eyes
She got a hefty size
She got milky thighs
She got cherry pies

Ride, Tipper, ride
Don't pay Al no mind
Ride, Tipper, ride
Baby go hog-wild

Ride, Tipper, ride
Wiggle that behind
Ride, Tipper, ride
Move it side to side

We moesten lachen toen ze eindelijk steun kreeg van een rock-superster die haar gelijk gaf. Paul McCartney!

Ze ging echter door en hield niet op. Een paar jaar later, toen ik tot president gekozen wilde worden, zei ze: 'We proberen zijn bekendheid gewoon op gelijke voet te brengen met de mijne.'

Ik probeerde tot president gekozen te worden en ging goed op mijn bek – ma stuurde me een briefje met daarop: 'Glimlach. Ontspan je. Val aan.' – en onze zoon werd door een auto geschept en we verzorgden hem tot hij weer beter was.

Ik schreef een bestseller en kreeg de bijnaam 'de Ozonman' en Tipper en Ik en de kinderen verhuisden naar een woonboot en ik liet mijn baard groeien en we besloten dat ik geen tweede keer een gooi naar het presidentschap zou doen.

Tipper ging het toneel op en drumde met de Grateful Dead. En op een diner met de National Correspondents Association, terwijl er overal fotografen stonden, stak ze haar tong diep in mijn mond.

Toen Bill Clinton mij vroeg om met hem de verkiezingsstrijd in te gaan als vice-president, was ze daar tegen. We hadden op de woonboot besloten ons te concentreren op onszelf en de kinderen. Maar ik herinnerde me wat mijn vader had gezegd op het moment dat hij verloor: 'De waarheid zal opnieuw opstaan!' En daarom zei Tipper: 'Oké, vooruit. Laten we de wereld redden.'

Ik mocht Bill Clinton. Ik vond dat hij goede dingen wilde realiseren in Amerika en ik wist dat ik hem kon helpen. Hij was een instinctieve politicus en ik was cerebraal. Hij ging af op zijn gevoel en ik op mijn verstand. Hij was John Lennon en ik... zou altijd Paul McCartney zijn.

Ik wist dat we ontzettend van elkaar verschilden. We waren aan het joggen en hij zei: 'O, wat een kont!' toen we langs een paar middelbare scholieres liepen. Hij vond het ook leuk om te plagen. Toen Perot zich terugtrok, belde hij me op en zei: 'Ik kies een nieuwe vice-president. Je was mijn keus in een groep van drie, maar nu dat het er nog maar twee zijn, kies ik toch Bob Kerrey.'

Tipper en ik maakten met Bill en Hillary een bustocht door heel het midden-westen en toen zag ik voor de eerste keer hoezeer Tipper hem mocht. Hij hechtte veel betekenis aan het feit dat hij en Tipper op dezelfde dag jarig waren. Hij raakte haar continu aan – gewone kleine aanrakingen op de arm of de elleboog – en keek haar strak in de ogen en vertelde wat een 'aanwinst' zij zou zijn voor de campagne.

Ze vertelde hem dat haar moeder in een ziekenhuis was opgenomen voor een depressie en meteen zei hij dat zij hoofd zou worden van een programma van het Witte Huis voor geestelijke gezondheid. Het was de bedoeling dat we na twee dagen meereizen weg zouden gaan, maar Tipper zei dat ze zo veel plezier had in het ontmoeten van de menigten dat ze nóg twee dagen wilde blijven.

Naar Bill en haar kijkend, naar Bill en andere vrouwen kijkend tijdens de campagne, had ik het gevoel dat wat iemand in de krant gezegd had waar was: Tipper en ik stonden op het punt nationale chaperonnes te worden, terwijl het land een *blind date* aanging met de eerste rock 'n roll-president.

Ik hoopte dat ik gelijk had dat Tipper naast mij een chaperonne was – omdat enkele kranten al lucht hadden gekregen van haar 'vriendschap' met Bill. Zij en Bill, stelde een tijdschrift, deelden 'een bepaalde op plezier gerichte geest' en dezelfde publicatie stelde dat qua persoonlijkheid Hillary en ik meer op elkaar leken. En wellicht stak daar ook wat waarheid in. Op een keer vertelde ik Hilary dat ze er 'grappig' uitzag tijdens verkiezingstoespraken en ze lachte me in mijn gezicht uit.

Ik vroeg me op die tocht ook af of Bill nog steeds dope rookte. Hij was zo duf in de morgen dat hij nauwelijks kon praten. Hij vond zijn draai pas rond 12 uur. 'Allergieën,' vertelde hij me.

We waren Butch en Sundance, zei de pers, maar ik herinnerde me de film en ik dacht: en Katharine Ross dan? Was zij ook niet bij de jongens, Newman en Redford, de een na de ander?

Was Tipper Katherine Ross?

Ik kon me verdorie het eind niet herinneren: met wie ging ze uiteindelijk?

Ik zag dat Tipper, toen we voluit in de campagne doken, meer energie had dan in tijden. In het vliegtuig stak ze haar tong in mijn oor, ze schoot met waterpistolen op de media en had op intieme momenten met mij ook veel meer energie dan in tijden.

Daar verbaasde ik me over. Kwam dat door mij? Of door de aanwezigheid van Bill? Het effect dat hij leek te hebben op bijna elke vrouw, het effect dat Al Gorf nooit had gehad en nooit zal hebben. Tipper belde me zelfs op in *Larry King Live*, verdraaide haar stem en probeerde me te versieren.

Ik werd er nerveus van en kreeg zelf meer energie. In het campagnevliegtuig schreeuwde ik vaak '*I f-e-e-e-e-l good!*' net zoals James Brown en ik gebruikte een dienblad als sneeuwplank en surfte tijdens het opstijgen door het middenpad.

En inderdaad: toen we de verkiezingen wonnen, benoemde Bill Tipper tot hoofd van de Mental Health Task Force, gaf haar een kantoor in de EOB, vlak naast het Witte Huis, en een kleine staf. Ze ging dus elke dag naar het Witte Huis en ik wist dat ze hem soms ontmoette... om psychische gezondheid te bespreken?

Ze deed alsof ze veel jonger was, vond ik; of werd ik oud en zij niet? Op een gegeven moment sprong ze achterop de motor van een stafmedewerker van het Witte Huis en scheurden ze de stad rond, waarbij Tipper haar armen soms hoog hief, zoals ze bij mij deed. En een vriend van mij vertelde me dat hij haar was tegengekomen op het Reagan National Airport – 'totaal volgevreten' – in spijkerbroek, zonder make-up, met een basketbalpetje aan de bar zittend en bier drinkend. Ze dook in Lake Michigan met al haar kleren aan. Ze begon met skaten.

Ik merkte dat Bill mij ook mocht. 'Wat vindt Al er van?' hoorde ik hem vragen als ik niet bij een vergadering was. En James Carville, hoorde ik, vond dat ik een 'ongelooflijke berichtendiscipline' had.

Ik probeerde Bill zo veel mogelijk te steunen. Als we minigolf speelden, verloor ik bewust. Als we samen jogden, ging ik expres langzamer lopen en Bill zei een keer daarna: 'Ik wil Al bedanken dat hij me er niet totaal uitliep.' Ik ging achter mijn computer zitten en herschreef op het laatste moment een toespraak die hij moest houden.

Ik kon hem aan het lachen maken. Hij tierde en bulderde dat de democraten in het Congres nooit iets goeds over hem te zeggen hadden en toen zei ik: 'Ik zal wel met ze praten.' En Bill lachte zo hard dat hij er bijna in bleef.

Hij ondersteunde me ook. Na een zware persconferentie waarbij de media me de mantel uitveegden, kwam hij uit het Oval Office, sloeg zijn arm om me heen en zei: 'Laat ze naar de hel lopen. Je hebt het prima gedaan.'

Hij had echter altijd die schittering, gewoon een stukje rock 'n roll. Op een keer kwam hij een vergadering binnen en stond hij bij de deur, met een bevroren gezicht, armen stijf langs zijn lichaam: 'Hallo,' zei hij, 'ik ben Al.' Ik lachte.

Toen ik wegging om een fondsenwerver te ontmoeten, zei hij: 'Hé, Al, vergeet niet om de mensen langs de afzettingen de hand te schudden.'

Ik was de vice-president van de Verenigde Staten – 'Ik heb het met hem beter gedaan dan met mijn man,' zei moeder helaas tegen de pers – in een kantoor dat vijf meter van de president verwijderd was en vroeg mij af of de liefde van mijn leven daar bij Bill zat.

Ik wist dat Bill tegen iemand gezegd had: 'Ik mag Al werkelijk: hij is echt heel slim. Maar Al ziet altijd iets wanneer er niets is.' En ik dacht bij mezelf: hij praat over beleid en politiek, nietwaar? En niet over Tipper, nietwaar?

Ik dacht ook terug aan die hele geschiedenis met Prince, die bijna-obsessie van Tipper, aan al dat gepraat over zwepen en geperverteerden. Was dat ook een aanduiding van enigerlei vorm van een niet-gerealiseerd verlangen van de kant van Tipper? Ik wist dat Bill die verlangens ook had. Ik had de cassettes van Gennifer Flowers gehoord, dezelfde waarop hij zei: 'Al Bore is de saaiste man die ik ooit ontmoet heb.'

Tipper Gore, Tipper Galore, Tipi Tipi Tin, Tipi Tipi Tan, ik heb altijd van je gehouden, zoveel ik maar kon.

Ik was zo paranoïde, dat ik een astrologieboek kocht om te zien wat Tipper en Bill gemeenschappelijk hadden. Dat boek zei:

Briljant en capabel, je kunt alles doen waar je je hoofd naar richt. Wees voorzichtig met wie je in je leven toelaat. Wanneer het gaat om relaties, verwachten mensen dat je geen fouten hebt. Grote verrassing – je bent niet volmaakt, en je weet het. Niettemin kan dit voor andere mensen moeilijk zijn om te aanvaarden.

Aanvaarden? Tipper en Bill? Nooit!

Ik zocht mijn eigen geboortedatum op, 31 maart. Het boek zei: Je wantrouwt alles wat mensen je zeggen. Probeer minder zwaar te tillen aan de dingen die in je liefdesleven fout gaan. Een onconventioneel huwelijk kan dit verlichten.

Een onconventioneel huwelijk? Tipper en Bill? Of Tipper en Bill en ik? Of Tipper en Bill en Hillary en ik?

Nooit!

En toen, toen het rapport van Starr uitkwam, realiseerde ik me en was ik ervan overtuigd dat het alleen in mijn hoofd zat. Dat ik het daarin gestopt had. Omdat ik zo veel van haar hield en omdat ik ouder werd en omdat Bill op dat maffe alfamannelijke niveau een betere man was dan ik, Charlie Brown.

Op de dag dat zijn impeachmentprocedure begon, zat ik samen met hem in zijn kantoor en zag ik hem huilen. Ik huilde samen met hem. Ik hield zijn hand vast.

Tipper zei over de managers van het Huis: 'Het zal een interessante dag worden wanneer het Amerikaanse volk werkelijk in de geest van die mensen kan kijken. Ik zit op het puntje van mijn stoel.'

Naomi Wolf, die een briljante en mooie jonge vrouw is, probeert van mij dus een alfaman te maken. Dat kan niet gemakkelijk voor haar zijn, als je gelooft wat ze over me zeggen.

Ik ben de man die achter een plexiglas schild woont, geen gehoor heeft voor zijn eigen vlakke noten, humorloos, stijf, van hout, een vader die zijn hummels voorleest als hij tegen ze spreekt. Ik heb de manieren van een padvinder, zie eruit als de dokter in een soap-opera en draag broeken die te kort zijn. Ik klap als een marionet en de mouwen van mijn donkerblauwe pak zijn belijnd door vlaggenstokken.

Ik ben een mannequin. Als ik draai, draait mijn hele bovenlichaam met me mee. Ik ben even gracieus als iemand die op een houten vloer schaatst. Mijn armen bungelen levenloos aan mijn schouders en ik lijk boven mijn middel geen gewrichten te hebben. Ik ben een zelfingenomen kwezel die eruit ziet alsof hij met zijn jas en das aan geboren is.

Ik ben Cyborg Gore, de hoofdcomputerfreak, Robo Veep en Kaw-Liga de houten Indiaan. Ik ben de dikke jongen op de speelplaats die je werkelijk graag zou plagen. *Al Gorf*

Maar dat ik oké.

Tipper Gore houdt van me.

Tipper Galore houdt van Al Gorf!

Iemand vroeg haar welke boeken ik op het nachtkastje heb liggen en Tipper Gore zei: 'Je maakt zeker een grapje. Hij woont bij mij. Denk je dat hij 's nachts een boek gaat lezen?' Ik bel haar wanneer ik het kantoor verlaat, omdat ik weet dat ze tijd wil hebben om haar haren te kammen en haar lipstick op te doen. Wanneer ik thuis kom en ze maakt in de achtertuin muziek met de kinderen, waarbij zij drumt, grijp ik mijn harmonica en ga meespelen, omdat ze me heeft verteld dat ik een 'mooie en leuke' stem heb. Met Halloween geven we een feest waarop we verkleed verschijnen. Vorig jaren waren Tipper en ik mummy's.

We gaan nog steeds naar de film, zitten op het balkon met onze basketbalpetjes op en houden elkaars hand vast. Ze gaf me een bumpersticker gisteren: NIXON IN 2000. HIJ IS NOG STEEDS NIET ZO STIJF ALS GORE.

Toen de vrouw van Paul McCartney, Linda, stierf, hield ik Tipper Gore de hele nacht zo stevig vast als ik maar kon.

Naomi Wolf was vroeger adviseur van Bill voordat zij mijn alfaman-adviseur werd. Ze is getrouwd met een tekstschrijver van het Witte Huis.

Er was ongeveer een jaar terug een boek dat *Face Time* heette. Het gaat over de vrouw van een tekstschrijver van het Witte Huis en ze heeft een verhouding met de president van de Verenigde Staten.

Herinner je je hoe toen *Primary Colors* uitkwam, iedereen zei dat het op feiten gebaseerd was en niet verzonnen? Ik vraag me af – stel dat *Face Time* ook geen fictie is? Geloof je dat Naomi en Bill...

Verdraaid, denk er niet eens aan.

Daar ga ik weer, mijnheer de president!

Ik ben gewoon... ik.

Toen ik een kleine jongen was die rondliep in het Fairfax Hotel, was er een oude man die daar een appartement had. Hij was ontzettend lang en had een stok en steeds wanneer ik hem bij de lift zag, trok hij een lelijk gezicht en lachte vervolgens als ik wegrende. Zijn naam was senator Prescott Bush. En als het november is, ga ik gehakt maken van zijn zelfgenoegzame kleinzoon.

Is dat alfamannelijk genoeg voor je?

(7)

De hoer van Hitler

Monica raakte geobsedeerd. Probeerde wanhopig aan iets anders te denken. Aan iets anders te denken dan aan *zichzelf*. Ze naaide weer, maakte tassen en sjalen voor haar familie en haar vrienden. Maar ze merkte dat ze zat te staren, dat haar gedachten afdwaalden, dat ze met open mond naar de televisie keek, waar ze zichzelf vierentwintig uur per dag in het meest onflatterende licht kon zien.

Ze kon niet ontsnappen aan het beeld van zichzelf die hem afzoog. Ze voelde zich geweld aangedaan, verkracht, alsof iedereen die naar haar keek haar alleen op haar knieën zag. Ze voelde zich een hoer, 'de hoer van Hitler', vertelde ze haar vriendinnen. Ze raakte dus geobsedeerd. Ze trilde, ze huilde. Ze was in tranen. Ze was hysterisch.

Andy Bleiler was het ultieme verraad. Haar eerste echte vriendje, haar eerste echte liefde, de man die naar ontmaagd had: hij was live op alle netwerken, hij stond voor zijn huis in Portland met zijn vrouw, *en gaf een persconferentie*! Hij noemde haar een leugenaar en een hoer. Andy en Kate en een jurist gaven op haar af, kleedden haar uit tot ze poedelnaakt was en toonden haar aan de wereld in het genadeloze licht van tv-lampen en zeiden dat ze 'de gewoonte had feiten te verdraaien, met náme om haar versie van haar eigen zelfbeeld te verfraaien', zeiden: 'Ze sprak altijd veel over seks. Ze is daar behoorlijk door geobsedeerd,' klapten zelfs uit de school over haar abortus, waardoor het leek alsof ze expres naar het Witte Huis was gegaan om de president te verleiden. Kate noemde haar 'een *Fatal Attraction*-type' en zeiden dat *zij* had gezegd: 'Ik ga naar het Witte Huis om mijn presidentiële kniebeschermers te krijgen.' Ze lieten haar op een pathetische knoeister lijken en onthulden dat zij hen vaak vijf keer per dag had gebeld vanuit Washington. Ze zag Andy en het enige dat ze kon doen was huilen en de pillen nemen die de psych haar had voorgeschreven. *Hoer! Vette hoer!* En zelfs Andy zei dat nu.

Elke dag was een nachtmerrie. Proberen te naaien en dat niet kunnen. Haar pillen innemen. Meer en meer eten. Dikker worden. Niet in staat zijn uit te gaan. Niet in staat zijn om zelfs maar op het balkon van het appartement buiten te gaan staan, omdat er op straat camera's op haar gericht stonden. Opgesloten met de tv en Internet, zappend en surfend, de vette hoer door *hun* ogen bekijkend, elk nieuw verslag lezend. Gisteren was het

Andy en vandaag was het haar eerste zogenaamde vriendje, Adam Dave, die ze alleen gekust had, en die nu zei dat ze met elkaar naar bed waren geweest en dat ze ervan hield om met handboeien op bed te worden vastgebonden. *Vette, geile hoer!*

Ze schakelde naar steeds andere kanalen over en zag een fragment van haar vriend Bayani Nelvis, een bediende op het Witte Huis, die op weg was om een getuigenverklaring te gaan afleggen. Hem zien deed bijna even veel pijn als het zien van Andy Bleiler en Adam Dave. Nel droeg een van haar dassen. Een van die dassen had ze aan de Griezel gegeven, wat haar duidelijk maakte dat de Griezel haar geschenk zo weinig waardeerde dat hij het aan de bediende had gegeven. *Maar natuurlijk! Waarom zou een man een geschenk van een vette hoer houden?*

Ze had gisteren zelfs een brief gekregen, die ze doorstuurde naar haar advocaat, van een vrouw in New York die schreef dat Starr ook achter haar aan zat. Die toegaf dat ze verhoudingen met tig beroemde getrouwde mannen had gehad, maar niet met de Griezel. De vrouw wist niet wat ze moest doen. *Een hoer die zich tot een andere hoer richt voor advies!* Ze wisselde opnieuw van kanaal en keek naar Dr. Joyce Brothers. 'Kun je het je voorstellen,' zei Dr. Brothers, 'dat een jongeman Monica Lewinsky naar zijn ouders meeneemt en zegt: "Ik ga met Monica Lewinsky trouwen?"'

Als ze niet over haar spraken, spraken ze over haar moeder. Haar arme aangerande moeder. Dat herinnerde haar aan een oude film met Sophia Loren die ze gezien had, waarin een moeder en dochter door een groep mannen worden verkracht, vlak naast elkaar. Eerst door Starr verkracht, vervolgens door de media. Haar moeder was bijna ingestort in de rechtszaal. Ze moesten een rolstoel en een verpleegster voor haar laten komen. Haar advocaat nam haar mee naar de wc, waar ze hysterisch op de vloer viel. Toen ze die avond thuiskwam, lag haar moeder in foetushouding op de keukenvloer, jankend. Haar psych moest in het holst van de nacht naar het appartement komen.

Het Witte Huis had het over Starrs 'Gooi ma voor de trein'-strategie. Haar vader had gezegd: 'Om een moeder tegen haar dochter uit te spelen, haar te dwingen om te praten, lijkt voor mij op de tijd van McCarthy, van de Inquisitie en je zou het zelfs kunnen uitbreiden naar de tijd van Hitler.' Haar moeder had gezegd: 'Is er een betere manier om iemand te dwingen te doen wat zij niet willen dan om de mensen van wie zij houden te bedreigen? Mijn eigen familie heeft deze techniek zeer effectief gebruikt zien worden door Jozef Stalin en heeft daarom Rusland verlaten.'

Beeld na beeld stapelde zich op – McCarthy, de Inquisitie, Hitler, Stalin – maar de media wilden er niets van horen. Zij suggereerden dat haar moeder haar had *aangemoedigd* in haar jacht op de president. Ze suggereerden dat haar moeder achter Peter Strauss had aangezeten om zijn geld, om dezelfde reden als Lewinsky de president achterna had gezeten. Ze zeiden bijna dat haar moeder haar instorting voor de rechtbank in scène had gezet in een georchestreerde poging Starr te laten lijken op Savanorola. Het maakte ze niets uit dat haar moeder nu even hysterisch was, *haar* pillen nam, *haar* psych bezocht. *Wie gaf er iets om een hoer? Een vette hoer? Een vette, geile hoer? De hoer van Hitler?*

Ze schakelde over op een ander kanaal en daar zag ze Linda Tripp. *Zij!* Ze hoopte dat haar *kinderen* zouden sterven! Ze hoopte dat haar stomme hond *Cleo* zou sterven! Ze had haar kapper onlangs opgebeld en Ishmael had gezegd dat Linda ook nu naar *hem* ging! Linda had haar leven van haar afgenomen, haar waardigheid, haar privacy. En nu pikte ze zelfs haar kapper in!

En telkens wanneer ze haar op het scherm zag, droeg ze iets dat Monica haar had gegeven – die oude jas, de namaak Chanel-tas die ze uit Korea had meegebracht. Het was alsof Linda haar via de media tergde – kijk, je hebt al die rotzooi voor me meegebracht, Monica, en dat zet ik je betaald! Je bent de hoer van Hitler omdat je me geen *echte* Chanel tas gegeven hebt.

Ze voelde zich zo alleen. Zeker, ze had haar moeder nog, maar moeder was ook een treinwrak. Zou een treinwrak kunnen helpen bij het herstellen van een treinwrak? Wat konden ze eigenlijk doen – hun pillen delen en recepten uitwisselen? Conferentie-gesprekken per telefoon met *beide* psychiaters houden? Elkaar rustiger maken door oude verhalen te vertellen over hoe de familie Spelling haar per ongeluk niet uitnodigde op het verjaardagsfeestje van Tory, toen ze nog klein was? Intieme notities vergelijken over de verhouding die haar moeder niet met Pavarotti had en haar verhouding met de president?

Ze kon niemand opzoeken die sterk genoeg was om haar te helpen. Haar advocaat? Ginsburg? Ze moest lachen. Zelfs nu ze zelfmoord overwoog... moest ze lachen. Wat ging ze met deze ellendeling doen? Hoe had haar lieve vader haar met deze vreselijke, volslagen zak kunnen opgezadelen? Deze advocaat voor medische missers die telkens wanneer ze van kanaal overschakelde op de tv was. Wat een boerenkinkel!

Hij vond dat hij zo geslepen was. Ze zei hem dat hij met al die shows moest stoppen en hij antwoordde: 'Als je de beer niet voedt, eet hij je op omdat hij honger heeft. Als de de beer te veel te eten geeft, schijt hij op je. Maar als je de beer net genoeg te eten geeft, zal hij je met rust laten.' O, zeker, net genoeg. En daarom lieten de media haar zeker met rust. Wat wond hem op? Ze las wat hij zei tegen het tijdschrift *Time*. Hij noemde haar moeder 'agressief' en zei dat Monica een 'opgesloten hond met de libido van een vierentwintigjarige' was. Haar eigen advocaat. 'Opgesloten hond.' en dat betekent hete teef. *Hoer!*

Hij vertelde de pers dat hij de binnenkant van haar dijen had gekust toen ze zes dagen oud was en had gezegd: 'Kijk eens wat een lekkere *beentjes.*' De binnenkant van haar dijen? Haar eigen advocaat die het publiek een beeld van de binnenkant van haar dijen gaf? Haar *beentjes?* Moest hij *dat* zeggen, nu de wereld haar al als een hoer zag? Moest hij hen de *binnenkant van haar dijen* schenken?

Ze kreeg de kriebels van Ginsburg. Hij vroeg haar continu naar meer intieme details van wat er in de gang gebeurd was. Hij zat in haar huis aan tafel bij haar familie en zei dat *voor zover hij het begreep* de president alleen van vrouwen hield met donker schaamhaar. Aan de eettafel! Ze was de hoer van de Westelijke wereld en ze had duidelijk donker schaamhaar, en Ginsburg... aan de eettafel!... Haar stiefmoeder had de kamer moeten verlaten. Hij schreef een essay voor *California Lawyer* waarin hij zou zeggen: 'Nu, mijnheer Starr, dankzij u zullen we weten of de lippen van iemand anders dan de First Lady de penis van de president hebben gekust.' *Iemand anders dan de First Lady?* Niet bepaald fraai, niet passend en grof!

En wat dan te denken over die keer dat ze een fotosessie hield in Malibu en Ginsburg daar verscheen, een blik sloeg op de blauwe chiffon jurk die ze moest dragen en zei: 'De president krijgt room in zijn broek als hij dit ziet.' En leuke, klasserijke foto-opname met Herb Ritts op een zonnig privé-strand in Malibu en haar eigen advocaat moest het voor haar ruïneren. *Room in zijn broek* zoals hij dat al meer had gehad. Of wellicht morste hij room op de blauwe jurk. Haar eigen advocaat! Van wie verwacht werd dat hij haar zou beschermen tegen groepsverkrachting.

Maar die wellicht zelf een stijve kreeg, als hij naar haar keek, meer intieme details wilde, dacht aan de binnenkant van haar dijen, haar *beentjes*, haar donkere schaamhaar, haar lippen, room in zijn broek, op zijn beurt wachtend bij de groepsverkrachting...

Ze dacht over al die andere vrouwen die voor een tijdje de hoeren van Amerika waren geweest, de hoeren van de wereld, beroemd om geen andere reden behalve dat ze waren gesnapt met of zonder hun panty's naar beneden, neerknielend of liggend, met beroemde mannen. Ze waren allemaal op tv en Internet nu... dankzij haar.

Ze dachten dat ze eindelijk hun anonieme levens hadden hervonden, en nu werden ze weer naakt het toneel opgejaagd om nog eens over hun hoerenpraktijken te vertellen. Net nu ze dachten dat hun vernietigende vijftien minuten groepsverkrachting voorbij waren, werden hun inmiddels ouder wordende lichamen weer naar buiten gesleept om weer te worden onderzocht, bespot, bevoeld en verkracht... *dankzij haar.*

Ze waren nu allemaal speler in een drama waarin zij de hoofdrol vervulde. Ze hadden zelf ook kort de hoofdrol vervuld, maar op veel kleinere en sjofeler plaatsen. Een lid van het Congres pijpen was niet hetzelfde als de president van de Verenigde Staten pijpen. De hoer van Wayne Hayes zijn was niet hetzelfde als de hoer van Hitler zijn.

Kijkend naar die vrouwen op *Hard copy* of *Montel Williams* of *Geraldo,* vroeg ze zich af of dit ook met haar zou gebeuren. Tien of twintig jaar later voor een paar grijpstuivers weer terug op de buis om herinneringen op te halen aan de orale seks, op dezelfde manier als oude honkballers spraken over een homerun aan het einde van de negende innings, waarmee ze World Series hadden gewonnen. Handtekeningen zetten in rode inkt en

met een blij gezicht en een ingesmeerd paar rubber lippen. Glimlachen totdat je gezichtsspieren pijn doen, om te bewijzen dat de groepsverkrachting
van lang geleden geen pijn meer deed.

Ze wist dat de vrouwen naar wie ze nu keek of over wie ze las, de vrouwen
die weer aangerand werden – dankzij haar – niet veel reden hadden om te
glimlachen. Glimlachte Meredith Roberts, de oude vlam van Bob Dole, die
alleen woonde met haar katten en zei: 'Het leven is bijzonder zwaar. Ik wou
dat het gewoon afgelopen was.'? En wat dan te zeggen van Elizabeth Ray,
de minnares van dat oude dikke Congreslid, die alleen woonde met haar
hond? Of Fawn Hall, die Iran-Contra papieren in haar panty had verborgen
voor Oliver Stone – terneergeslagen in Los Angeles, vechtend tegen haar
verslaving aan heroïne en crack, zei ze: 'Ollie behandelde me als een papieren zakdoekje.' Of Vanessa Pernach – ooit gebeten was door Marv Albert –
die zei: 'Er staat een *A* op mijn voorhoofd gestempeld. De *A* van Albert. Niemand gaat nu meer met me uit.' Of Jessica Hahn, die gekscherend tegen
Gennifer zei: 'Als jij me Bill Clinton bezorgt, bezorg ik jou Jim Bakker.' En
het antwoord van Gennifer: 'Niet beledigend bedoeld, maar met hem zou ik
zelfs als ik echt omhoog zat, niet naar bed gaan.' *Hoeren van beroemdheden. Hoeren van supersterren. En zij was de* grootste *hoer.*

Het had nog erger kunnen zijn. Echt. Echt? Ja, *echt.* Ze dacht aan Megan
Marshack, die eenentwintig was toen ze de vice-president van de Verenigde Staten ontmoette, Nelson Rockefeller, die getrouwd en bijna zeven-
tig was. Monico dacht dat ze Megan haast kon *herkennen,* een meisje uit
Los Angeles dat opgroeide in een huis aan de voet van de witte Hollywood-
letters. Megan was struis, aantrekkelijk, lang, slim en ambitieus. Afgestudeerd in geschiedenis en journalistiek. Megan ging naar San Clemente
als nog studerend journaliste, stapte op de persbus van Nixon, onmoette
de grote journalisten in Washington. Megan had met een van hen een verhouding. Hij hielp haar een baan in Washington te krijgen als radioreporter
voor de Associated Press. Megan ging voor een interview naar vice-president Rockefeller. Ze wist hoe gek Rocky was op Oreo-koekjes. En daarom
kocht ze een doos, nam alle koekjes eruit, pakte elk koekje apart in en gaf
hem de koekjes.

Rocky vond de koekjes lekker en mocht Megan. Rocky nam Megan aan
om voor zestigduizend dollar voor hem te werken. Hij zette haar in een kantoor naast het zijne, met een privé-ingang. Rocky nam haar mee naar New
York als kunstadviseur, leende haar 45.000 dollar, kocht een grote jas van
wasbeerbont, een fraaie Gucci tas.

Toen ze op een avond samen waren op een plek waar niemand hen kon
vinden, in een landhuis, kreeg Rocky een hartaanval en stierf binnenin haar.
Megan Marshack was de *fataalste femme fatale aller tijden.* Tja, Goddank
dat de Griezel me dat niet aangedaan heeft, dacht Monica. Dodelijke orale
seks. Orale seks om alle orale seks te beëindigen. De orgastische moord op
William Jefferson Clinton. Willard stijf in lijkverstijving. Hillary's Uiterste Vernedering.

Ze voelde een overweldigend verdriet toen ze steeds maar weer over die vrouwen hoorde. Ze voelde ook dat ze niet tussen hen thuishoorde, laat staan dat ze de ster zou zijn van hun droeve diner-theater circuit. God, arme pathetische Elizabeth Ray, die begon als schoonheidskoningin uit Noord Carolina door de juryleden te neuken. De droom van Elizabeth was te zijn als Marilyn Monroe. Het vette oude Congreslid betaalde haar om zijn minnares te worden en nam haar in dienst als staflid. 'Ik kan niet typen, ik kan niet archiveren, ik kan zelfs de telefoon niet beantwoorden,' zei Elizabeth Ray. De vette oude Congresman trouwde met een andere staflid. Elizabeth Ray werd niet voor het huwelijk uitgenodigd. Geneukt en weer weggeworpen.

'Playboys, gokkers en politici,' zei Elizabeth Ray, 'Daar val ik altijd op. Ik ben gewend in suites van tophotels te verblijven, me te laten oppikken door limousines en naar Atlantic City te vliegen en me te laten oppikken door een Rolls-Royce. Maar ik moet er zwaar voor boeten.' Ze schreef een boek over het oude vette Congreslid, getiteld *The Washington Fringe Benefit*. Ze nam acteerlessen van Lee Strasberg en Stella Adler. Ze trad één week op als zangeres in een bar in McKeesport, Pennsylvania. Ze kreeg een rol in een diner-theaterproductie in Chicago en een opdracht om de Democratische Nationale Conventie te volgen voor een mannenblad. Ze poseerde ook naakt voor dat mannenblad. Ze ging vaak naar haar psych. 'Op de dag dat er geen hoop meer was, zei hij dat hij dat me zou vertellen.' Elizabeth Ray bezat een naaktportret waarop ze uitgestrekt op een wit laken ligt en een roos vasthoudt, net zoals Marilyn. En ze woont alleen met haar hond.

En dan was er Fanne Fox. Een striptease-danseres die 'de Argentijnse zevenklapper' werd genoemd. Met een ander vet Congreslid. Aangehouden door de parkpolitie in Washington met het Congreslid en twee anderen. Iedereen toeterzat. Fann, in paniek, sprong uit de auto van het Congreslid en dook in het Tidal Basin. Er was een cameraploeg die politieradio's scande en klaar stond toen ze eruit kwam. Ze zei dat ze verliefd was op het vette oude Congreslid. Hij rende weg om zich te verbergen, zijn carrière was verleden tijd. 'Ik heb geleerd niet met buitenlanders te drinken,' zei hij. Geneukt en weggeworpen.

Ze probeerde onder een nieuwe naam te strippen – 'De bomkrater van het Tidal Basin'. Ze schreef een boek, *The Stripper and the Congressman*. Ze deed 'promotiewerk' voor een mannenblad en poseerde er ook naakt voor. Ze probeerde zelfmoord te plegen. Ze bracht een tijd door in een psychiatrische inrichting. Ze maakte een seksfilm met de titel *Posse from Heaven*, wat een woordspeling inhield die volgens de producers een goudmijn zou worden. 'Wat gebeurd is, is gebeurd,' zei ze. 'Dat kan dus niet meer geheel hersteld worden. Maar sommige dingen kunnen genoeg hersteld worden om je in staat te stellen comfortabel te leven en je niet geheel voor jezelf te hoeven schamen.'

Zou dit de toekomst van Monica worden? Acteerlessen? Een week in een

bar in McKeesport? Een boek? Naaktfoto's? Een seksfilm? Je hoop vesti-
gen op een psych? Zelfmoordpogingen? Tijd in een psychiatrische instelling? Geneukt en weggeworpen, en steeds weer opnieuw geneukt en weggeworpen in individuele namaakherhalingen van de groepsverkrachting
die haar had geschonden en uitgeput? Eindeloos leed? Niet totaal *be-
schaamd* zijn? Tragedie? En praatprogramma's?

Eindeloze zelfonthullende praatprogramma's? Ze herinnerde zich iets
dat Gennifer had gezegd: 'Ik deed thuis over de telefoon mee aan een
praatprogramma. Ik moest zo nodig naar de wc dat ik niet meer kon wachten. Maar het programma was halverwege en ik kon mij moeilijk middenin
het programma excuseren dat ik naar de plee moest. Wanhopig op zoek
naar verlichting keek ik rond in de keuken en kreeg het brilliante idee om
een schaal te gebruiken. Toen ik dus doorging met het beantwoorden van
vragen over mij en Bill Clinton, plast ik intussen in die schaal. Gelukkig was
die niet van roestvrij staal en daarom was het niet hoorbaar.' *Plassen in een
schaal tijdens een praatprogramma?*

Alleen Donna Rice gaf haar hoop. Donna Rice was een fuifnummer toen
ze Gary Hart ontmoette, via Don Henley van de Eagles. Donna had zelfs een
blind date met prins Albert van Monaco. Vervolgens deed Donna Rice die
ordinaire commercials voor spijkerbroeken, voor Maria Maples, waarin ze
zei: 'Ik heb geen excuus. Ik draag ze gewoon.'

Maar Donna Rice schreef geen boek. Donna Rice poseerde niet naakt.
Ze nam geen acteerlessen. Ze trad niet op in goedkope films. Ze kwam
zelfs niet in praatprogramma's. Donna Rice trouwde. Ze vond God. Ze
was het hoofd van een organisatie die Enough Is Enough heette en pornografie op Internet bestreed. Geen Atlantic City, geen limousines, niet geneukt en weggeworpen. Een leven. Donna Rice had een leven en was iets
aan het doen waar ze in geloofde.

Het is zo oneerlijk, dacht Monica, toen ze naar een ander kanaal overschakelde. *Wacht! O, God! O, mijn God!* Daar was ze! Op het Fox Nieuwskanaal!
De *andere* Monica, de Monica, de Monica van Nixon, Crowley. *Godverdomme!* De gastheer leidde haar in als 'Monica Lewinsky', en de andere
Monica zei: 'Over een Freudiaanse verspreking gesproken!'

Het is zo oneerlijk, dacht ze. Hier zat ze, opgesloten in deze gevangenis
van een appartement en daar was Nixons Monica, die afgaf op haar en op
de Griezel en zei: 'Nixon zou Clinton de raad gegeven hebben om de boel
niet af te schermen en zijn belofte in te lossen om meer informatie te geven,
en niet minder; sneller, en niet later.'

Nixon! Nixons Monica zei dat *Nixon*, die totale leugenaar, aan de Griezel,
de bijna totale leugenaar, zou hebben aangeraden, om met liegen te stoppen? Hoe konden ze haar geloven? Of toen ze zei dat Nixon 'als een grootvader voor me geweest was'. Ja, vast wel! Toen ze de wereld al verteld had
dat ze 'morele ondersteuning' gekregen had van die kerel Roger Stone om
haar boeken te schrijven, die gek die met zijn vrouw in geile tijdschriften

adverteerde. *'Morele ondersteuning!'* en opa Dick, *ja, vast wel!* Het was zo ontzettend oneerlijk.

Ze schakelde weer over naar een ander kanaal en voelde zichzelf weer geobsedeerd worden – O God! O God!

O God! – over al die hoeren, die andere hoeren... die tegen haar praatten, bij haar binnenkwamen. *Nee!* Dat was het nu essentieel. Daar maakte ze haar vergissing. Ze waren niet meer hoer dan zij of Monica Crowley. Het deed er niet toe wat de mensen dachten! Het deed er niet toe of de media dat insinueerden! Ze waren vrouwen die verliefd waren geworden of gebruikt waren door een cynische, verraderlijke man. Het waren vrouwen die een vergissing hadden gemaakt, net zoals zij een vergissing had gemaakt. Ze waren net zo menselijk als zij. Ze waren haar zusters.

Ze voelde zich nu beter. Ze voelde zich nu zo veel beter; ze zette de tv uit en belde naar beneden, naar de Watergate-bakkerij en bestelde nog een chocolademoussetaart. Ze herinnerde de *happy endings* die sommige van haar zusters, haar medeslachtoffers van de groepsverkrachting, hadden ervaren.

Vanessa Williams, beroemd als Miss America, zong met Pavorotti... Jessica Hahn, beroemd van Jim Bakker, had haar neus, tanden en borsten op laten knappen... Gennifer Flowers gaf lezingen op de universiteit... Connie Hamzy, de groupie uit Little Rock, had zich verkiesbaar gesteld voor het Congres en voerde campagne in een stringbikini... Tai Collins, beroemd van senator Chuck Robb, schreef afleveringen van *Baywatch* in Los Angeles... Koo Stark, beroemd van prins Andrew, was gastvrouw van een tv-show in Londen... Rita Jenrette, die de liefde had bedreven op de trappen van het Capitool, woonde in een penthouse van één miljoen dollar en deed in onroerend goed... Fawn Hall overwon haar verslaving aan heroïne en crack... En Fanne Fox was op 53-jarige leeftijd gelukkig getrouwd en had een kind gekregen. Er *was* leven na de groepsverkrachting! Zoals Rita Jenrette stelde: 'Slagen is de beste wraak.' En zoals Judy Exner, beroemd van JFK, had gezegd: 'Ik was vijfentwintig en verliefd. Was het aannemelijk dat ik meer verstand had dan de president van de Verenigde Staten?'

Monica was *z-o-o-o* gelukkig dat ze geen hoer was, *z-o-o-o* gelukkig dat ze niet de hoer van Hitler was, een leuk joods meisje zoals zij. Ze was *z-o-o-o* blij dat ze haar zusters had ontdekt. De bel ging. Daar was haar chocolademoussetaart. Toen ze ervan proefde, zag ze haar toekomst voor zich: alles zou goedkomen.

Monica zou haar zakkenwasser van een advocaat dumpen en een overeenkomst met Starr sluiten. De honkbalpet die ze droeg zou een modieus kledingstuk worden. Mensen zouden voor haar applaudiseren als ze een restaurant binnenkwam. Een opiniepeiling van Gallup zou haar tot de meest bewonderde mensen in de wereld bestempelen, in één adem met koningin Elizabeth.

Ze zou in *Vanity Fair* met de Amerikaanse vlag poseren. De Griezel zou leuke dingen over haar zeggen. Andy Bieller zou van zijn vrouw afkomen, spijt hebben van wat hij tijdens de persconferentie had gezegd en proberen terug te krabbelen. Ze zou een stuk minder dik worden en misschien zou ze hem wel verwelkomen. En misschien, als Hillary van de Griezel afkwam, ergens in de toekomst, en als ze nog steeds mager was, en als de Griezel een nacht in de stad was...

[8]

Het lelijkste verhaal ooit verteld

'Ik denk dat hij zelfs zichzelf met afschuw vervult in zijn rationele momenten,' zei Linda Tripp tegen Monica. 'Zoals "Verdomme, waar ben ik eigenlijk mee bezig? Als ze vinden dat dit slecht is, wat gaan ze op grond daarvan dan ooit met mij doen?"'

Na de tussentijdse verkiezing in november 1998, toen de Republikeinen hun politieke toekomst op een vrouwelijke ebbenhouten schotel kregen uitgereikt, leek een impeachment tegen Bill Clinton door het Huis van Afgevaardigden even waarschijnlijk als Hillary in een pornofilm.

Toch was het een pornofilm in de vorm van een hard FBI-interview dat zes weken later verantwoordelijk was voor de impeachment van Bill Clinton door het Huis van Afgevaardigden. Zonder dit rauwe FBI-dossier, dat door meer dan veertig Republikeinse leden van het Congres in de zaal voor uiterst beveiligd bewijs bekeken werd, zouden gematigde Republikeinen tegen een impeachmentprocedure hebben gestemd. Uiteindelijk werd er geen impeachmentprocedure tegen Bill Clinton ingesteld om de redenen waarvan hij beschuldigd was: meineed en belemmering van de rechtsgang. Er werd een impeachmentprocedure ingesteld vanwege een vermeende verkrachting.

De ondervraging door de FBI van Juanita Broaddrick, die beter bekend stond als Miep nummer 5 in het *Starr-rapport*, was als supplement naar de Huiscommissie voor Justitie gestuurd door Kenneth W. Starr. Het dossier werd nooit openbaar gemaakt. De FBI was gestuurd om Broaddrick te ondervragen omdat Starr zocht naar bewijs van belemmering van de rechtsgang. Starr vond dat echter niet, maar hij stuurde de ondervraging zelf naar de Huiscommissie voor Justitie, die deze in de bewaakte zaal plaatste. Niet één Democraat kwam om het te lezen. Maar, aangemoedigd door Tom DeLay, de verantwoordelijke man voor de partijdiscipline, deden veertig Republikeinen dat wel. De meesten van hen waren weifelende gematigden. Nadat ze het gelezen hadden, zeiden ze tegen collega's dat ze 'diep geschokt' en 'misselijk' waren.

Weinigen van hen vroegen wat de FBI-ondervraging daar eigenlijk deed. Wanneer Kenneth W. Starr geen bewijs had gevonden van belemmering van de rechtsgang wat betreft Miep nummer 5, waarom was deze ondervraging dan naar het Huis gestuurd? Op welke manier was dit relevant?

Het was de hete, ranzige aardappel die Kenneth W. Starr naar Tom DeLay wierp, die deze naar die leden van het Congres wierp die, naar het zich liet aanzien, mogelijk tegen een impeachmentprocedure zouden stemmen. Het was een voorzet waardoor de Republikeinen een touchdown scoorden en die zorgde dat tegen Clinton een impeachmentprocedure werd ingesteld, voordat Larry Flynt hem van afzetting redde.

Het verhaal dat de leden van het Congres lazen was lelijk: in 1978 was Juanita Broaddrick, aantrekkelijk en goed gebouwd, vijfendertig jaar oud. Ze had verpleegkunde gestudeerd en was nu eigenaar van haar eigen verpleegtehuis in Arkansas. Bill Clinton, toen procureur-generaal, deed aan de gouverneursverkiezingen mee en bezocht het verpleegtehuis tijdens zijn campagne. Broaddrick was getrouwd met haar eerste echtgenoot. Clinton vroeg haar langs te komen en hem op te zoeken op het campagnehoofdkwartier in Little Rock. Ze zei hem dat ze daar de volgende week heen zou gaan naar een verpleegconferentie. Toen ze in Little Rock aankwam, belde ze het kantoor van Clinton; men vroeg haar hem in zijn appartement te bellen. Dat deed ze en ze kwamen overeen om elkaar voor een kop koffie te zien in de koffiebar van haar hotel. Toen hij daar aankwam, belde Clinton haar vanuit de hal en zei dat hij het te rumoerig vond. Er waren te veel verslaggevers. Hij vroeg of hij op haar kamer kon komen en daar koffie kon drinken. Hij ging naar boven.

Hij was minder dan vijf minuten in haar kamer toen hij dichtbij haar ging staan toen ze uit het hotelraam naar de rivier de Arkansas keken. Hij sloeg zijn armen om haar heen. Ze probeerde hem te weerstaan. Hij dwong haar op bed en drukte haar neer. Hij beet in haar bovenlip en hield haar lip tussen zijn tanden, terwijl hij haar panty openscheurde. Hij verkrachtte haar. Ze huilde. Ze voelde zich verlamd.

Eenmaal klaar, stapte hij van het bed en deed zijn broek weer aan. Ze had een shock en huilde. Hij ging naar de deur. Hij zette zijn zonnebril op. Hij keerde zich om en keek naar haar. 'Je kunt daar maar beter wat ijs op leggen,' zei hij en verdween.

Een vriend vond haar een uur later op bed. Ze had een shock. Haar lippen waren tot hun dubbele dikte gezwollen. Haar mond was bont en blauw. Haar panty was opengerukt in het kruis. 'Ik kan niet geloven wat er gebeurd is,' zei ze telkens weer tot haar vriend.

Na de impeachmentprocedure tegen Bill Clinton door het Huis, probeerde Tom DeLay het opnieuw met de Senaat. 'Je weet nooit hoe die senatoren zullen stemmen als ze naar de bewijskamer gaan,' zei hij. Tegen die tijd was Internet al vol roddels over Juanita Broaddrick en het verhaal dat ze vertelde.

Bill Clinton was niet de eerste president van de Verenigde Staten die van verkrachting werd beschuldigd. Selena Walters, een jong, knap Hollywood-sterretje, zat in de vroege jaren '50 in een nachtclub in Hollywood met de vriend met wie ze uitgegaan. Een bijzonder knappe man sprak haar aan. Ze wist wie hij was. 'Ik zou je graag opbellen,' zei hij tegen haar. 'Hoe kan ik je bereiken?' Ze gaf hem haar adres. De vriend met wie ze uitgegaan was bracht haar thuis en ze ging naar bed.

Om drie uur 's nachts hoorde ze dat er iemand op de deur bonsde. Het was de knappe man die zij op de club ontmoet had. Ze opende de deur.

'Hij duwde zich naar binnen en zei dat hij me gewoon wel móest zien. Hij dwong me op de sofa en zei: "Laten we elkaar leren kennen." Toen begon het gevecht op de sofa. Zo hard heb ik nog nooit gevochten. Ik verzette me tegen hem. Ik wilde niet dat hij me zou neuken. Hij is erg groot en hij kon gewoon zijn gang gaan.'

Ronald Reagan werd in 1991 gevraagd naar het verhaal van Selena Walters, toen hij op weg was naar de kerk. Hij ontkende het niet. Wat hij zei was: 'Ik geloof niet dat een kerk de juiste plaats zou zijn om het woord te gebruiken dat ik moet gebruiken als ik dat bespreek.'

Het was een verhaal dat al sinds 1980 in Arkansas circuleerde. Juanita Broaddrick vertelde goede vrienden wat er was gebeurd en ze vertelde het haar tweede echtgenoot. Zij en haar man troffen Bill Clinton op een dag en haar man greep hem bij de hand en zei: 'Blijf uit de buurt van mijn vrouw en blijf uit de buurt van Brownwood Manor (haar verpleegtehuis).' In 1980 zocht een man die het tegen Clinton opnam in de strijd om het gouverneurschap, haar op en vroeg haar het verhaal openbaar te maken. Ze weigerde. Ze wilde geen problemen en ze had te veel vervelende verhalen in het roddelcircuit gehoord over wat, naar men aannam, gebeurde met mensen die Bill Clinton op de een of ander manier kwaad maakten. Ze was bang.

In 1984 kreeg ze een gelukswenskaart van hem toen haar verpleegtehuis tot het beste van de staat werd gekozen. 'Ik bewonder je bijzonder,' had hij er met de hand onder geschreven. In 1991 werd ze van een vergadering over de verpleegstandaarden van de staat weggeroepen. Bill Clinton wachtte op haar in een trappenhuis. Hij zei dat hij veranderd was, nam haar handen vast, verontschuldigde zich en vroeg of hij het enigszins goed kon maken. Ze zei dat hij naar de hel kon lopen en beende weg.

Kort daarna las ze in de krant dat hij aan de verkiezingen voor het presidentschap zou meedoen. In 1992 bracht een vroegere zakenpartner het verhaal, dat hij privé van haar gehoord had, in het openbaar en spoorde haar aan het te bevestigen. Ze weigerde. Toen de advocaten van Paula Jones haar benaderden over het verhaal dat ze hadden gehoord, schreef ze een beëdigde verklaring waarin ze stelde dat het allemaal niet waar was. Haar advocaat bereidde deze voor met de hulp van Bruce Lindsey, de raadsman van het Witte Huis.

Maar toen Kenneth W. Starrs FBI-mannen op het toneel verschenen, zei haar achtentwintigjarige zoon, een advocaat, tegen haar: 'Dit is een totaal ander niveau.' Ze wist dat het één ding was om te liegen in een burgerlijke procedure – omdat ze het allemaal achter zich wilde laten, maar het was iets anders om tegen federale politiemensen en federale aanklagers en wellicht een federale rechtbank te liegen.

Terwijl het proces in de Senaat naderde, schreef een roddelblad een artikel over haar, waarin gesteld werd dat zij en haar echtgenoot beiden werden betaald om het verhaal stil te houden. Zij en haar echtgenoot waren hardwerkende, eerzame mensen die op een heuvelachtig gebied van tien hectare woonden met paarden en koeien. Juanita Broaddrick was zesenvijftig jaar oud en zag eruit als de ideale moeder of grootmoeder. Ze haatte Bill Clinton en haatte wat de roddelbladen over haar en haar man hadden geschreven. Ze dacht er voor het eerst over om het gebeurde openbaar te maken.

En welk effect zou het hebben op de rechtszaak in de Senaat, vroegen Tom DeLay en zijn Clinton hatende mede-Republikeinen zich af, als Juanita Broaddricks verhaal openbaar zou worden? Welk effect zouden beschuldigingen van verkrachting zelfs op Democratische, pro-Clinton senatoren met veel vrouwelijke kiezers hebben? De Amerikanen, zoals duidelijk was door de tussentijdse verkiezingen, waren over de orale seks en de sigaar heen... maar zouden ze ooit over verkrachting heen komen? Konden ze de andere kant opkijken? Of zou Juanita Broaddrick de laatste strohalm zijn... na Jones, na Willey, na Lewinsky... die Bill Clinton uit zijn ambt kon verwijderen? Als alleen iemand dit verhaal maar zou kunnen optekenen.

De telefoon van Juanita Broaddrick stond roodgloeiend met verzoeken om interviews. Een ploeg van Fox News achtervolgde haar op de snelweg toen ze hard wegreed. Het tijdschrift *Time* stuurde verslaggevers, die, zo gaven zij voor, daar waren om een charitatieve tenniswedstrijd te verslaan. ABC wilde haar naar New York vliegen om te praten met Barbara Walters.

Ze had gelezen over Kathleen Willey en had op de televisie een goede indruk van haar gekregen. Ze vond het verhaal van Willey geloofwaardig. Ze belde Willey in Viginia op en vroeg om advies: 'Het hielp me gewoon met haar te kunnen praten, iemand die een interview had meegemaakt dat zo onaangenaam was. Ze vertelde me dat ze het inderdaad opnieuw zou doen.' Willey gaf haar de raad 'kalm te zijn en de waarheid te vertellen'. Willey bood zelfs aan naar Arkansas te vliegen om haar te helpen.

Juanita Broaddrick besloot dat ze klaar was om het aan het grote publiek te vertellen. Ze stemde toe te praten met Lisa Myers van NBC News. Myers was er de volgende dag, 20 januari, midden in de rechtszaak in de Senaat tegen Bill Clinton. Men nam het gesprek met Broaddrick van morgen tot avond op video op. Ze vertelde Lisa Myers *alles*.

Haar werd meegedeeld dat NBC het interview op 29 janurari op *Dateline* zou uitzenden, tijdens de rechtszaak in de Senaat. Maar het werd niet uitgezonden op de negenentwintigste. De stemming in de Senaat over een impeachmentprocedure kwam snel naderbij: die was gepland op 12 februari.

Nieuws over Meyers' interview met Broaddrick stond overal op Internet. Drudge had niet alleen de details van Lisa Myers. Hij beukte op NBC in omdat ze het verhaal niet hadden uitgezonden, terwijl de klok van de Senaat begon af te tellen. Hij stelde dat de directeur van NBC News, Andy Lack, 'werkloos toekeek terwijl het Witte Huis de eigenaar van NBC, General Electric, manipuleerde'. Hij citeerde een anonieme bron bij NBC die gezegd had: 'Andy Lack zou ontslag moeten nemen. Nu ontslag nemen. We moeten ons gezicht redden.'

Hij schreef: 'Het is niet duidelijk of Joe Lockhart, de perschef van het Witte Huis, contact heeft opgenomen met NBC News.' Niemand wist wat dat betekende. Ofwel Lockhart had contact opgenomen met NBC of niet. Als Drudge niet wist of Lockhart contact had opgenomen, dan had hij het niet op Internet als mogelijkheid moeten opperen.

Een woordvoerder van NBC zei dat het interview met Broaddrick nog steeds 'in bewerking' was. De zender stelde dat er data opnieuw gecontroleerd moesten worden en dat er met anderen gesproken moest worden om er, zoals Lack het uitdrukte, een 'volledig betrouwbaar verslag' van te maken.

Broaddrick voelde zich 'zo verraden' door NBC, omdat ze het niet uitgezonden hadden. 'Ik heb werkelijk geen idee waarom ze het niet uitgezonden hebben,' zei Broaddrick. 'Maar ik heb er zo mijn gedachten over, gezien het feit dat ik het interview gaf toen de rechtszaak in de Senaat plaatsvond.'

De eerwaarde Jerry Falwell vroeg zijn volgelingen de producenten van het avondnieuws van NBC te 'overspoelen' vanwege het niet uitzenden van het verhaal en NBC werd gebombardeerd met telefoontjes en e-mail. De Republikeinse toezichthouder op het proces, afgevaardigde Chris Cannon uit Utah, vertelde NBC: 'Iedereen in Washington weet dat uw collega Lisa Myers die Miep nummer 5 op video heeft en u hebt het verhaal niet uitgezonden.' Debatleidster Brit Hume van Rupert Murdochs Fox News droeg op tv een button met de tekst BEVRIJD LISA MYERS! De *Washington Post* berichtte dat de bureauchef van Myers en Tim Russert in Washington 'gefrustreerd was door hun onvermogen het verhaal uit te zenden. Zij en andere advocaten geloven dat wanneer ze verdere ondersteunende verhalen op de proppen komen, het management van NBC de bewijsbalk wat hoger legt.'

Een bron bij NBC zei dat een van de redenen dat de zender twijfelde het feit was dat de vader van de belangrijkste getuige, de vrouw die Broaddrick had gevonden nadat Clinton haar verkracht zou hebben, was vermoord en dat Clinton de moordenaar gratie had verleend. De verkrachting vond plaats in 1978 en de gratieverlening in 1980. De getuige had niets gezegd waar Broaddrick iets aan had tot *na* 1980, het jaar dat de moordenaar van haar vader gratie had gekregen.

Inderdaad, wierpen velen tegen, maar Broaddrick zei ook niets in het openbaar tot *na* 1980 – en waarom zou de ondersteuning van de getuige daarom verdacht zijn?

Hoe Drudge het ook probeerde door in te hakken op NBC, het lukte niet zoals met Lewinsky. Bij Lewinsky bracht hij het verhaal en de media voelden zich genoodzaakt om hem te volgen. Maar dit was een oud verhaal en dezelfde truc was niet effectief. De belangrijkste nieuwsmedia voelden zich niet verplicht om alleen over Broaddrick te schrijven omdat Drudge de details van Lisa Myers had gestolen. Ze wachtten op NBC.

Ze wachtten nog steeds op 12 februari, toen de Senaat ermee instemde om Bill Clinton niet uit zijn ambt te zetten. NBC onderzocht het verhaal nog steeds en veel mensen zeiden dat het onderwerp nooit uitgezonden zou worden. De impeachmentcrisis was voorbij. Amerika was eindelijk vrij van de orale seks en de sigaar. Zouden Amerikanen nu over een verscheurde panty en een bijtlip gaan denken?

Dorothy Rabinowitz stond bij vrienden in de media bekend als een 'ideologe van de rechtervleugel'. Haar werkgever, de redactioneel-commentaarpagina van de *Wall Street Journal*, stond in tegenstelling tot de nieuwssectie bekend als spreekbuis van de rechtervleugel. Volgens het briefje van Vince Foster, had deze commentaarpagina hem tot zelfmoord gedreven.

De commentaarpagina was niet alleen serieus ingegaan op aantijgingen dat Bill Clinton een grote cocaïne-dealer was die banden had met een Columbiaans drugskartel, maar ook dat hij betrokken zou zijn geweest bij de moord op tientallen mensen. De commentaarpagina was een journalistiek spookhuis – terwijl de rest van de krant een toonbeeld van evenwichtigheid was. Voor de commentaarpagina was het elke dag Halloween.

Nu de rechtszaak in de Senaat voorbij was, zocht Dorothy Rabinowitz Juanita Roaddrick op in de kleine stad in Arkansas... in een limousine. En Juanita Broaddrick vertelde haar *alles*. En de *Wall Street Journal* publiceerde een zeer lang nieuwsverhaal over haar aantijgingen, niet op de nieuwspagina's, waar het thuishoorden, maar op de rechtse commentaarpagina. En nu dat het gepubliceerd was en iedereen er over praatte en het hier ondanks alles om de *Wall Street Journal* ging, publiceerden de *Washington Post* en de *New York Times* hun eigen verhalen. Het was weer de truc van Drudge, nu uitgevoerd door Rabinowitz. En nu de *Post* en de *Times* de details van Juanita Broaddricks verhaal hadden gepubliceerd, zond NBC Lisa Meyers interview uit... nu het proces in de Senaat voorbij was en Bill Clinton niet uit zijn ambt verwijderd was.

Broaddrick was geloofwaardiger dan wie ik ook eerder op televisie had gezien. Ze vertelde de details, en meer dan dat. Ze beschreef Bill Clinton op het moment van de verkrachting als een 'een verdorven, verschrikkelijk persoon'. Ze zei: 'Mijn haat jegens hem is overweldigend.' Ze zei dat ze met het verhaal op de proppen kwam omdat 'ik het niet langer kon uithouden'. Ze zei dat ze niet wilde dat haar kleindochter zou vragen: 'Waarom heb je nooit verteld wat die man je heeft aangedaan?' Ze zei dat ze niet geïnteresseerd was in een contract voor een boek of in schadeclaims, maar dat 'al die verhalen de ronde deden en ik was het zat dat iedereen zijn eigen versie verzon'. Ze zei: 'Ik heb hier geen plannen mee. Ik wil al deze verhalen tot rust laten komen.'
    Ze zei: 'Ik zei gewoon "Nee" tegen hem. En ook: "Doe dat alsjeblieft niet." Toen probeerde hij me opnieuw te kussen. En de tweede keer dat hij me probeert te kussen, begint hij op mijn lip te bijten. Hij begint op mijn bovenlip te bijten en ik probeerde van hem weg te komen. En dan dwingt hij me op het bed en ik was gewoon zo ontzettend bang. Ik probeerde weg te komen. Ik zei "Nee" tegen hem omdat ik niet wilde dat het gebeurde, maar hij wou niet naar me luisteren.'
    Gevraagd naar de beschuldiging van Broaddrick zei president Clinton: 'Wel, mijn raadsman heeft een verklaring over deze zaak gegeven... en ik heb er niets aan toe te voegen.' De raadsman van de president, David Kendall, noemde de beschuldiging 'absoluut onwaar'.

De verdedigers van Bill Clinton wezen er op dat:

1. Er geen fysiek bewijs was.
2. Er niemand anders aanwezig was.
3. Ze zich niet de datum of de maand kon herinneren dat het gebeurd zou zijn.
4. Ze niet schreeuwde.
5. Ze drie weken nadat ze verkracht zou zijn naar een fondsenwerfactie van Clinton toeging.
6. Ze het jaar nadat ze verkracht zou zijn een functie van Clinton aanvaardde voor een niet-betaalde functie in een adviesraad van de staat.
7. Ze de verkrachting ontkende in een beëdigde verklaring voor de advocaten van Paula Jones.
8. Ze vóór haar interview met Lisa Meyers van gedachten had gewisseld

met Katleen Willey, die in verlegenheid was gebracht doordat het Witte Huis haar brieven aan Bill Clinton gepubliceerd had.

Zoals de vroegere raadsman van het Witte Huis zei: 'Het ondersteunt haar verhaal niet dat haar vriendin zei dat ze een gezwollen lip had. Dat maakt de beschuldiging van verkrachting nog niet tot een feit... Hoe weten we dat ze niet tegen al haar vrienden loog? We weten dat ze vrijwillig, zonder dat iemand haar beïnvloedde, een beëdigde verklaring aflegde waarover ze naar ze nu zegt, loog.'

Niettemin: een opinieonderzoek dat een week na haar interview met Lisa Myers werd gehouden, toonde aan dat 84% van de Amerikanen Juanita Broaddrick geloofde... geloofde dat de president van de Verenigde Staten een verkrachter was.

Het deed er niet toe. We zijn een moe volk, moe van pornografische plaatjes op het avondnieuws, moe van het gevoel dat we met vuil besmeurd zijn. Dit was het ergste... en we wilden het niet horen.

Het was als de reactie op het *Starr-rapport* toen dit werd vrijgegeven. De details zelf verdedigden Bill Clinton. Onze hoofden waren in de modder geduwd en we wilden onszelf bevrijden. Om te dulden dat *dit* de president van de Verenigde Staten was, *onze* man in het Witte Huis, de persoon die zijn zonnebril opzette en zei: 'Je kunt er beter wat ijs op doen,' dat was te veel gevraagd.

Bill Bennett had gelijk: 'Oordelend naar de meeste media, het grootste deel van de publieke reactie en de stilte op Capitol Hill, zijn de meeste mensen gewoon te moe om de vraag te stellen of de president van de Verenigde Staten iemand verkracht heeft.' De hoofdredacteur van de *New York Times*, Bill Keller, stelde: 'Wettelijk heeft het geen gevolgen. Het Congres gaat niet opnieuw een impeachmentprocedure instellen. En om eerlijk te zijn zijn we allemaal nogal moe van schandalen.'

Zoals de *Washington Post* schreef: 'Als NBC het interview had uitgezonden tijdens het impeachmentproces in de Senaat en de woede over Monica S. Lewinsky, dan had het mogelijk een belangrijke invloed op het nationale klimaat gehad.' NBC had moreel gehandeld, door de details van een complex en brandgevaarlijk verhaal vast te houden of had, cynisch en corrupt, een beslissing genomen op grond van eigen redenen om de president van de Verenigde Staten te beschermen.

In beide gevallen hadden de directeur van NBC News of zijn superieuren of General Electric Bill Clinton gered van verwijdering uit zijn ambt... zo zeker als Vernon Jordan en Larry Flynt dat ook hadden gedaan.

De dag nadat het interview van Lisa Myers met Broaddrick werd uitgezonden, was Bill Clinton in Tucson, Arizona en hield een toespraak over het redden van de Social Security en Medicare. Hij besteedde meer dan vijftien minuten in een auditorium aan het groeten van mensen die hem het beste toewensten terwijl Bachman Turner Overdrive 'Taking Care of Business' uit de luidsprekers liet schallen. Hij ontving kussen en omarmingen van verscheidene vrouwen vóór in de menigte. Een kleine groep protesteerde met borden waarop stond: IK GELOOF JUANITA, PAUL EN KATHLEEN ... CLINTON, WILDE JUANITA BROADDRICK WEL? ... GOOI DE PRESIDENT IN DE GEVANGENIS! ... VERDWIJN UIT ONS HUIS! ... BLIJF UIT DE BUURT VAN ONZE DOCHTERS! ... VERKRACHTER!

In zijn tv-show zei Matt Drudge, nadat het interview van Broaddrick door NBC was uitgezonden: 'Er wordt achter de schermen in de media al gezegd dat er een tweede vrouw seksuele beschuldigingen tegen Bill Clinton heeft geuit. Ik weet niet of het waar is, maar het is zo.' Dick Morris zei: 'Verkrachters doen het nooit maar één keer.' Lucianne Goldberg stelde: 'De nieuwe beschuldiging is aanranding, geen verkrachting. Het gebeurde nadat hij president was en is afkomstig van iemand op wie niets aan te merken is. Ik verwacht dat ze er de komende maand mee naar buiten komt.' Niemand kwam ergens mee naar buiten.

In zijn nieuwe boek, dat kort na het interview met Broaddrick gepubliceerd werd, citeerde Michaell Isikoff een vroegere Miss Amerika, Elizabeth Ward Gracen, die een vriendin had verteld dat ze 'ruwe seks' met Clinton had gehad toen deze gouverneur van Arkansas was. Isikoff schreef: 'Clinton werd zo opgewonden dat hij *in haar lip beet.*'

Hij was nog steeds president, maar het feest was voorbij. Je kon in het hele land horen dat het gebeurd was. Mensen wilden niet meer naar hem kijken.

Spelen met je *willard*, eerbetoon vragen voor je *willard*, dat was oké... maar *dit* was iets anders. Yeah, rock 'n roll, zet je zonnebril maar op, knakker, voordat je de deur uitloopt... als ze gekneusd, huilend en verlamd op het bed ligt.

Afschuw. Dat was het woord. Daar was hij op de tv, glimlachend, zich aan zijn taken wijdend, maar het werkte niet meer. Juanita Broaddrick had ons meer getoond dan we eigenlijk ooit wilden zien. Hij was in onze huizen gekomen, waar we hem verwelkomden. Hij was tof. We dachten dat hij een van ons was. De eerste rock 'n roll president van de Verenigde Staten. We hadden hem in onze huizen verwelkomd. De eerste playboy-president van de Verenigde Staten. We hadden hem in onze huizen verwelkomd... en hij had onze muren bezoedeld. Misschien dacht een van ons dat we iets roken, maar Juanita Broaddrick nam ons mee en wees erop: *hij had onze muren bezoedeld!* We konden niet wachten om de stank te verdrijven. De verkiezingscampagne in 2000 begon op het moment dat we de televisie uitzetten toen het interview met Juanita Broaddrick op NBC was afgelopen.

De *Washington Post* berichtte dat Broaddrick, voordat ze met haar verhaal op de proppen kwam, 'met Lucianne Goldberg had gepraat en e-mails had uitgewisseld'.

O, nee, dacht ik, niet opnieuw. *Op de juiste plaats op het juiste moment...* God, niet opnieuw! Ze had Tripp het idee aan de hand gedaan Monica's gesprekken op de band op te nemen. Ze had er zorg voor gedragen dat Drudge het verhaal van Lewinsky lekte, zodat de rest van de media volgde. Nu had Drudge de eerste details over Broaddrick naar de wereld gelekt. Drudge had onthuld dat NBC aarzelde het interview uit te zenden. De *Wall Street Journal* had Drudge gevolgd. En al die tijd had Lucianne Goldberg met Broaddrick gepraat?

Lieve Jezus, dacht ik, was het mogelijk dat een kakelende, kettingrokende, krassende Voddenbaal, ergens in de zestig, dit alles, of op zijn minst het meeste van dit toneelwerk had gepland? En was het mogelijk dat, door middel van Juanita Broaddrick, Lucianne Goldberg had bereikt wat ze van plan was – de moord op de president van de Verenigde Staten?

Heer, dacht ik. Bill Clinton... zo glad als hij was, zo ziek als hij was, zo slim als hij was, zo stom als hij was... hij had geen kans. Richard Nixon, het Nachtschepsel dat Lucianne Goldberg had geschapen, had zijn duivelse, machiavellistische wraak uitgevoerd.

(9)

John Wayne McCain knijpt er tussenuit

Ik heb je in de steek gelaten, makker. Nee, niet door die toespraak te houden over de ayatollahs Robertson en Falwell. Nee, niet door te stellen dat de Kroonprins de waarheid net als Bill Clinton verdraait. En nee, niet door bij dat grote debat in Californië op het apenscherm te verschijnen in plaats van zelf te komen.

Maar door de goede soldaat te zijn die ik ben en die ik altijd geweest ben.

Ik luisterde naar Bob Dole, mijn vriend, evenals ik een oorlogsheld, een mede-Republikein. Bob Dole kreeg bij mij voor elkaar wat die spleetogen in Hanoi niet lukte. Hij praatte me om zodat ik stopte. Hij praatte me om zodat ik het opgaf.

Hé, je wilt gewoon de waarheid horen, mijn vriend? Ik had president van de Verenigde Staten kunnen zijn. Maar ik kneep er tussenuit.

Ik! De Nietsnut, McNoppes, John Wayne McCain, de Witte Tornado, Luke Skywalker, erfgenaam van de Senaatszetel van Barry Goldwater, vriend van Ronald Reagan. Ik had de moed niet.

Is dat eerlijk of niet? Is je hart nu minder gebroken?

OK, zei ik tot mijn mede-Republikeinen, kom op, jongens, laten we stoppen met het nippen aan de drank van Jim Jones. Laten we appelleren aan de echte Amerikanen en niet aan de anti-abortusfanatici en de Grand Dragons uit het Zuiden en de homovijandige, jodenhatende, nikkers lynchende schijnheiligen.

En mijn mede-Republikeinen zeiden me: John, we hebben tot nu toe veel respect voor je gehad omdat je hard bent geweest tegen die communistische klootzakken in Hanoi, maar nu zien we dat de middelvinger die je naar hen opstak een act was, een onderdeel van je verkiezingsprogramma als kandidaat van Mantsjoerije. John, godverdomme, jij bent ook een rode klootzak, jij ook, ook al werd je dat tegen je wil.

Toen overgoten ze me met pek en veren, naaiden me en lynchten me, terwijl ze ondertussen hun Jim Jones-drank naar binnen klokten.

En toen overtuigde Bob Dole me ervan dat we niet aan de tafel moesten gaan staan om te zien wie de grootste heeft. Jesse Ventura smeekte me het te doen. Twee verkiezingsonderzoeken toonden aan dat ik slechts een paar punten minder had dan Gore en de Kroonprins.

En toen openbaarde ik mezelf en de gemiddelde Amerikanen die mij al dat geld hadden gegeven dat ik meer Republikein was dan Amerikaan. Dat was het moment, waarde vrienden, nadat ze me hadden verneukt, dat ik jullie verneukte.

Dat was het moment dat ik terugging naar de lege kamers van de Senaat en jullie verliet – de mensen onder jullie die voor het eerst op me hadden gestemd, de mensen onder jullie die in me geloofden, de mensen onder jullie die me de dollars hadden gegeven die jullie eigenlijk niet kónden missen – in dezelfde hopeloze, als vanouds onaangename situatie waarin jullie je al die jaren bevonden en met al die andere kandidaten.

Ik was toch een politicus, zagen jullie nu. Ik had jullie dat een moment lang laten vergeten. Ik was het een moment lang zelf vergeten.

De reden dat ik president wilde worden was dat ik Amerika aan jullie terug wilde geven, Amerika wilde afnemen van de tandeloze call-girls die naast me in de Senaat zitten en worden betaald om speciale belangen en de lobbyïsten onder hun hoede te nemen. De reden dat ik meedeed was dat ik wereld weer een halve slag wilde afdraaien van het Amerika waarin Bill Clinton voor een toespraak wordt aangekondigd als een 'harde, gestaalde, principiële' president en wordt geprezen om zijn 'onversaagde moed en dapperheid'. De reden dat ik meedeed was dat bij de verkiezingen van 1996 de opkomst van kiezers tussen de 18 en 25 jaar de laagste in de geschiedenis was.

De reden dat ik mee was dat ik het Amerikaanse volk toegang, volledige toegang, wilde geven tot de man die hen leidde. Geen robot-politiek meer, geen handjes geven aan het publiek, geen onzin verkopende mannetjesmakers die 'het verhaal van de dag' willen regelen en 'zich concentreren op de boodschap'. Geen politici meer die praatten als geprogrammeerde Furby's. Ik wilde ook het uithangbord MOTEL ZES van de slaapkamer van Lincoln afhalen en president zijn, geen piccolo.

Ik ben een romanticus en een avonturier. Toen ik klein was, waren mijn helden personages van Hemingway, zoals Robert Jordan, die stierf voor de zaak waar hij in geloofde.

Ik had het gevoel dat er een reden moest zijn waarom ik niet dood was. God was iets met me van plan dat ik moest doen. Ik bedoel niet alleen die vijfenhalf jaar in Hanoi, de gebroken armen, ribben, schouder, tanden en knie, de dysenterie, het overgeven, de martelingen.

Er was ook dat vliegtuigongeluk in Corpus Christi, toen ik in training was en de motor haperde en ik in de baai viel. En een volgend vliegtuigongeluk in Philadelphia, toen de motor ontplofte en ik op een strand viel. En de elektriciteitsleidingen die me in Spanje bijna velden. En het vliegdekschip *For-*

restal, toen ik op het punt stond te vertrekken en werd geraakt door een van de raketten van mijn eigen mannen, waarna een vuurstorm ontstond die veel slachtoffers maakte. En vervolgens, boven Hanoi in mijn Skyhawk, toen ik getroffen werd door een SAM-raket die een vleugel van mijn vliegtuig afblies, zodat ik met de schietstoel in dat meer terecht kwam.

Maar ik overleefde alles. Wonderen. Allemaal. Waarom spaart God een mens bij al die gelegenheden? Zodat hij kan drinken en vrolijk kan zijn, want morgen hij kan sterven? Ik geloofde van niet.

Maar zoals ik zei, las ik in mijn jeugd Hemingway, *voordat* hij zelfmoord pleegde.

Terwijl Bill Clintons impeachmentprocedure aan de gang was, dacht ik erover om mee te doen aan de presidentsverkiezingen. En toen ik dat op een stuk papier schreef, leek het onzin:
1. Een groot deel van de partij haatte me.
2. Mijn partij blies al op de trompetten om de kroning van de Kroonprins aan te kondigen.
3. Ik had net zo veel problemen met mijn gulp als Bill Clinton.
4. Ik had mijn kreupele vrouw vijftien jaar geleden gedumpt en haar ingeruild voor een sexy jonge vrouw die goed in haar slappe was zat.
5. Mijn eigen mond was mijn grootste vijand. Ik had een aantal stompzinnige, smakeloze dingen gezegd en ik wist dat ik daarmee zou doorgaan.

Ik dacht weken na over mijn lijst en bedacht dat ik geen schijn van kans had president te worden.

En daarom zei ik: ik doe mee.

Ik besloot dat ik ben die ik ben en dat ik daar niets aan kan doen. Ik ben een mens met gebreken. Ik ga mijn gebreken aan de Amerikaanse bevolking laten zien en laat hen besluiten.

Mijn grootvader Slew rookte en dronk en kreeg vijf vliegtuigongelukken. Hij werd 79e van de 116 in zijn klas in Annapolis. Hij werd admiraal. Mijn vader, 'Goed Verdomme' McCain (zoals in 'Het kan me Goed Verdomme niet schelen') dronk meer dan mijn grootvader en dat was werkelijk bijster veel. Hij werd 423e in een klas van 441 in Annapolis. Hij werd admiraal.

Ik dronk niet zo veel als zij in Annapolis, maar ik ben altijd lid geweest van de Century Club, een exclusieve vereniging van studenten die ten minste honderd slechte aantekening hadden verdiend. Ik was een arrogante, ongedisciplineerde, lompe adelborst die het noodzakelijk vond om zijn moed te bewijzen door het gezag uit te dagen. Kortom: ik gedroeg me als een dwaas. Ik overtrof Slew en Goed Verdomme. Ik eindigde als vijfde van onderen in mijn klas.

Ik liet mezelf fotograferen in James Dean-houdingen. Ik klom over de muur om striptease-clubs met vette vloeren te bezoeken. Toen een paar oudere vrouwen niet door mij opgepikt wilden worden, schreeuwde ik: 'Steek het maar in je hol' naar ze en werd gearresteerd. Toen een commandant vroeg of ik wist wie hij was, zei ik: 'Om eerlijk te zijn kan me dat geen ruk schelen.'

Ik lijk op mijn grootvader Slew, die altijd klaar stond om te vechten. Toen de Japanners zich overgaven, vertelde mijn grootvader aan een vriend: 'Deze overgave komt als een soort schok voor me. Ik voel me ontheemd. Ik weet niet wat ik moet doen. Ik weet hoe ik moet vechten, maar nu weet ik niet hoe ik me moet ontspannen. Ik bevind met een een verschrikkelijke afknapperiode. Ik voel me klote.' Een week later kreeg hij een hartaanval en stierf.

En ik lijk op mijn vader, Goed Verdomme, die altijd van mooie vrouwen hield. Mijn moeder is een mooie vrouw en zij heeft een ongetrouwde één-eiïge tweelingzus. Zowel mijn moeder als haar zuster waren altijd in de buurt van Goed Verdomme McCain. 'Hoe houd je ze uit elkaar?' vroeg iemand hem. 'Dat is hun probleem,' zie mijn vader.

Mijn vriend Gary Hart zegt dat er een kleine jongen in me zit die naar buiten wil. Hij heeft waarschijnlijk gelijk. Aan de andere kant, Jezus, *Gary Hart*? En dan hebben we het over een kleine jongen binnenin je!

Ik stelde Mike Murphy aan als mijn strategische raadgever en hoofdadviseur voor de media, waarschijnlijk om dat hij net als ik houdt van de veroordeelde schurk Chuck Berry. Een paar jaar geleden koos *Cosmopolitan* Mike als een van de meest begeerde vrijgezellen van Amerika. Ook daar was ik zeer van onder de indruk.

Hij is zevenendertig jaar oud, heeft lang blond haar, een stoppelbaard, draagt een dikke bril, zwart leren jasjes, Hawaïaanse overhemden en gymschoenen. Hij noemt zichzelf een 'rock 'n roll-Republikein' en staat bekend als 'mijnheer Tof van de politiek'.

Hij is de kerel die de advertentie maakte waarbij Pat Buchanans Mercedes in zijn hol gestopt werd. Hij is tevens de kerel die Lamar Alexander een houthakkershemd aandeed. (Schitterend hemd, verkeerde kerel.) Hij is tevens de kerel die de snelwegadvertentie tegen senator Chuck Robb in Virginia maakte: 'Waarom kan Chuck Robb de waarheid niet vertellen? Over de cocaïnefeesten waarover Robb zei dat hij nooit drugs zag? Of over de schoonheidskoningin in de hotelkamer in New York? Volgens Robby ging het alleen om massage.'

Mike Murphy deed dit al twintig jaar toen ik hem aanstelde. Hij had campagnes geleid vanuit zijn studentenflat in Georgetown. Hij had achttien verkiezingen voor de Staten of de Senaat gewonnen. Mike zei me: 'Kom met een beschuldiging en laat de ander een miljoen dollar uitgeven om het uit te leggen... We moeten de confrontatie zoeken en ons door middel van onze vijanden profileren.' Hij schepte op dat hij hij zich in één campagne geconcentreerd had op de verkrachting van een negenjarig meisje om te bewijzen dat zijn tegenstander niet hard optrad tegen de misdaad.

Ik mocht hem onmiddellijk. Ik gaf hem tijdens de campagne veel bijnamen. 'Murphistopheles' en 'de Swami' en '008, de debiele broer van Bond'.

Maar het enige dat ik tot de pers zei nadat ik hem aangenomen had, was: 'Mike Murphy is het ergste laagbijdegrondse tuig waarmee ik in mijn gehele leven te maken heb gehad. In bepaalde opzichten is hij erger dan mijn Vietnamese ondervragers.'

Mike vond dat wel leuk. Ik geloof dat hij me ook onmiddellijk mocht.

Murphistopheles en ik bespraken mijn persoonlijke zwakke plekken. Praten met Murphy over zwakke plekken is als alles opbiechten aan een uit het ambt gezette whisky-priester die in de nor beland is wegens verkrachting en roof. *Waarom haatte de Republikeinse establishment, en met name zoveel senatoren, mij? Naast het feit dat ik probeerde hun omkoopdouceurtjes onmogelijk te maken?*

Wel, vertelde ik Murphy, soms gromde ik en balde ik mijn vuist naar ze. Het kwam een keer werkelijk tot een handgemeen met Sperm Thurmond op de vloer van de Senaat, nadat hij me er fysiek van had geprobeerd te weerhouden om te praten over een wetsontwerp. Ik schold een andere Republikeinse collega uit in de lift van de Senaat en zei 'Alleen een schijtlijster kan een dergelijke voorstel neerleggen' tegen een andere collega in de zaal. Ik zei tegen die hufter Mitch McConnell tijden een debat: 'Je zei dat het oké was als wij voor het wetsontwerp over tabak stemden, omdat de tabaksondernemingen advertenties voor ons zouden plaatsen.' En ik brak met Ronald Reagan omdat hij troepen naar Libanon stuurde. Toen probeerde ik een aantal van de favoriete speeltjes van die oude wijven tegen te houden: een vliegdekschip dat de marine niet wilde hebben en dat gebouwd zou moeten worden in de stad waar Trent Lott woonde; 1,1 miljoen dollar voor een mestverwerkingsproject; 750.000 dollar voor een studie over sprinkhanen.

Maar zelfs dat was niet de echte reden waarom ze me haatten, vertelde ik Murphy. Ze haatten me omdat ik niet geloof dat leiderschap compromissen, coalities en deals onvermijdelijk maakt. Ze haatten me omdat ik een Einzelgänger ben en dat nog leuk vind ook. Ze haatten me omdat ik een mening heb over dingen. Ik verander die mening niet om de eerwaarde hielenlikker naast me te behagen. Ze haatten me omdat ik niet meewerkte en een luis in de pels was – wat dezelfde verdomde reden was dat die lui die mij in Noord-Vietnam gevangen hielden me haatten.

Murphistoteles glimlachte.

En wat valt er te zeggen over het feit dat ik mijn eerste vrouw had gedumpt? *vroeg Murphy.*

Geen mens is volmaakt, zei ik tegen Murphy. Carol bleef me trouw toen ik in de gevangenis zat. Ze heeft het niet verdiend dat ik haar zo behandelde.

Kijk, zei ik, ze was een mooie vrouw toen ik haar trouwde – lang, een fotomodel. Ik was overgelukkig. Ze had twee kinderen. Ik adopteerde ze. We kregen nog een kind. Toen ging ik naar Vietnam. Ik praatte in de gevangenis continu over haar. Ik noemde haar 'Long Tall Sally'.

Ik kwam terug. Ik was kreupel. Zij had een auto-ongeluk gehad. Ze was door de operaties tien centimeter korter dan toen ik haar de laatste keer had gezien. Ze zat in een rolstoel. Ze was flink dikker geworden.

We probeerden het. Maar het ging gewoon niet. We waren een gouden paar toen we elkaar ontmoetten. Maar dat waren we niet meer. Het deed pijn om te denken aan hoe we waren geweest.

Ik begon haar te bedriegen en toen ontmoette ik Cindy. Lang, als een fotomodel, mooi. Ik werd verliefd op haar. Zij was mijn *nieuwe* Long Tall Sally. Een jaar nadat we elkaar ontmoetten, vroeg ik een scheiding aan. Carol was geschokt, maar ze begreep het. Ze zei dat ik veertig was en opnieuw vijfentwintig wilde zijn.

Het was niet fraai, ik weet het, niet alleen omdat Cindy zo veel jonger en mooier was, maar ook omdat ze erfgenaam was van een distributeurschap van Budweiser. Sommige mensen zeiden dat ik op Bob Dole leek – die de vrouw had gedumpt die hem geholpen toen hij opnieuw moest leren lopen. Ik weet het niet. Het enige dat ik kan zeggen is dat ik geprobeerd heb eervol met Carol om te gaan – alimentatie, geld voor de kinderen, ze kreeg allebei de huizen.

Met het verstrijken van de tijd losten we het op. Carol zei tegen de pers: 'Ik ben gek op John McCain. Ik houd zielsveel van hem.' Net zoals de ex-vrouw van Bob Dole ondersteunt ze mijn campagnes. Ik was getuige bij het huwelijk van onze oudste zoon. Onze jongste zoon werkt bij de distributeur.

De scheiding was een menselijke tragedie. Het was mijn fout. Totaal. Ik trouwde niet met Cindy om haar voor politiek gewin te gebruiken, ik trouwde haar omdat ik van haar houd. En ik moet je vertellen: het feit dat ze er niet uit ziet als Sabina Forbes hielp een handje.

Murphistopheles lachte.

Een probleem met je gulp, werkelijk? Murphy grinnikte. Een ouwe lul als jij? Nu niet meer, zei ik tegen hem, maar ik ben niet altijd een ouwe lul geweest. In Annapolis waren we al met een groep jongens, de *Bad Bunch*. Dat was het James Dean-gedoe waar ik je over vertelde. Als je met mij aan de rol ging, zei een van de jongens, was het alsof je je in een treinwrak bevond.

De vrouwen mochten me wel. Ik had een vriend, Dittrick, die me altijd volgde en hoopte dat hij de ranzige restjes kreeg. De jongens zeiden – werkelijk – dat als ik een kamer inkwam, je de panty's kon horen vallen.

Ik ging naar Rio op een torpedojager en ontmoette dat blonde liefje dat mannequin was. *O man!* De jongen plaatsten haar foto in het tijdschrift van de academie – het bijschrift luidde: 'Zo goed om weer thuis te komen.' Ik herinner me dat ik met haar op een terras zat met een fles champagne en een emmer ijs. *O God*, geloof me, ze was er niet op gekleed om naar een diner te gaan.

En dan was er dat meisje dat striptease-danseres was – Maria, 'de Vlam'.

Ze maakte haar nagels schoon met een stiletto. En in Meridian, Mississippi, hadden we gemaskerde bals en bands uit Memphis en jongens vanaf de hele westkust kwamen daarheen om de beest uit te hangen. Al die meiden uit Mississippi. *Jezus Christus!*

Ik was vaak moe. Ik voelde me vaak uitgeput. Ik dacht dat ik dood ging. Ik begrijp niet waarom ik *niet stierf*. Ik kwam vermoedelijk dichterbij de dood dan tijdens die vliegtuigongelukken of op de *Forrestal*. Ik moest op het dek van de *Forrestal* door vuur waden om in leven te blijven, maar dat dek was niet zo heet als die meiden uit Mississippi die ik doorploegde.

Murphistoteles zei: 'Genoeg. Ik heb genoeg gehoord.'

Vertel eens over Vietnam, zie Murphy.

Het is kerstavond, makker, zei ik tot hem. De spleetogen spelen kerstliederen. Dinah Shore. Dinah Shore, continu. Jezus Christus, heb je enig idee hoe diep ik Dinah Shore haat?

Een van de spleetogen vertelt ons dat er een kerstdienst zal zijn. Ik had negen maanden in afzondering gezeten. Ik was de vogelverschrikker waar de vogels klaar mee waren.

Oké, ze laten me die zaal instrompelen, waar meer bloemen zijn dan op een begrafenis van de mafia. We moeten op banken zitten – ongeveer vijftig krijgsgevangenen. We moeten apart zitten, zodat we niet met elkaar kunnen praten. Een of andere spleetoogpriester staat daar op het altaar. Dan zie ik al die fotografen. Flitslampjes. Filmcamera's. De klootzakken stellen ons, volgens mij, op voor een of andere propagandafilm. Ze gebruiken Dinah Shore gewoon om ons in hun scenario te krijgen.

Ik sta op en grinnik en begin naar andere jongens te zwaaien. 'Hé, hoe gaat het, man? Alles kits?' Een van de klootzakken zegt: 'Niet praten! Niet praten!' en probeert me terug op mijn bank te krijgen.

Ik zeg: 'Gelul!' en draai me naar de jongen vlak naast me en zeg: 'Hé, makker, mijn naam is John McCain. En hoe heet jij?' Hij is ook een vogelverschrikker, maar de vogels zijn nog niet klaar met hem.

Een klootzak die we de 'Zachte Zeep-Fee' noemden zegt: 'McCain, niet praten!'

Ik weer: 'Krijg de schijt!' werkelijk hard. Ik weer: 'Dit is totaal gelul! Dit is verschrikkelijk! Dit is geen kerst! Dit is een propagandashow!'

Ik keer me weer om naar de jongen die ik net ontmoet heb. Ik weer: 'Ik weigerde naar huis te gaan. Ik werd ervoor gemarteld. Ze braken mijn rib en braken mijn arm opnieuw.'

De Zachte Zeep-Fee schreeuwt: 'Niet praten! Niet praten!'

Een ander bewaker, die we 'de Lul' noemden, loopt naar me toe en schreeuwt: 'Niet praten! Niet praten! Niet praten!'

Ik: 'Krijg de schijt, jij spleetoog, verdomd hoerenjong!'

Ik strompel de zaal rond naar de camera's, steek mijn middelvinger op en roep: 'Krijg de schijt! Krijg de schijt! Krijg de schijt!' – een vogelverschrikker die gek geworden is.

Murphistoteles zegt: 'Je vertelt het alsof het grappig was.' Hij glimlachte. Ik glimlachte ook naar hem. Ik zei: 'Het was niet allemaal grappig.'

Kun je een aantal stomme uitlatingen opnoemen?' vroeg Murphy.
Ik vertelde hem mijn grap over Chelsea Clinton. 'Waarom is Chelsea zo lelijk? Omdat Janet Reno haar vader en Hillary haar moeder is.' Ik had Leo DiCrapio een androgyne slapjanus genoemd en Ross Perot maffer dan een krankzinnige. Ik had een bejaardenhuis dat Leisure World heet 'Seizure World' genoemd. Mensen met de ziekte van Alzheimer, stelde ik, 'konden geen paaseieren meer verbergen'. Ik had het Congres het 'Fort Knox van de hypocrisie' genoemd en de Senaat een plaats waar 'de meeste van de leden geen leven hebben.'
Murphistoteles zei: 'Wel, dat is in ieder geval allemaal waar.'

Hoe vind je dat we je krijgsgevangenschap moet gebruiken? vroeg Murphy.
We moeten het niet benadrukken, vertelde ik hem, zoals ik er altijd mee omgegaan ben. Toen ik in Arizona voor het eerst meedeed aan de verkiezingen en mijn tegenstander beschuldigde me ervan dat ik een opportunist was, omdat ik zelf niet in dat stemdistrict woonde, zei ik: 'In feite is de plaats waar ik het langst heb gewoond, Hanoi.' Toen ik kritiek kreeg over het feit dat ik Carol verliet, vertelde mijn broeder Joe McKmart, met zijn miniscule herseninhoud: 'Dit is een man die vijfenhalf jaar weigerde een pas aan te nemen om uit de gevangenis te komen – daarom maakt hij zeker niet zomaar een einde aan een huwelijk, tenzij er niets meer van klopt.' Toen ik ervan werd beschuldigd mijn invloed aan te wenden om de zakenman Charles Keating te helpen, zei ik: 'Zelfs de Vietnamezen hebben nooit vraagtekens gezet bij mijn integriteit.'
Niet benadrukken! Daarnaast, zei ik tegen Murphy, is tegen de tijd dat we naar New Hampshire gaan mijn boek, dat vrijwel geheel gaat over wat de spleetogen me aangedaan hebben, uit en zal A&E de documentaire *John McCain, held of God?* uitzenden.
Murphistoteles grinnikte.
Het is niet makkelijk campagne te voeren tegen een kreupele krijgsgevangene die in Oude Glorie verpakt is, zei ik tegen Murphy. Dat zei een van de eerste tegenstanders in het Conges tenminste.
Murphy begon regels te verzinnen waarvan hij verwachtte dat de media ze zouden oppikken. McCain overleefde een interneringskamp, Bush overleefde een zomerkamp. McCain overleefde het dat zijn armen, ribben, schouders en knieën gebroken werden, Bush overleefde het handelen in Sammy Sosa. McCain heeft een Zilveren Ster, Bush kreeg de auto van pa. McCain is een held, Bush is een nul. McCain is een man, Bush zette het op een lopen.
'Wat we nodig hebben, is een niet nadrukkelijke visuele hint,' zie Murphy, 'zoals Dole die zijn pen continu met zijn rechterhand op en neer beweegt.'

Murphistoteles dacht er een tijdje over en glimlachte zijn sociopatische glimlach.

'We laten de pers zien dat Cindy je haar sprayt,' zei hij. 'Dat herinnert de mensen eraan dat je je armen niet boven je schouders kunt heffen.'

Dat, dacht ik, is op en top Murphistotelisch.

Met een zak vol gelukstalismannen, waaronder een oude dollarcent en een indiaanse medicijntas, begon ik aan mijn campagne in New Hampshire. Ik voelde me niet als Luke Skywalker, maar eerder als de Olifantman. We trokken geen menigten. We hadden geen rooie cent. We konden nauwelijks vrijwilligers krijgen. In het begin waren er meestal alleen Long Tall Sally en Murphy en ik.

'Vrienden,' zei ik in de ene zaal na de andere, 'ik zal dingen zeggen waarmee u het eens bent en sommige dingen waarmee u het niet eens bent. Maar ik beloof u dit. Ik zal u altijd de waarheid vertellen, wat er ook gebeurt. U hebt mijn plechtige belofte. Mogelijk bent u het vaak niet met me eens, maar ik zal u nooit in verlegenheid brengen. We moeten de regering hervormen. We moeten de politiek hervormen. We moeten het leger hervormen, het onderwijssysteem. We moeten de belastingwetten hervormen, zodat er meer vrijheid komt voor alle Amerikanen. Iedereen die tevreden is met de status-quo moet op iemand anders stemmen. Maar iedereen die gelooft dat Amerika groter is dan de som van zijn individuele belangen zou mij moeten steunen.'

De mensen die me aangaapten alsof ik een circusclown was vonden de waarheid niet altijd leuk, maar toch vertelde ik hem.

'Wie heeft de oorlog in Vietnam gewonnen?' vroeg iemand in een zaal op een gegeven moment.

'Wij hebben verloren,' antwoordde ik.

'Dus u vindt dat een homoseksueel een goede president van de Verenigde Staten zou kunnen zijn?

'Absoluut,' zei ik.

Een beller op een praatprogramma op de radio zei tegen me: 'U bent verkeerd geïnformeerd.'

'Nee!' blafte ik. '*U bent verkeerd geïnformeerd.*'

Iedereen kon me overal alles vragen. Geen afzettingen. Geen beveiliging. Geen team van adviseurs. Geen entourage. Geen kapsones. Geen opsmuk en versieringen. Ze wisten niet wat ze er mee aan moesten. Ze konden niet begrijpen dat ik in een zaal bleef totdat elke vraag beantwoord was. Ze wisten ook niet hoe ze moesten reageren op de manier waarop ik omging met die bijeenkomsten.

Als een vraag lang en warrig was, zei ik: 'Kom, wat wilt u nu vragen? Voor de dag ermee!'

Als het tijd was een paar plaatselijke politici te introduceren, zei ik: 'We hebben hier vandaag verschillende veteranen van de Spaans-Amerikaanse oorlog.'

Als ik iemand in de menigte zag die er kierewiet uitzag en vreemd ge-kleed was, nodigde ik hem uit om op toneel te komen en gaf hem de micro-foon.

Murphy, merkte ik, deed zijn rock 'n roll best bij tv-interviews, waar vaak ook assistenten van Bush waren, om me te steunen.

'Mag ik mijn verhaal afmaken,' vroeg een assistent van Bush.

'Nee, dat mag je niet,' zei Murphy.

'Probeer me niet te manipuleren,' zei Murphy tegen een assistent van Bush, 'ik zit in de lift.'

'Jij *bent* de lift, man,' antwoordde de assistent van Bush.

Mijn favoriete moment was Murphy met Tim Russert en een assistent van Bush in *Meet the Press*.

'Hoe verslaan jullie Al Gore bij de verkiezingen in november?' vroeg Rus-sert.

'Wel, het zal niet makkelijk worden,' zei de assistent van Bush.

'Nomineer John McCain,' zei Murphy.

Hij stelde me voor aan een menigte door te zeggen: 'John McCain is het stinkdier op een tuinfeest in Washington.'

En ik antwoordde door naar hem en te wijzen en te zeggen: 'Dat krijg je wanneer je mensen aanneemt uit een reclasseringsproject.'

We waren begonnen. Ik ging voor het hoogste ambt in het land. Ik sprak de waarheid zoals ik die zag. Daarom was mijn leven gespaard: om vreem-den me te laten aangapen. Ik had niet meer zoveel plezier gehad sinds ik raketten afvuurde, bommen liet vallen en geweren afschoot.

Ik was geschift. Dat was in ieder geval wat sommigen van mijn collega's in de Senaat onofficieel fluisterden tegen de pers, terwijl het woord dat zij ge-bruikten *opvliegendheid* was.

Wat me stoorde was niet wat ze zeiden. Ik *ben* vermoedelijk enigszins geschift, maar niet zo geschift als Slew en Goed Verdomme McCain waren. *Of* zo geschift als mijn broer Joe McKmart, bij wie een schroef los zit en die eens een namaakverhaal schreef over de scheiding tussen Mickey Mouse en Minnie Mouse. Of zo geschift als mijn moeder, die zevenentachtig jaar oud is en net een nieuwe auto gekocht heeft om naar plaatsen als Buiten-Mongolië en Oezbekistan te rijden.

Wat me stoorde was dat ze zeiden dat ik *gek was geworden* door mijn vijfenhalf jaar krijgsgevangenschap. Zo. Ik had vijfenhalfjaar in de gevan-genis gezeten omdat ik van mijn land houd en nu zeggen ze dat ik door mijn liefde voor mijn land niet geschikt zou zijn voor het presidentschap. Arme John heeft te veel *geleden*. En daarom kan hij geen president worden. De reden dat die arme John in al die zalen sprak, zeiden ze, was dat hij na al die jaren in eenzame opsluiting een dwangmatige behoefte had om te lullen.

'Waar halen ze al die onzin vandaan?' vroeg ik op een dag aan Murphy en hij lachte en zei: 'Voorzichtig – opvliegendheid.' Dat nijlpaard dat gouver-neur van Michigan is en zo graag de voetenbank van de Kroonprins wil zijn,

Engler, zeikte dat ik een 'heetgebakerde geest' had. *Saturday Night Live* bespotte me door te stellen dat ik niet zonder blinddoek kon eten. Ik mocht niet kwaad worden, legde een journalist me uit, maar gespannenheid of irritatie was oké.

Geïrriteerd? Gespannen? Verdomme, ik baalde zo als een stier, dat ik eigenlijk het liefst naar de kamer van de Senaat was gegaan en die verdomde klootzakken op hun lijf en hoofd had willen rammen.

Murphy en ik begonnen al die dingen belachelijk te maken.

'Wel, je moet enigszins geschift zijn om president te worden,' zei ik.

We gaven CBS toestemming om onze voorbereiding voor het eerste debat te filmen en Murphy stond daar in een misselijkmakend, afgrijselijk Hawaï-overhemd en zei: 'Senator, u hebt op weg naar dit debat iemand vermoord. U bent een enorm, maniakaal heethoofd. U explodeert elke minuut. Hebt u het temperament om president van de Verenigde Staten te worden?'

'Wel,' antwoordde ik, 'weet je, dat maakt me werkelijk woedend.'

De andere reden waarom ze dachten dat ik gek was, was de bus. We hadden erover gedacht om die de *Bullshit Express* te noemen, maar besloten tot de *Straight Talk Express*.

We lieten de bus elke dag van en naar New Hampshire rijden en lieten de journalisten (Murphy noemde ze de Troep) *continu* met me meerijden.

Dat was nog nooit vertoond in de Amerikaanse politiek – continu volledige toegang en alles mocht geciteerd worden. Aangezien voor de meeste Republikeinen de media de vijand zijn, at ik met de vijand, piste ik met de vijand en snurkte ik de hele dag met de vijand. En daarom *moest* ik gewoon wel gek zijn.

Continu volledige toegang... en dat op een moment dat Clinton nog nooit één vraag over Juanita Broaddrick had beantwoord, op een moment dat Lockhart alleen zijn makkers in de perskamer van het Witte Huis te woord probeerde te staan, op een moment dat iedereen zich Ronald Reagan nog herinnerde die zijn hand achter oor hield en deed alsof hij de vragen over Iran-Contra niet hoorde. De meeste leden van de troep waren zo cynisch over politici dat ze in het begin van mijn campagne bijna beledigd leken door mijn 'continue volledige toegang'. Ik probeerde ze te manipuleren, zeiden ze tegen me, door ze niet te manipuleren. Omdat de meeste leden van de Troep gewend waren dat politici altijd liegen, moest een politicus die de waarheid sprak gewoon wel liegen door dit te vertellen.

Ze wisten niet of ze moesten poepen of blind moesten worden toen ze aan boord van de *Straight Talk Express* gingen en zich realiseerden dat ze me alles over alles konden vragen en dat dit alles officieel was. Ik herinner me dat op een dag een lid van de Troep voor de eerste keer in de bus kwam. 'Senator,' zie hij, 'kan ik u een paar vragen stellen?'

'We beantwoorden in deze bus alle vragen,' zei ik hem. 'En soms liegen we. Mike Murphy is een van de grootste leugenaars van deze hele wereld.'

Het lid van de Troep knipperde met zijn ogen. Ik keek naar Murphy en zei: 'Nietwaar, Mike?'

Murphy grinnikte en knikte en ik keerde me weer naar hem en zei: 'Murphy heeft zijn hele leven besteed aan het vernielen van politieke carrières.'

Murphy zei: 'Op de verkiezingsdag zal blijken dat ik de jouwe ook geruïneerd heb.'

Het Troep-lid gaapte ons aan met open mond.

Murphy zei tegen hem: 'Het probleem met de media is dat jullie geobsedeerd zijn door de gang van zaken, met vragen als: hoeveel linkshandige, onafhankelijke voetbalmoeders gaan stemmen?'

'Met andere woorden,' zei ik de tot het Troep-lid, 'Jullie zijn klootzakken.'

Zoals ook de ons aangapende stemgerechtigden was de Troep verbaasd door de waarheid die ik hen vertelde.

'Waarom wilt u president worden, senator?'

'Omdat het verplicht is voor elke senator die niet in staat van beschuldiging is gesteld of een afkickprogramma volgt te geilen op het presidentschap.'

'Wat vind u van de media, senator?'

'Het is de eerste keer in mijn leven dat ik de kans heb geregistreerde leden van de Communistische partij te ontmoeten.'

'Was was de favoriete dag van uw campagne?'

'De favoriete dag van de campagne was die dag dat we naar New York gingen en ik zag hoe jullie, kerels, elkaar wegduwden en uitgleden op het ijs.'

'Hoe was uw leven als marinevlieger?'

'Ik reed in een Corvette, ging veel uit, bracht al mijn vrije uren in bars en op strandfuiven door en misbruikte in het algemeen mijn goede gezondheid en mijn jeugd.'

Ik mocht John F. Kennedy Jr. graag en het laatste commentaar dat hij schreef voor het tijdschrift *George* vergeleek mijn kandidaatschap met Luke Skywalker die de Doodsster bevocht. Dus begonnen we in de bus te dollen met lichtsabels en schalde het thema van *Star Wars* door de luidspreker.

Op een dag greep ik melodramatisch naar mijn borst en zei tegen de Troep: 'Het is de Doodsster! Ze schieten van alle kanten! Mogelijk haalt Luke het niet.'

Ze zeiden dat onze onofficiële campagneslogan *'Burn it down!'* was, ter ere van Stokeley Carmichael en Black Power of *'Eradicate Evil!'* ter ere van George Lucas en Ronald Reagan.

Murphy vertelde de Troep dat er een zinsnede was die hij mij wilde laten gebruiken in een debat met de Kroonprins. 'Wanneer er ergens ter wereld een netelige situatie optreedt, is er geen tweede kans.'

Ik vertelde hen dat ik één regel had verzonnen die de Kroonprins in zijn campagne zou kunnen gebruiken. 'Als de scoutrapporten de Texas Rangers bereiken, is er slechts één eenzame man in een donker kantoor.'

'Deze campagne,' stelde Murphy, 'is de Grote Leeuwentemmer!'

'Vlug,' zei ik tegen hem, 'geef me een stoel.'

'Ik geef je je eenwieler,' antwoordde Murphy.

Na een tijdje realiseerde de Troep zich dat dit een rondreizend circus was en begonnen ze er plezier in te krijgen. Connie Stevens was op een dag in de bus en ik zei tegen ze: 'Ik heb Connie voor het eerst ontmoet op een USO-diner.' Ze schreven het allemaal op. Toen zei ik: 'Maar indirect was ik al verschillende keren bij haar.' Ze schreven het allen op. Toen schreeuwde ik: 'Ik haat Eddie Fisher!' en hielden ze allemaal op met schrijven.

Wat serieuzer vertelde ik ze dat, als ik ooit tot president zou worden gekozen, ik eens per week persconferenties zou houden, zoals JFK, en dat ik óók elke week een door de tv uitgezonden vraaggesprek zou houden met tien leden van het Congres.

'Zou u dat niet in verlegenheid kunnen brengen?' vroeg een van de leden van de troep, alsof hij zojuist een openbaring uit de Torah had gehoord.

'Zeer zeker,' antwoordde ik.

Er was iets wilds aan de gang daar. Ik kon het aan de menigten voelen, die steeds groter en maffer werden. Ik zag iets in de manier waarop ze me wilden aanraken dat me kippenvel bezorgde. Ik zag iets in hun ogen als ze naar me keken dat me nederig maakte. 'Geen Clinton – Gore meer! Geen Clinton – Gore meer!' schreeuwden ze als ze me zagen; ze schreeuwden net zo als wij op de marine-academie 'Versla het landmacht-team!' riepen, hun gezichten brandend, hun stemmen hees.

Er waren mensen met borden als *vegetariërs voor mccain! hippies voor mccain! carnivoren voor mccain!* Er waren borden met daarop *cindy is een schatje!* Op een dag zag ik een groep mensen over een modderige bouwplek lopen alleen om een blik op me ter werpen. Mijn boek was nu een grote bestseller en ze kwamen naar de manifestaties en bijeenkomsten met het boek op hun hart. Een moeder vertelde ons dat ze bij een bijeenkomst van Bush was geweest en weg was gegaan omdat haar driejarige kind continu vroeg mij te zien.

Ik bleef hen hetzelfde vertellen: 'Ik zal niet tegen jullie liegen! Ik zal jullie niet in verlegenheid brengen! We moeten de regering hervormen!'

Ik zei: 'Ik zal Al Gore om zijn oren slaan alsof ik op een trommel speel' en de menigte ging uit zijn dak.

Ik zei: 'Dit is het begin van het einde van de met de waarheid konkelende politiek van Bill Clinton en Al Gore,' en ze schreeuwden: *'No more Clinton-Gore! No more Clinton-Gore! No more Clinton-Gore!'*

Onze bijeenkomsten eindigden in een pandemonium. *Star Wars* schalde uit de luidsprekers. Confetti-kanonnen vulden de lucht. De deejay met de vijf oorringen die we hadden aangenomen, die net terugkwam van een tournee met de Foo Fighers en Nine Inch Nails, draaide Fat Boy Slim. Een bandje waarop Dick Vitale schreeuwde: 'Let's do it, baby! Let's do it!'

We verlieten New Hampshire voor een dag en brachten die door in New

York en zagen daar dezelfde elektrische energie in de menigten, alsof ze allemaal de verkeerde paddestoelen uit Arizona hadden gegeten. De Kroonprins en zijn grote vriend de gouverneur met de rubberen mond, Pataki, weer zo'n vrijwilliger voor het voetenbankje, probeerden me van de stemlijst af te houden. Murphy opperde dat we recht tegenover de Russische ambassade, een persconferentie moesten houden. 'In Rusland staat meer dan één naam op de kieslijst,' zei ik. 'In New York zal er, tenzij er iets gebeurt, maar één naam op de kieslijst staan: George W. Bush!' De menigten bleef schreeuwen: 'Geen Clinton – Gore meer! Geen Clinton – Gore meer!'

We waren niet voorbereid op wat er gebeurde op de verkiezingsavond in New Hampshire. Negentien punten! De Kroonprins was vernederd. Hij weigerde me zelfs op te bellen. Hij probeerde een assistent van hem een assistent van mij te laten bellen en pas toen mijn assistent hem zei dat hij de pot op kon, pleegde de Kroonprins zijn verplichte telefoontje. Negentien punten! De grootste opkomst bij een voorverkiezing in de geschiedenis van New Hampshire! De grootste opkomst van nieuwe stemgerechtigden in de geschiedenis van New Hampshire! De grootste opkomst van jonge stemgerechtigden in de geschiedenis van New Hampshire!

O, wat een schitterende strijd! We kwamen op de voorpagina's van alle drie de Communistische tijdschriften. Commandant van het Rode Leger Mike Wallace stelde dat hij er over dacht weg te gaan bij *60 Minutes* om mijn perssecretaris te worden. Commissaris Jay Leno faxte ons grappen om op het podium te gebruiken. We haalden de volgende week op Internet vijf miljoen dollar op. Men praatte over de 'muiterij van Mcain'. Er waren mensen die zichzelf McCainiacs noemden. Een assistent van Al Gore zei: 'McCain is niet zo maar iemand. Hij is een vleesgeworden idee geworden. Het idee dat hij geen gewone politicus is. Dat is sterk.' De meeste recente opiniepeiling toonde aan dat ik in Zuid-Carolina, onze volgende halte voor de voorverkiezingen, totaal gelijk stond met de Kroonprins, terwijl ik een week tevoren nog zevenentwintig punten achter stond.

De Kroonprins zag eruit alsof hij net in het openbaar in zijn broek gepiest had. Zijne Hoogheid vloog terug naar Austin terwijl er verhalen rondgingen dat hij met zijn eigen donzige kussen reisde.

'Ik denk dat je genomineerd word,' zei Murphy tegen me, 'en dan word je president.'

En Murphistopheles, die dit geheel niet aanging, voegde daaraan toe: 'Arme donder.'

We wisten dat Zuid-Carolina een belangrijk onderdeel vormde van de poging van de Kroonprins om de boel te bedonderden – de muur van vuur van ultra-conservatieven en fundamentalisten die behendig was opgericht om hem te beschermen tegen eventuele schade die de maffe Yankees hem mogelijk hadden toegebracht. Om die reden was de voorverkiezing met opzet na New Hampshire gepland, in een poging om de bijbelzwaaiende bevolking de graffiti van het koninklijk rijtuig van de Kroonprins te laten verwijderen.

Maar we geloofden dat we Bush op eigen veld konden verslaan. Er waren in Zuid-Carolina meer veteranen dan in welke andere staat dan ook, en toen we er aankwamen, om drie uur in de nacht, werden we begroet door een menigte juichende jonge mensen. Onze bus werd tot stilstand gebracht door een agent van de verkeerspolitie die me wilde ontmoeten. Toch was het een staat waar er T-shirts werden verkocht met een foto van Lincoln en de woorden SIC SEMPER TYRANNIS – 'zo gaat het altijd met tyrannen' – wat die andere androgyne nepacteur had geroepen voordat hij Lincoln doodschoot.

Toen de Kroonprins zijn eerste optreden in de staat had op de Bob Jones Universiteit, de muskus van zijn zijn plaspartij in New Hampshire nog steeds in zijn poriën, wisten we hoe bang hij was. Bob Jones stond afspraakjes tussen mensen van verschillend ras niet toe, stond homoseksuele oud-studenten niet toe te universiteit te bezoeken, beschouwde het katholicisme als een satanistische cultus en de paus als de Antichrist. Bob Jones was het symbool van het oude, racistische, lynchende zuiden, het adelaarsnest van de kruis- en hooivork-nazi's. George en Laura Bush werden aangekondigd als 'aardige mensen die de Heer liefhebben'. Door daar te verschijnen kwam de Kroonprins te voorschijn vanachter de façade van zorgzaam conservatisme en stuurde een maf SOS naar het Zuid-Carolina-Reich om hem te redden: hij was immers één der hunnen.

Toen ik de Kroonprins voor het eerst in Zuid-Carolina zag, dacht ik dat hij me probeerde na te doen. Hij had een groot bord achter zich dat stelde dat hij nu de Hervormer was. Hij, die het grootste deel van zijn leven in de schaduw van het Witte Huis had doorgebracht, was nu de Outsider. Hij had nu een bus. Hij deed zijn best hele alinea's aan elkaar te breien. Hij plaatste zijn privé-veiligheidsmensen buiten het bereik van de camera's. Hij kwam plotseling in zalen en op wat hij 'media-gelegenheden' noemde. Hij had alles wat voor ons had gewerkt gegapt. Zijn mensen liepen door de menigten en schreeuwde: *'No more Clinton-Gore! No more Clinton-Gore! No more Clinton-Gore!'* En nu hadden ze hun eigen confetti-kanonnen, hun rood-wit-blauwe Nixon-ballonnen, die ergens weggestopt waren in een kasteel in Austin.

Ik baalde als een stier. 'Dat spul zal hun niet helpen,' zei ik tegen Murphy. 'Iedereen kijkt er doorheen.'

'Je moet wel in je achterhoofd houden,' zie Murphy, 'dat de Republikeinen de stomme partij zijn.'

Toen Dan Quayle de eerste prominente Republikein werd die naar de staat vloog om de Kroonprins te steunen, zag ik dat Murphy volkomen gelijk had. Terwijl David Letterman en anderen stelden dat George W. Bush 'de volgende Dan Quayle' was, haalden ze Dan Quayle om hem te steunen? Waar *sloeg* dit op? Een ritueel overgeven van de punthoed van de domme jongen? Hét uiteindelijke bewijs van de genetische ontkrachting van de aristocratie? Een stuk gemene politieke sabotage die Murphistoteles verzonnen had?

Vervolgens stond de Kroonprins daar zelfgenoegzaam te glimlachen naast de clown die mij aanviel omdat ik 'de veteranen was vergeten zodra ik uit Hanoi terugkwam'. Dit was hakken op de plaats in mijn hart waar ik leef en ademhaal! Niets is heiliger voor me dan de steun en de rechten van veteranen.

We konden het niet negeren. Het deed te veel pijn. Bush had onnozel geglimlacht terwijl dat stuk ongeluk zijn smerige leugen had geuit. 'We gaan een harde campagne voeren,' zei Murphy. 'Zoals McCain zei: we zijn klaar om terug te slaan. We heten geen Bill Bradley.'

Murphy schreef een advertentie waarin gesteld werd dat de Kroonprins 'de waarheid net zo verdraait als Bill Clinton'. De Kroonprins rende gillend in het rond. Het leek alsof ik gepist had in de fontein met heilig water bij de Sint Pieter. George W. Bush vergelijken met Bill Clinton? Dat was een misdaad waarop de brandstapel stond! Na eerst onthoofd en gevierendeeld te zijn! De kruisen en de mestvorken in de boerderijvelden van het Reich in Zuid-Carolina werden in de lucht geheven!

Oberführer Pat Robertson viel in de gehele staat met een opgenomen telefoonbandje de voorzitter van mijn campagne aan, Warren Rudman: die zou een 'immorele fanaticus' zijn. Dit was even absurd als wanneer Bill Clinton George Washington een leugenaar zou noemen. Chris Matthews van *Hardball* analyseerde het volkomen juist: 'Ze vielen Warren Rudman aan omdat hij joods is. Ze probeerden die troef uit te spelen.' Natuurlijk deden ze dat. De troef was iets waar Bob Jones de hand in had. Haal de kruisen en mestvorken te voorschijn om de Kroonprins te steunen tegen de nikkers, de katholieken, de smouzen, de flikkers, de lesbo's en John McCain.

Dat hij probeerde te zeggen dat hij niets wist over het bandje van Robertson was weer een makkelijk door te prikken leugen van de Kroonprins. Aan de tafel van George W. Bush zat als bezoldigde campagne-raadgever en lid van zijn officiële team Babyface Ralph Reed, het vroegere hoofd van de Christelijke Coalitie, die opgericht was door Robertson. Stormtroeper Reed was de lievelingsfret van Oberführer Robertson.

Ik verscheen een keer op een praatprogramma in Zuid-Carolina en een beller vroeg me: 'Hebt u ooit overspel gepleegd met prostituees in Subic Bay?'

Dat was niets vergeleken bij wat er, zoals ik ontdekte, verder aan de gang was... in e-mails, faxen, folders, praatprogramma's en 'stemmentrekkende opiniepeilingen' via de telefoon die door de kruisen en mestvorken werden georganiseerd terwijl de Kroonprins zelfgenoegzaam grijnsde, de andere kant uitkeek en zijn neus dichtkneep. Dit vertelden ze over mij en mijn gezin:

Ik was in de oorlog niet gemarteld. Ik had seks gehad met een andere krijgsgevangene, zoals ook met verschillende van mijn bewakers. Ik had andere krijgsgevangenen in Hanoi verraden. Cindy was een junkie, die niet geschikt was voor het Witte Huis. Cindy's baarmoeder was verwijderd omdat ze een geslachtsziekte van mij had opgelopen. De vader van Cindy werd in verband gebracht met een moord. Cindy had een misvormde baarmoeder en daarom bedroog ik haar. Ik had een verhouding met Connie Stevens. Ik zat achter de moord op een man die een schandaal over ons openbaar zou maken. Ik had zwarte buitenechtelijke kinderen. Mijn geadopteerde dochter uit Bangladesh, Bridget, was een van hen, haar moeder was een zwarte prostituee.

Ze probeerden me zo fanatiek zwart te maken dat mensen die geloofden dat ik iets nieuws en zuivers was in de vunzige wereld van de politiek niet meer wilden stemmen. Ze probeerde de magie te vernietigen. Ze probeerde mensen die, voor het eerst in lange tijd, in iets geloofden gedesillusioneerd te maken. Ze wilden geen nieuwe stemmers. Ze wilden dat alleen hun eigen corrupte vrienden en bondgenoten gingen stemmen. Ze wilden Amerika deprimeren en cynischer maken. Ze wilden geen opwinding. Ze wilden verveling. Ze wilden de hoop ombrengen. Ze wilden niet dat er iets verandert. Ze waren de verkankerde sluitspieren van de status-quo, hun lucht kon niet verheeld door het parfum van wijwater.

Toen een vrouw op een bijeenkomst me vertelde hoe haar veertien jaar oude zoon in tranen uitbarstte toen hij een stemmingsbeïnvloedend opiniepeilingstelefoontje had gekregen, waarbij men mij een leugenaar en een bedrieger noemde, zei ik tegen Murphy dat we geen negatieve advertenties meer zouden opstellen.

'Ze vermoorden ons,' zei Murphy, 'We moeten ze plaatsen. Mensen zeggen dat ze niet houden van negatieve advertenties, maar negatieve informatie is een belangrijk deel van hun beslissingsproces. Het werkt gewoon.'

'Maakt me niet uit,' zei ik. 'Ik wil niet na de overwinning wakker worden en me vuil voelen. Ik ga niet de smerige weg naar het Witte Huis nemen.'

Ik dacht over de Kroonprins en herinnerde me dat hij mij jongensachtig had omhelsd bij het eerste debat in New Hampshire. Al dat 'Ik hou van je, man! Je bent mijn maat! Ik ben trots op je!' En nu ben ik ineens die verschrikkelijke man en het enige dat veranderd is, was dat ik hem in New Hampshire om zijn oren heb geslagen als een trommel.

Onze campagne was na Zuid-Carolina niet meer wat ze was. Chris Matthews zei het weer raak. Hij noemde wat George W. Bush deed een 'verschroeide aarde-campagne... lijkend op het bombardement op Dresden door de geallieerden'.

Ikzelf zou het ietwat anders uitdrukken. Het waren de vernielzuchtige handlangers van Adolf Hitler tijdens de Kristallnacht.

We wonnen in Michigan, waarmee we de voetenbankdromen van Engler voor altijd om zeep hielpen, en de Kroonprins belde me zelfs niet om me te feliciteren, maar ik gaf daar inmiddels geen hol meer om. Ik was nog steeds kwaad. Nee, ik was *ontsteld* door wat ik in Zuid-Carolina had gezien. Zuid-Carolina bracht me terug naar Hanoi: ratten die in de cel wegvluchtten, open, bloedende wonden, een drol die in een bron drijft.

Ik begon er in Michigan opnieuw over te praten, over 'Christelijk rechts, extreem rechts', over 'het stelletje idioten dat de Bob Jones Universiteit leidt'. Ik zei: 'Vrienden, mijn partij is de weg kwijt geraakt. Ik denk dat vele Amerikanen het gevoel hebben dat de Republikeinse partij hen niet meer vertegenwoordigt en dat we ons op de belangrijkste punten moeten concentreren. Ik geloof dat we er voor moeten zorgen dat iedereen zich op het speelveld bevindt, dat er gelijke kansen zijn voor iedereen, dat we de ene groep niet boven de andere zullen bevoordelen, met name niet als gevolg van financiële giften.'

En toen vloog ik mijn Shyhawk naar Virginia Beach, Virginia, de thuishaven van Pat Robertson en ik viel Robertson en zijn zalvende As-bondgenoot, Jerry Falwell, persoonlijk aan: 'We zijn de partij van Ronald Reagan, niet van Pat Robertson,' zei ik. 'De politieke tactiek van verdeel en laster zijn niet onze waarden. Zij zijn corrumperende invloeden op de religie en de politie... Geen van de partijen dient zijn gezicht te bepalen door toe te geven aan de buitenrand van de Amerikaanse politiek en de handlangers van de intolerantie, of dit nu gaat om Al Sharpton of Louis Farrakhan links of Jerry Falwell of Pat Robertson rechts.'

De volgende dag noemde ik Robertson en Falwell 'handlangers van de intolerantie' en een 'slechte invloed' op de Republikeins partij. 'Het is mijn taak,' zei ik, 'om op te staan en de krachten van het kwaad aan te vallen. Je wordt geacht kwaad in je eigen partij te tolereren in de naam van de partijeenheid? Dat is niet waar het bij een partij om gaat.'

Murphy zei tegen de Troep: 'De toespraak was goed. De toespraak is de eigenlijke reden waarom hij meedoet.'

'Een home-run,' zei Murphy tegen me.

Maar ik wist dat mijn vleugel afgeschoten was. Ik wist dat mijn Skyhawk zou neerstorten en dat ik met het vliegtuig ten onder zou gaan. Er is geen schietstoel in een presidentiële campagne. 'John McCain is politiek dood,' zei Lyn Nofziger, die ik altijd de slimste adviseur van Ronald Reagan heb gevonden. Ik heb ongeveer hetzelfde gedaan als John Anderson, een andere Republikein, in 1980 had gedaan, toen hij het vuur opende op de National Rifle Association.

Misschien had ik hen gekken en bedriegers moeten noemen.

Pat Robertson bleef het einde van de wereld als iets even normaals voorspellen als weermannen in Arizona donderbuien.

Jerry Falwell gelooft dat Tinky Winky homo is, omdat hij paars is, een tasje draagt en een driehoek op zijn hoofd heeft.

Pat Robertson gaat tekeer tegen seks voor het huwelijk, maar verschoof zijn trouwdatum om het feit te verbergen dat zijn kind vóór zijn huwelijk verwekt was.

Jerry Falwell zei dat hij Jimmy Carter gevraagd heeft: 'Mijnheer, waarom heeft u praktiserende homoseksuelen onder de stafmedewerkers in het Witte Huis?' Hij zei tevens dat de Antichrist 'een joodse man die nu al leeft' zal zijn. (Vermoedelijk Warren Rudman.)

Pat Robertson werd op de band opgenomen toen hij tijdens een evenement van de Businessmen's Fellowship zei: 'Satan is weg... een hernia is genezen. Wanneer u een breukband draagt, kunt u deze afnemen. Het is weg! Verscheidene mensen zijn genezen van aambeien en spataderen!'

Jerry Falwell, sprekend over uitkeringsgerechtigenden, zei: 'Die mensen zouden zo moeten worden uitgehongerd tot ze inzien dat een baan een goed idee is.'

Pat Robertson noemt zichzelf op zijn CV een expert in fiscaal recht, hoewel hij het betreffende examen in de staat New York niet gehaald heeft en er nooit zijn beroep van heeft gemaakt.

Jerry Falwell verkocht een video van zijn tv-show waarin hij Bill Clinton van moord beschuldigde.

Pat Robertson zei: 'Een uitspraak van het Hooggerechtshof is geen wet' en vond dat het Congres 'een uitspraak van het Hooggerechtshof moet negeren indien zij dat wil'.

Jerry Falwell vroeg om een aparte federale politie-eenheid om homoseksuelen in quarantaine te houden of gevangen te zetten, wanneer ze neuken nadat ze van de diagnose aids op de hoogte gebracht zijn.

Bij nader inzien ben ik werkelijk trots op mezelf. *Kwaad* was exact het juiste woord.

Veel van de rest is vaag. Ze produceerden nog meer leugenadvertenties in New York en Californië en de Kroonprins verscheen overal met katholieke priesters van onder zijn gewaden. Het rubberen gezicht van gouverneur Pataki verhardde zich tot permanente hielenlikkerij.

Murphy toonde me enkele 'zacht negatieve' advertenties die hij wilde gebruiken als antwoord op de nieuwste laster en ik zei nee.

Ik ijlde als een roodogig, witharig spook het hele land rond, zeggend: 'Zeg tegen gouverneur Bush en zijn makkers dat ze op moeten houden met het vernietigen van het Amerikaanse politieke systeem!' en 'Gouverneur Bush en zijn vrienden stelen deze verkiezing!' en 'Geen enkele jonge Amerikaan zal ooit weer stemmen!'

Ik deed het debat in Californië op een videoscherm omdat ik bang was dat, als ik in dezelfde ruimte als de Kroonprins zou zijn, ik hem zou vermoorden of in een dwangbuis weggesleept zou moeten worden, of beide. Ik herinner me dat ik me voorbereidde op het debat in een studio in Saint Louis en plotseling flauwviel, waarop Murphy tegen me zei: 'Het is oké. Het is oké.' En ik herinner me dat ik tegen hem zei: 'Murphy, hij mag dan een oneerlijke kandidaat zijn die een gemene campagne voert, maar uiteindelijk kan het niemand een reet schelen.'

De dag voor Super Tuesday dronken mijn Murphistoteles en ik samen een koude wodka en vertelde hij me dat hij dacht dat, als resultaat van wat we hadden gedaan, zijn carrière binnen de Republikeinse partij voorbij was.

Murphy zei: 'John, we hebben je de meest populaire politicus in Amerika gemaakt, maar ze zullen je niet nomineren.'

Ik zei: 'Murphy, ze verliezen de verkiezingen nog liever dan mij te nomineren.'

Ik zette er een punt achter op een heldere en tintelende dag bij mij thuis in Sedona, na Super Tuesday. Long Tall Sally stond er en hield mijn hand vast. Het eindigde niet met 'Hail to the Chief', maar met de instrumentale versie van de themasong van *Rocky*, niet met mijn held Teddy Roosevelt, maar met Sylvester Stallone.

Ik zei dat Long Tall Sally en ik naar Bora Bora gingen. Ik zei dat ik verwachtte dat ik de genomineerde van de Republikeins partij zou steunen.

Murphistoteles huilde en ik kreeg een brok in mijn keel.

Ik zal je vertellen wat ik denk van de genomineerde die ik zal steunen als presidentskandidaat, de Kroonprins, George W. Bush.

David Letterman heeft gelijk als hij zegt dat hij 'de volgende Dan Quayle' is en dat zijn slogan zou moeten zijn: 'een minkukel met connecties.'

Maar de werkelijke Kroonprins onthulde zichzelf aan David Letterman, enkele weken nadat die een vijfvoudige bypass had gekregen.

Dave vroeg: 'Wat wil het zeggen dat u een bruggenbouwer bent en geen polarisator?'

En George W. Bush zei: 'Dat betekent dat wanneer de tijd komt om je borst dicht te naaien, we hechtingen gebruiken en de wond niet openen. Dat betekent het.'

Wat het werkelijk betekent is dat hij niet alleen stom is. Hij is stom *en* gemeen.

Toen ik krijgsgevangene was, vertelden we elkaar de verhalen en scènes van films die we gezien hadden. Mijn favoriet was *One-Eyed Jacks*. Mijn favoriete scène was Marlon Brando die Slim Pickens een 'vuilslikkend zwijn' noemde.

De kroonprins, de Republikeinse genomineerde die ik als presidentskandidaat zal steunen, is een vuilslikkend zwijn.

Long Tall Sally en ik gingen naar Bora Bora. We zaten in de zon. We luisterden naar mijn spiritueel adviseur, Chuck Berry. Het was niet makkelijk af te kicken. Ik probeerde te doen alsof en ik bleef de telefoon gebruiken om met mijn staf tijdelijke oplossingen te zoeken bij het ontwenningsproces.

Jesse Ventura bleef me opbellen, vertelde me over opiniepeilingen die toonden dat ik slechts drie of vier punten achter was in een race met drie man.

Bob Dole bleef me opbellen. Ik hou van Bob Dole. Hij is een van mijn oudste vrienden. Ik reisde met hem mee tijdens zijn campagne in 1996 om te proberen hem aan het glimlachen te houden. (Dat was niet makkelijk.) Hij had me bijna tot kandidaat voor het vice-presidentschap gekozen.

Partij-eenheid, zie Dole tegen me. Hij bleef er op hameren. *Partij-eenheid, John, partij-eenheid, partij-eenheid! Deze partij is goed voor je geweest, John. Je bent je hele leven al Republikein, John. Je moeder is een Republikein. Je moeder woonde elke dag de hoorzittingen van de zaak Alger Hiss/Whittaker Chambers bij en steunde Chambers. Je houdt van je moeder, John! Je bent geen Hiss-man, John!* Bob Dole bleef er maar op hameren.

Ten slotte vertelde ik Jesse dat ik het niet kon. Ik ben mijn hele leven lang al Republikein. En ik houd *werkelijk* van mijn moeder. Ik ben *geen* Hiss-man. Jesse en ik maakten een afspraak om elkaar op een bepaald tijdstip ergens in een haaienkooi elkaar te ontmoeten. Ik weet niet, misschien hebben marineduikers *werkelijk* meer lef dan marinevliegers. Hij draagt zijn veren boa vaker dan ik de mijne draag.

Ik ging terug naar de Senaat en Trent Lott noemde me 'een van onze broeders', hoewel hij ook zei: 'We organiseren geen optocht of wat dan ook voor hem.' Ik gaf een interview met Dan Rather en hij zei: 'De leiders van je eigen partij, die aan hun eigen lot worden overgelaten, zouden je hart graag uit je borst halen en je lever aan de honden voeren.'

Ik las wat artikelen die zich opgestapeld hadden in mijn kantoor tijdens de campagne. Frank Gamboa, mijn slapie in Annapolis, zei: 'Hij verkende de grenzen in Annapolis, hij kwam dicht bij de rand, maar hij overschreed ze nooit.' Mijn maffe broer Joe McKmart zei: 'John was altijd een kerel die vlak tegen de grens aanzat, maar nooit over de schreef ging.' En David Broder van de *Washington Post* schreef: 'John McCain is de voorzitter van de Senate Commerce Committee, gekozen door de Senate Republican Conference en dat is een bijzonder belangrijke aanmoediging voor hem om een loyale Republikein te blijven en te zijn.'

'Ik stelde mezelf teleur. Ik stelde mijn mede-Amerikanen teleur. Ik stelde mijn familie teleur en ik stelde mijn land teleur.'
Dat waren de woorden die ik gebruikte om te beschrijven hoe ik me voelde nadat ik na gemarteld te zijn door de Vietcong een bekentenis tekende.

Chris Matthews zei tegen me: 'Je was een popster, maar het is belangrijker dan muziek. Het is het land dat je in je handen had.'

Verdomme, Murphistoteles, ik zei je al dat ik een feilbaar mens ben. Verdomme, Murphy. *Verdomme!* We hebben plezier gehad, of niet?

[10]

De man met de Gouden Willard

'Hij moet toch lid zijn van de CD van de maand-club of zoiets,' zei Monica tegen Linda Tripp. 'Tja, ik heb naar zijn CD's gekeken. Het is werkelijk maf. Hij heeft CD's die werkelijk maf zijn. Zoals sax voor minnaars en dergelijke. Bah!'

Warren Beatty als president? O God! *Warren Beatty?* In dit door sigaren vergeven klimaat van *willard*-gezuig? De Man met de Gouden Willard? *In het Witte Huis?* Zelfs voor Hollywood, een stad die meer bekend staat door idiote plotwendingen dan door logica, was het nieuws dat insloeg als een bom. God, wat hield ik van Hollywood! Zelfs na een kwart eeuw waanzinnige plotwendingen van mijzelf, begreep ik er nog steeds geen moer van.

Warren als president begreep ik even goed als het huwelijk van Barbra en James Brolin. Barbra is even fanatiek joods als Golda Meir en dan trouwt ze met een ultraconservatieve cowboy die me aan het eind van de jaren '80 op een zondagmiddag opbelde en tegen me begon te schreeuwen over de advocaten die ik gebruikte bij de onderhandelingen om de koop van zijn huis. 'Jij en je verdomde jiddische advocaten!' De toekomstige echtgenoot van Barbra had gesproken. *Oookéee.* Nu stelde Warren Beatty zich kandidaat voor het presidentschap. Zijn grootste eerdere politieke wapenfeit was het opnieuw samenbrengen van Paul Simon en Art Garfunkel voor een fondsenwervingsbijeenkomst van McGovern.

Toen ik hoorde dat zijn kandidatuur voor het eerst was geopperd door Arianna Huffington – 'We hebben iemand nodig die de natie rond het vuur kan krijgen en ons één kan maken' – kwam ik tot de conclusie dat dit een verraderlijk complot van de opportunistische rechtse Tovenares was, een geheim plan om progressieven nog meer in verlegenheid te brengen. Laat de progressieven Warren toejuichen, laat het publiek verliefd worden en onthul vervolgens de satyrneigingen van de man, zijn dwangmatige bidsprinkhaanbehoefte aan vrouwenvlees, zijn narcisme, zijn grootheidswaanzin.

Vergeet de orale seks en de masturbatie tijdens het gesprek aan de eettafel bij de open haard. Nu gaan we priapisme en mannelijke nymfomanie bespreken, hoewel Warren door de *Los Angeles Times*, in een regel die de hele stad onder de tafel bracht van het lachen, werd aangeduid als een 'politieke maagd'.

Ik vroeg me af hoe die arme mishandelde feministen zouden reageren op de man met de gouden *willard*... die naar bed was geweest met minstens drie generaties filmsterren, wiens veroveringen onder meer bestonden uit Leslie Caron, Julie Christie, Madonna, Natalie Wood, Joan Collins, Diane Keaton, Isabelle Adjani, Mary Tyler Moore, Michelle Philips, Britt Eklund, Joni Mitchell, Liv Ullmann, Carly Simon, Diane Ladd, Rona Barrett, Jessica Savitch, Jane Fonda, Vivien Leigh en Annette Benning. Wiens favoriete openingsregel tegenover vrouwen heel lang 'Nog nieuws, poesje?' was. Wiens eigen zuster, Shirley MacLaine, heeft gezegd: 'Ik zou graag eens een liefdesscène met hem doen, alleen om te zien waar iedereen zo hard over roept.'

Er waren duidelijke en speciale parallellen met Clinton. 'Drie, vier, vijf keer per dag, elke dag, was niet ongebruikelijk voor Warren,' zei zijn vroegere verloofde Joan Collins. *'En hij was tegelijkertijd in staat de telefoon aan te nemen.'* Een vriend zei: 'Warren wil dat de hele wereld met hem naar bed gaat.' Rona Barrett, een oude vriendin, zei: 'Ik hou werkelijk van Warren, maar ik vind hem een hoer.'

Warren gaf toe: 'Soms word ik om een uur of vier 's nachts wakker en ben ik een minuut bang omdat ik me afvraag waar ik in Godsnaam ben' en 'als ik uitgevoerd had wat er op seksueel gebied over mij gezegd is, zou ik nu tegen je spreken vanuit een pot in het Medical Center van de universiteit van Chicago.' Woody Allen zei, wellicht eufemistisch, dat als hij gereïncarneerd zou worden, hij 'de vingertoppen van Warren wilde zijn'.

Met andere woorden: Warren was opvallend on-Clintonniaans. Hoewel hij een van de meest gewaardeerde progressieven van Hollywood was, was Warren persoonlijk gezien – hier bedoeld als tegenstelling tot ideologisch – niet voor radicale gelijkheid. Een filmploeg had zo'n hekel aan hem dat ze hem in de cel opsloten waarin hij zojuist een scène had opgenomen. (Warren zei: 'Oké, ik sta dus niet op vriendschappelijke voet met de filmploegen. Ik krijg daar ook niet voor betaald en zij kregen geen geld om mijn vrienden te worden. Aanpappen met toneelknechten en elektriciens is niet de meest belangrijk taak van een acteur op de set.') Toen Jack Warner hem opdroeg naar het Witte Huis te gaan om JFK te ontmoeten, omdat hij die zou spelen in *PT 109*, zei Warren: 'Als de president wil dat ik hem speel, zeg hem dan maar dat hij hier komt om wat van *mijn* atmosfeer op te snuiven.' En toen een journalist vragen stelde over een stapel niet-betaalde rekeningen op de vloer van de auto waarin Warren reed, zei Warren: 'Dergelijke dingen interesseren me totaal niet. Ik blijf tegen die mensen zeggen dat ze hun rekeningen naar mijn financiële managers moeten sturen als ze betaald willen worden.'

Hollywood echter, altijd op zoek naar een nieuwe kick, was van streek. De schitterende kaarsverlichte hoerenkast van Robert Evans was een met rook gevulde ruimte waar geen grote kassuccessen, maar podiumplanken werden besproken. Dit was het tweede thuis van Warren, een plaats waar hij zovele nachten in stimulerend gezelschap had doorgebracht, manieren uitdenkend om de behoeften en verlangens van aantrekkelijk stemgerechtigden te vervullen, altijd jong blijvend, deel blijven uitmakend van de huidige sociale structuur. Warren had zelfs zijn eigen zetel in de filmzaal – vlak naast die van Jack – waarbij Warren wellicht o zo koele, schuinse blikken in het duister wierp op de massa's gezichtsloze maar volslanke stemgerechtigden die op de vloer moesten gaan zitten.

Bob zelf was zo ontzettend opgewonden. De kandidatuur of niet-kandidatuur of mogelijke kandidatuur of bijna-kandidatuur van Warren... had absoluut een rustgevend effect op de naweeën van zijn beroertes en hij zag zichzelf al als de Kissinger van president Beatty, of diens Dave Powers of Bobby Baker of Vernon Jordan. Dit was zo veel grappiger dan brieven schrijven om de ziekte van Alzheimer uit te roeien of rond het huis rond te keutelen met het honkbalpetje met de tekst 'het Witte Huis voor George Bush', dat Marlin Fitzwater hem had gegeven. Grappiger zelfs dan de feesten in de grote dagen van weleer, voordat hij failliet ging. President Beatty zou er garant voor staan dat 'deze jongen altijd in het middelpunt van de belangstelling zou blijven', waardoor het gefluister over zijn veroordeling wegens cocaïnebezit en over dat lichaam ergens ver in de woestijn overstemd zou worden.

Pat Cadell was ook terug, net zo verjongd als Evans, maar lichtelijke grijs rond de randen; hij zag er inderdaad bijna onherkenbaar anders uit dan indertijd, in de dagen van Jimmah en gouverneur Manenstraal, toen hij eruit zag alsof hij verwelkt was door nederlagen en de tijd, terwijl de oude progressieve vonk verflauwd was doordat hij tv-shows rond de reclame-uitzendingen probeerde te schrijven. En er werd gefluisterd dat Gary Hart ook op de achtergrond rondhing, als goeroe voor zijn vroegere goeroe, zoals hij goeroe was geweest voor McGovern, een van de grootste electorale afgangen in de Amerikaanse geschiedenis... Gary Hart, die zich laf terugtrok uit de verkiezingsrace in 1988, waardoor zijn politieke lot voorgoed bezegeld was, stond weer op als laf politiek wonder.

Wat een maf stel, dacht ik, Warren en de Tovenares en Evans en Cadell en Hart. Ik had het gevoel dat het zwendel was. Dat moest het wel zijn. Warren was zo'n navelstarende controlefreak, zo'n zelfingenomen snob dat hij zich nooit bloot zou geven (sorry) aan het plebs. Niet aan de algemene massa van het plebs – die in tegenstelling stonden tot individuën met een goed figuur. Niet politiek in ieder geval – dit in tegenstelling tot seksueel.

Op vele manieren was hij het tegendeel van Bill Clinton als politiek en psychoseksueel dier. Bill Clinton betrad een zaal en verleidde en masse. De triomf van zijn en masse verleiding gaf hem een kick en hij moest zichzelf verlichten met een of andere gezichtsloze stemgerechtigde. Maar Warren hield zich afzijdig en voelde zich superieur ten opzichte van de massa. Hij verleidde individueel en verlichtte zichzelf individueel.

Bill Clinton hield van handen schudden en het opleggen van handen. Warren had zijn eigen grootse ruimte nodig. Hij hield er niet van aangeraakt te worden in goedverlichte ruimten. Het vlees waarop hij wilde drukken was horizontaal, niet verticaal. Dat is de essentie. Bill Clinton was een politicus die kon acteren, Warren was een acteur die de rol van politicus speelde.

Bill Clinton wist bijvoorbeeld dat een politicus een hoer moest zijn voor de camera's. Camera's konden hem op elk moment vanuit duizend verschillende hoeken belagen. Hij was zo vaak belaagd, dat hij het zelfs niet eens meer voelde. Warren probeerde de camera alleen zijn goede kant te geven. Hij probeerde de belichting, de afstand en de sluitertijd te regelen. Voor Bill Clinton betekende een camera een willekeurige lul bij een willekeurig campagne-optreden. Voor Warren betekende een camera Vilmos Zsigmond of Helmut Newton. En dan heb ik het er nog niet eens over dat het in de laatste paar films het leek of Warren instructies had gegeven om door een waas gefotografeerd te worden.

Het was het narcisme van de acteur tegenover dat van de politicus. Acteurs wilden de omslagfoto's van tijdschriften goedkeuren. Politici wilden glimlachen en wegwezen. Acteurs verdienden hun brood met hun gezicht. Politici verdienden hun brood ook met hun gezicht, maar er waren, in ieder geval in de meeste gevallen, andere dimensies die meespeelden. In een stad die vol zat van narcistische acteurs won Warren Beatty, zo wist ik uit eigen ervaring, won de prijs in de categorie uitblinkers.

Hij woonde meer dan tien jaar in een penthouse-suite van het oude Beverley Wiltshire Hotel. Enkele dagen nadat hij daaruit verhuisd was, was ik er ook, starend naar zijn spiegels, starend naar mijzelf. Ik was uit Marin County gekomen om een paar dagen op de set door te brengen en de studio had de penthouse-suite voor mij gehuurd. Maar ik was vroeg klaar en was in de door de studio geregelde limousine op de weg terug naar het vliegveld toen ik last kreeg van heftige misselijkheid en maagkrampen. Ik zocht verlichting op het toilet van een benzinestation, maar zowel de misselijkheid als de krampen werden alleen maar erger. Toen herinnerde ik me de accommodatie die de studio voor me had gereserveerd in het Wiltshire-hotel.

Ik gaf mijn chauffeur instructies om me daar naar toe te rijden, schreef me in en werd geleid naar wat de penthouse-suite van Warren Beatty was geweest. Er waren overal spiegels – *overal* – aan de muren, de plafonds. De suite was één grote spiegel. Ik kon mezelf vanuit elke hoek zien. Ik zag mezelf. Ik zweette en was bleek, met een groenige tint. Ik rende naar de wc. Er waren ook spiegels in de hele wc. Ik liet de deur open en zag mezelf daar zitten, niet alleen in de wc-spiegels, maar ook in de spiegels van de woonkamer. Ik zag mezelf verdomme vanuit zes verschillende hoeken. Ik zag mezelf mijn gat afvegen en uit zes verschillende hoeken kotsen.

Ik dacht, wat voor soort mens wil *continu* naar zichzelf kijken, vierentwintig uur per dag, elke dag? Terwijl hij alles *doet* wat mensen nu eenmaal doen. Was dit mild Hollywood-narcisme of een zelfopvretende, alles omvattende neurose? Hield Warren Beatty ervan zichzelf te zien poepen? Omdat hij zichzelf in een woonruimte plaatste waar hij *gedwongen* was zichzelf te zien poepen. Was dit de uiterste Hollywood-overmoed, om jezelf op de pot te bekijken? Of was dit een zelfbestraffing voor zijn leven van overvloedig teveel? Was *dit* de methode waarop hij contact bleef houden met gewone Amerikanen? Was dit de dagelijkse zelfverloochening die zijn bloedende progressieve hart voedde?

Een uur later meldde ik me af in de Wiltshire en ging ik terug naar het vliegveld. Mijn verschillende lozingen hadden de studio 2800 dollar gekost. Ik vroeg me af hoe ze dat op het productiebudget zouden verhalen.

Toen ik me hem voorstelde als onze mogelijke nieuwe president, herinnerde ik me ook de ervaring (sommigen in Hollywood noemden het een 'bijna-dood ervaring') die ik met hem had in een van mijn films – *Jade*, geproduceerd door Evans. Het was een ervaring die velen in Hollywood hadden gehad met Warren, die tevens producent en regisseur was en daarvoor een Academy Award had gekregen.

Men zei in Hollywood over Warren dat hij meer films waaraan hij meewerkte de vernieling in had geholpen dan gemaakt. Hij beschouwde zichzelf niet als acteur, niet als ster, maar als een auteur. Of om een woord van de Tovenares te gebruiken, als een 'verhalenverteller'. Warren werkte aan een film mee en ging vervolgens samen met de schrijver het scenario herschrijven. Vervolgens ging hij naar de cineast om de shots opnieuw op te zetten. Vervolgens ging hij naar de kledingontwerper om de kostuums opnieuw te laten maken. Vervolgens ging hij naar de haarstilisten om het haar opnieuw te laten doen. Vervolgens, als alles tot zijn volle tevredenheid was veranderd, stapte hij uit de film. Hij beweerde dan dat hij het vertrouwen in het script was kwijtgeraakt, terwijl hij ervoor gezorgd had dat het zijn eigen zin herschreven werd. Hij beweerde dan dat hij het vertrouwen had verloren in de regisseur, die prompt een zenuwinstorting kreeg.

De studio's hadden dat lang door de vingers gezien, hoewel hij vele jaren lang geen werkelijk kassucces had gemaakt. Hij was immers Warren Beatty. Hij was, zelfs al moest hij door een waas gefilmd worden, een legendarische ster. Nadat al dat geld – het herschrijven, het opnieuw plannen, het opnieuw kappen van het haar enzovoorts – voor niets was uitgegeven, werd de uitgeputte studio zo'n project dan zelf moe –

'Het heeft een druiper,' zoals ze zeggen in Hollywood – en de film werd vervolgens nooit gemaakt.

Met dit in mijn achterhoofd kreeg ik, toen Evans met Warren op de proppen kwam voor de hoofdrol in *Jade*, een spontane regressie van de symptomen waar ik vele jaren tevoren afgekomen was in de penthouse-suite van Warren. Ja, Warren vond het schript wel oké. Natuurlijk had hij er veel ideeën over. Hij zou het uitvoerig met me bespreken. En hij wilde acht miljoen. De enige reden waarom ik gered werd was dat de regisseur Billy Friedkin was, getrouwd met het hoofd van de studio Sherry Lansing, die van haar man hield en deze film niet door Warren Beatty wilde laten ruïneren. Warren werd vervangen door David Caruso, die minder ideeën had, zijn neus niet in Billy's planning zou steken en slechts twee miljoen wilde.

Door dit alles begon ik me af te vragen hoe deze 'verhalenverteller', die zelf nog nooit een scenario had geschreven, deze auteur die al vele jaren zijn zin had gekregen in Hollywood, het in het Witte Huis zou doen. Zou hij de lasers van Tomahawk raketten anders willen ontwerpen? Zou hij zijn veto uitspreken over elk wetsvoorstel, tenzij hij deze samen met Trent Lott en Dennis Hastert kon herschrijven? Zou hij er twee jaar over doen en zeventien schrijvers gebruiken om de State of the Union van vorig jaar te houden? Zouden de fotografen van het Witte Huis van *Vogue* gehuurd worden? Zou Bob Evans de leiding krijgen over het aanstellen van stagiaires in het Witte Huis? Zou het Oval Office, de gang, de toiletruimte en de privé-werkkamer allemaal uitgerust worden met spiegels op de plafonds en wanden? Zou 'Nog nieuws, poesje?' het 'E pluribus unum' op onze munt vervangen? Zou hij blijk geven van een beter oordeel dan die keer dat hij niet inging op het voorstel om JFK te spelen in *TP 109*? (Ik stelde me voor wat dit voor zijn kandidatuur zou hebben betekend: Warren die aan de verkiezingsstrijd deelnam *als* Jack.) Zouden er bij zijn inauguratie posters van *Reds* worden verkocht? Zou Madonna minister van Justitie worden? Zou Annette Benning, die er zeker het haar voor had, de nieuwe Hillary worden? Zouden filmfoto's van Annette in *The Grifters* op de voorpagina van *Time* staan? Zou de Tovenares zijn perswoordvoerdster worden? Zou zij haar bezweringsformules over hem uitspreken? Zou de gouden *willard* trouw blijven aan Annette?

Wat me ook zorgen baarde, was dat Warren, hoewel hij een 'verhalenverteller' en een auteur was, daarnaast nog steeds vooral een acteur was. En naar mijn ervaring zijn acteurs even goed als de tekst die iemand voor hen schreef. Ik vond Warren geen domkop – daar zat het probleem niet – hoewel mijn ervaring me had geleerd dat vele acteurs dat tot hun geluk en met veel succes wel waren.

Het probleem zoals ik dat analyseerde was dat goede acteurs zich werkelijke in hun rol inleven... en er soms zelfs aan vasthielden, zelfs al moesten ze in de volgende film iemand anders spelen. Acteurs in films bleven op zijn minst twee maanden in die rol en acteurs op de planken vaak nog veel langer. Maar als president moet je elk uur van de dag een andere rol spelen. Terroristen dreigen rond twaalf uur, smerissen prijzen om twee uur, de Republikeinen van het huis opwarmen om vier uur en Tony Blair verwelkomen om zes uur.

Stel dat Warren vastliep? Hij was feitelijk een acteur die zich volledig identificeerde met zijn rol, en dat betekent veel intensieve voorbereiding. Wat als hij niet snel genoeg van rol kon wisselen, nadat hij zeventien kladversies van al zijn verschillende toespraken had laten schrijven? Stel dat zijn acteurstraining hem geheel de vernieling in hielp? Dat hij nog steeds in de raak-de-terroristen-kwijt-modus zat als hij Tony Blair sprak? Als hij nog steeds in de prijs-de-smerissen-modus zat bij zijn ontmoeting met Republikeinen van het Huis?

Vrezend dat ik werkelijk de kern te pakken had, dacht ik over *Bullwork*. Het was de laatste film van Warren voordat men over zijn kandidatuur begon te spreken en Warren speelde daarin een politicus die de waarheid vertelde. Het was het klassieke syndroom van de zich met zijn rol identificerende acteur, vond ik. Dat was de essentie van dit alles! Warren was verliefd geraakt op zijn rol! Warren had die rol briljant gespeeld! *En hij wilde die rol blijven spelen!*

Wat kon hij doen? Hij kon de film niet steeds maar weer opnieuw opnemen, of wel soms? De studio's zouden dat niet pikken – misschien één keer, maar niet vaker. Het was hetzelfde als Stallone die jarenlang steeds maar weer opnieuw Rocky speelde, maar Warren was Stallone niet. Warren had een sociaal geweten, werkelijke linkse overtuigingen die hij in penthouses en limousines over de gehele wereld had gevormd.

Warren kon de rest van zijn leven Bullworth spelen en geen haan zou er naar kraaien... wanneer hij dat tenminste op een publiek toneel en niet in een opnamestudio zou doen. Het was hetzelfde als wanneer hij in al die spiegels zichzelf bekeek. Hij kon zichzelf Bullworth zien spelen, het al geschreven en opgenomen scenario op tv naar hartelust à l'improviste veranderen, op prime-time op het nieuws van de diverse zenders.

Het improviseren, realiseerde ik me, zou worden geoefend, ingestudeerd en gestileerd – direct in het scenario, zoals de meeste improvisaties van acteurs, maar het zou dolle pret zijn. Hij zou Bullworth spelen en Bullworth was dolle pret. Bullworth hield ervan het woord met een *f* te zeggen en Warren had Bill Clinton geadviseerd om zijn versleten toespraak in 1992 levendiger te maken door een paar keer *fuck* te roepen. Ik zag het al voor me: de eerste president die door de camera betrapt werd op het zeggen van het *F*-woord. Dit zou niet hetzelfde zijn als Bob Kerrey die zijn homofobe grap voor de camera vertelde of George Bush die het er voor de camera over had hoe hij Geraldine Ferraro naar de kloten zou helpen. Het was een goed advies uit Hollywood, dat in films sinds de jaren '70 gebruikt werd om dialogen waar mensen bij in slaap bij vielen te verlevendigen, het blanke equivalent van de term *motherfucker*.

Mede-amerikanen, ik weet niet *what the fuck* er fout is met de econo-mie, maar ik werk er aan... Die *fucking* Sadam... Die *fucking* Milo[cc]se-vić... Die *fucking* Arafat... *Fucking* zwartjes – nee, dat was een woord van Evans. Bullworth en Warren, hippe progressieven uit Hollywood, zouden nooit het woord *zwartjes* gebruiken.

Terwijl het geroezemoes over Warren in een krankzinnig tempo rondca-ramboleerde in Hollywood, hield de niet-kandidaat, de mogelijke kan-didaat, de potentiële kandidaat, de bijna-kandidaat een toespraak in het Hilton-hotel in Beverley, die mogelijk de belangrijkste gebeurtenis in Hollywood was tot de cocktailparty voor de Dalai Lama. Warren aan-vaardde de Eleanor Roosevelt-prijs van de ADA voor 'een leven van creatieve en politieke integriteit'. (*Dick Tracy? Ishtar?*)

Een en ander vond plaats in de balzaal van het Hilton-hotel en War-ren arriveerde met zijn zonnebril op en Annette aan zijn arm. De zonne-bril was niet zo mallotig als die van Clinton, Annette was knapper dan Hillary en Warren gaf mensen zelfs een hand. Tenminste, hij pakte hier en daar een hand beet. Niet wild, zoals Feinstein of Boxer of de macho-politici, maar meer een artistieke aanraking, wat Euro-achtiger, bijna New Age.

Hij begon met te zeggen: 'Ik had me een andere soort belichting voor-gesteld – zouden we de kaarsen weer kunnen aansteken?' Hij hield een saaie toespraak – een paar keer een luid *F*-woord zou wonderen hebben gedaan – waarin hij stelde dat Al Gore en Bill Bradley geen echte pro-gressieven waren. De toespraak werd afgedraaid als een film die door ze-ventien scenarioschrijvers was geschreven, visueel interessant, maar in wezen nada. Warren speelde geen Bullworth en hij was even saai als Al Gore zonder Bill Clinton. De helft van de hoerenkast van Evans was er en applaudisseerde, zelfs al werd Warren overschaduwd door Dustin Hoffman, die zichzelf in zijn laatste film, *Wag the Dog*, gemodelleerd had als Evans.

Dusty introduceerde Warren op de volgende manier: 'Warren Beaty wilde de vergissingen van andere presidenten niet maken. In tegenstel-ling tot Richard Nixon zou hij de tapes verbrand hebben. In tegenstel-ling tot George Bush zou hij op de proppen gekomen zijn met beters dan 'niet meer tot de incrowd' behoren. In tegenstelling tot Bill Clinton zou hij nooit op de discretie van een tweeëntwintigjarig meisje vertrouwd hebben.' Mensen die Warren kenden zeiden dat Dusty flauwe grappen had gemaakt. Warren zou de tapes niet verbrand hebben; hij zou tien-duizend telefoontjes hebben gepleegd aan tweeduizend vrouwen om hun advies te vragen... en wat het vertrouwen van een tweeëntwintig ja-rig meisje betreft, wel, bijna alle verleidsters in het huis van Evans waren begin twintig.

Dusty zei ook dat Warren als negenjarig jongetje Eleanor Roosevelt gebeld had om haar te prijzen en het gesprek begonnen was met te zeggen: 'Eleanor, wat draag je op dit moment?' Vervolgens werd Warren ingeleid door Penny Marshall, die zei dat ze door de jaren heen dertienduizend telefoongesprekken met hem had gevoerd en dat hij die altijd begonnen was met de vraag: 'Penny, wat draag je op dit moment?' Vervolgens leidde Gary Shandling Warren in door het presidentschap in termen van Hollywoord te vertalen: 'Wanneer je gekozen wordt, zorg er dan voor dat je naam boven de naam van het land verschijnt.'

Insiders in Hollywood bewonderden de gargantueske, schaamteloze brutaliteit van Warren. Hij was in de zestig. Hij had in tijden geen film meer gemaakt. Zijn laatste film was geflopt. Zijn volgende film, over een man in een mid-lifecrisis, had een nieuwe opzet (grote verrassing!) en men zei dat die niet echt goed was. Hij kreeg niet meer hetzelfde betaald als vroeger. Adam Sandler verdiende meer geld dan hij. En nu had hij ervoor gezorgd dat hij weer op prime-time op de televisie was en elke avond besproken werd op het nieuws... net nu de video van *Bullworth* op de markt verscheen.

Warren had een manier uitgedokterd om van de video van *Bullworth* een kassucces als dat van *Wag the Dog* te maken, net zoals van zijn volgende film. Bill Clinton had *Wag the Dog* een trap vooruit gegeven. Nu verzorgde Warren, door aan te kondigen dat hij de baan van Bill Clinton wilde, een eigen trap vooruit. Voor *zijn eigen* film.

Het was volksverlakkerij die snel navolging vond. De activistische advocate Gloria Allred begon een campagnetje voor de presidentiële kandidatuur van actrice Cybill Shepherd. Cybill begon onmiddellijk op Clinton te lijken.

De kop van een tijdschrift luidde CYBILL – 'IK BEN HEET VAN DE NAALD'. En Cybill werd geciteerd toen ze zei: 'Ik ben meestal geil. Er zijn weinig activiteiten in het leven die zo fijn zijn als seks. En nu ik plotseling alleen ben, voel ik me werkelijk geil. Ik was altijd al geil – ik weet niet hoe ik het anders moet uitdrukken.' Ze stelde een lijst op met de 'meest sexy mannen van Amerika', wat zij haar 'hitlijst van voorbeelden' noemde, de eerste keer dat een vermoedelijke presidentskandidaat een hitlijst produceerde en geen politieke voornemens. Op haar lijst van voorbeelden stonden Clint Eastwood, Kevin Costner en Ted Turner.

Verrassend genoeg waren weinig mensen in Hollywood verrast door de kandidatuur van Cybill. Ze wisten dat ze geen film omhanden had, geen televisieshow had en bezig was met commercials voor auto's. Op de proppen komen met een kandidatuur was een springplank van klasse, vonden mensen, terug naar prime-time.

Wellicht door alle vrije publiciteit die Warren en Cybill kregen, gaf Arnold Schwarzenegger hints dat hij 'mogelijk' kandidaat was bij de volgende gouverneursverkiezing in Californië. 'Ik denk vaak aan meedoen aan de verkiezingen,' stelde Arnold. 'De mogelijkheid bestaat, omdat ik dat innerlijk voel. Ik heb het gevoel dat er veel mensen in de politiek zitten die stilstaan en niet genoeg doen. Er er is een vacuüm. Daarin kan ik treden.'

Terwijl de Grote Kerel klonk alsof hij eerlijk was – 'Ik inhaleerde. Blies het ook weer uit. Alles' – er stond een nieuwe film op stapel (de laatste waren een gigantische flop) en sommige studiohoofden waren bang dat hij geen echte publiekstrekker was een moment dat andere actiesterren zoals Stallone, Seagal en Van Damme al uitgerangeerd waren. Wat intellectuele, sociaal geëngageerde publiciteit in druk of in de ether kon nooit kwaad.

Toen de niet-kandidaturen van Warren, Cybill en Arnold ontleed en geanalyseerd werden in het avondnieuws, ging de meesteranalist van de wereld, Bill Clinton, naar een fondsenwervingsevenement bij regisseur Rob Reiner thuis in Hollywood.

Ronald Reagan, stelde schrijver-regisseur Mel Brooks tegen Clinton, was de grootste acteur in de geschiedenis van Hollywood en had zijn beste acteerprestatie geleverd in het Witte Huis. 'Als je niet beter wist,' zei Brooks, 'zou je denken dat Reagan president wás. Hij liet er zelfs Gorbatsjov in geloven.'

'Als president Reagan acteur kon zijn en president kon worden,' stelde Bill Clinton, 'dan kan ik wellicht acteur worden. Ik heb een goed pensioen. Ik kan voor weinig geld werken.'

Maar dat zou nooit gebeuren. Warren Beatty was Bill Clinton niet en Bill Clinton was Warren Beatty niet. Ze hadden echter iets gemeen. Zoals de maffe Evans steeds herhaalde, steeds maar weer, de mantra van zijn leven steeds weer neuriënd voor iedereen die er naar wilde luisteren: 'Kuthaar, jongen, is sterker dan kabeltouw.'

(11)

George W. Bush maakt van zijn hart geen moordkuil

Luister, ik moet je iets vertellen. Dit is de naakte waarheid die ik vertel. Wanneer je vindt dat mijn pa een lulletje is, dan is dat... *oké*. Omdat ik een zorgzame conservatief ben en de slapheid van George Herbert Walker... goed werkt voor onze boodschap. Hij is een werkelijk aardige man, nietwaar? God ja, dat is hij zeker.

Oké, wil je de waarheid weten? Ik zal je de waarheid vertellen, maar vertel het niet door, omdat dit werkelijk niet geschikt is om uitgezonden te worden. Dit in ieder geval niet. We hebben verdomd veel geld uitgegeven om dit te versluieren. Hier komt het: ik lijk helemaal niet op mijn vader! Ik ben geen aardige kerel! Ik schop je recht voor je hol, kerel, als je me probeert te naaien! Ik zal je knieschijf breken! Ik zal je je ogen uitsteken! Ik zal op je ballen rammen! Ik zal tekeer gaan totdat je in janken uitbarst! (*Heb je die grote harde oorlogsheld, John McCain, gezien, de dag nadat ik hem op Super Tuesday voor zijn reet had geschopt?*) Ik ben een *politieke terrorist*, knul, zoals die lieve Mary Matalin met haar dikke kont eens heeft gezegd.

En ik heb helemaal niets van mijn 'pappie'! Omdat ik een moederskindje ben, de zoon van Bar, en mijn verdomde kleine broertje, Jeb, noemt haar 'de doordrijfster'.

Wil je een goede grap horen? De beste die ik in lange tijd gehoord heb? Dankzij de pik van Clinton kom ik in het Oval Office. Dankzij de pik van Bill Clinton komt alles toch nog op zijn pootjes terecht. Geen abortus meer. Geen positieve actie. Geen homohuwelijken. Geen rechten voor homo's. Geen door haat ingegeven misdrijven. Bidden op de scholen? Verdomme ja! Meer gevangenissen, tenten, barakken om de misdadigers en het tuig van de straat te houden? Verdomme ja. De doodstraf voor veertienjarigen? Verdomme ja!

Verdomme ja, dankzij de pik van Bill Clinton, kan ik dit eindelijk, na al die jaren in de gekiste dode kont van William Sloane Coffin rammen. Kapelaan Coffin, mijnheer, pompeuze Yankee-lul, luister! Je had nooit tegen me moeten zeggen dat mijn vader – mijn eigen vader! – van een betere kandidaat had verloren toen hij de verkiezingen voor de Senaat verloor. *Ik ga alles vernietigen waarin je ooit geloofde!*

En jij, Bill Clinton, en jij, Hillary, jij verwaande trut, jullie hadden mijn vader en moeder nooit een half uur moeten laten wachten bij de inauguratie. *Ik ga al je projecten ontmantelen!*

En jij, Al Gore, boeddhistisch kussende windbuil, je had nooit Donna Brazile als campagnemanager tegen *mij* moeten benoemen – dezelfde voodoo-nikkerstreken beramende heks die de pers in '88 vertelde dat George Herbert Walker zijn secretaresse een beurt gaf. *Ik word de wettelijke autoriteit die toezicht op je gaat uitoefenen!*

Verdomme, ja, uiteindelijk zal alles op zijn pootjes terechtkomen, *alles!*

Je begrijpt het niet, of wel soms? Zelfs niet de grote media-supersterren met hun grote kont, zelfs niet de heer Rather, die George Herbert Walker op prime-time op zijn bek probeerde te laten gaan. Niemand van jullie allemaal snapt het! Ik ben een moederskindje en dat betekent dat er bloed en haar op de muren komt!

Herinner je je dat Ma zei dat ze Saddam Hoessein wilde ophangen? Herinner je je Ferraro en dat *bitch* op *rich* rijmt? Ik ben een boer, makker, geen kakker uit Andover. Ik ben opgegroeid met George Jones en Johnny Rodriguez, niet met hippie-muziek van Fleetwood Mac. Ik draag cowboylaarzen met de ster van de staat Texas erop, geen instappers met kwastjes.

Hé, ik ben de knakker die naar Al Hunt van de *Wall Street Journal* en zijn vrouw en zijn kleintje ging en hem een 'verdomde klootzak' noemde. Waar *zijn kleine kind* bij was! Ik ben de man die zegt: 'Geen commentaar, klootzak!' tegen journalisten die ik niet mag! Ik ben de man die het kantoor van John Sununu binnenging en hem vertelde dat hij een gore lafbek was, en die hem aan het janken bracht! Ik ben de man die Dukakis in advertenties in een tank liet zetten en die akkoord ging met de Willie Horton-advertenties.

En toen alle kaarten op tafel lagen en het tijd werd om te praten, toen de media vol met snot zaten en klaar waren om te niezen over George Herbert Walker en Jennifer Fitzgerald, was ik de man – mijn moederskindje – die mijn vader ging opzoeken en zei: 'Je moet ze de waarheid vertellen, pa, heb je aan Jennifers kont gezeten?'

Weet je hoe hard mijn moeder is? Zo hard dat toen mijn vier jaar oude zusje aan leukemie stierf, Bar de volgende dag wegging om te golfen. Nou, man, ik ben even hard! Ik ben bang voor niets en niemand! Ik hou van mijn vader, maar ik maakte me ooit een keer goed kwaad om hem en toen zei ik tegen hem: 'Hé, zullen we hier meteen beginnen? Een tegen een? *Mano a mano*?' Verdomme, ik ben altijd zo geweest. Ma had een miskraam. Ik reed haar naar het ziekenhuis en zei daarna tegen haar: 'Ma, word je niet te oud om nog steeds kinderen te krijgen?'

De media doen me een wolletje aan, maar dat is niet zo erg. Met modder gooien brengt in het Noorden en het Midden-Westen niet veel stemmen op. *Zorgzaam conservatisme* betekent niet dat je een knakker 'een verdomde klootzak' noemt waar zijn kleine kind bij is of tegenover een journalist die moorddadige schijtlijster Tucker imiteert, die om zijn leven smeekt. Daarom komt het wolletje, dat door George Herbert Walker tot volle tevredenheid is afgedragen, wellicht goed van pas bij de volgende algemene verkiezingen.

Maar dat ben ik niet werkelijk, liefje. *Dit* ben ik! Bob Bullock, waarnemend gouverneur, gaf me op mijn donder met een wetsontwerp over de rechtspraak. Er is een zaal vol mensen. Ik grijp die kloothommel bij zijn revers. Ik zeg: 'Als je wilt verneuken, moet je me eerst kussen!' Ik trek zijn lelijke ponem naar de mijne toe. Hij heeft zijn mond open en begrijpt er geen moer van. Ik steek mijn tong erin. Ja! *Dat* ben ik, knul!

Ze zeggen dat ik een rijkeluiskind ben, de zilveren kurkentrekker in mijn kont heb en al dat soort onzin, maar dat betekent niet dat ik gemerkt heb dat er zo'n ding uitstak. Ik was in dat verdomde Midland, Texas, niet in Palm Beach of Newport of Martha's Vineyard. Ik kroop onder het stadion van mijn middelbare school en klom twaalf meter op de dwarsbalken, klom langs de lichtmasten het gehele stadion rond, werd naar de directeur gestuurd omdat ik een *football* uit het raam gooide en net als Elvis make-up opdeed. Ik gaf geen hol om school. Ik wilde Willie Mays zijn en als verrevelder voor de Giants spelen. Ik probeerde het slaan van effectballen onder de knie te krijgen, maar zat niet met mijn neus in de boeken. Ik verzamelde honkbalplaatjes, geen tienen. Wat ik het fraaist vond aan mijn vader, die er meestal niet was, was dat hij – werkelijk – een honkbal kon vangen met de handschoen achter zijn rug.

Ik was de hele dag buiten en reed met de andere jongens op mijn motor – jongens uit Texas, boerenjongens – en leerde vloeken en tapbier drinken. Ik werd wat ouder en we reden naar Odessa. Er waren daar hoeren en vieze, vettige kroegen. Je zet de boel op stelten in Odessa en voedt je gezin op in Midland. Er stak zeker geen zilveren kurkentrekker uit me toen ik dat deed, want anders had ik misschien de lippen van een van die liefjes bezeerd.

Maar ik had al jong iets in de gaten. Ik was een vent. Ik weet hoe je een vent moet zijn. De waarheid is dat veel jongens en mannen niet weten hoe ze een vent moeten zijn. Ik had het meteen door. En de jongens mochten me. Ik wist hoe je moest grijnzen en een vieze mop moest vertellen. Ik wist hoe je iemand op zijn schouder of zijn gat moest kloppen. Ik wist hoe je iemand strak aan moest kijken en hun ogen vast moest houden, of moest knipogen of in een biceps knijpen als ik met ze praatte. Ik wist hoe je de pannen van het dak moest vloeken, de lucht kon laten betrekken door een stroom vieze woorden, vunzigheid in kleedkamerpoëzie om moest zetten. Ik wist hoe ik moest balanceren op de hielen van mijn laarzen terwijl ik mijn hoofd heen en weer draaide. Ik hield van dat verdomde Midland in Texas.

Toen stuurden ze me naar Andover. Naar New England. Het was kouder dan de je-weet-wel van Tricia Nixon. Verwende blagen van de Oostkust, bedriegers die niet eens wisten wie Willie Mays was, laat staan zijn slaggemiddelde tegen linkshandige werpers. Ik probeerde alles uit, maar het enige wat ik werd, was cheerleader. Ja, ik weet het, je hoeft het me niet te vertellen. Maar probeer me daar niet aan *op te hangen*. Dat betekent niets over niets. Het maakt me ook niet tot Richard Nixon, alleen omdat hij een jaknikker of cheerleader was, of wat die kloothommel ook mocht wezen.

Tegen de tijd dat ik op Yale kwam, was het echt raak. Het anti-oorlogge-doe. Hippies. Er hing een zwaarte over alles. Dat hele gedoe met die kalme-rende middelen. Iedereen werd dronken van zijn eigen schuldgevoel – hier hadden wij togafeesten – zij hadden verkenningsfeesten in de rijstvelden. Schitterend! Weet je wat? Luister, dit is volkomen waar. Het ging er niet om dat Ik vóór of tegen die verdomde oorlog was. Het kon me gewoon geen zak schelen.

Ik ging nog steeds naar zo veel mogelijk honkbalwedstrijden en ik herin-ner het pure plezier van Jack Daniel's drinken met een Budweiser met ijs ernaast. Soms liet ik een cocktail mengen in een prullenbak. Zeker, ik heb wel eens wat hasj geprobeerd, wie niet? Zelfs Tricia Nixon deed dat. Bill Clinton was misschien tegen de oorlog aan het protesteren in Engeland of Praag of Moskou of Hanoi (mijn vaders vrienden van de CIA zeggen dat hij in Hanoi is geweest), maar ik zat in New Haven, werd gearresteerd voor het stelen van een krans van een winkeldeur met mijn vrienden van de studentenclub of ik werd in Princeton bijna gearresteerd omdat we de doelpalen omver probeerden te trekken.

Ik zwelgde er toen niet in hoe verschrikkelijk alles in Amerika was, en op vakanties of in de zomer ging ik uit Lacey Neuhaus (die op een dag bijna met Teddy Kennedy zou trouwen) – *ik denk dat Teddy en ik in ieder geval een ding gemeen hebben*. En met Tina, die een geile lastpost en de dochter van de actrice Gene Tierney was. (Gene Tierney was een van de miljoenen van JFK, zodat ik aanneem dat ik op een bepaalde manier *ook iets met JFK gemeen heb*.) Toen ontmoette ik Cathy, die knap, sexy en blond was en ook bij de country club zat. We raakten verloofd, maar toen gingen we uit elkaar en *niet* —verdomme nee! – omdat haar stiefvader joods was.

Je zou in die tijd gedacht hebben, als je de kranten las en naar tv keek, dat dit land uit elkaar viel, maar ik begreep het niet. Ik zag het niet. Wat ik zag, was dat de media alles opklopten.

Er waren ontzettend veel jonge mensen zoals ik die hun haar niet lieten groeien en niet rondliepen met kralen en niet roken als de tent van een waarzegger. De waarheid is dat er meer van onze soort waren dan van hen. Het feit dat het makkelijker was met iemand naar bed te gaan dan vroeger, was niet onze fout. En zou je dat weigeren? Op die leeftijd? (Bill Bennett ging in die tijd uit met Janis Joplin! Ik speld je niet iets op de mouw, cowboy. Bill *'Book of Virtues'* Bennett en de straalbezopen, neuk-de-deur-klink Janis! Waar verhaal!)

Verdomme, ik ben er niet door *veranderd*. Mijn bewustzijn veranderde niet, zoals bij veel van die lui. Ik luisterde nog steeds het meest naar George Jones en Johnny Rodriguez. Ik hield nog steeds meer van bier dan marihuana of... iets anders. Ik kon nog steeds de pannen van het dak vloeken. (Ma wilde niet met me golfen, ik vloekte te veel.) Ik zwom. Ik jogde, ik honkbalde. Ik kon nog steeds die verdomde effectballen niet slaan. Ik rookte en pruimde nog steeds tabak.

Het enige deel van Yale dat ik werkelijk fraai vond, behalve de Dekes, was Skull & Bones, dat een ander soort studentenvereniging was. Als inwijding diende ik met mijn blote kont in een kist te gaan liggen die halfvol modder zat. Toen deden ze de kist dicht. (*Schijt aan John McCain en zijn oorlogsheld-verhalen! Dat is hem nooit gebeurd!*) Maar wat werkelijk leuk was, was het opscheppen. We dienden te pochen over de details van onze seksuele uitspattingen tegenover de andere opscheppers van Skull & Bones en zij moesten hetzelfde doen over hun eigen ervaringen. Dus hoorde je op een dag over een bepaald grietje en de trucs die ze kende en de volgende dag belde je haar om die wellicht zelf aan den lijve ondervinden. Het was alsof we elkaar tips gaven over buitenboordmotors of biefstuk.

Na Yale – Yale donderde compleet in elkaar nadat ik weg was, dankzij Bill Clinton en zijn trut en de Zwarte Panters en het soort rector dat protestbetogers liet pissen in zijn prullenmand – had ik een probleem. Ik wilde niet naar Vietnam, niet omdat ik Clintons draaikontige, hoogpolige theologische bezwaren tegen de oorlog had – maar omdat ik mijn jonge hol niet wilde laten afschieten.

Toen hoorde ik over de compagnie van de Texas Air National Guard en ging ik die knakker opzoeken en vertelde hem wie ik was en hij zei oké. Ik wilde toch gevechtspiloot zijn, ik had mijn hele leven de verhalen gehoord hoe mijn vader zo'n held werd. En het was niet zo dat er geen behoefte aan gevechtspiloten was om onze eigen grenzen te verdedigen.

Stel je voor dat de luchtmacht van Castro probeerde Galveston uit te schakelen? Dit was nog in de goede oude tijd van de Koude Oorlog, vergeet dat niet. Die man met die schoen, als je je die nog herinnert. Die kale Rus. Die dikke. Hij sloeg met zijn schoen op de tafel en zei dat hij ons zou begraven!

Ik vond het prettig bij de Texas Air National Guard. Luitenant Lloyd Bentsen III was de zoon van de senator en kapitein John Conally III was de zoon van de minister van Financiën en ik maakte kennis met het halve team van de Dallas Cowboys, die daar allemaal hun diensttijd doorbrachten. Ik zat drieenvijftig weken op de gevechtstrainingsschool in Georgia, op de luchtmachtbasis Moody, in het keutelstadje Valdosta. Ik leerde hoe ik een straalvliegtuig moest vliegen en werd high door het geluid van de branders. Ik dronk veel bier en nog veel meer whisky, en de vrouwen in Valdosta... o, man! Ze reden uit ongeveer alle pijnbossen hierheen, smalle topjes, warm zweet en bier met ijs en ik krabde me vanwege mijn jeuk... door al die muskieten, o ja!

Het liep uit de hand – werkelijk – en ik ben de eerste om dat toe te geven. Het maakte deel uit van mijn lamlendige en onverantwoordelijke jeugd.

Mokkels uit Georgia, mokkels uit Georgia, mokkels uit Georgia! De officierssociëteit – was niets meer dan een keet, een doorgangshuis, een golfplatendak, een heet golfplatendak, daarboven op een zomernacht op het dak, een vrouw met een topje op een golfplatendak in de zomernacht, poes op een heet golfplatendak... o, verdomme, o, man... de jukebox galmt George Jones, 'Whlte Lightnin', echt heet, zo verdomde heet, kuipen vol Bud met ijs, het zweet droop van me af, ik deed mijn overhemd uit, nog steeds zwetend, zwetend als een zwijn, deed mijn broek uit, zong 'White Lightnin'! White Lightnin'! White Lightnin'!, klom op de bar, in mijn blote kont... *Nee! Verdomme nee! Laat maar zitten! Is nooit gebeurd! Nooit gebeurd! Dat deed ik niet! Op geen enkele verdomde manier! Naakt? Op de tapkast? Van me nooit niet! Nooit! Naakt? Met al die jongens erbij?... Waarom?... Ik ben geen... Verdomme nee!*

Ik kreeg op een dag op de basis een telefoontje van pa. De luchtmacht stuurde een vliegtuig voor me. President Nixon had een lumineus idee. Hij vond dat Tricia en ik voor elkaar bestemd waren. Ik had foto's van Tricia Nixon gezien, niet slecht, fraaie tieten, maar toch... wooo! *De dochter van Nixon?* Pa zei dat Nixon dit soort dingen soms deed. Hij had het huwelijk van Julie met David Eisenhower gearrangeerd. Het samenvoegen van clans. Samenvoegen op heuphoogte. De Nixons paren aan de Eisenhowers.

Wel, oké wij waren een clan. De Nixons fokken met de familie Bush. Ongeveer zoals, neem ik aan, een huwelijk tussen de families van de ridders van de Ronde Tafel. Nixon was goed voor pa geweest, had campagne voor hem gevoerd, benoemde hem tot onze afgevaardigde bij de VN. Het vliegtuig was onderweg om me naar een etentje met Tricia Nixon in Washington te brengen.

'Wees aardig voor haar,' zie pa.

Aardig? Hoe aardig? Wat betekende dat? Hoe aardig moest ik zijn? De jongens in de officierssociëteit bescheten zich van het lachen. *Tricia Nixon?* Ik werd naar Tricia Nixon gevlogen als een of ander knulletje dat op een zilveren schaal in het huis van Barney Frank werd opgediend.

We aten met elkaar. Het was een leuk diner. Meer zeg ik er niet over. Tricia had zeker haar... kwaliteiten. Bepaald niet zo stijf als haar vader. Nixon was daarna nog aardiger voor pa. Voerde hard campagne voor hem tijdens pa's race naar de Senaat. Benoemde hem tot voorzitter van de Republikeinse Nationale Commissie. Instrueerde Gerry Ford pa tot hoofd van de CIA te kronen. Ik wist wat ik moest doen. Ik was aardig voor haar. Tricia mocht me. *Ik hou van mijn vader.*

Ja, maar het liep uit de hand! Die hele tijd liep uit de hand! Mijn lamlendige en onverantwoordelijke jeugd! Na de vliegschool huurde ik een appartement in Houston. Met één slaapkamer in de Chateaux Dijon. Allemaal vrijgezellen. Vierhonderd eenheden. Acht zwembaden. Secretaresses. Ambitieuze secretaresses. Secretaressen die voor het eerst van hun leven op zichzelf woonden.

Weg van pa en moe, voor het eerst van hun leven. De hele dag volleybal bij het zwembad. Estafettewedstrijden binnen, de hele avond.

Ik was zo uit de hand gelopen dat toen George Herbert Walker naar de stad kwam om campagne te voeren voor de Senaat en me vroeg om met hem mee te gaan, ik dat prompt deed. Maar ik trok mijn overhemd uit en liep achter hem, met onblote borst. Ik was mooi, goed verzorgd, bruin. Ik weet bij God niet wat ik eigenlijk dacht. Halfnaakt bij mijn vader. Mezelf showend. (Jeb, mijn klootzakbroertje, raakte in die dagen het spoor bijster. Haar zo lang als dat van een dakloze, wiet rokend alsof het Winstons waren.)

Ik moest uitvogelen wat ik met mijn leven zou gaan doen. Ik ging naar Harvard Business School, noordelijk in vreemd gebied. Barry Goldwater had gelijk. Hij stelde voor dat hele deel van het land behalve Kennebunkport met een kettingzaag los te zagen en de zee in te laten drijven. Er waren om de dag protesten. Voor Cesar Chavez, tegen de CIA. Dick Gregory sprak en zei dat jonge blanken de 'nieuwe negers van Amerika' waren. Dezelfde zwaarte die ik op Yale had gevoeld, dezelfde schuldbroedende retoriek, dezelfde claustrofobie. Het interesseerde me geen hol.

Ik ging naar Fenway en zag de Red Sox. Ik droeg mijn oude jasje van de Texas Air National Guard op school. Laat ze dat maar goed zien tijdens het uitdelen van anti-oorlogpamfletten. *Uh-huh, je ziet het goed, een echt bommenwerperjasje, liefde, met echte vlekken!* Ik pruimde tabak en had altijd een spuugbakje bij me in de klas, luid spugend zodat ze het geluid konden horen tijdens het plannen van hun burgerlijke ongehoorzaamheid tegen Gallo-wijn. Wat kon mij Gallo-wijn schelen? Ik drink geen goedkoop bocht.

Ik ging naar een plaats die Hillbury Ranch heette, buiten Boston en had, uiteraard, mijn jasje aan. George Jones was in de stad. Toen het tijd werd voor de foto in het jaarboek van Harvard, droeg ik een polo-shirt en een khaki-broek die bij de knie gescheurd was. Iedereen behalve ik droeg een pak en een das. Ja, uh-huh, zoals ik al gedacht had. Daarom zorgde ik ervoor dat mijn polo-shirt gekreukt was.

Ik wist bij God niet wat ik zou gaan doen. Harvard Business School betekent meestal een onderneming aan de Oostkust, maar dat kon ik werkelijk niet. Bij God, ik voel me fysiek gekortwiekt in dat deel van de wereld. De zwaarte in de lucht. De ruimtelijke claustrofobie. Het verterende schuldgevoel. Iedereen was het slachtoffer van het een of ander.

Ik reed naar Arizona om te proberen wat adem te happen en op weg daarnaartoe stopte ik in Midland en zag enkele vrienden met wie ik was opgegroeid. En het antwoord kwam tot mij toen ik met hen praatte. *Dit* was de plaats waar ik het gelukkigst was. Onder de grote vette hemel, met een biertje en whisky nippend op de geventileerde country club met échte mensen. Pratend over Nolan Ryan en de Astro's en de Rangers. De mensen hier wisten hoeveel home-runs Willie Mays in zijn leven had geslagen. De mensen hier waren niet vol van sociogezwampaardenstront. Ze waren geen trotse, ongelukkige, zichzelf geselende slachtoffers.

Ze waren Amerikanen, boeren, olie- en vetcowboys die alleen probeerden te leven van hun eigen ondernemingszin; die zichzelf niet als een rodeokalf vastketenen met schuldgevoelens die je door iedereen om je heen worden aangepraat. Ik had geen claustrofobie in Midlands. Ik voelde me niet fysiek onvrij. Ik kon rustig ademen. Ik was vrij. Ik kon heen en weer wiegen op de hakken van mijn laarzen.

Ik huurde een achteraf gelegen gastenbuiten dat een schamel kakhuis was. Toen ik er een week in had gewoond, voelde ik me er thuis. Overal vuile was. Lege pizzadozen onder het bed. Bierblikken waar grijze rotzooi uit groeide. Het ledikant was stuk. Ik bond het aan elkaar met wat door chili bevlekte stropdassen. Mijn Olds Cutlass had een verfje nodig. Ik spoot hem zelf. Een van mijn vrienden haalde een sweater voor me op een rommelmarkt. Ik had die continu aan.

Ik maakte kennissen in de olie-industrie, op de Petroleum Club, op de country club, ik hing rond bij de jongens met het grote geld in hun struisvogelleren Lucchese laarzen en deed met die jongens wat ik altijd met kerels doe... het oogcontact, de tik op de bil, de vunzige grappen, het ouwe-jongens-krentenbrood slappe gelul dat in mijn botten zat, maar niet in mijn bloed.

Soms, als ik pa zag, vond ik dat hij raar naar me keek. Pa was een Texaan, maar hij kon nooit ouwe-jongens-krentenbroden – herinner je je die publiciteit rond die hele varkenszwoerd, later? Pa wierp zelfs zijn hoefijzers raar, alsof hij niet wilde dat er modder of vuil op hem spatte. Ik had het idee dat pa me jaloers aanstaarde, terwijl hij dacht: hoe doet-ie het toch? Hoe kan hij zo goed ouwe-jongens-krentenbroden? Alles ging goed in Midland. Ja, ik was op Harvard geweest, maar het hok waar ik in woonde stond in de Harvard Street in Midland.

Het drinken hielp ook. De oude geldzakken in Midland dronken graag en dat gold ook voor mij. Ik bedoel niet whisky nippen zoals mijn klootzakbroertje Jeb. Ik bedoel vazen vol whisky en tequila en veel Bud met ijs. Ik dronk veel met ze en ik praatte veel over negerinnenkutjes met ze en ze mochten me wel. Ik vertelde hen alle kutverhalen die ik op Skull & Bones gehoord had en enkele van mijn eigen verhalen, en die oude jongens dachten dat ze in de hemel waren.

Roken, drinken, praten over vrouwen, spare-ribs eten. Het enige dat er niet was, was geld. Maar ik wist dat ook dat er wel zou komen, als ik met een van die knakkers van het grote geld jogde en zijn trainingsbroek tot op zijn enkels naar beneden trok en de ouwe rukker bijna in zijn broek scheet van het lachen.

Verdomme, ik had een schitterende tijd. Weer thuis. Terug tussen de mensen van wie ik hield. In het échte Amerika. Het échte Amerika, roodbloedig, met rood vlees, échte gevoelens, geen socioschijt. Ik wist dat ik te veel dronk, dat ik te veel rondnaaide, maar ik deed er niemand kwaad mee behalve mezelf. Ik had geen enkele verantwoordelijkheid ten opzichte van iemand anders.

Toeterzat bij de Negentiende Hole, de bar van de country club, mijn gezicht volstoppen met Tex-Mex in La Bodega, George Jones spelen op de juke-boxen van de kroegen van Odessa. Op een avond kwam Willie Nelson naar Odessa en was ik in de stad, aan het boemelen met een paar kameraden en we besloten naar Willie te gaan. God weet dat we te veel whisky op hadden, maar dat verklaart nog steeds niet hoe we op het toneel opdoken, pal achter Willy, om hem vocaal te ondersteunen.

Een groot deel van mijn tijd, moet ik toegeven, speelde ik poker, waarmee ik ook een groot deel van mijn tijd op Yale en Harvard had doorgebracht. Maar het was anders om nu in Midland te spelen. Het was hier geen spel. Het was als de afronding van het verdomde succesverhaal van een goede oude jongen. Je rookt, je drinkt, je lacht, je vloekt, je draagt laarzen met puntige tenen, je vertelt gore grappen, je knipoogt, je eet rood vlees, je praat over kutjes, je gebruikt kutjes... en je wint bij het pokeren.

Ik zette een boorfirmaatje op met hulp van mijn oude vrienden en de dingen zagen er goed uit. Ik vond mijn draai en kreeg mijn onvermogen eronder. Maar ik dronk te veel. Een van mijn vrienden belde de bars en de drankwinkels en zei dat ze me niets anders mochten verkopen dan wijn en bier. En toen kreeg mijn beste kameraad leukemie en was ik de hele week straalbezopen, werd uitgedroogd wakker, kotste in de douche en maakte een Bloody Mary zodra ik uit bed stapte.

Ik wist dat mijn grootste talent mensen aankijken was en glimlachen en hen bij hun arm pakken en van hen gedaan krijgen wat ik wilde. Mannen gaven me poen voor mijn gezelschap. Vrouwen mochten graag in mijn gezelschap zijn. Je kon er iets uit leren en je moet scherp genoeg zijn in dit leven om de met lipstick op de spiegel geschreven teksten in je motelkamer te kunnen lezen. Als mannen en vrouwen verliefd op me werden, kon daar een leven omheen opgebouwd worden. Ik ben niet biseksueel en daarom bleef de politiek over.

Uit het doorgangshuis en naar het podium! Mijn vader had dit gedaan, net zoals mijn grootvader, maar ik dacht dat ik beter was dan zij in het bewerkstelligen dat mensen me hun geld en zichzelf gaven. Mijn grootvader had zo'n dikke bezem in zijn kont, dat hij vandaag de dag nog niet zou worden gekozen in de oudercommisie van Kennebunkport. En vader moest keihard werken en kreeg het nooit voor elkaar – die varkenszwoerd weer – om meer plattelands dan eerlijk te zijn.

Het enige dat ik soms moest doen was wat maf wiegen op de hakken van mijn laarzen en wat billentikken op de veranda en met zoete ogen staren en expliciet knipogen en met een brutale vinger wijzen... en het geld en de kutjes vielen me in de schoot.

Ik kondigde aan dat ik me verkiesbaar zou stellen voor het Congres en een maand later ontmoette ik Laura, mijn vrouw en mijn geliefde en nu de moeder van mijn kinderen. O, verdomme, we hadden elkaar eerder 'ontmoet', toen we nog op de basisschool zaten, maar ik keek toen werkelijk naar niemand anders dan Willie Mays. Dit keer kwamen we elkaar tegen op een barbecue in de tuin.

Ze was verlegen en aan de stille kant. Ze was onderwijzers op een lagere school geweest in Houston en was nu bibliothecaresse in Austin. Ze was een echte lezer – ze had haar hele leven met haar neus in en rond stinkende oude boeken gezeten. Het verbaasde me enorm dat ze in Houston in het zelfde bordeelappartementenhuis, de Chateaux Dijon, gewoond had als ik. Maar Laura was in ieder geval niet het type om de hele dag volleybal te spelen en de hele avond aan estafettewedstrijden mee te doen.

Ik maakte haar aan het lachen. Ze was verschrikkelijk goed in luisteren en ik praatte veel. Verder was ze knap en mooi, de perfecte vrouw voor me. Zoal ma zei, ik werd getroffen door een witte bliksemschicht. Laura was geen giechelend soort mechanische-stierachtige West Texaanse pijpzak. Ze was een serieuze, reële vrouw. Ik was verliefd. Klootzak Jeb zei meteen toen Laura aan iedereen werd voorgesteld: 'Broer, heb je de vraag al op haar afgevuurd of verspillen we gewoon onze tijd?' Ze noemde me 'Bushie' en ik noemde haar 'Bushy', een spellingsvariant, om andere redenen. Zo noemen we elkaar nog steeds.

Er was ook een belangrijke politieke achtergrond, die me nooit opgevallen was. Ik had aangekondigd dat ik me verkiesbaar zou stellen voor het Congres en ik wist dat ze zouden proberen te suggereren dat ik alleen maar een dronken, wilde, kutjesjager was. Wel, die vlieger zou nu niet meer opgaan. Ik was nu getrouwd. Met een bibliothecaresse. Met een onderwijzeres. Alhoewel ik daar nooit bij had stilgestaan, zette Laura's aureool mij in een heel ander licht. Ik had niet alleen een knappe en mooie vrouw gevonden. Ik had nu een stemmersvriendelijk boegbeeld dat mij een mandaat op kon leveren.

Geen mandaat dus. De stemmers waren niet zo vriendelijk. Ik werd verslagen door een Democraat die me afschilderde als een dronken, wilde kutjesjager. Verdomme, ik baalde als een stier! Ik was echter ook gelukkig met mijn nieuwe vrouw en alles, maar ik baalde als een stekker! Ik neem aan dat ik weer vaak naar de Jack Daniel's greep.

Bushy nam het allemaal goed op – ik mag niet mopperen. Zij kookte wat ik graag lustte – *meatloaf*, taco's – en ze zei niets, maar ze liet boeken in het huis slingeren over de gevaren van drinken. Alcoholisme. Ik las ze en ging rustig verder met drinken.

Onze kleine meiden werden geboren. Ik deed het zakelijk best, zette een nieuw bedrijf op, werkte veel per telefoon, lijmde oude familievrienden – de FOB's – de 'Friends of Bush' een club die veel en veel meer mensen omvat de de andere FOB – de vrienden van die klootzak 'Bill'.

Maar er was iets mis. Ik wist niet wat. Wellicht was het dat ik na al die jaren als nomade nu echtgenoot en vader was.

Ik hield ervan echtgenoot en vader te zijn – dat bedoel ik niet. Maar ik hield ook van drinken en de boel op stelten zetten en huilen naar de maan met George Jones, hoewel er niets 'vreemds', als je begrijpt wat ik bedoel, aan dat alles was. Alles was Bushy. Ze maakte *meatloaf*. Zat met haar neus in een stinkend oud boek. Ik weet het dus eigenlijk niet... weet je... maar iets was mis.

En toen redde Jezus me. Niet de werkelijke Jezus, maar de geest van Jezus. Billy Graham. Ik ken Billly al lang, dankzij pa, en op een dag wandelden we samen rond het zomerhuis in Kennebunkport en Bill vertelde me over zijn eigen zoon, Franklin, die eindelijk tot Jezus was gekomen nadat hij elk uur dronk en alles uitgeprobeerd had.

En Billy vroeg me: 'Jongen, hoe is je relatie met God?'

Ik vertelde hem dat Bushy en de meiden en ik elke zondag naar de methodistische kerk van Midland gingen en dat ik zelfs soms leraar op de zondagsschool was.

Billy legde zijn hand op mijn schouder en zei: 'Je hebt mijn vraag niet beantwoord, jongen. Heb je de vrede en een goede relatie met God, die alleen kan komen door onze Heer Jezus Christus?'

Er was iets in de wijze waarop Billy naar me keek: het leek alsof er een van die brandijzers die we als aankomend studenten gebruikt hadden in het Deke-huis in Yale werd gepakt en in mijn hart gestoken. Ik zei dat er iets in mijn leven mis was en vertelde over de Jack Daniel's en de Budweisers met ijs.

Billy antwoordde: 'Leven zonder God in je leven is veroordeeld worden tot ondragelijke eenzaamheid. Als er iets is dat ik je terug naar Texas wil laten nemen, is het dit. God houdt van je, George, en God stelt belang in je. Om je leven aan Jezus Christus te geven dien je de laatste demon op te geven voordat je een nieuw mens kunt worden. Geef het aan Hem, George, Hij zal je last verlichten.'

Ik dacht daarover toen we in Texas terugkwamen. *Mijn leven aan Jezus Christus geven? God hield van me? De laatste demon? Een nieuw mens?* Klonk goed, maar ik wilde meer Jack Daniel's. Ik wilde mijn Bud met ijs. Ik wilde nog een Winston of een grote dikke sigaar. Ik verkoos Jack Daniel's boven Jezus Christus. Een Bud met ijs boven God.

Op mijn veertigste verjaardag gingen Bushy en ik met een paar vrienden naar het Broadmoor Hotel in Colorado Springs. We hadden een diner met zes gangen, flessen wijn van zestig dollar, brandy, een paar Jack Daniel's achter in de zaal, een paar koude Buds. Ik herinner me niet veel nadat ik en Bushy weer op onze kamer kwamen, behalve dat ze weg ging en in een van de andere kamers ging slapen.

Ik heb haar die nacht niet behandeld zoals je de moeder van je kinderen moet behandelen. Moge God het me vergeven – het was een George Jones-moment. Toen ik de volgende morgen opstond, zat ik onder de kots. Ik keek in de spiegel en begon te huilen. Ik smeekte Bushy om me te vergeven. De drank was voorbij. Roken was voorbij. George Jones was voorbij. Seks was voorbij, zoals het voor een tijd was geweest (behalve natuurlijk met Bushy).

Ik had Jezus gevonden.

Ik was nu eindelijk een man, net zoals de zoon van Billy, Franklin, behalve dat Franklin tweeëntwintig was toen het gebeurde en ik veertig. Ik zou niet langer de liefde bedrijven met de demonen waar Jezus Christus me van bevrijd had. Ik zou de liefde bedrijven met Amerika. Ik zou al mijn verspilde energie nu stoppen in het opvrijen van Amerika, om het zo te transformeren dat het de naam van God waardig was.

Ik had de liefde bedreven met Budweiser en vervolgens met troela's en vervolgens met Bushy en nu zou ik de liefde bedrijven met Amerika. Tot Jezus gegaan, letterlijk! Ik voelde me alsof ik een roeping had ontdekt waarvan ik slechts vage stralen op Yale en Harvard had gezien.

Ik zou de liefde bedrijven met Amerika en door mijn harde en diep gevoelde inspanningen en uitstortingen zou ik haar omvormen. Ik zal haar binnenkant buiten draaien. Binnenste buiten. Geen zwaarte meer. Geen slachtoffers meer. Geen schuld meer. Geen genotzucht. Ik zou haar door mijn zachte woorden maar doeltreffende acties de perverse trucs laten vergeten die ze had geleerd in de jaren '60. Abortus. Homo's in het leger. Homo-huwelijken. Werkende vrouwen en niet, zoals Bushy, thuis bij de kinderen.

Ik zou mijn prachtige Amerika de deugden leren van onafhankelijkheid, verantwoordelijkheid, het aanvaarden van de consquenties van je daden. En onthouding. Geen straattrucs meer voor het Amerika waarvan ik hield! Geen zwepen en ketenen meer voor speciale belangen! Geen orale seks voor pressiegroepen! Geen groepsseks van belangengroeperingen! Continu de missionarishouding!

Ik moest mezelf eerst oppeppen, voordat ik Amerika kon verleiden, de liefde met haar kon bedrijven en haar kon omvormen... zoals Rocky voordat hij Mohammed Ali bevocht in de film. De trainingsperoide, weet je nog? Voordat je in de ring stapt met al die heldere mini-camera's van de media op je gericht. *Basketbal!* Dat was ideaal. Zo Amerikaans als appeltaart, de ketchup op wat de hamburger zou worden van mijn kandidatuur... om Amerika te dienen... een dienaar van het volk te zijn... om haar van de straathoek weg te krijgen.

Basketbal! Ik kocht mezelf in bij Texas Rangers. Ik werd algemeen partner van de Texas Rangers. Ik zat niet in de eigenaarsloge. Ik zat op een gewone stoel achter het eerste honk, met Roger Staubach, de kapitein van het Team van Amerika, soms rechts naast me. Ik piste in dezelfde urinoir als de fans. Ik zette mijn handtekening op basketbalkaarten met mijn foto erop. Ik jogde 's middags op het verreveld. Ik hing voor de wedstrijd met Nolan Ryan rond op de slagheuvel. Ik ontmoette Willie Mays en vertelde hem al zijn persoonlijke statistieken. Ik bouwde een gloednieuw stadion en verkocht het team met een persoonlijke winst van 16 miljoen dollar.

Wat vind je van zo'n Rocky-achtige trainingsperiode, huh? Ik was tot Jezus gekomen en was tegelijkertijd hogepriester geworden van de eigen religie van Amerika, honkbal, waarbij slaggemiddelden en het recht op gelijke behandeling – de belangrijke, niet die voor vrouwen – gemompeld werden als gebeden onder gelovigen.

Ik deed mee aan de campagne van mijn vader in 1988. Toen ontmoette ik ook Pat Robertson. Hij wist alles over mij van Billy. Geruchten gaan snel onder geredde zondaars. O, we waren niet meteen vrienden. Hij nam het op tegen pa, en daarom hebben we hem een paar rechtse directen moeten verkopen, dingen naar de pers laten lekken over wat zijn goede vriend Jimmy Swaggart aan die hoer had gevraagd.

Maar toch respecteerden we elkaar. Pat Robertson en Jerry Falwell zijn stemmentrekkers. Hun vrienden en buren en bewonderaars komen in diepladers, busjes en bussen; ze dragen kruisjes en zwaaien met kleine Amerikaanse vlaggen. Ze stemmen op Jezus. Het stemhokje is hun kerk op de verkiezingsdag. Tegen de tijd dat het 1992 werd, waren Pat en Jerry Falwell en Jim Robison en ik vrienden.

Ze wisten dat ik werkelijk opnieuw in de Heer geboren was. Ze wisten dat mijn vader de godsdienst lippendienst bewees, maar dat ik het ware pad beging. Geen drank meer. Niet meer roken. Geen George Jones meer. Geen seks meer (behalve met Bushy). Ze zaten op dezelfde wagen. Niets anders dan *meatloaf*, taco's, Amerika en Jezus. Ze zaten in de zaal toen ik getuigenis aflegde over de Heer Jezus Christus, mijn Heiland.

Pa maakte een enorme vergissing. Hij dacht dat de manier om te winnen was te appelleren aan het centrum en *toneel te spelen ten opzichte van religieus rechts.* Onzin. Pat en Jerry en de anderen herkennen onzin wanneer ze het zien. Ze zijn experts. Er zijn een hoop kleine blanke kerkjes in de geurige boerenvelden. De manier om te winnen is te appeleren aan religieus rechts – laat ze *weten* hoe sterk je gelooft in de dingen waar zij in geloven – en vervolgens *toneel te spelen ten opzichte van het centrum*.

Vertel iedereen dat je een *zorgzaam* conservatief bent, een bruggenbouwer, geen polarisator – praat over smachtende voetbalmoederzaken als onderwijs, gezondheidszorg en borstkanker – en zorg ervoor dat Pat Robertson de gelovigen vertelt waar je in gelooft... zoals hij zelf *persoonlijk* kan getuigen... de doodstraf, het bij wet verbieden van abortus, de homo's laten sterven aan aids en dat Jezus Christus onze Heiland is.

Ik word president van de Verenigde Staten. Ik kan beter in jullie ogen kijken en jullie stemmen en pijn opzuigen dan Bill Clinton. Ik heb een sexier knipoog omdat mijn ogen meer donkere plaatsen gezien hebben dan hij ooit heeft kunnen dromen. En ik heb thuis tenminste de broek aan. Bushy doet wat ik haar opdraag. Ze wil geen George Jones-momenten meer, of wel soms? Hé, je ziet nooit krassen op *mijn* gezicht.

Herinner je je toen Bill Clinton zou worden afgezet en Pat Robertson plotseling zei dat de idioot (een woord van mijn vader) moest worden berispt, maar niet afgezet? Waarom denk je dat hij dat deed? Ik zal je dat vertellen. Hij wist dat ik de volgende president van de Verenigde Staten zou worden en dat het me zou helpen als Bill Clinton aanbleef en iedereen zich kon verlustigen in onze deemoed en hun ongeluk.

Ik hoop dat klootzak Jeb, die halve gek – hij *trouwde* niet alleen het eerste

Mexicaanse meisje met wie hij ooit sliep, maar zij was tevens het *eerste meisje* met wie hij sliep – niet alles verklapt. Door positieve discriminatie in zijn staat te verbieden, de steun van homohatende groepen te krijgen. Roepen om de afschaffing van het ministerie van Onderwijs, botweg tegen rechten voor homo's en abortus ageren geeft in Flordia een kleine steelse vooruitblik van hoe het Amerika van George W. Bush eruit komt te zien. In Florida lopen langs de snelwegen overal werkploegen gevangenen met kettingen. Klootzak Jeb, mijn broertje, die zijn nachten doorbrengt met het kijken naar herhalingen van *American Gladiators...* verklapt alles door te zeggen: 'Het tijdperk van relativisme is voorbij! De absolute waarheid *bestaat*! Je *bent* werkelijk verantwoordelijk voor je daden!'

Jeb heeft te veel slechte hasj gerookt, geloof ik. Hij doet zware uitspraken als 'Politiek is een contactsport'. Hij betitelt zichzelf op de universiteit als een 'cynische kleine drol'. Wat voor optimistische, stemmenwervende, zorgzame *middle of the road*-uitspraken zijn dat nu? Waar is het grappige gezicht of de regenboom aan het einde van 'cynische kleine drol'?

Ik wil er alles voor doen om president van de Verenigde Staten te worden. Niet voor mezelf. Het interesseert me geen fuck. Voor Amerika. Voor Jezus Christus. Voor uw kinderen. Voor mijn kinderen.

Alles! Moeten we McCain dumpen? Oké, tja, ze hebben een robot-communist van hem gemaakt, terwijl hij zichzelf als een grote held voorstelde, of niet? Of, hé, heeft hij geen paar buitenechtelijke kinderen? Zwarte kinderen, wellicht? Ik zeg dat niet, Pat zegt dat niet, Jerry zegt dat niet. Een of andere stem over de telefoon fluistert dat tegen middernacht. Gooien met modder? Welnee! Alleen wat extra verlichting in de schaduwen van de tunnel op de informatiesnelweg. Steve Forbes? Hé, was zijn pa geen homoseksueel die zich liet neuken door kleine Arabische jongetjes? *Al Gore?* Laat me niet lachen. Ik heb Al Gore in mijn zak. Hij is morsdood. Dood en verleden tijd. We zullen de wereld zijn kale plek tonen. Pa was niet voor niets hoofd van de CIA. En ze noemen ma ook niet voor niets de Zilveren Vos.

We nemen dit land terug. Dankzij de pik van Bill Clinton. Dankzij mensen die over de pik van Bill Clinton nadenken. Denken over pikken tot op de minuut dat ze het stemhokéje ingaan. En ik zal de morele, moedige weg geheel afgaan... zorgzaamheid, opname, *empowerment*, rechten... ik ga executiedatums uitstellen en baby's kussen en mongolen omhelzen... Ik ga de magere serveersters en vette voetbalmoeders charmeren zodat ze me geven wat ik wil... Ik ga de cowboy-laarzen opbergen en instappers met kwastjes dragen... Ik ben een leider, geen misleider. Ik ben een insider, geen opzuiger! Ik ben een opzuiger, geen polarisator! Ik ben een hervormer, geen informant! Ik ben een deformator met resultaten! Verdomme, ik zal zelfs praten met de gigantisch grote republikeinen in de blokhutten en met alle andere sprookjesfiguren die me willen ontmoeten. Wat vind je van een dergelijke zorgzaamheid?

Ergens in mijn tweede termijn, als er een Senaat en een Huis is dat geheel uit Republikeinen bestaat, zal ik twee dingen doen. Ik ga Saddam Hoessein aan zijn kloten ophangen voor ma en ik ga Ken Starr naar het Hooggerechtshof promoveren voor pa. Hij had dat al moeten doen toen hij er de kans voor had – zowel met Saddam als met Ken – maar hij was er gewoon te schijterig voor. Wel, verdomme, niemand is volmaakt. Ik hou van mijn vader.

Kijk naar mijn lippen! We hebben gewonnen. En dat is *fun*.

Kijk naar mijn lippen! Nee, mijnheer, zo zou *ik* het niet zeggen. Ik zou zeggen:

Beweeg je heupen! Ik kom er aan!

[12]

Billy komt buiten spelen

'Je zult het besterven,' zei Monica. 'Je zult het besterven.
Je gaat me slaan. Wat denk je dat ik tegen hem zei? Wat
is het ergste dat ik kon zeggen?'
'Weet ik veel,' zei Linda Tripp.
'Ik zei "Ik hou van je, Butthead."
'En wat zei hij?'
'Niets,' zei Monica. 'Hij hing min of meer op.'

Naarmate de tijd vorderde, stapelden de afleidingen zich op (evenals de lichamen)... eindeloos Kosovo en vervolgens Columbine en vervolgens JFK Jr. en vervolgens die kerel in Atlanta die ten oorlog trok tegen twee makelaardijpanden.

In die tijdsperiode, toen er nog achttien eindeloze maanden van zijn termijn over waren, kwam Bill Clinton vaak naar Los Angeles om er even uit te zijn en wat te golfen. Een van die reisjes maakte hij officieel om de voetbalwedstrijd bij te wonen om het Wereldkampioenschap voor vrouwen tussen de Verenigde Staten en China in de Rose Bowl. Hij kwam alleen. Hillary was bezig met zomertoneel in de omgeving van New York in de nieuwe show getiteld *A Time to Listen!* Bill Clinton had een paar dagen om de bloemen buiten te zetten en af te koelen met zijn maten uit Hollywood.

Ongeveer een week voor de wedstrijd nam Mark Canton – het vroegere productiehoofd van Sony, nu regisseur van Warner Bros, waar zijn carrière begon – contact op met zijn vriend Rudy Durand. Mark was nog steeds verwikkeld in een chaotische scheiding van zijn vrouw, Wendy Finerman, die voor het regisseren van *Forest Gump* een Academy Award had gewonnen. Hij was een man met een opmerkelijke verzameling kassuccessen en die door het tijdschrift *Magazine* eens als 'debiel' was betiteld. Mark Canton vroeg zijn vriend Rudy Durand of hij met hem in zijn loge in de Rose Bowl naar het voetbalkampioenschap voor vrouwen wilde.

Rudy Durand was beledigd door de uitnodiging. Allereerst omdat

Mark niet zelf belde, maar het telefoontje aan zijn assistent overliet. Ten tweede omdat als Rudy samen met Mark en zijn nieuwe vriendin, Amy – Marks huwelijk liep op de klippen toen zijn vrouw Wendy in Marks studiokantoor binnenliep en hem boven op het bureau aantrof met Amy – in Marks loge in de Rose Bowl zou aanschuiven, dit Rudy duizend dollar per kaartje zou kosten.

Rudy Durand, die vierenzestig was, tegenover Marks eenenvijftig jaar, was geen man om op zo'n manier een loopje mee te nemen, om uit te nodigen via een assistent met een prijskaartje van duizend dollar. Hij was een man met een fascinerende geschiedenis, zelfs voor Hollywood, een plaats waar mensen zichzelf elke paar jaar veranderen en opnieuw veranderen. Volgens Rudy omvatte zijn curriculum vitae haltes in Washington (als wegbereider voor JFK), in Palm Springs (als tweede man achter Frank) en in Vegas (Frank had hem aan wat mensen voorgesteld).

Vervolgens kwam hij in Hollywood, waar hij een kleine en maffe film schreef en regisseerde die de titel *Tilt* had, met veel flipperkasten en Brooke Shields. Toen Warner Bros de film van hem afpakte en die opnieuw liet monteren, deed Rudy de studio een proces aan vanwege bemoeienis met zijn artistieke visie. Het proces duurde eindeloos (zoals alle processen tegen studio's), bijna tien jaar... en in die tijd was alles wat Rudy (die nu op de zwarte lijst stond) deed de procesvoering. Niet via advocaten, maar eigenhandig! Sommige mensen zeiden dat hij de beste niet-juridisch geschoolde advocaat van de stad was. Hij voerde zelf het proces voor de federale hoven van appèl, liet de advocaat van Warner Bros letterlijk overgeven tijdens zijn presentatie en won... 7 miljoen dollar, belastingvrij.

Nee, Rudy Durand was geen man om een loopje mee te nemen, zoals een van de topagenten van de stad aan den lijve ondervond toen hij een grap maakte die Rudy Durand persoonlijk opvatte. Rudy ging op hem af en zei: 'Wat zei je? Wat zei je verdomme? Je stopt met het maken van grappen of je zoekt maar een nieuwe komedieschrijver. Hoor je me, smerige klootzak? Wil je verdomme bonje met me? Stuk ongeluk.' En het enige dat de agent, een machtig man in Hollywood, kon zeggen was: 'Ik weet wie u bent. Ik bedoelde er niets mee. Het spijt me.'

Veel mensen in de stad wisten wie Rudy Durand was, zoals bijvoorbeeld Kelly Preston, nu getrouwd met John Travolta, die Rudy tegenkwam toen ze serveerster was bij Gladstone op de PCH was en Rudy enkele onthullende (en bepaald on-Scientologische) foto's liet nemen die ze nog steeds terug wil. Rudy Durand kwam Bill Clinton op een golfbaan tegen en de twee mannen mochten elkaar wel. Dat was de reden waarom Rudy Durand zei, toen hij Mark Canton terugbelde over de voetbalwedstrijd voor vrouwen in de Rose Bowl: 'Nee, ik kan niet met je mee. Ik ga met de president naar de wedstrijd.'

En Mark Canton, die de president van de Verenigde Staten nog nooit had ontmoet, zei: '*Werkelijk?*'

Het was een kolossale, uitgesproken leugen. Schijt aan Mark Canton, dacht Rudy Durand, die door zichzelf opgeblazen dwerg die zelfs geen fatsoenlijk rondje golf kon spelen, dat personage van Peter Sellers dat nog het meest geïnteresseerd leek in de foto's van beroemdheden die op zijn kantoormuren prijkten. Schijt aan hem! Als Mark Canton die stomme spelletjes met hem wilde spelen, dacht Rudy Durand – het telefoontje van de assistent, de duizend dollar – zou hij zijn magere kleine hol vakkundig nucleair bewerken met de president van de Verenigde Staten.

Op de morgen van de dag voor de wedstrijd, belde Bill Clinton Rudy Durand. Hij was in Los Angeles bij zijn vriend Ron Berkle thuis (Ron was eigenaar van Ralphs supermarkten) en Bill Clinton wilde weten of Rudy zin had in een partijtje golf. Rudy zei dat hij graag had gewild, maar dat hij al een andere afspraak had. Hij speelde die dag met Pete Sampras. Pete had zojuist Wimbledon gewonnen.

'Kan ik jouw naam gebruiken om bij de Riviera binnen te komen?' vroeg Bill Clinton aan Rudy. Hij haatte de Bel Air Country Club, waar de huizen bijna op de golfbaan stonden, waar er weinig privacy was, waar een telelens makkelijk een natte, opgekauwde sigaar in de mond van een natte en zwetende president kon waarnemen.

'Natuurlijk,' zei Rudy.

'Goed, kom naar ons toe,' zei de president, 'als je de kans hebt.'

Toen Rudy die dag op de golfbaan verscheen met de er opvallend goed uitziende Sampras, zag hij alle agenten van de geheime dienst op een afstand en toen hij die richting begon op te gaan met zijn wagentje... zag hij tevens Mark Canton, die met zijn eigen groep vrienden niet ver daarvan speelde. Rudy reed naar Mark en zijn vrienden, met Sampras naast zich, en Mark kon nauwelijks zijn overborrelende opwinding beperken: 'Rudy, Rudy, de president is hier.' Rudy vertelde Mark dat hij dat ook wel kon zien, dat zelfs Ray Charles dat kon zien en hij stelde Mark aan Sampras voor.

'Mark Canton,' zei Mark Canton tegen Pete Sampras. 'Ik heb de volgende films geproduceerd...' En hij somde een lijst films op, waarvan hij er vele *niet* geproduceerd had... maar waarvan sommige onder zijn supervisie bij Sony waren gemaakt.

'Tot later,' zei Rudy tegen Mark en begon de fairway af te rijden naar de plaats waar de president aan het afslaan was. Toen hij daarnaartoe reed, hoorde hij de veiligheidsmensen 'Zes-vijf! Zes-vijf!' roepen (het eigen codenummer van Rudy) en hij wist dat Mark Canton het ook hoorde en dat zijn mond van verbazing openviel. *Rudy had zijn eigen codenummer!* Toen hij de president naderde, begon Rudy langzamer te rijden. Hij wilde hem niet storen. Rudy Durand geloofde dat de drie fraaiste gevoelens in het leven waren: 'een grote climax, een golfbal raken' en wat Rudy omschreef als 'de piramide': overheerlijk voedsel dat door de slokdarm het spijsverteringsstelsel ingaat.

Dus wachtte hij tot de president zijn bal geslagen had en toen gingen hij en Pete Sampras naar hem toe. De president, zo zag Rudy, was met Sly Stallone, eens het zwaargewicht der kassuccessen en nu, net als Bill Clinton, gevangen in de schijnwerpers van een pervers seksschandaal. Enkele hoeren uit Hollywood hadden een boek geschreven waarin stond dat Sly een glazen overkapping boven zijn bed had laten bouwen. Ze moesten zichzelf bevredigen op het glas, stelden ze, terwijl Sly naar ze keek, uitgestrekt op het bed beneden ze, en de Bill Clinton-handeling uitvoerde met zijn rechterhand.

De president keerde zich naar Rudy en omhelsde hem. Sly vroeg de president of hij wist dat Rudy de beste regisseur van Hollywood was. Rudy stelde Sampras aan hen beiden voor en de president prees Sampras voor de manier waarop hij zijn land met klasse en distinctie vertegenwoordigd had op Wimbledon.

Rudy stelde voor dat ze elkaar allemaal zouden ontmoeten als ze half klaar waren met het spel... in het Halfway Clubhouse tussen de tiende en de dertiende holes. De president en Sly, die het blijkbaar goed konden vinden en zeker genoeg hadden om over te praten, stemden in.

'Kunt u me een plezier doen?' vroeg Rudy de president van de Verenigde Staten.

'Natuurlijk,' zei Bill Clinton en trok hem wat terzijde voor meer privacy, 'waar gaat het om?'

'Als we in het Halfway House zijn, kunt u dan zeggen: "Hé, Rudy, kom je nog steeds naar de wedstrijd morgen?"'

'Natuurlijk,' zie Bill Clinton, '*Wil* je dan naar de wedstrijd morgen?'

'Totaal niet,' zei Rudy Durand en beiden, goede vrienden, lachten.

'Waar gaat het om?' vroeg Bill Clinton.

'Vertel ik later wel.'

De president vroeg naar een paar wederzijdse vrienden zoals Jack Nicholson – die er net door een tweeëndertigjarige hoer opnieuw van beschuldigd was dat hij haar in 1996 zo hard geslagen had dat zij er een hersenbeschadiging aan had overgehouden – en ze gingen in verschillende richtingen de golfbaan op.

Toen Rudy en Sampras bijna halverwege waren, kwam Mark Canton in zijn wagentje langs, waarna Rudy hem vertelde hem dat ze Bill Clinton en Sly zouden ontmoeten in het Halfway Clubhouse.

'Mag ik met je mee?' vroeg Mark.

Rudy zei dat hij aannam van wel.

'Ik zal in je wagentje meerijden,' zei Mark.

'Ik rijd met Pete,' zei Rudy. 'Volg ons maar.'

Mark Canton zei: 'Alsjeblieft, Rudy! Ik móet een foto met de president voor aan mijn muur hebben. Dat moet je me beloven, Rudy. Ik hoorde dat de fotograaf van het Witte Huis altijd met hem meegaat. Kan hij een foto van ons nemen?'

'Waarom niet?' zie Rudy Durand.

Toen ze bij het Halfway House kwamen, waren Bill Clinton en Sly er al. Mark zei hallo tegen Sly en Sly vroeg de president of hij wist dat Mark Canton de beste producer van de stad was.

Mark Canton schudde Bill Clinton de hand en zei: 'Mijnheer de president, ik ben Mark Canton. Ik ben producer... En hij somde dezelfde heldendaden op als tegen Pete Sampras, in dezelfde volgorde.

De fotograaf van het Witte Huis kwam erbij en Bill Clinton sloeg een arm om Sly en de andere arm om Rudy... En Mark Canton leunde zo sterk als hij kon de foto in.

Bill Clinton begon weg te lopen met Sly en vervolgens draaide de president van de Verenigde Staten zich om en zei hard: 'Rudy, ga je nog steeds mee naar de wedstrijd morgen?'

En Rudy antwoordde: 'An-me-nooit-niet. Ik wil niet met je gezien worden.'

En Mark Canton keek op dezelfde manier als hij gekeken moet hebben op die avond dat Wendy hem en Amy betrapte. Ongelooflijk! Het was verdomme niet mogelijk! Niet alleen controleerde de president van de Verenigde Staten of Rudy nog steeds zijn gast zou zijn... maar Rudy stond op zo'n goede voet met hem dat hij hem zo kon plagen.

Mark Canton ging naar de fotograaf van het Witte Huis om te zorgen dat hij de foto kreeg en Bill Clinton, die nu naar Mark Canton keek en lachte naar Rudy, zei tegen hem: 'Wil je dat ik er wat mosterd op doe?' Rudy lachte en Bill Clinton zei, hard genoeg dat Mark het kon horen: 'Ik zal een helicopter voor je sturen, Rudy, als je het te druk hebt. Kom op!'

Mark Canton schudde zijn hoofd toen Rudy en Pete Sampras wegreden en hij hoorde Pete niet tegen Rudy zeggen: 'Wie was die halve gare?' En Rudy antwoordde: 'Mark Canton, een producer.'

De volgende morgen ging de telefoon van Rudy en vroeg een official van de Chinese ambassade of Rudy twee kaartjes wilde voor de officiële loge van de Volksrepubliek China bij de voetbalwedstrijd voor het Wereldkampioenschap in de Rose Bowl. Rudy had net verschillende deals gesloten met Macao en Chinese financiers en hij accepteerde de twee kaartjes. Hij belde zijn vriend Jack Nicholson en vertelde hem over de twee kaartjes in de Chinese loge en Jack Nicholson, die eigenlijk in de loge van Mark Canton zou zitten, zei: 'Ik ga met *jou* mee.'

Een paar ogenblikken later ging de telefoon van Rudy Durand opnieuw. Het was Mark Canton. 'Gaat Jack met jou mee?' vroeg hij.

'Dat is wel wat hij zei,' antwoordde Rudy.

'Maar hij zou met mij meegaan.'

'Waar is jouw loge dan,' vroeg Rudy Durand.

'Op de tien yard-lijn.'

'Shit,' zei Rudy, 'dat is bijna in de eindzone.'

'Dat is niet in de eindzone,' stelde Mark Canton: 'Het is op de tien yard-lijn.'

Er viel een stilte en Mark Canton vroeg: 'Waar is *jouw* loge dan?'
'Je bedoelt de officiële loge van de Volksrepubliek China?' vroeg Rudy.
'Jep'
'Die is op de vijftig,' zei Rudy Durand. 'Precies naast die van Bill Clinton. Precies in het midden van het veld.'

Mark Canton vroeg Rudy Durand of hij en zijn gezelschap de limousine van Rudy en Jack konden volgen naar de Rose Bowl. Mark had gehoord dat de mensen van de geheime dienst 'Zes-vijf! Zes-vijf!' riepen en wist dat beveiliging bij een publiek circus als dit er op uit kon draaien dat het allemaal gênant werd wanneer je je eigen codenummer niet had.

En zo gebeurde het. Rudy en Jack voorop en daarachter de limousines van Marks gezelschap. Onder de passagiers Dennis Hopper en zijn vrouw en twee kinderen, balend als een stier dat het hen vierduizend dollar had gekost om deze wedstrijd bij te wonen. Dennis, het ultieme symbool van de jaren '60, de Easy Rider in hoogsteigen persoon, die doorgegaan was na dat monsterlijke kassucces van een film met het schrijven en regisseren van iets dat *The Last Movie* heette (wat zo slecht was, dat het bijna de laatste film van Dennis was geweest). Dennis, eens een vuilnisvat vol LSD, sinds lang de voormalige bewoner van die heilige plaats, Tao, was nu in het gezelschap van Mark Canton.

Het draaide uit op een reünie van de jaren '60: Dennis en Jack, ook een *Easy Rider*-gediplomeerde, en Bill Clinton, de voormalige Street Fightin' Man die niet inhaleerde.

Toen ze bij de veiligheidspoort van de Rose Bowl kwamen, werden ze allemaal supersnel doorgelaten – 'Zes-vijf! Zes-vijf!' riepen de geheim agenten opnieuw, een magische toverformule – en toen ze uit de lift kwamen en naar hun loges begonnen te lopen, hoorde ook de president van de Verenigde Staten de aankondiging 'zes-vijf'; hij stak zijn hoofd uit de loge en schreeuwde: '*Hé, Rudy!*'

Hij nodigde Rudy en Jack in zijn loge en stelde Rudy voor aan zijn persoonlijke gasten, Gray Davis, de gouverneur van Californië, en de burgemeester van Los Angeles, Richard Riordan.

'Ik wil dat je de beste producer van Hollywood ontmoet.' Zo stelde Bill Clinton Rudy Durand aan de anderen voor. En God, Rudy kreeg daar een kick van.

Vervolgens stonden Jack en de president een tijdje in een hoek te smoezen, grinnikend en van elkaars gezelschap genietend, twee loopse honden die elkaars reuk waardeerden. Jack Nicholson was zelf publiekelijk Bill Clinton te hulp gesneld tijdens de donkere impeachmentdagen door te verschijnen op een bijeenkomst in de *Federal Building* in Westwood, met Barbra, die een kittig hoedje droeg waarvan sommigen zeiden dat ze dat ook gedragen had in *The Way We Were*.

Jack Nicholson mocht Bill Clinton graag, bijzonder graag, zelfs meer dan hij Fidel Castro mocht, bijna net zo veel als hij Robert Evans mocht, die Jack voorzag van eindeloze dozen opwindpoppen, mistige boeren-meisjes met lege ogen uit het Midden-Westen, die naar Hollywood geko-men waren om sterren te worden en die nu op het harige, gezwollen eer-ste deel van die reis waren.

Toen Jack Nicholson en de president uitgesmoest waren, omhelsden ze elkaar en toen omhelsde de president Rudy Durand en de wacht van het korps mariniers salueerde naar Jack (zoals mariniers overal deden sinds *A Few Good Man*).

Bill Clinton ging terug naar Washington, maar hij zou snel terugke-ren. Rudy en Jack speelde de volgende dag wat golf. Mark Canton kreeg de foto voor aan zijn muur. Hij was zo in de wolken met de foto dat hij Rudy Durand een contract gaf om twee films te regisseren, het soort deal dat Rudy in Hollywood lange tijd niet meer had gehad.

Dat was allemaal, wist Rudy Durand, dankzij Bill Clinton. Holly-wood... en Rudy Durand... en Sly Stallone... en Mark Canton waren ge-woon dol op Bill Clinton!

(13)

Hillary onthult alles

Hij zal nog eindigen als Nelson Rockefeller, terwijl zijn hart explodeert als hij gromt en kreunt boven op een of andere jonge slet die hem zo vleide dat hij haar als assistent aanstelde. Het is grappig... Ik heb campagne voor Rockefeller gevoerd in 1968, weet je. De Democratische Nationale Conventie stond op het punt een symbool van een veranderende wereld te worden, en waar was ik? Op de Republikeinse conventie, campagne voerend voor Rockefeller. Denk er van wat je wilt, diegenen onder jullie die me, net als Barbara Olson, beschouwen als de laatse communist, die me ervan beschuldigen voor een communist te hebben gewerkt in Berkeley, die zeggen dat Saul Alinsky mijn Karl Marx was. (Dick Morris was ook gecharmeerd van Saul en hij werkt nu voor Trent Lott en Rupert Murdoch.)

Heb je het boek van Barbara Olson gelezen? Wist je dat haar man, Ted, een van de beste vrienden van Ken Starr is? Wist je dat haar uitgever, Al Regnery, die zo veel boeken heeft gepubliceerd waarin kwaad gesproken wordt over Bill en mij, precies dezelfde interesses heeft als Bill? Politie die naar zijn huis geroepen werden, vond de stapel porno van Al, waaronder een boek met kleurenfoto's van 'orale seks en objecten die in de vagina gestopt waren'. Ik heb mijn zaakjes goed onderzocht, zoals je ziet. Ik heb de tegenstander altijd goed onderzocht.

Maar terugkerend naar Bill: ik misleidde mezelf eens door te denken dat hij wellicht door onze eigen dwaze liefde kalmer zou worden. Dat aderverkalking (door cheeseburgers) en slapte (door overmatig gebruik) zijn priapistische dronkenschap zouden ontnuchteren. Ik zei 'misleidde mezelf' omdat, dankzij de wonderen van de moderne wetenschap, dat niet langer mogelijk is. Niemand bemerkt wat voor een diepe teleurstelling Viagra betekent voor een vrouw als ik.

Weet je, het ging nooit erg goed tussen ons, zelfs niet in het begin, toen er iets *was*. O, hij zei dat het heel prettig vond met mij, maar ik geloofde hem op de een of andere manier nooit, zelfs niet voordat ik bewijzen had, voordat ik in zijn zakken doorzocht naar telefoonnummers, zodra hij in slaap gevallen was. Ik probeerde hem te behagen. Ik schoor mijn benen en mijn oksels, zelfs al had ik het gevoel dat daarmee verraad pleegde aan mijn overtuiging. God weet, iedereen weet hoe vaak ik mijn haarstijl probeerde te veranderen. Niet dat hij ooit Adonis zelf was, met zijn bleke buik die uit zijn T-shirt stak, zijn dijen als het blubberige cellulosevet van een man die twintig jaar ouder is. Maar ik probeerde het. En bleef het proberen. En bleef het proberen. Totdat de pijn en de vernedering stremden tot een boze zwarte klomp in mijn hart. Het was niet genoeg dat hij me bedroog – hij wreef me dat ook nog onder mijn neus.

Ik vroeg me een tijdlang af of dat een onderdeel van zijn kick was. Hij nam Gennifer mee naar dat toilet in het Statengebouw, terwijl ik op één meter afstand stond. Hij wist dat ik ze samen zag buiten de deur van dat toilet. Hij nam die hoer mee naar het vliegveld om hem vaarwel te kussen. Hij wist dat ik wist wie zij was. En op de morgen dat we na de verkiezingen naar Washington vertrokken, om kwart over vijf, moest hij die slet in de kelder ontmoeten, wetend dat ik boven was, wetend dat ik het wist, dat ik zelfs wist dat zij een regenjas met niets daaronder droeg. Geloof je dat het een wonder was dat ik me van hem afkeerde toen hij naar mij toeliep om me voor de camera's te kussen bij de inhuldiging? Ik ben geen rekwisiet van hem. Ik ben niemands rekwisiet. Zoiets kan die klootzak niet bij me flikken. Tenzij ik geflikt wil worden.

Ik wist alles. Ik weet elk apart voorval. Ik heb *altijd* alles geweten. God, heb je enig idee van de pijn die deze wetenschap met zich mee heeft gebracht? Ik *moest* het weten om in staat te zijn hem te beschermen. Om in staat te zijn *ons* te beschermen. Hij wilde naar het Witte Huis. We wilden altijd al naar het Witte Huis. De sletten en de hoeren, de *bimbo's* en de *groupies* moest het zwijgen opgelegd worden, geneutraliseerd. Er stond te veel op het spel. Er moest hen aan het verstand gebracht worden dat, wanneer ze uit de school klapten over wat hij met hen uitgespookt had, hun eigen fouten en zwakheden aan het licht zouden komen. Ze moesten – door de veiligheidsmensen, door Terry, door Palladino – aan hun eigen *menselijkheid* herinnerd worden. Ze moesten wakkergeschud worden om ze aan hun eigen kwetsbaarheid te herinneren. Onderzoek naar de tegenstander, dat was het hele eiereneten. Als je iemand vertelt wat je met hem gedaan hebt, zal de hele wereld weten dat jij het halve *football*-team van je middelbare school geneukt hebt op de vijftig yard-lijn – zelfs als dat totaal niet het geval was. Dat soort dingen. Een tegengif voor zelfingenomenheid, een inenting tegen de braakreflex om vijftigduizend dollar aan te nemen van de *National Enquirer*.

Ik vertrouw Terry Lenzner. Ik heb met hem gewerkt aan de Watergate-zaak. Hij weet de goeden van de kwaden te onderscheiden. Hij weet dat de realiteit van het verhaal van een hoer controleren een vergeeflijke en nobele zonde is bij onze pogingen de slechterikken uit het Witte Huis te houden. Maar neem de positie eens in ogenschouw waarin dit mij bracht in relatie tot mijn eigen hart. Ik *moest* alle vuil kennen om te weten wie het zwijgen opgelegd moest worden. Maar het was vuil dat me met elk stuk informatie meer tegen hem opzette. Terwijl ik hem probeerde te redden, vernietigde ik hem binnen mezelf. Maar als dit zijn vernietiging binnen in me be-

tekende, *moest* ik hem vernietigen om hem te redden. Het werd de nacht-
merrievergelijking die door het Pentagon in Vietnam was uitgewerkt, de
vergelijking waar ik zo fel tegen geprotesteerd had: je moet een dorp vernietigen om het te redden. Ik wierp napalm op mijn eigen hart en ziel. Ik
lachte als ze me in de media Jeanne d'Arc noemden. Als ze eens wisten.
Ik verbrandde mijn eigen meest intieme gevoelens op de brandstapel die
ik zelf bouwde.

Om welke reden, zult u vragen? Waarom zou iemand zichzelf dat aandoen? Is wat dan ook die prijs waard? *Macht?* Macht op zichzelf, bedoelt
u? Macht als concept, als de mogelijkheid om mensen dingen te laten
doen? Nee. Naar de donder ermee. Schijt aan macht als concept. Ik ben
nooit in dergelijke macht geïnteresseerd geweest. Maar macht om doelen
te realiseren waardoor Amerika een beter oord zou worden? Macht die ervoor zou zorgen dat dit land een barmhartiger, gevoeliger, menselijker oord
zal worden? Ja, ik beken dat ik op zoek ben naar dat soort macht – in de
naam van kinderen, vrouwen, zwarten, homo's, ouden van dagen, gehan-
dicapten, zieken. In de naam van de miljoenen verdrukten, machtelozen,
rechtelozen – ja! Duizend maal ja! *Dat* is de vernedering en pijn en innerlijke
vernietiging waard waartoe ik mezelf veroordeeld heb. De realiteit controleren om een natie te herinneren aan zijn eigen menselijkheid... op de manier dat Terry en Palladino en alle gewone soldaten de hoeren en sletten en
mokkels daaraan moesten herinneren.

Is er iets fout aan om Amerika te willen verbeteren? Mijn pijn is *van mij*. Ik
heb besloten die op me te nemen. Ik doe *jou* geen pijn. Mijn doel is *jouw*
leven te verbeteren. Maar als ik dat op me genomen heb, waarom bekvecht
je dan over de middelen die gekozen heb – de middelen die ik wel *moest*
kiezen? Om in een positie te komen waarin ik *jouw* leven kan verbeteren,
lieg *ik?*

Natuurlijk lieg ik. Zou Bill gekozen en herkozen zijn als ik had gezegd: Ja,
hij maakte van het Gouverneurshuis en het Witte Huis een bordeel?... Jazeker, ik heb hem stoned als een garnaal gezien, er was geen touw meer vast
te knopen aan wat hij zei?... Ja, hij was Broer Konijn voor de dienstplicht op
de loop ging?... Ja, zijn grootste talent is verleiden, of het nu een stemgerechtigde of een dom blondje is.

Zou ik de waarheid hebben kunnen vertellen en kunnen zeggen: *Ik* geef
erom Amerika beter te maken. *Hij* geeft om de eer en de overwinning en
hoeren en geeft er geen hol om welke positie hij inneemt om al die dingen
te krijgen? Zou ik hebben kunnen zeggen dat sommige dingen die zijn regering heeft bereikt, bereikt is omdat hij *bang* voor me is? Bang om het niet
met me eens te zijn? Bang dat ik hem zal slaan? Bang dat ik hem zal verlaten en zal vernietigen wat er van zijn presidentschap en zijn nageslacht
overblijft?

Ja, ik heb geleerd hoe ik moet liegen en hoe ik dat goed moet doen. Ik
heb geleerd de media en de stemmers te bedriegen met het soort opbeu-
rende, vals-pathetische, slaapverwekkende ideeën waarmee ik mijn imago

als de onterechte dochter van Saul Alinsky verzacht. *It Takes a Village* en kinderrechten en gezondheidszorg en Social Security en Medicare – hoe is het mogelijk niet van me te houden vanwege het zwaaien met die aandoenlijke vaandels?

Ja, ik lieg over hem en wanneer het zwaar weer wordt en zijn populariteitscijfers dalen, leen ik mezelf in die momenten – als ik daarvoor kies – als zijn rekwisiet. Ik laat hem dat verhaal vertellen over hoe de dienstmeisjes bij ons binnenvielen in onze residentie toen we in bed lagen, waarmee hij impliceert dat we samen sliepen en seks hadden. Of die keer, tijdens zijn donkerste uren, toen ik toestond dat er 'stiekem' een foto werd genomen die toonde hoe we elkaar omarmden in onze zwemkleding. Ik liet de wereld zelfs mijn dikke kont zien, alleen om Bill Clinton op zijn post te laten blijven.

Wat me het meest kwetst, is niet meer wat hij met zijn hoeren doet, maar wat hij tegen ze zegt. Hij vertelde Gennifer dat hij ervan droomde om op een zonnige dag met haar te kunnen wandelen in een met bladeren bezaaide straat. Hij zei tegen de stagiaire dat hij, behalve zijn werk, niets had in dit leven. Hij noemde me Hilla de Hun en de Cipier. Zelfs al zou hij mij seksueel bedriegen, hij hoefde me niet op die manier te bedriegen. Is er niets in zijn leven behalve zijn werk? Mijn God, zelfs als ik niet besta, zelfs als hij mij als zijn cipier ziet, hoe zit het dan met Chelsea? Allereerst voert hij die gorigheid uit met een slet die bijna de leeftijd van zijn dochter heeft en vervolgens vertelt hij die slet dat zijn dochter niet bestaat in zijn leven?

Hij heeft het recht niet om boos op mij te zijn, maar zijn acties laten zien dat hij woedend is. Ik heb hem in Arkansas talloze malen gered, ik heb hem in New Hampshire gered op *60 Minutes* en ik heb voorkomen dat hij uit zijn ambt werd gezet. Als ik hem had verlaten tijdens de impeachmentprocedure, zou het hele land geapplaudisseerd hebben en zou hij naar een plek als Menninger hebben moeten gaan. Ik ben in de loop der jaren tot de conclusie gekomen dat hij vrouwen maar voor één ding gebruikt. En ik ben tot de conclusie gekomen dat ik voor hem geen vrouw ben.

Hij heeft me op de ene manier in zijn hoofd gedeseksualiseerd, hoewel ik me soms afvraag of hij me ooit zo beschouwd heeft. Hij maakte me tot zijn adviseur en zuster, zijn politieke makker. Wellicht zat ik fout door niet te proberen vrouwelijker te zijn tijdens onze jaren in Arkansas, maar wellicht had ik gelijk door me niet zo vaak te scheren of zelfs te douchen... en als wraak wilde ik dat hij weerzin zou voelen. Wellicht was ik ontsteld dat ik getrouwd was met een zeverend seksueel zwijn en was ik daarom zoals ik was. En daar was hij dan... de verlichte, gevoelige, begrijpende Nieuwe Man, de held van de oudervereniging en de voetbalmoeders, een kandidaat en een president die vrouwen macht zou geven. En daar was ik dan... diep eenzaam, door hem totaal verlaten, de vrouw die hij haar sekse ontnam, die hem uit de nesten helpen als het ging om vrouwen die hij gebruikte als levende vaatdoeken.

Hij raakte me zelden zo aan en zelfs als hij dat deed, zette ik vraagtekens bij de dynamiek, de onderliggende stimulus. Een van die zeldzame keren waarover ik het heb, vond plaats in Arkansas. Vince en een jonge vrouw die een partner van hem was en Bill en ik gingen uit naar een restaurant en we hadden allemaal te veel gedronken. We liepen daarna buiten en Bill en de jonge vrouw begonnen te rotzooien, te kussen. En Vince begon mij te kussen en te omarmen.

Ik kon Bill en haar zien en hij kon Vince en mij zien. Onze chauffeur, een militair, was vlakbij en keek naar ons. Bill en ik gingen terug naar de limousine en hij deed het scherm naar boven en we hadden seks op de achterbank. Hij neukte me zoals hij me in lange tijd niet had geneukt. En terwijl hij binnenin me was dacht ik continu: Lul! Stuk verdriet! Je neukt niet met mij: je neukt dat jonge blondje! Je bent niet in mij, je bent binnenin haar! Je knijpt niet in mijn tieten, je knijpt in die van haar! Maar ik zal degene zijn die daarna pijn heeft... niet zij!

De dood van Vince was het laatste bewijs voor me dat ik gelijk had over alle vernederingen die ik had doorgemaakt en de leugens die ik had verteld. Omdat al die klootzakken van de *Wall Street Journal* Vince Foster net zo duidelijk vermoord hadden als wanneer zij de trekker hadden overgehaald. Die godverdomde, racistische Neanderthalers, die holbewoners, die conservatieve griezels die hun vuile vod van een commentaar hadden geschreven. Toen ze dat grove en valse commentaar over hem schreven, verliet Vince een politiek die hij als te smerig beschouwde om er onderdeel van uit te willen maken. Het was karaktermoord en het was alsof Vince zei: 'Schijt aan jullie! Willen jullie mijn karakter? Ik zal jullie mijn lichaam geven! Ik zal jullie dwingen te zien wat je hebt aangericht!' Mijn schitterende Vincenzo Fosterini, altijd aanwezig voor me op welke manier ik ook maar wilde. En nu hadden ze hem naar de barbaarse jungle, uit het Witte Huis gesleept, de krachten van de duisternis die ik zo lang had bevochten, de krachten die in toom gehouden moesten worden – als het Amerika waarin ik met elke cel van mijn lichaam geloofde zou overleven.

Toen dezelfde commentaarpagina in dezelfde *Wall Street Journal* het verhaal van de vermeende verkrachting van Juanita Broaddrick bracht, was ik niet verbaasd. Het was bijna morbide grappig. Ze noemden me de laatse communist en het was het ultieme symbool van het kapitalisme, de *Wall Street Journal*, dat mij het diepst verwond had, niet slechts eenmaal maar tweemaal.

Ik weet niet wat ik moet zeggen over Juanita Broaddrick. Ik vind het bijzonder moeilijk, zo niet onmogelijk, om over haar te praten. Ik wist al in Arkansas wat de mensen fluisterden en hij ontkende het als altijd. Ik denk dat ik de confrontatie daarmee altijd uit de weg ging, totdat ik haar video op televisie zag. Ik gaf daarna over. Ik voelde me alsof ik een douche wilde nemen, maar ik wist dat dat niet zou helpen. Ik wist in het diepst van mijn hart dat ze de waarheid vertelde. Ik zat alleen in een kamer en dacht eraan dat ik datzelfde ding in me had gehad als hij in haar gedwongen had. En ik had het in me gewild en had zelfs geprotesteerd toen hij het daar niet in stopte. En nu was hij mij op de nationale televisie in een groteske, lelijke rol geopenbaard... een martelinstrument. Niettemin was het ook het instrument dat Chelsea had voortgebracht.

Ik vroeg me af hoe dat mogelijk was. Een stuk vlees dat zowel martelend leed als de grootste vreugde, zowel lijden als vreugde kon veroorzaken. Ik wist dat ik het niet meer in me wilde. Nee, dat klopt niet: ik wist dat ik het nooit meer zou toestaan binnenin me te komen. Het was een gedachte waarvan ik wist dat die tegelijkertijd hypothetisch en diep droef was, omdat ik wist dat hij hem niet eens binnenin me *wilde* steken. Dit zou hem bevrijden van de pijnlijke verplichting die hij een of twee keer per jaar voelde. De pijn die ik voelde om wat hij gedaan had met Juanita Broaddrick... de pijn die nu de meest intieme haat jegens welke man dan ook zou veroorzaken... zou hem waarschijnlijk een gunst bewijzen. Hij hoefde niet meer zijn jaarlijkse poppenkast met mij op te voeren.

Soms vraag ik me af wat er gebeurd is met de jongen op Yale op wie ik verliefd werd. Andere keren vraag ik me af of ik hem gewoon niet goed begrepen heb – wellicht was hij altijd al zo en zag ik dat gewoon niet. Ik geloofde dat hij een innerlijk leven had, een geestelijk leven dat zich zou verdiepen en in de loop der jaren wortel zou schieten. Ik wist niet dat zelfs de woorden *verdiepen* en *wortel schieten* voor mij een goedkope, vunzige grap zouden worden, een wreed exacte dubbelzinnigheid. Ik weet niet waarom ik niet zag dat de jongen die ik op Yale tegenkwam een man zou worden die niet in zijn geest maar alleen in zijn pik geïnteresseerd was, die zijn vrije uren niet besteedde aan de klassieken maar aan telefoonseks, wiens idee van genieten van de natuur bestond uit de bosjes in springen met een of ander slet.

Ik herinner me de dag dat hij me *Leaves of Grass* gaf en hoe we elkaar wekenlang coupletten hebben voorgelezen. En ik herinner me de dag dat ik hoorde dat hij het boek ook aan de stagiaire had gegeven. En in de jaren tussen het moment dat hij mij mijn geliefde, in leer gebonden boek gaf en het moment dat hij de stagiaire haar exemplaar gaf, ging er in mijn man iets stuk, dat verbrandde. *Denk ik*. Of was het gewoon beide keren een truc, een kleinigheid om mij... en haar... een goed gevoel over hem te geven. Wellicht dat toen hij mij dat boek gaf en toen hij het aan haar gaf... dat hij niets anders deed dan antwoorden op een interne overweging in zijn ego: ik geef ze wat gedichten. Vinden ze wel fraai.

Ik heb niet veel mensen met wie ik kan praten nu Vince er niet meer is. Mijn moeder is te oud en Chelsea te jong om over de meeste van dit soort dingen te praten. Ik gooi mezelf in de strijd om een Senaatszetel. Wie weet? Mogelijk zit ik op een intiem moment in mijn privé-werkkamer met een jonge stagiaire en vertel ik hem of haar dat er in mijn leven niets anders is dan mijn werk. Ik heb vaak buiten gewerkt en ik voel me meestal goed over mijn haar. Dat wordt eens tijd, nietwaar? Het is leuk om 'koninklijk' en 'aantrekkelijk' genoemd door de media en ik houd ervan om 'de Eerste Vrouw van

Miramax' te worden genoemd. *Ha!* Men dacht altijd dat Hollywood *zijn* stek was. Tussen de race om de Senaat en zijn reizen en die van mij zien we elkaar zeker niet veel meer en we praten maar af en toe. Wat moet ik in Godsnaam tegen hem zeggen – hé, klootzak, heb je *Leaves of Grass* de laatste tijd nog gelezen? Ik weet waar hij mee bezig is omdat ik alles weet. Hij speelt met zichzelf – wat denk je dan?

Ik praat op mijn eigen manier veel met Eleanor. Ze haalde me over me in haar thuisstaat verkiesbaar te stellen. Alles wat ik doe is doorgaan met dezelfde strijd die zij is begonnen. God weet dat ik voel dat we veel dingen gemeen hebben, hoewel ik haar om de intimiteit van de relatie met Lorena benijd. Ik heb op dit moment geen Lorena in mijn leven, maar wellicht komt dat nog. Eleanor en ik praten veel over Bill en Franklin. Het is grappig hoe de stagiaire zelfs naar zichzelf verwees als Lucy Mercer in dat krabbeltje dat ze Bill stuurde. En de meeste mensen weten niet dat Bill zich ook altijd werkelijk verwant heeft gevoeld met FDR, voornamelijk door zijn vriendschap met Jim McDougal, die FDR verafgoodde en altijd verhalen over FDR vertelde. En natuurlijk is er nog een ander verband: Bill, de ziel, vertelde Gennifer dat ik lesbisch was en Eleanor was dat werkelijk een groot deel van haar leven. Een lesbiènne met een achter de vrouwen aanzittende man die haar gebruikte om een troep kinderen te fokken en vervolgens niets intiems meer met haar deelde. Dat zijn ze dan, de rolmodellen van Bill Clinton: JFK en FDR. Het verbaast me dat Bill niet met twee pikken is geboren.

Eleanor vertelde me een tijdje terug in het solarium een verhaal waar ze erg om moest lachen. Ze confronteerde Franklin met Lucy en Franklin beloofde met haar te kappen. Toen ontdekte ze dat er geheime bijeenkomsten waren. FDR en de geheime dienst reden hem elke dag de hele stad door in zijn limousine. En Lucy stond vervolgens op te wachten op een of andere vooraf gekozen straathoek. Ze sprong dan in de auto en deed wat hij leuk vond en vervolgens zette de geheime dienst haar af op een andere straathoek, vanwaar ze een bus nam om naar huis te gaan. Ik heb er echter niet veel om gelachen. Ik herinnerde me Bills jog-partijen rond het Statenhuis in Little Rock en rond het winkelcentrum, hier vlakbij het Witte Huis.

Ik dacht net aan iets. Dit maakt me *werkelijk* aan het lachen. Toen Bill en ik trouwden, was de naam van de dominee... dominee Nixon. Ik maak geen grapje. Met duizenden dominees om uit te kiezen kozen we Nixon om ons huwelijk in te zegenen. Is dat niet grappig? We legden onze geloften af voor God en Nixon.

(14)

Willard gooit het eruit

Billy houdt niet van Hilla de Hun. Heeft hij ook nooit gedaan. Hij houdt van *mij*. Hij heeft altijd van me gehouden, vanaf de tijd dat we allebei klein waren. Toen zijn ouders ruzie maakten en hij huilend en totaal van streek een andere kamer in rende, was *ik* de enige die bij hem bleef. Hij raakte me aan en speelde met me. Alleen *ik* kon hem vrede geven. Alleen *ik* kon hem troosten en zijn angst temperen. Alleen *ik* kon zorgen dat hij zich goed voelde over zichzelf. Toen hij opgroeide en plotseling dik werd, kon alleen *ik* hem ervan overtuigen dat hij zijn buik moest kwijtraken. Hij *wilde* naar beneden kijken en me zien en met me spelen. Maar hij kon me niet zien door zijn buik. Vervolgens kwam hij er vanaf en kon ik naar hem kijken en kon hij naar mij kijken. We spelen nog steeds op dezelfde manier nu we zo *groot* geworden zijn! Voor het interview in *60 Minutes*, voor zijn verschijning in de rechtszaal, voor zijn toespraak van de State of the Union, speelt Billy met *mij* en geef *ik* hem dezelfde innerlijke vrede die ik hem gaf toen we klein waren.

Ik was zijn vriend toen er geen andere vrienden waren. Hij weet dat, zelfs vandaag de dag. Hij is soms zo trots op me, hij overdrijft het. Kathleen Wiley, Dolly Kyle, Monica – hij legde hun handen meteen op mij. Hij zei: 'Kus hem!' slechts een paar minuten nadat hij Paula Jones had ontmoet. Het is goed voor mijn zelfvertrouwen, weet je, niet dat ik ooit veel problemen heb gehad met mijn zelfvertrouwen. Zelfs toen we samen klein waren, hadden Billy en ik veel plezier met meisjes. Tinkerbel. Sneeuwwitje. Natasha in *Bullwinkle*. De barbiepop van zijn nichtje. Suzy de dolfijn. Al die vrouwelijke slaven in *De tien geboden.*

Billy heeft me mijn hele leven hard laten werken, maar moe ben ik niet. Ik ben nooit werkloos geweest. Ik heb altijd veel staan-en-gaan gehad. Hij heeft nooit haaienvinnensoep of alruinwortel of neushoornhoorns hoeven te eten. Ik heb altijd voor zijn gezondheid gezorgd. Mijn activiteit heeft zijn prostaat gezond gehouden en de oefeningen die ik hem geef, helpen het schadelijke effect te verminderen van al die verzadigde vetzuren waarmee hij zichzelf vaak vergiftigt.

Maar toch, de aandacht die hij me schenkt is fraai. Voedend. Activerend. Versterkend. Geruststellend. Hij stelt me ook op een andere manier gerust. Heb je ooit gemerkt hoe Billy vaak zijn handen in zijn zakken houdt? Ik ben zijn talisman. Zijn geluksstuiver. Zijn rozenkrans. Zijn begrip van realiteit. Hij neuriet soms zelfs zachtjes liedjes voor me – 'I Can't Stop Loving You' en 'You're My Soul and Inspiration' en 'Please Please Me' en 'Mama Told Me Not To Come.' 'Captain Jack' van Billy Joel is zijn favoriet. Hij behandelt me met gevoel. Hij probeert me nooit in te perken en geeft me ruimte om te ademen. Geen condooms. Geen strakke korte bikinibroek – meestal wijde onderbroeken. Billy kan hele massa's verleiden, maar hij weet uit ervaring dat hij mij nodig heeft als we naar huis gaan. Als Hilla naar een andere kamer gaat. Wanneer het alleen gaat om Billy en *K-Y jelly* en mij.

Billy en ik hebben pret in het leven. Veel van mijn kompanen, zo weet ik, worden alleen blootgesteld aan duisternis. Aan toiletten, urinoirs, lakens, ondergoed of vagina's. Ik heb veel van de verlichte wereld gezien. Ik heb het Oval Office gezien, de privé-werkkamer, de foto's van Billy aan de muren in het kantoor van Nancy Hemreich. Ik heb de denderende branding van Malibu uit veel verschillende hoeken gezien. Ik heb bijna alle kamers van de gouverneurswoning in Little Rock gezien, met name de kelder. Ik begon hoteldecors te bestuderen, dankzij vakanties en fondsenwervings-evenementen buiten de stad, Lodewijk XIV nachtkastjes in Beverly Hills, Bloomfield Hils en de Hamptons. Ik heb bijna net zo veel zon gezien als Billy, met name rond de Ozarks. Ik presteer meer dan verwacht wordt van een ding dat met een air van grandiositeit naar buiten wordt gehaald.

Ik heb de voordelen van mijn succes genoten. Maar ik was er ook in slechte tijden. Tijdens zijn adolescentie, toen ik vreesde dat hij en zijn vriendin Vijf Vinger Maria me bij de wortel zouden uitrukken. In Arkansas en Oxford, toen ik er zeker van was dat ik het zou besterven door overwerk en overmatige blootstelling. Billy en ik maakten geen onderscheid in die gelukkige dagen. We sloten onze ogen en dachten aan varkenshouderijen. We trokken een vlag over haar hoofd en deden het voor Betsy Ross. Ik bleef denken aan wat zijn moeder had gezegd toen we jongens waren: 'Dat kleine meisje daar is zo lelijk, we moeten een varkenskarbonade rond haar nek binden om de jongens met haar te laten spelen.'

De jaren in Oxford waren onze jaren van 'We Shall Overcome'. Ik bleef zeggen: 'Totaal niet. Nooit.' We brachten veel van onze tijd door met onze aparte manieren om tegen de oorlog te protesteren. McNamara zat fout wat betreft de 'progressief escalerende druk' om de Vietcong te verslaan, maar Billy gebruikte me om het principe tot onze wederzijdse voldoening toe te passen. De Vietnam-affaire leidde tot veel affaires in Oxford. 'Peace Now!' bleef Billy nobel schreeuwen en die domme, ongewapende Engelse meisjes spelden het woord verkeerd of hoorden het verkeerd. Ik gloeide in die dagen alsof ik fluorescerende verf droeg.

Ik was er ook in de andere slechte tijden. In het Witte Huis, toen Billy me alleen maar wilde laten likken door Monica van de verkeerde leeftijd. Ze wilde hem likken met wat ijs op haar tong, om me de rillingen te geven. Ik kon Billy er nooit van overtuigen mij mijn gang te laten gaan binnenin Monica, om haar mijn onvoorwaardelijke, rubberloze liefde te geven. Maar hij liet uiteindelijk toe dat ik me kon uitleven in een onfatsoenlijke, opdringerige vloed. Dat leidde ertoe dat Monica het gevoel kreeg dat ze half van me afhankelijk was.

En dat, helaas, leidde tot de slechtste tijden van allemaal, toen Billy en ik op de voorpagina stonden en in het avondnieuws kwamen. De hele wereld praatte niet alleen over hem maar ook over mij. Het had een tijd van triomf voor mij moeten zijn, eindelijk publiciteit waarin ik kreeg wat me toekwam. Mijn ultieme macht! Maar het was de slechtste periode omdat Billy bijna bang was om me aan te raken! Het was zoals toen we kinderen waren en hij door een fase van bijbellezing ging. Onan, zo liet hij mij weten, werd ter dood gebracht omdat hij zijn zaad op de grond verspild had. Maar hij realiseerde zich snel dat ik veel leuker was dan hoofdstukken en verzen.

Hij was nu opnieuw bang, zelfs als we alleen waren, zelfs als ik in zijn broekzak groeide. Ik wist dat dit een overreactie was op alle predikers en de voetbalmoeders, maar hij behandelde me alsof ik er zelfs niet meer was, niet met hem verbonden was. Ik was bang dat hij bang was dat Hilla zijn lakens of zijn ondergoed op tekenen van mijn leven zou controleren, zoals zijn grootmoeder ons had gecontroleerd toen we half-volgroeid waren. God zij gedankt voor Carly Simon! De slechtste der tijden eindigde voor mij in het midden van onze internationale crisis, toen we Carly Simon op het vliegveld van Martha's Vineyard omhelsden. Billy herontdekte me uren na die omhelzing.

Ik weet ook dat ik uitermate gelukkig ben met wat Billy heeft gekozen om aan de kost te komen. Hij is een sociaal persoon die andere mensen verleidt om op hem te stemmen. Als er ook iets voor mij uit voortkomt, wel, dan krijgt hij nog steeds een stem, nietwaar? Hij besliste dat hij president wilde zijn, gelukkig, en geen *football*-ster. Hij gaat niet elke weekend naar buiten om mij een pak rammel te laten verkopen. Cup of geen cup, het doet wel pijn. Hij geeft er de voorkeur aan om de edele delen van anderen in elkaar te zien slaan. Ik heb er geen bezwaar tegen om dat te zien. Billy en ik zijn het eens. Een bed is veel beter dan een *football*-veld. Ik scoor. Hij gromt. Zij krijst. Wij winnen. En gaan samen weg naar ons Disney World.

Ik ben ontbloot voor veel waardevolle mensen. Ik houd ontzettend van het woord *waardevol*. Dit is wat Gennifer haar geïnternaliseerde *ik* noemt, haar begraven kleine honingpot, haar verborgen gevoelens. Om de waarheid te zeggen was Pookie de meest waardevolle die ik tegen ben gekomen. Pookie wilde me levend opeten. Billy ging ondergoed met haar kopen en ik begon me instinctief grandioos te voelen.

We zijn altijd gek op kleren geweest. Riemen. Stringbikini's. Monokini's. Hot pants. Gympakjes. Damesondergoed. Natte T-shirts. Armsgaten. Korte gulpen. Hondenriemen. Hij liet Pookie in bed ronddwalen met haar witte nachtpon en jarretelgordels. De hele tijd dat zij dit deed, hield hij mij vast alsof ik een slang op speed was. Toen liet hij mij indringend los binnen haar kostbare delen en voelde ik me obsessief, dwangmatig grandioos.

De dingen die gebeurden tussen haar kostbare delen en mij kwamen neer op een monstrueuze onfatsoenlijkheid. Geloof me wat dit betreft niet op mijn woord: kijk maar naar wat er gebeurde met Pookie na mij en Billy. Pookie ging verder met een totale lichaamservaring bij een *wereldkampioen rodeorijden*, Larry Mahan, die beslist wist wat een goed ritje was. Dat was *nadat* zij rijpartner Evel Knievel verliet, die eraan gewend was Harley-motoren tussen zijn lendenen energie te geven. Toen trouwde ze een man die Finis Shellnut – geen grapje, werkelijk – heette en wiens *willard* zij 'Big Tex' noemt.

Maar Pookie kwetste me toen zij alles openbaar maakte. Ze praatte over het 'oververhitte oogcontact' van Billy en hoe ze van Billy's lippen hield, met name 'de manier waarop de onderste lip naar de kant trok als hij sprak.' *Sprak?* Met Pookie, Billy en mij ging het niet om 'spreken'. Het draaide niet om lippen. Het ging niet om Pookie en Billy. Het ging om *mij*.

Het ging om het oververhitte één-oogcontact dat *ik* met haar kostbare delen had. Zoals zij het vertelde, ging het over het kanten ondergoed dat ze droeg en de geparfumeerde kandelaars in de kamer. Daar ging het totaal niet om. Het ging om *mij, mij, mij* en de kostbare delen van Pookie. Ik adoreerde de kostbare delen van Pookie! Ik kon niet genoeg krijgen van de kostbare delen van Pookie! Ze waren het paradijs! Nu, helaas, het verloren paradijs.

Billy maakte me een tijdje bang met Hilla, maar ik kreeg snel door dat hij de Hun voor zichzelf wilde, niet voor mij. Zelfs toen hij met haar verloofd was, pleegden we bedrog met de kostbare delen van iemand anders en met de kostbare delen van een derde; we leidden een kostbaar leven... Ik vond het niet erg dat hij Hilla meestal van mij weghield. Ik voelde in mijn haarvaten dat Hilla me niet mocht. Ze zat vol vijandigheid ten opzichte van mij. Mijn interesse om innerlijke therapie met haar te doen was nul. Ik geloofde dat zij mij zag als een soort noodzakelijke en traumatische zelfbestraffing.

Ik had gewoon niet het gevoel dat ik in haar hoorde. Het was een droge en koude plek. Ik voelde dat ze altijd een verborgen agenda had en er niet in geïnteresseerd was haar onderliggende zaken te onderzoeken. Ik bleef me zorgen maken dat ze me op de een of andere manier pijn zou doen. Maar Billy leek dit ook te voelen en gebruikte me niet meer dan twee tot drie maal per jaar. Wellicht, om je de waarheid te vertellen, is het probleem dat de kostbare delen van Hilla een eigenwaarde hadden die even groot is als de mijne. Wellicht wilden Hilla's kostbare delen precies dezelfde aandacht die Billy mij in de loop de jaren aangewend had. Wellicht wilden Hilla's kostbare delen mij zijn met mensen die voor *haar* voeten knielen.

En dan was er Monica. Ik geloof dat, als het allemaal anders was gelopen, ik veel pret met haar had kunnen hebben. Een vrouw uit Beverley Hills, weet je. Oranje ijsvleugels. Zijden sjaals. Handboeien. Spiegels. Poppers. Altoids. Vieze moppen. Al dat soort dingen. Wellicht een Pookie in training. Het babyvet en de helm weg en er dansten visioenen van vleierijen, ijs en heet kaarsvet in mijn hoofd. Ze was een jonge vrouw met schitterende interpersoonlijk, onfatsoenlijk potentieel. Ik mocht Monica, zoals ze daar poedelnaakt met alleen haar laarzen aan stond. Ik mocht haar vleespotlippen. En Billy vond, weinig verrassend, haar tieten leuk.

Billy en zijn voorliefde voor ballongrote jakabam-toeters. Toen we kinderen waren, werden we opgewonden door perziken, tomaten, cantaloups en aubergines. Naar de groentenboer gaan betekende altijd dat het ondergoed verschoond moest worden. Een meloen betekende een orgie. In die dagen hoefde hij maar iets te zien, *wat dan ook*, en ik probeerde uit zijn broek te springen. Een grote sappige tomaat. Een vreemde biefstuk. De geur van verse meerval. De rondingen van een Cadillac. De carburator van een Cadillac. Courtisanes op weg naar de kerk in Hot Springs. De dochter van de dominee in Hot Springs. De vrouw van de dominee in Hot Springs. De geur van regen in Hot Springs. *Wat dan ook.* Het maakte niet uit, en Bill en ik gingen spelen. Schitterende dagen. Een leuke tijd. Veel lachen. Veel douches. Veel ondergoed.

Niet zoals nu, nu ze me overal kleineren en ik me voor het eerst in mijn leven zorgen maak om mijn gevoel voor eigenwaarde. Ze zeggen dat ik te klein ben en wijzen erop dat Maria Maples die van Donald 'Trump Tower' noemt. Wel, ik ben niet klein. Ik ben geen object van twee meter dat rondgedragen wordt door Shinto-priesters of een van die Jamaicaanse purperen klimplanten of Long Dong Silver. Maar afgaand op was Truman Capote zei, ben ik vermoedelijk groter dan die van Jack of Bobby... maar niet zo groot als die van LBJ, die hem 'jumbo' noemde. Ze fluisteren lasterlijk over pukkels en wratten en God weet welke met pus gevulde gevalletjes. Ze maken van me een soort Frankensteinpenis met een bochel aan de ene kant of met een bultrug.

Ik moet over mijn vermeende kwellingen horen op praatprogramma's op de radio. Kun je je voorstellen dat je *mij* zou zijn en over jezelf op de radio hoort spreken? (Roem heb ik nooit gewild – om te worden tentoongesteld in het Smithsonian, zoals die van John Dillinger, om in een fles bewaard te worden en verkocht zoals die van Napoleon). Ze beschuldigen mij ervan dat ik een tatoeage van Winnie de Pooh draag, zoals Michael Jackson, of dat ik omgeven ben door een pomp, zoals die ster uit actiefilms. Vunzige leugens. De politiek van persoonlijke destructie tot een nieuw hoogtepunt of laagtepunt gevoerd (afhankelijk van mijn stemming).

Alsjeblieft! Ik ben gezond en geheel Amerikaans! Ik ben altijd gebruikersvriendelijk, voor gelijke kansen, met een wereldoriëntatie en alles-inclusief geweest. Ik kom uit Arkansas, in Godsnaam! Ik weet dat Billy soms doet alsof ik uit Missouri kom, de 'Show Me'-staat. Maar dat is niet waar. Ik heb geen puisten of wratten. Ik draag geen Disney-tatoeages. Ik heb geen enkele pomp. Billy hoeft niet de kreunen 'Knijp in me! Knijp in me!' om mij te laten staan van je eentwee... Ik ben door dit alles getraumatiseerd. Wellicht moet Billy een warme en vriendelijke (en vochtige) ondersteuningsgroep vinden om me te helpen.

Ook hij heeft me pijn gedaan. Niet op *die* manier – ik ben er aan gewend dat hij me aanraakt. Ik ben zijn tempo gewend. Maar door zijn woorden en door die ene, onvergetelijke schendende daad. Waarom moest hij over mij praten als over een versleten oud orgaan, dat alleen in staat is twintig keer per dag te plassen? (Zelfs dat zou mijn fout niet zijn. Het is niet leuk om gij-zelaar te zijn van je prostaat.) Waarom moest hij mij vernederen door de si-gaar te steken waar ik zo graag in wilde gaan? Waarom stond hij de sigaar en niet mij toe totaal te zijn met de totaliteit van Monica?

Ik was ontritst, extern gemaakt, keek naar wat hij deed. Waarom hield hij mij niet achter de rits in plaats van mij zo oneerbiedwaardig te laten kwijlen bij het zien van de sigaar binnen het object van mijn gezwollen emoties? Waarom dwong hij mij te kijken hoe hij de sigaar daar plaatste, zoals hij later Monica dwong om te kijken toen hij mij boven die grof ongepaste sperma-bank van een wasbak hield? Wat een verschrikkelijke, kwetsende daad voor je meest dierbare en oudste vriend, die je *nooit* in de steek gelaten heeft, die bij elke gelegenheid voor je klaarstond, zelfs in die uitdagende jaren in Oxford, toen ik slaap tekort kwam, maar *altijd* grandioos functio-neerde.

Zelfs al is dit zo, ik had medelijden met Billy toen onze oude en dierbare vriendschap zo harteloos naar buiten gebracht werd. Ze noemden hem een 'masturbator', alsof het iets slechts was, en niet de basis van onze weder-zijdse liefde. 'Masturbator' vond ik niet onplezierig. Ik had het gevoel dat het een eerbetoon was aan hoe ik hem in mijn greep had en hoe hij mij in zijn greep had. Maar toen begonnen ze hem ook een 'musterbator' te noe-men – een chronische masturbator en een chronische *musterbator*: de psychologische term voor een man die moet slagen in alles, wil hij niet ge-voel van eigenwaarde verliezen. Toen gooiden ze het over zo'n boeg om het er te laten uitzien dat deze musterbatie, niet *ik*, de oorzaak was van alle pret die we samen hadden. Alsof Billy een geestelijke afwijking van het een of ander had. Alsof er een beschadigd deel van zijn hersenen bestond en niet ik hem op zoek liet gaan naar andere kostbare delen waarmee hij mij zou kunnen plagen.

Ik voelde me opnieuw gekleineerd, maar ik dacht: wees eerlijk. Denk aan Billy. Hoe zou jij het vinden als je door de hele wereld gezien zou worden als een masturberende musterbator of een musterberende masturbator? De psychs bleven maar doorgaan, ze praatten over Billy's behoefte aan ont-houding (nooit!), revalidatie (dan zouden we nog steeds elkaar hebben) en een groot aantal twaalf-stappenprogramma's. Commentatoren schre-ven zelfs over twaalf-stappenprogramma's waarvoor hij perfect was, pro-gramma's van 'de bovenkant naar beneden en de onderkant naar boven'. (Ik houd van bovenkanten naar beneden en onderkanten naar boven.) Zelfs de progressieven praatten over twaalf-stappenprogramma's, zelfs zulke ontoepasselijke mensen als Gary Hart en Bob Packwood.

Ik heb geprobeerd Billy op elke manier waarop ik kon op te vrolijken. Ik heb hem advies gegeven: pak hem beet, Billy!... Je kunt een goede man niet neerhouden, Billy!... De dag van zijn leven voor de hond, Billy!... Win er een voor de Gulp!... Masturbatie nu! Masturbatie morgen! Masturbatie voor eeuwig!... Geef me de vrijheid of de dood!... Spreek zacht en draag me!... Ik heb geen dwars handvat!... *Ich bin ein* klein pistool met groot kaliber!... Niemand durft dit leuk te noemen!.... Knijp de Charmeur!... In je hart weet je dat ik gelijk heb!... Zeg gewoon ja!

Ik begon zelfs te rappen om hem op te vrolijken en hem er aan te herinneren dat we voor elkaar geschapen waren:

You make a speech, I pluck a peach
You tell a lie, I poke your fly
You campaign, I leave the stain
You sleep with Hilla, I need a pilla
Gennifer Flowers, I'm hard for hours
You want fame, I want a dame
You want glory, I want whorey
You like to think, I like kink
You like politics, I like licks
You like power, I like to deflower
You're a coward, I'm empowered
You're a Lefty, I'm hefty
You're a boomer, I boom her
You're alone, I'm a bone
You're a hick, I'm a prick
Your hunger makes me plunder
Your smile make me grow a mile
Your hand is the Promised Land

You take a flight for a foreign land
For twelve long hours I'm in your hand
And when our trip is finally done
I've left my mark on Air Force One
For better or worse, it's me and you
So stop feeling so low-down blue
We're gonna be together on our dying day
Forever and ever in yout hand I'll stay
You think you've got me in your hand
But I'm the one who's in command.

'Ik heb hier de touwtjes in handen,' zei generaal Al Haig, beter bekend als Alexander de Kleine, toen *zijn* Billy, Ronald Reagan, gewond raakte door de politiek van persoonlijke vernietiging. *En voor mij geldt dit werkelijk!*

Ik ben de zoekmachine, zijn intercontinentale geleide lange-afstandsraket, zijn Sears-toren, zijn robijnrode slippers, zijn Hope-diamant, zijn eeuwige vlam, zijn rozenknop... zijn Heer.

Ik ben zijn bananenschil, zijn rokende pistool, zijn Mannlicher Carcano geweer, zijn Kathy Smith-sneltrein, zijn John Dean, zijn Bruno Magli-schoenen, zijn Dodi Fayed, zijn Mark Chapman... zijn noodlot.